ULLI ROTH

SUCHENDE VERNUNFT

DER GLAUBENSBEGRIFF DES NICOLAUS CUSANUS

ASCHENDORFF MÜNSTER

BEITRÄGE ZUR GESCHICHTE DER PHILOSOPHIE
UND THEOLOGIE DES MITTELALTERS

Texte und Untersuchungen

Begründet von Clemens Baeumker
Fortgeführt von Martin Grabmann und Michael Schmaus

Im Auftrag der Görres-Gesellschaft
herausgegeben von Ludwig Hödl und Wolfgang Kluxen

Neue Folge
Band 55

D 25

Gedruckt mit Unterstützung
der Görres-Gesellschaft zur Pflege der Wissenschaft

© 2000 Aschendorffsche Verlagsbuchhandlung GmbH & Co., Münster

Gesamtherstellung: Druckhaus Aschendorff, Münster, 2000

Gedruckt auf säurefreiem, alterungsbeständigem Papier ∞

ISBN 3-402-04006-9

[...] unde omnis doctrina Christi est:
Si vis attingere id, quod cupis, crede te
attingere posse et fac, uti ratio dictat.

Nicolaus Cusanus, *Sermo* CXXIX

Vorwort

Die vorliegende Arbeit wurde im Sommersemester 1998 von der Theologischen Fakultät der Universität Freiburg i. Br. als Dissertation angenommen. Einem und vielen habe ich meinen Dank auszusprechen.

Vor allem habe ich meinem Doktorvater, Herrn Prof. Dr. Peter Walter, zu danken, der mich bereitwillig in seinen Doktorandenkreis aufnahm, vielfältig unterstützte und mir an einem entscheidenden Punkt den rechten Mut zu machen verstand.

Mein Dank gilt auch Herrn Prof. Dr. Klaus Jacobi, der nicht nur das Korreferat übernommen, sondern mich während meines Philosophiestudiums immer wieder auf unkomplizierte Art unterstützt hat.

Danken will ich ebenfalls denjenigen, die mich durch meine Studienzeit hindurch begleitet haben. Von den akademischen Lehrern seien namentlich Herr Privatdozent Dr. Dr. Bernhard Uhde, der mir manchen Schlüssel mit auf den Weg gegeben hat, sowie Herr Prof. Dr. Charles Lohr, in dessen Seminar im Sommer 1995 mir die Idee zu dieser Arbeit kam, erwähnt.

Ebenso denke ich natürlich an die Weggefährten, die mich bisher durch Studium und Leben begleitet haben, besonders Dr. Karlheinz Ruhstorfer und Dipl.-Theol. Franz-Josef Glanzmann sowie die fleißigen Korrektoren, Frau Regina Meier und Dr. Michael Becht.

Diese Arbeit wäre wohl kaum bis zur Drucklegung gediehen, wenn ihr nicht unter die Arme gegriffen worden wäre. Besonderen Dank schulde ich dem Cusanuswerk für die materielle und ideelle Förderung durch die Gewährung eines zweijährigen Stipendiums. Die Mitarbeiter des Cusanus-Institutes in Trier standen mir bei der Materialsuche oder Nachfragen stets interessiert und hilfsbereit zur Seite. Herr Prof. Dr. Ludwig Hödl und Herr Prof. Dr. Wolfgang Kluxen nahmen meine Arbeit in die Reihe der „Beiträge zur Geschichte der Philosophie und Theologie des Mittelalters" auf, und die Görres-Gesellschaft übernahm die Kosten der Drucklegung.

Ihnen allen schulde ich sehr viel, am meisten aber doch denjenigen, denen diese Arbeit gewidmet sein soll: meiner Familie.

Rosna, im Januar 1999   U. R.

Inhaltsverzeichnis

Zweiter Hauptteil: Der Glaube in späteren Werken

Dritter Hauptteil: Der Glaube im Predigtwerk

Abkürzungsverzeichnis

a.	articulus
BGPhMA	Beiträge zur Geschichte der Philosophie des Mittelalters, Münster 1891ff.
BGPhThMA	Beiträge zur Geschichte der Philosophie und Theologie des Mittelalters, Münster 1928ff.
BGPhThMA. NF	Beiträge zur Geschichte der Philosophie und Theologie des Mittelalters. Neue Folge, Münster 1970ff.
c.	corpus articuli
cap.	capitulum
CChr. SL	Corpus Christianorum seu nova Patrum collectio. Series latina, Turnhout 1953ff.
CSEL	Corpus scriptorum ecclesiasticorum latinorum, hrsg. von der Wiener Akademie der Wissenschaften, Wien 1866ff.
CT I	Cusanus-Texte I. Predigten, Heidelberg 1929ff.
CT II	Cusanus-Texte II. Traktate, Heidelberg 1935ff.
CT III	Cusanus-Texte III. Marginalien, Heidelberg 1940ff.
CT IV	Cusanus-Texte IV. Briefwechsel des Nikolaus von Kues, Heidelberg 1942ff.
d.	distinctio
fol. ^{r}	folio recto
fol. ^{v}	folio verso
FS	Festschrift
h	Nicolai de Cusa Opera omnia iussu et auctoritate Academiae Litterarum Heidelbergensis ad codicum fidem edita, Leipzig 1932ff., Hamburg 1959ff.
introd.	introductio
lect.	lectura
MFCG	Mitteilungen und Forschungsbeiträge der Cusanus-Gesellschaft. In Verbindung mit dem Wissenschaftlichen Beirat der Cusanus-Gesellschaft hrsg. von Rudolf Haubst, Klaus Kremer und Klaus Reinhardt, Mainz 1960-1986, Trier 1988ff.

MOG	Raymundi Lulli opera omnia, hrsg. v. Salzinger, Ivo, 8 Bde. (I-VI, IX-X), Mainz 1721-1742 (Nachdruck Frankfurt 1965)
N.	Nummer
obj.	objectio
op.	opus
OTh	Opera Theologica
p	Nicolai Cusae Cardinalis opera, hrsg. v. Jacobus Faber Stapulensis, 3 Bde., Paris 1514 (Nachdruck Frankfurt 1962).
PL	Patrologiae cursus completus. Series latina, hrsg. v. Migne, Jacques-Paul, Paris 1844-1855.
prol.	prologus
q.	quaestio
ROL	Raimundi Lulli opera latina, hrsg. v. Stegmüller, Friedrich u. a., Bd. 1-5 Palma de Mallorca 1959-1967, Bd. 6ff. Turnhout 1975ff.
Scg	Summa contra gentiles
STh	Summa Theologiae
V_1	Codex Vaticanus Latinus 1244, Vatikanische Bibliothek, Rom.
V_2	Codex Vaticanus Latinus 1245, Vatikanische Bibliothek, Rom.
Z.	Zeile

Quellen- und Literaturverzeichnis

I. QUELLEN

1. Werke des Nicolaus Cusanus

a) *Handschriftliche Quellen*

Codex Cusanus 83, Bibliothek des St. Nikolaus-Hospitals, Bernkastel-Kues
Codex Cusanus 220, Bibliothek des St. Nikolaus-Hospitals, Bernkastel-Kues
Codex Vaticanus Latinus 1244, Vatikanische Bibliothek, Rom (= V_1)
Codex Vaticanus Latinus 1245, Vatikanische Bibliothek, Rom (= V_2)

b) *Editionen und Übersetzungen*

Nicolai Cusae Cardinalis opera, hrsg. v. Jacobus Faber Stapulensis, 3 Bde., Paris 1514 (Nachdruck Frankfurt 1962)
Nicolai de Cusa Opera omnia iussu et auctoritate Academiae Litterarum Heidelbergensis ad codicum fidem edita, Leipzig 1932ff., Hamburg 1959ff.

Verzeichnis der benutzten Cusanus-Texte

Cusanus-Texte I. Predigten:

1. „Dies sanctificatus" vom Jahre 1439, hrsg. v. Hoffmann, Ernst, und Klibansky, Raymond [= Sitzungsberichte der Heidelberger Akademie der Wissenschaften, Philosophisch-historische Klasse 19 (1928/29) 3. Abh.], Heidelberg 1929
2-5. Vier Predigten im Geiste Meister Eckharts, hrsg. v. Koch, Josef, und Teske, Hans [= Sitzungsberichte der Heidelberger Akademie der Wissenschaften, Philosophisch-historische Klasse 27 (1936/37) 2. Abh.], Heidelberg 1937
6. Die Auslegung des Vaterunsers in vier Predigten, hrsg. v. Koch, Josef, und Teske, Hans [= Sitzungsberichte der Heidelberger Akademie der Wissenschaften, Philosophisch-historische Klasse 29 (1938/39) 4. Abh.], Heidelberg 1940
7. Untersuchungen über Datierung, Form, Sprache und Quellen. Kritisches Verzeichnis sämtlicher Predigten, v. Koch, Josef [= Sitzungsberichte der

Heidelberger Akademie der Wissenschaften, Philosophisch-historische Klasse 32 (1941/42) 1. Abh.], Heidelberg 1942

Cusanus-Texte II. Traktate:

1. De auctoritate presidendi in concilio generali, hrsg. v. Kallen, Gerhard [= Sitzungsberichte der Heidelberger Akademie der Wissenschaften, Philosophisch-historische Klasse 26 (1935/36) 3. Abh.], Heidelberg 1935

Cusanus-Texte III. Marginalien:

1. Nicolaus Cusanus und Ps. Dionysius im Lichte der Zitate und Randbemerkungen des Cusanus, hrsg. v. Baur, Ludwig [= Sitzungsberichte der Heidelberger Akademie der Wissenschaften, Philosophisch-historische Klasse 31 (1940/41) 4. Abh.], Heidelberg 1941
2. Proclus Latinus. Die Exzerpte und Randnoten des Nikolaus von Kues zu den lateinischen Übersetzungen der Proclus-Schriften. 2.2 Expositio in Parmenidem Platonis, hrsg. v. Bormann, Karl [= Abhandlungen der Heidelberger Akademie der Wissenschaften, Philosophisch-historische Klasse (1986) 3. Abh.], Heidelberg 1986

Cusanus-Texte IV. Briefwechsel des Nikolaus von Kues:

3. Das Vermächtnis des Nikolaus von Kues. Der Brief an Nikolaus Albergati nebst der Predigt in Montoliveto (1463), hrsg. v. Bredow, Gerda von [= Sitzungsberichte der Heidelberger Akademie der Wissenschaften, Philosophisch-historische Klasse (1955) 2. Abh.], Heidelberg 1955

Benutzte Übersetzungen

Biechler, James E., und Bond, H. Lawrence: Nicholas of Cusa on Interreligious Harmony. Text, Concordance and Translation of *De pace fidei* [= Texts and Studies on Religion 55], Lewiston/Queenston/Lampeter 1990
Hopkins, Jasper: Nicholas of Cusa on Learned Ignorance. A Translation and an Appraisal of De Docta Ignorantia, Minneapolis 1981
– Nicholas of Cusa's Dialectical Mysticism. Text, Translation an Interpretive Study of De visione dei, Minneapolis 1985
– Nicholas of Cusa's De Pace Fidei and Cribratio Alkorani. Translation and Analysis, Minneapolis 1990
Nikolaus von Kues: Philosophisch-Theologische Schriften, hrsg. v. Gabriel, Leo, dt. v. Dupré, Dietlind und Wilhelm, 3 Bde., lat.-dt.,Wien 1964-67
Santinello, Giovanni: Nicolò Cusano. La dotta ignoranza. Le congetture [= I classici del pensiero. Sezione II], Milano 1988

Scharpff, Franz Anton: Des Cardinals und Bischofs Nicolaus von Cusa wichtigste Schriften in deutscher Übersetzung, Freiburg 1862 (Nachdruck Frankfurt 1966)

Schriften des Nikolaus von Kues in deutscher Übersetzung. Im Auftrag der Heidelberger Akademie der Wissenschaften hrsg. v. Hoffmann, Ernst u. a., Leipzig 1932ff., Hamburg 1944ff.:

    8. Über den Frieden im Glauben. De pace fidei, übers. v. Mohler, Ludwig, Leipzig 1943

    15c. Die belehrte Unwisssenheit. Buch III, übers. u. hrsg. v. Senger, Hans Gerhard, Hamburg 1977

2. Weitere Quellen

Albertus Magnus: Opera omnia, 38 Bde., hrsg. v. Borgnet, August, Paris 1890-1899

Anselm von Canterbury: Opera omnia, 6 Bde., hrsg. v. Schmitt, Franciscus Salesius O.S.B., Seckau/Rom/Edinburgh/ 1938-1961

Augustinus: De doctrina christiana, hrsg. v. Martin, Joseph, CChr. SL 32, Turnhout 1962

– De Trinitate libri XV, hrsg. v. Mountain, W. J., CChr. SL 50, Turnhout 1968

Bonaventura: Opera omnia edita studio et cura PP. Collegii a S. Bonaventura, 10 Bde., Quaracchi 1882-1902

Cassiodor: Variarum libri XII. De anima, hrsg. v. Fridh, Å. J., u. Halporn, J. W., CChr. SL 96, Turnhout 1973

Dionysius Areopagita: Corpus Dionysiacum I. De divinis nominibus, hrsg. v. Suchla, Beate Regina [= Patristische Texte und Studien 33], Berlin/New York 1990

Johannes Wenck von Herrenberg: De ignota litteratura, in: Vansteenberghe, Edmond: Le „De ignota litteratura" de Jean Wenck de Herrenberg contre Nicolas de Cuse [= BGPhMA 8/6], Münster 1910

Patrologiae cursus completus. Series latina, hrsg. v. Migne, Jacques-Paul, Paris 1844-1855

Petrus Lombardus: Magistri Petri Lombardi Parisiensis episcopi sententiae in IV libris distinctae, 2 Bde., Grottaferrata ³1971/1981

Raimundus Lullus: Opera omnia, ed. Salzinger, Ivo, 8 Bde. (I-VI, IX-X), Mainz 1721-1742 (Nachdruck Frankfurt 1965)

– Opera latina, hrsg. v. Stegmüller, Friedrich u. a., Bd. 1-5 Palma de Mallorca 1959-1967, Bd. 6ff. Turnhout 1975ff.

– Declaratio Raymundi per modum dialogi edita, in: Keicher, Otto: Raymundus Lullus und seine Stellung zur arabischen Philosophie. Mit einem Anhang, enthaltend die zum ersten Male veröffentlichte „Declaratio Raymundi per modum dialogi edita" [= BGPhMA 7/4-5], Münster 1909

– Die neue Logik. Logica nova, hrsg. v. Lohr, Charles. Übers. v. Hösle, Vittorio, u. Büchel, Walburga. Mit einer Einführung v. Hösle, Vittorio, Hamburg 1985

Tertullian: Opera catholica. Adversus Marcionem, hrsg. v. Dekkers, A., u. a., CChr. SL 1, Turnhout 1954

Thomas von Aquin: Opera omnia iussu Leonis XIII P. M. edita cura et studio Fratrum Praedicatorum, Rom 1882ff.

– De rationibus fidei. Kommentierte lat.-dt. Textausgabe v. Hagemann, Ludwig, und Glei, Reinhold [= Corpus Islamo-Christianum. Series latina 2], Altenberge 1987

– Quaestiones disputatae, Bd. 2, hrsg. v. Bazzi, P., u. a., (Marietti) Turin/Rom [10]1964

– Quaestiones Quodlibetales, hrsg. v. Spiazzi, Raymundus, (Marietti) Turin/Rom [9]1956

– Scriptum super libros sententiarum magistri Petri Lombardi, Bd. 1-2 hrsg. v. Mandonnet, Pierre, Paris 1929, Bd. 3-4 hrsg. v. Moos, Maria F., Paris 1933/1947

– Super Epistolas S. Pauli Lectura, hrsg. v. Cai, Raphael, 2 Bde., (Marietti) Turin/Rom [8]1953

Wilhelm von Ockham: Opera Philosophica et Theologica ad fidem codicum manuscriptorum edita, cura Instituti Franciscani Universitatis S. Bonaventurae, St. Bonaventure/New York 1967ff.

II. LITERATUR

Alfaro, Juan: Supernaturalitas fidei iuxta S. Thomam. I. Functio „luminis fidei", in: Gregorianum 44 (1963) 501-542

Algaida, Samuel ab: Christologia lulliana seu de motivo incarnationis doctrina B. Raymundi Lull, in: Collectanea Franciscana 1 (1931) 145-183

Backes, Ignaz: Die Gnadenlehre bei Nikolaus Cusanus, eine Skizze, in: Trierer Theologische Zeitschrift 73 (1964) 211-220

Balic, Karl M.: Duns Skotus' Lehre über Christi Prädestination im Lichte der neuesten Forschungen, in: Wissenschaft und Weisheit 3 (1936) 19-35

Bannach, Klaus: Die Lehre von der doppelten Macht Gottes bei Wilhelm von Ockham. Problemgeschichtliche Voraussetzungen und Bedeutung [= Veröffentlichungen des Instituts für Europäische Geschichte Mainz 75, Abteilung für Abendländische Religionsgeschichte], Wiesbaden 1975

Beierwaltes, Werner: Identität und Differenz [= Philosophische Abhandlungen 49], Frankfurt 1980

– Visio facialis - Sehen ins Angesicht. Zur Coincidenz des endlichen und unendlichen Blicks bei Cusanus [= Sitzungsberichte der Bayerischen Akademie der Wissenschaften, Philosophisch-Historische Klasse (1988) 1. Abh.], München 1988

Beumer, Johannes: Theologie als Glaubensverständnis, Würzburg 1953

Biechler, James E.: Three Manuscripts on Islam from the Library of Nicholas of Cusa, in: Manuscripta 27 (1983) 91-100

Bodewig, Martin: Zur Tugendlehre des jungen Cusanus, in: MFCG 13 (1978) 214-224

Boeder, Heribert: Topologie der Metaphysik, Freiburg/München 1980

Borchert, Ernst: Der Einfluß des Nominalismus auf die Christologie der Spätscholastik nach dem Traktat De communicatione idiomatum des Nicolaus Oresme [= BGPhThMA 35/4-5], Münster 1940

Bond, H. Lawrence: Nicholas of Cusa and the reconstruction of theology: The centrality of Christology in the coincidence of opposites, in: Shriver, George H.: Contemporary reflections on the medieval Christian tradition. Essays in honor of Ray C. Petry, New York 1974, 81-94

Bormann, Karl: Die Koordinierung der Erkenntnisstufen (descensus und ascensus) bei Nikolaus von Kues, in: MFCG 11 (1975) 62-79

Borsche, Tilman: Was etwas ist. Fragen nach der Wahrheit der Bedeutung bei Platon, Augustinus, Nikolaus von Kues und Nietzsche, München 1990

Bredow, Gerda von: Im Gespräch mit Nikolaus von Kues. Gesammelte Aufsätze 1948-1993, hrsg. v. Schnarr, Hermann, Münster 1995

Breidert, Wolfgang: Das aristotelische Kontinuum in der Scholastik, Münster ²1979

Canals Vidal, Francisco: La demonstración de la Trinidad en Ramón Llull, in: Estudios Lullianos 25 (1981-1983) 5-23

Christianson, Gerald, und Izbicki, Thomas M. (Hrsg.): Nicholas of Cusa on Christ and Church. Essays in memory of Chandler McCuskey Brooks [= Studies in the history of Christian thought 71], Leiden/New York/Köln 1996

Colomer, Eusebio: Nikolaus von Kues und Raimund Llull. Aus Handschriften der Kueser Bibliothek [= Quellen und Studien zur Geschichte der Philosophie 2], Berlin 1961

– Fides und Ratio bei Raimund Lull, in: Hagemann, Ludwig, und Glei, Reinhold (Hrsg.): Einheit und Vielheit. FS K. Bormann [= Religionswissenschaftliche Studien 30], Würzburg 1993, 271-283

Cren, Pierre-Réginald: Der Offenbarungsbegriff im Denken von Ockham und Gabriel Biel, in: Seybold, Michael: Offenbarung. Von der Schrift bis zum Ausgang der Scholastik [= Handbuch der Dogmengeschichte I 1a], Freiburg/Basel/Wien 1971, 144-152

Dahm, Albert: Die Soteriologie des Nikolaus von Kues. Ihre Entwicklung von seinen frühen Predigten bis zum Jahr 1445 [= BGPhThMA. NF 48], Münster 1997

Dangelmayr, Siegfried: Vernunft und Glaube bei Nikolaus von Kues, in: Tübinger Theologische Quartalschrift 148 (1968) 429-462

– Gotteserkenntnis und Gottesbegriff in den philosophischen Schriften des Nikolaus von Kues [= Monographien zur philosophischen Forschung 54], Meisenheim 1969

– Anselm und Cusanus. Prolegomena zu einem Strukturvergleich ihres Denkens, in: Analecta Anselmiana 3 (1972), 112-140

– Maximum und cogitare bei Anselm und Cusanus. Zur Problematik des Proslogion-Arguments, in: Analecta Anselmiana 4/1 (1975) 203-210

Davy, Marie-Madelaine: Les sermons universitaires parisiens de 1230-1231. Contribution à l'histoire de la prédication médiévale [= Etudes de philosophie médiévale 19], Paris 1931

Decker, Bruno: Nikolaus von Cues und der Friede unter den Religionen, in: Koch, Josef (Hrsg.): Humanismus, Mystik und Kunst in der Welt des Mittelalters [= Studien und Texte zur Geistesgeschichte des Mittelalters 3], Leiden/Köln 1953, 94-121

Dreyer, Mechthild: More mathematicorum, Rezeption und Transformation der antiken Gestalten wissenschaftlichen Wissens im 12. Jahrhundert [= BGPhThMA. NF 47], Münster 1996

Duclow, Donald F.: Mystical Theology and Intellect in Nicholas of Cusa, in: American Catholic Philosophical Quaterly 64 (1990) 111-130

Dupré, Louis: Nature and Grace in Nicholas of Cusa's Mystical Philosophy, in: American Catholic Philosophical Quarterly 64 (1990) 153-170

– The Mystical Theology of Nicholas of Cusa's *De visione dei*, in: Christianson, Gerald, und Izbicki, Thomas M. (Hrsg.): Nicholas of Cusa on Christ and Church. Essays in memory of Chandler McCuskey Brooks [= Studies in the history of Christian thought 71], Leiden/New York/Köln 1996

Dupré, Wilhelm: Nikolaus von Kues und die Idee der christlichen Philosophie, in: Philosophisches Jahrbuch 73 (1965/66) 23-32

Euler, Walter Andreas: Unitas et Pax. Religionsvergleich bei Raimundus Lullus und Nikolaus von Kues [= Religionswissenschaftliche Studien 15], Würzburg ²1995

Feil, Ernst: Religio. Die Geschichte eines neuzeitlichen Grundbegriffs vom Frühchristentum bis zur Reformation [= Forschungen zur Kirchen- und Dogmengeschichte 36], Göttingen 1986

Flasch, Kurt: Nikolaus von Kues. Geschichte einer Entwicklung, Frankfurt 1998

Fries, Heinrich: De Pace fidei - Versöhnung im Glauben. Ein Vermächtnis des Nikolaus von Kues, in: ders. und Valeske, Ulrich (Hrsg.): Versöhnung. Gestalten - Zeiten - Modelle. FS Manfred Hörhammer, Frankfurt 1975, 77-100

Fries, Heinrich, und Valeske, Ulrich (Hrsg.): Versöhnung. Gestalten - Zeiten - Modelle. FS Manfred Hörhammer, Frankfurt 1975

Führer, Markus L.: The Consolation of Contemplation in Cusanus' *De visione dei*, in: Medioevo 20 (1994) 205-231

Gandillac, Maurice de: Nikolaus von Cues. Studien zu seiner Philosophie und philosophischen Weltanschauung, Düsseldorf 1953

Gäde, Gerhard: Eine andere Barmherzigkeit. Zum Verständnis der Erlösungslehre Anselms von Canterbury [= Bonner Dogmatische Studien 3], Würzburg 1989

Gayà Estelrich, Jordi: La teoría luliana de los correlativos. Historia de su formación conceptual, Palma de Mallorca 1979

Gerhardt, Volker, und Herold, Norbert (Hrsg.): Wahrheit und Begründung, Würzburg 1985

Geyer, Bernhard: Zur Deutung von Anselms Cur deus homo, in: Theologie und Glaube 34 (1942) 203-210

Ghisalberti, Alessandro: Schöpfung bei Wilhelm von Ockham, in: Vossenkuhl, Wilhelm, und Schönberger, Rolf (Hrsg.): Die Gegenwart Ockhams, Weinheim 1990, 63-76

Gilson, Etienne: Les métamorphoses de la cité de Dieu, Louvain 1952

Gloßner, Michael: Nikolaus von Cusa und Marius Nizolius als Vorläufer der neueren Philosophie, Münster 1891

Haas, Alois Maria: Deum mistice videre ... in caligine coincidencie. Zum Verhältnis Nikolaus' von Kues zur Mystik [= Vorträge der Aeneas-Silvius-Stiftung an der Universität Basel 24], Frankfurt 1989

Hagemann, Ludwig, und Glei, Reinhold (Hrsg.): Einheit und Vielheit. FS K. Bormann [= Religionswissenschaftliche Studien 30], Würzburg 1993

Haubst, Rudolf: Johannes von Segovia im Gespräch mit Nikolaus von Kues und Jean Germain über die göttliche Dreieinigkeit und ihre Verkündigung vor den Mohammedanern, in: Münchener Theologische Zeitschrift 2 (1951) 115-129

– Das Bild des Einen und Dreieinen Gottes in der Welt nach Nikolaus von Kues [= Trierer Theologische Studien 4], Trier 1952

– Das hoch- und spätmittelalterliche „Cur Deus homo?", in: Mainzer Theologische Zeitschrift 6 (1955) 302-313

– Die Christologie des Nikolaus von Kues, Freiburg 1956

– Die Thomas- und Proklos-Exzerpte des „Nicolaus Treverensis" in Codicillus Straßburg 84, in: MFCG 1 (1961) 17-51

– Vom Sinn der Menschwerdung. „Cur Deus homo", München 1969

– Nikolaus von Kues als Interpret und Verteidiger Meister Eckharts, in: Kern, Udo (Hrsg.): Freiheit und Gelassenheit. Meister Eckhart heute, München/Mainz 1980, 75-96

– Die Wege der christologischen manuductio, in: MFCG 16 (1984) 164-182

– Die erkenntnistheoretische und mystische Bedeutung der „Mauer der Koinzidenz, in: MFCG 18 (1989) 167-191

– Streifzüge in die cusanische Theologie, Münster 1991

Heinemann, Wolfgang: Einheit in Verschiedenheit. Das Konzept eines intellektuellen Religionsfriedens in der Schrift „De pace fidei" des Nikolaus von Kues [= Religionswissenschaftliche Studien 10], Altenberge 1987

Heinzmann, Richard: Veritas humanae naturae. Ein Beitrag zur Anthropologie Anselms, in: Scheffczyk, Leo u. a. (Hrsg.): Wahrheit und Verkündigung. FS M. Schmaus, München/Paderborn/Wien 1967, 779-798

Hoenen, Maarten J.F.M.: 'Ista prius inaudita'. Eine neuentdeckte Vorlage der *Docta ignorantia* und ihre Bedeutung für die frühe Philosophie des Nikolaus von Kues, in: Medioevo 21 (1995) 375-476

Hoffmann, Ernst: Das Universum des Nikolaus von Cues, in: Sitzungsberichte der Heidelberger Akademie der Wissenschaften, Philosophisch-historische Klasse 21 (1929/30) 3. Abh. [= Cusanus-Studien 1], Heidelberg 1930

Hoffmann, Fritz: Nominalistische Vorläufer für die Erkenntnisproblematik bei Nikolaus von Kues, in: MFCG 11 (1975) 125-159

– Die unendliche Sehnsucht des menschlichen Geistes, in: MFCG 18 (1989) 69-85

Hopkins, Jasper: Glaube und Vernunft im Denken des Nikolaus von Kues. Prolegomena zu einem Umriß seiner Auffassung [= Trierer Cusanus Lecture 3], Trier 1996

Iserloh, Erwin: Gnade und Eucharistie in der philosophischen Theologie des Wilhelm von Ockham. Ihre Bedeutung für die Ursachen der Reformation, Wiesbaden 1956

Jacobi, Klaus: Die Methode der cusanischen Philosophie [= Symposion 31], Freiburg/München 1969

– (Hrsg.): Nikolaus von Kues. Einführung in sein philosophisches Denken, Freiburg/München 1979

– Ontologie aus dem Geist „belehrten Nichtwissens", in: ders. (Hrsg.): Nikolaus von Kues. Einführung in sein philosophisches Denken, Freiburg/München 1979, 27-55

Jaspers, Nikolaus Cusanus, München 1964

Jenkins, John I.: Knowledge and Faith in Thomas Aquinas, Cambridge 1997

Kern, Udo (Hrsg.): Freiheit und Gelassenheit. Meister Eckhart heute, München/Mainz 1980

Koch, Josef (Hrsg.): Humanismus, Mystik und Kunst in der Welt des Mittelalters [= Studien und Texte zur Geistesgeschichte des Mittelalters 3], Leiden/Köln 1953

Koslowski, Peter (Hrsg.): Gnosis und Mystik in der Geschichte der Philosophie, Zürich/München 1988

Kremer, Klaus: Die Hinführung (manuductio) von Polytheisten zum Einen, von Juden und Muslimen zum Dreieinen Gott, in: MFCG 16 (1984) 126-159

– Gottes Vorsehung und die menschliche Freiheit („Sis tu tuus, et Ego ero tuus"), in: MFCG 18 (1989) 227-252

– Nicolaus Cusanus: „Jede Frage über Gott setzt das Gefragte voraus" (*Omnis quaestio de deo praesupponit quaesitum*), in: Piaia, Gregorio (Hrsg.): Concordia discors. Studi su Niccolò Cusano e l'umanesimo europeo offerti a Giovanni Santinello [= Medioevo e Umanesimo 84], Padua 1993, 145-180

Landgraf, Artur Michael: Dogmengeschichte der Frühscholastik II. Die Lehre von Christus, 2 Bde., Regensburg 1953f.

Leinkauf, Thomas: Die Bestimmung des Einzelseienden durch die Begriffe contractio, singularitas und aequalitas bei Nicolaus Cusanus, in: Archiv für Begriffsgeschichte 37 (1994) 180-211

Lentzen-Deis, Wolfgang: Den Glauben Christi teilen. Theologie und Verkündigung bei Nikolaus von Kues [= Praktische Theologie heute 2], Stuttgart/Berlin/Köln 1991

Leppin, Volker: Geglaubte Wahrheit. Das Theologieverständnis Wilhelms von Ockam [= Forschungen zur Kirchen- und Dogmengeschichte 63], Göttingen 1995

Lohr, Charles H.: Mittelalterlicher Augustinismus und neuzeitliche Wissenschaftslehre, in: Mayer, Cornelius P., u. Eckermann, Willigis: Scientia Augustiana. FS A. Zumkeller, Würzburg 1975, 157-169

– Ramón Lull und Nikolaus von Kues. Zu einem Strukturvergleich ihres Denkens, in: Theologie und Philosophie 56 (1981) 218-231

– Nicolai de Cusa Opera omnia, Vol. XVI/4 und Vol. XVII/1 (Rezension), in: MFCG 17 (1986) 260-263

Madre, Alois: Die theologische Polemik gegen Raimundus Lullus. Eine Untersuchung zu den Elenchi auctorum de Raimundo male sentientium [= BGPhThMA. NF 11], Münster 1973

Mahnke, Detlef: Unendliche Sphäre und Allmittelpunkt. Beiträge zur Genealogie der mathematischen Mystik, Halle 1937

Mayer, Cornelius P., u. Eckermann, Willigis: Scientia Augustiana. FS A. Zumkeller, Würzburg 1975

Marx, Jakob: Verzeichnis der Handschriftensammlung des Hospitals zu Cues, Trier 1905

Meier-Oeser, Stephan: Die Präsenz des Vergessenen. Zur Rezeption der Philosophie des Nicolaus Cusanus vom 15. bis zum 18. Jahrhundert [= Buchreihe der Cusanus-Gesellschaft 10], Münster 1989

Metz, Wilhelm: „Aufgehobene" Mündlichkeit. Artikel-Struktur und „ordo disciplinae" der Thomasischen „Summa Theologiae", in: Philosophisches Jahrbuch 103 (1996) 48-61

Miller, Clyde Lee: Nicholas of Cusa's The Vision of God, in: Szarmach, Paul E. (Hrsg.): An Introduction to the Medieval Mystics of Europe, Albany 1984, 293-312

Offermann, Ulrich: Christus - Wahrheit des Denkens. Eine Untersuchung zur Schrift „De docta ignorantia" des Nikolaus von Kues [= BGPhThMA. NF 33], Münster 1991

Otto, Klaus: Rechtfertigung aus Glauben als Religionsgrenzen übersteigende Kraft, in: MFCG 16 (1984) 333-342

Piaia, Gregorio (Hrsg.): Concordia discors. Studi su Niccolò Cusano e l'umanismo europeo offerti a Giovanni Santinello, Padua 1993

Platzeck, Erhard-Wolfram: Observaciones del P. Antonio Raimundo Pascual sobre lulistas alemanes. A. El lulismo en las obras del Cardenal Nicolás Krebs de Cusa: I. El arte luliano en las obras del Cardenal Nicolás de Cusa, in: Revista Espanola de Teología 1 (1941) 731-765. II. Doctrinas teológicas y filosóficas de Raimundo Lulio en las obras de Nicolás de Cusa, in: Revista Espanola de Teología 2 (1942) 257-324

- Raimund Lull. Sein Leben - Seine Werke - Die Grundlagen seines Denkens (Prinzipienlehre) [= Bibliotheca Franciscana 5], 2 Bde., Düsseldorf 1962/1964

Reinhardt, Klaus: Christus, die „absolute Mitte" als der Mittler zur Gotteskindschaft, in: MFCG 18 (1986) 196-220

Riccati, Carlo: „Processio" et „Explicatio". La doctrine de la création chez Jean Scot et Nicolas de Cues [= Istituto Italiano per gli Studi Filosofici. Serie Studi 6], Neapel 1983

Roth, Ulli: Die Bestimmung der Mathematik bei Cusanus und Leibniz, in: Studia Leibnitiana 29 (1997) 63-80

Scheffczyk, Leo u. a. (Hrsg.): Wahrheit und Verkündigung. FS M. Schmaus, München/Paderborn/Wien 1967

Schmitt, Franciscus Salesius: Die wissenschaftliche Methode in Anselms Cur deus homo, in: Spicilegium Beccense 1, Congrès International du IXe centenaire de l'arrivée d'Anselme au Bec, Bec/Paris 1959

Schneyer, Johann B.: Die Unterweisung der Gemeinde über die Predigt bei scholastischen Predigern. Eine Homiletik aus scholastischen Prothemen [= Veröffentlichungen des Grabmann-Institutes 4], München/Paderborn/Wien 1968

Schönborn, Christoph: „De docta ignorantia" als christozentrischer Entwurf, in: Jacobi, Klaus (Hrsg.): Nikolaus von Kues. Einführung in sein philosophisches Denken, Freiburg/München 1979, 138-156

Seidlmayer, Michael: „Una religio in rituum veritate". Zur Religionsauffassung des Nikolaus von Cues, in: Archiv für Kulturgeschichte 36 (1954) 145-207

Senger, Hans Gerhard: Die Philosophie des Nikolaus von Kues vor dem Jahre 1440. Untersuchung zur Entwicklung einer Philosophie in der Frühzeit des Nikolaus (1430-1440) [= BGPhThMA. NF 3], Münster 1971

- Mystik als Theorie bei Nikolaus von Kues, in: Koslowski, Peter (Hrsg.): Gnosis und Mystik in der Geschichte der Philosophie, Zürich/München 1988, 111-134

Seybold, Michael: Offenbarung. Von der Schrift bis zum Ausgang der Scholastik [= Handbuch der Dogmengeschichte I 1a], Freiburg/Basel/Wien 1971

Shin, Chang-Suk: „Imago Dei" und „Natura Hominis": Der Doppelansatz der thomistischen Handlungstheorie [= Epistemata: Reihe Philosophie 138], Würzburg 1993

Shriver, George H.: Contemporary reflections on the medieval Christian tradition. Essays in honor of Ray C. Petry, New York 1974

Spee, Meinolf von: „Donum Dei" bei Nikolaus von Kues. Zum Verständnis von Natur und Gnade nach den Schriften: De quaerendo Deum, De filiatione Dei und De dato Patris luminum, in: MFCG 22 (1995) 69-120

Stadler, Michael: Rekonstruktion einer Philosophie der Ungegenständlichkeit. Zur Struktur des Cusanischen Denkens [= Die Geistesgeschichte und ihre Methoden. Quellen und Forschungen 11], München 1983

Stock, Alex: Die Rolle der „icona Dei" in der Spekulation „De visione Dei", in: MFCG 18 (1989) 50-62

Stöhr, Johannes: Las „rationes necessariae" de R. Llull a la luz de sus ultimas obras, in: Estudios Lulianos 20 (1976) 5-52

Strub, Christian: Singularität des Individuums? Eine begriffsgeschichtliche Problemskizze, in: Miscellanea Medievalia 24 (1996) 37-56

Tuninetti, Luca F.: „Per Se Notum". Die logische Beschaffenheit des Selbstverständlichen im Denken des Thomas von Aquin [Studien und Texte zur Geistesgeschichte des Mittelalters 47], Leiden/New York/Köln 1995

Vansteenberghe, Edmond: Le „De ignota litteratura" de Jean Wenck de Herrenberg contre Nicolas de Cuse [= BGPhMA 8/6], Münster 1910

– Autour de la „Docte Ignorance". Une controverse sur la Théologie mystique au XVe siècle [= BGPhMA 14/2-4], Münster 1915

– Le Cardinal Nicolas de Cues. L'action - la pensée [= Bibliothèque du XVe siècle 24], Paris 1920

Volkmann-Schluck, Karl-Heinz: Nicolaus Cusanus. Die Philosophie im Übergang vom Mittelalter zur Neuzeit, Frankfurt 1957

Vossenkuhl, Wilhelm, und Schönberger, Rolf (Hrsg.): Die Gegenwart Ockhams, Weinheim 1990

– Vernünftige Kontingenz. Ockhams Verständnis der Schöpfung, in: ders. und Schönberger, Rolf (Hrsg.): Die Gegenwart Ockhams, Weinheim 1990, 77-93

Watts, Pauline Moffitt: Nicolaus Cusanus. A Fifteenth-Century Vision of Man [= Studies in the History of Christian Thought 30], Leiden 1982

Einleitung

1. Forschungsbericht

Das Cusanische Glaubensverständnis ist unter einem philosophischen und dogmatischen Gesichtspunkt noch nicht zum Gegenstand einer selbständigen größeren Abhandlung gemacht worden. Der Grund dafür liegt sowohl in der geschichtlich gewachsenen Unterscheidung dieser beiden Wissenschaften als auch im Cusanischen Werk selbst. Cusanus hat in seinen theoretischen Schriften sein Verständnis des Glaubens kaum thematisiert. Die meisten Äußerungen finden sich in den auf den ersten Blick entweder traditionell oder unzusammenhängend wirkenden Predigten. Die philosophische Deutung seines Werkes hat sich deshalb bisher kaum um den Glaubensbegriff gekümmert. Im Zuge der Betonung der Bedeutung der Cusanischen Theologie, insbesondere der Christologie für sein gesamtes Denken, die lange Zeit von Haubst alleine vertreten werden mußte,[1] rückt konsequenter Weise auch der Glaube in das Licht der Forschung. Mehr und mehr zeigt sich, daß Cusanus das hochscholastische Schema der beiden Erkenntnisquellen natürliche Vernunft und Offenbarung völlig transformiert. Dennoch fehlt eine Darstellung, die dies am Cusanischen Text selbst belegt und sowohl philosophisch als auch theologisch systematisch einsichtig macht. Gilt Cusanus der Glaube als *initium intellectus*[2], so kann erwartet werden, daß mit seinem Glaubensverständnis auch der Kern seines Denkens überhaupt erreicht wird.

Diesen Kern freizuschälen ist die Aufgabe der vorliegenden Arbeit. Sie will damit nicht nur zu einem besseren Verständnis des Cusanischen und überhaupt mittelalterlichen Denkens beitragen, sondern auch für unsere heutige Zeit, die sich „mit dem Glauben schwer tut", der Frage vorarbeiten, was heute Glaube in vernünftiger Verantwortung (s. 1 Petr 3,15) sein kann. Selbst wenn diese denkerische Bemühung noch nicht die Gegenwart jener Aushöhlung des christlichen

---

[1] S. hierzu den Forschungsbericht bei Offermann, Ulrich: Christus - Wahrheit des Denkens. Eine Untersuchung zur Schrift „De docta ignorantia" des Nikolaus von Kues [= BGPhThMA. NF 33], Münster 1991, 4-22.
[2] S. *De docta ignorantia* III 11, h I, 151 Z.26f.

Glaubens – sei es in der selbstwidersprüchlichen, aber gerade deshalb so erfolgreichen dezidierten Ablehnung allen Glaubens und aller Überzeugungen, sei es im selbstgemachten Versuch des „ich glaube, daß ich glaube" – erreicht, so arbeitet sie ihr doch schon entgegen – im doppelten Sinne des Wortes. Gegen heutigen Zeitgeist soll der Tradition des abendländischen Denkens nachgegangen und seine unterscheidende Kraft geachtet werden. Zuvor gibt aber ein Forschungsüberblick Rechenschaft über die bisherige Behandlung des Themas und seine fachwissenschaftliche Berechtigung.

a) Rudolf Haubst

Rudolf Haubst[3] hat ein systematisches Interesse am Werk von Cusanus, der für ihn in gewisser Weise die transzendentaltheologische Reflexion unseres Jahrhunderts vorweggenommen hat, ohne die Übereinstimmung mit der Tradition, insbesondere der Hochscholastik, zu verlieren. Seine zahlreichen Interpretationen stützen sich nicht nur auf eine umfangreiche Kenntnis des Cusanischen Gesamtwerkes und der mittelalterlichen Theologie, sondern gründen auch auf einem neuscholastisch geprägten Fundament. Dies gilt ebenfalls für seine Darstellung des Cusanischen Glaubensbegriffes. Er bleibt aber nicht dabei stehen, in Cusanus allein die Übereinstimmungen mit thomistischen Lehraussagen zu suchen. Zwar lehnt er Interpretationen ab, die Cusanus einen puren Fideismus nachweisen wollen[4], ebenso diejenigen, die die philosophische Seite betonen und entweder den christlichen Glauben von Cusanus' übrigem Denken abtrennen wollen[5] oder überhaupt die Glaubensgegenstände zum Teil oder ganz der Philosophie vindizieren[6]. Er selbst bemerkt ebenfalls ein inniges Verhältnis von Glauben und Wissen und hält fest:

„Denn sowohl der *Glaube*, der nach der Einsicht verlangt, wie das *desiderium naturale*, der natürliche Wahrheitshunger seines Geistes, der erst in dem möglichsten Vollbesitz der ganzen Wahrheit zur Ruhe kommt, streben von beiden Seiten her auf ein Zusammenfließen der Wahrheit aus beiden Erkenntnisquellen und auf eine integrierende Zusammenschau [...] hin [...]."[7]

---

[3]   Haubst, Rudolf: Die Christologie des Nikolaus von Kues, Freiburg 1956, und ders.: Streifzüge in die Cusanische Theologie, Münster 1991.
[4]   S. Haubst 1991, 4.
[5]   S. ebd., 22.
[6]   S. ebd., 46.
[7]   Ebd., 5; diese Auffassung von 1959 wiederholt er 1973 (ebd., 48).

Die beiden Erkenntnisquellen Offenbarung oder Glaubenswissen sowie natürliche Vernunft, Natur und Gnade bleiben jedoch klar geschieden. Diese scholastischen Begriffe haben für ihn auch bei der Cusanusinterpretation nicht ihre Aussagekraft verloren. Die Trinität und die Christologie werden zum Beispiel bei aller spekulativen Durchdringung immer zunächst im Glauben hinsichtlich ihrer Faktizität vorausgesetzt.[8] Den Glauben an Jesus unterscheidet er von einem natürlichen „spontanen Vernunft-Vertrauen".[9] So ergibt sich für ihn, daß Cusanus dem Leitsatz *credo, ut intelligam* folge, den Augustinus und Anselm betonen.[10] Hinsichtlich des Glaubensverständnisses, des *intellectus fidei*, sieht Haubst eine Nähe von Cusanus zu Augustinus und vor allem zu Bonaventura sowie das Bemühen, eine Brücke von Thomas zu Bonaventura zu schlagen.[11] Mit der Vernunft als *explicatio fidei* sei der *intellectus fidei* gemeint, hier komme Cusanus mit dem *intelligibile in credibili* von Bonaventura überein.[12] Auch wenn Haubst die Grenze von natürlicher Theologie und Offenbarungsglauben nicht eindeutig bestimmen kann, gibt es eine solche für seine Cusanusinterpretation.[13] Das Verhältnis von Vernunft und Glaube, wie er es bei Cusanus gegeben sieht, faßt er mit folgender Formel zusammen:

„Fides non destruit, sed supponit et perficit intellectum."[14]

Dieser Interpretation Haubsts haben sich viele spätere Interpreten mehr oder weniger ausdrücklich[15] angeschlossen. Sie hat aber gerade

---

8 S. ebd., 50 und 46.
9 S. ebd., 54: „Erst dann folgt [...] der explizite Übergang von dem schon bei jedem natürlichen Wahrheitssuchen (und planvollen Handeln) vorausgesetzten <<Glauben>> (spontanen Vernunft-Vertrauen) zu dem auf der Offenbarung Gottes in Jesus Christus als dem <<Magister veritatis>> gründenden Glauben, der sich unter anderem auch eschatologisch auf das ewige Leben erstreckt." Diese Unterscheidung wurde schon von Vansteenberghe, Edmond: Le Cardinal Nicolas de Cues. L'action - la pensée [= Bibliothèque du XVe siècle 24], Paris 1920, 397f., in Frage gestellt.
10 S. Haubst 1991, 336.
11 S. ebd., 15; auch später sieht er das Verhältnis von *lumen fidei* und *lumen intellectuale* noch nicht als vollständig geklärt an und eines Symposiums wert (s. ebd., 68).
12 S. ebd., 15-17 und 70.
13 S. ebd., 60f.
14 S. ebd., 70 Anm. 148, wo er auch auf das Axiom *gratia supponit et perficit naturam* hinweist, das Thomas auch in die Erkenntnislehre eingeführt habe; vgl. S.68 und 70.
15 So etwa das Resumée der Arbeit von Spee, Meinolf von: „Donum Dei" bei Nikolaus von Kues. Zum Verständnis von Natur und Gnade nach den Schriften: De quaerendo Deum, De filiatione Dei und De dato Patris luminum, in: MFCG 22 (1995) 69-120, 117f., und Euler, Walter Andreas: Unitas et Pax. Religionsvergleich bei Rai-

wegen ihres Versuches, Cusanus doch mit scholastischer Begrifflichkeit fassen zu wollen, auch scharfe Kritik geerntet. Daher wird vorliegende Arbeit von Haubst für die Frage nach dem Glauben neben
Einzelergebnissen nur die wertvollen Hinweise auf die Zusammen-
hänge mit der scholastischen Diskussion aufnehmen können. Gerade
ein traditionell gefaßtes Begriffspaar Natur und Gnade trifft das Eigentümliche des Cusanischen Werkes nicht. Cusanus sucht vielmehr
in einer Weise zu denken, in der beides vor aller Unterscheidung
immer schon geeint ist – wobei sich der Sinngehalt des dabei Gedachten signifikant von der theologischen Tradition des 13. Jahrhunderts
abhebt. Dies wird besonders an der Interpretation von *De docta ignorantia* deutlich werden, wenn das Verhältnis von *intellectus finitus* und
fides im Sinne von *explicatio* und *complicatio* nicht im Sinne des scholastischen *intellectus fidei* dargestellt werden wird. So kann auch das Eigentümliche erklärt werden, daß Jesus bei Cusanus selbst glaubt und
sogar selbst als Glaube bezeichnet wird.[16] Dazu muß allerdings diese
Begrifflichkeit Cusanus selbst, insbesondere *De docta ignorantia* II,
entnommen und der methodische Gang dieses Werkes in seinem
Zusammenhang gesehen werden. Die endliche Vernunft als solche,
nicht erst eine durch den Glauben über die Grenzen ihrer natürlichen Möglichkeiten erhöhte, ist schon die Entfaltung des Glaubens.
Dies läßt sich auch dann theologisch vertreten, wenn gesehen wird,
wie Cusanus den Naturbegriff sprengt. Könnte so nicht gerade das
Vertrauen der Vernunft in ihre eigene Kraft die Bekehrung zu Christus sein? Der christliche Glaube wäre dann in jedem Erkenntnisakt
als dessen Grundlage gegenwärtig. Doch welche Gegenwart hat dann
noch die Gnade für diesen Gedanken?

b) Walter Andreas Euler

Walter Andreas Euler[17] hat in einer breiten Studie zum Religionsvergleich bei Lull und Cusanus die Positionen der beiden Denker je für
sich dargestellt, um sie dann in einer systematischen Gegenüberstellung zu vergleichen. Dabei nimmt er auch zum Cusanischen Glaubensverständnis Stellung. Den Glauben bestimmt er als „existentielles
Vertrauen auf Gott", als „Sich-Ausrichten auf Gott", in dem der
Mensch sich auf Gott hin öffne und nicht nur auf „die Ordnung des
Seienden von einem Prinzip her" vertraue, sondern auch für die Of-

---

mundus Lullus und Nikolaus von Kues [= Religionswissenschaftliche Studien 15],
Würzburg ²1995, 220f.
[16] Zum Glauben Christi hat Haubst 1956, 274f., Grundlegendes gesagt.
[17] Euler 1995.

fenbarung Gottes bereit sei.[18] Der Glaube führe den *intellectus* von
einer „'natürlichen', monotheistischen Theologie" zur christlichen,
die auch Trinität und Inkarnation kenne. Wenn darin die Vernunft
ihre höchste Erkenntnis finde, so nur, weil sie den Glauben an diese
Geheimnisse, ihre Faktizität voraussetze.[19] Auch die Trinität müsse vor
aller Einsicht im Glauben anerkannt werden.[20] So denke Cusanus
„ganz im Sinne des anselmianischen *fides quaerens intellectum* und *credo
ut intelligam*" und die Grenzen zwischen Glaube und Vernunfter-
kenntnis seien „bewußt fließend und unscharf".[21]

Diese klaren Aussagen können aber nicht nur für Anselm, sondern
auch für Cusanus bezweifelt werden. Wenn man einerseits Cusanus
gegen die Thomasische Verhältnisbestimmung von Glaube und Vernunft abgrenzt,[22] andererseits dennoch Glaube und Vernunft im Sinne von Erkenntnis des Faktums und Einsicht in dessen Gründe und
Wesen, in seine „Plausibilität und Sinnhaftigkeit"[23] voneinander abhebt, so kann mit dieser Charakterisierung zumindest Anselm und
sein Programm *Christo remoto* nicht gemeint sein. Cusanus rückt bei
einer derartigen Deutung erneut in eine deutliche Nähe zu Thomas,
insbesondere wie dieser die Aufgaben der Theologie in der *Summa
contra gentiles* angibt. Zudem kollidiert Eulers Trennung von Glaube
und Vernunft wiederum mit dem „unauflöslichen Ineinanderbeste-
hen philosophischer und christlich-theologischer Erkenntnisbewegung"[24], die er für Cusanus ebenfalls festhält. Wenn Euler aber darüber hinaus auf eine eigenartige Dialektik von Erkenntniskritik und
Bejahung des Offenbarungsglaubens bei Cusanus hinweist,[25] so deutet
dies in die Richtung, die von dieser Arbeit verfolgt werden soll. Warum sollte nicht gerade die recht verstandene Unwissenheit der Glaube an Jesus Christus, der Offenbarungsglaube sein? Steht möglicherweise sogar der erste Schritt der belehrten Unwissenheit schon auf
dem Fundament, das durch die Menschwerdung gelegt worden ist?

---

[18] S. ebd., 217.
[19] S. ebd., 218.
[20] S. ebd., 221.
[21] S. ebd., 220.
[22] S. ebd., 222.
[23] S. ebd., 221.
[24] Ebd., 222.
[25] S. ebd., 223.

c) Siegfried Dangelmayr

Schon vor der Arbeit Eulers hat sich Siegfried Dangelmayr in einem Aufsatz[26] zum Cusanischen Verständnis von Vernunft und Glauben gerade dagegen gewendet, hierfür das Schema der zwei Erkenntnisquellen natürliche Vernunft und übernatürliche Offenbarung zugrunde zu legen. Insofern darf man auch die frühe Predigt *Fides autem catholica, Sermo* IV vom 27.5.1431, systematisch nicht überbewerten, da sich die späteren Überlegungen deutlich davon abheben. Aus einer Interpretation der in dieser Predigt gesammelten Autoritätsworte entnimmt Dangelmayr für den Denkweg von Cusanus eher die Problemstellung, wie ein Widerspruch von Vernunft und Glaube gelöst werden kann.[27] Er kommt zu dem Ergebnis, daß es für Cusanus in seiner Reifezeit keine Trennung von natürlichem und übernatürlichem, geoffenbartem Wissen mehr gebe, sondern daß sie bis hin zur Deckungsgleichheit zusammenfallen.[28] Dieses Ergebnis berücksichtigt Dangelmayr, wenn er das Cusanische Glaubensverständnis aus den Werken ab *De docta ignorantia* entwickelt. Der Glaube als solcher sei inhaltlich leer[29], er werde zwar von Gott gegeben, doch auch ganz von der Vernunft vollzogen als eine Art Selbstvertrauen, quasi als der Grundakt der Vernunft, der ihr immer vorausgehe:

„Der so verstandene Glaube ist also nichts anderes als die Faktizität des intellectus, des Grundwesens des Menschen, [...] innerer Grund seiner Möglichkeit."[30]

Der Glaube als dieser Grundakt sei für Cusanus der Glaube der Schrift, ausgedrückt im Jesaja-Wort Jes 7,9. Die Reflexion der Vernunft auf ihr eigenes Wesen bilde den Horizont, in dem die theologi-

---

[26] Dangelmayr, Siegfried: Vernunft und Glaube bei Nikolaus von Kues, in: Tübinger Theologische Quartalschrift 148 (1968) 429-462.

[27] S. ebd., 434f.

[28] S. ebd., 441. Hierin trifft er sich mit Jaspers, Karl: Nikolaus Cusanus, München 1964, 60, von dessen Cusanus-Deutung er sich aber sonst absetzt. Da Jaspers Cusanus ganz im Rahmen seiner eigenen Philosophie aufgreift und darstellt, brauchen seine Äußerungen zum Cusanischen Glaubensverständnis (s. ebd., 59f., 64, 70-77, 181-188) hier nicht weiter berücksichtigt zu werden. Sie gründen in Jaspers' eigener Existenzphilosophie, die einen philosophischen Glauben vom Offenbarungsglauben trennt. Auch Jasper Hopkins betont in einem Aufsatz die enge Verbindung von Vernunft und Glaube bei Cusanus (s. Hopkins, Jasper: Glaube und Vernunft im Denken des Nikolaus von Kues. Prolegomena zu einem Umriß seiner Auffassung [= Trierer Cusanus Lecture 3], Trier 1996, 25 und 28), formuliert jedoch seine Ergebnisse nur thesenartig.

[29] S. ebd., 445 und 448.

[30] Ebd., 450.

schen Aussagen verstehbar würden. Jesus sei so zuerst diejenige Vernunft, die sich ganz von den Sinnen abgewendet habe. Darüber hinaus besitze er den vollkommenen Glauben, da er die vollkommene Erkenntnis Gottes als der Wahrheit sei, nämlich die vollendete Vernunft.[31] Daran könnten die Menschen Anteil haben, wenn sie an ihn glaubten. Im Glauben seien sie aber schon in ihre Vollendung gelangt. Erst in diesem Glauben an Jesus Christus erreicht Cusanus nach Dangelmayr den eigentlich christlichen, theologischen Glauben.[32] Geglaubt werde an die Inkarnation, das Vollkommenwerden des menschlichen *intellectus*. Die Selbstreflexion der Vernunft komme aber nur bis zur Einsicht in die Möglichkeit, in die volle Wahrheit gelangen zu können. Wirklichkeit werde diese nur als Gabe Gottes.[33] Die in Jesus gegebene Wahrheit Gottes zu akzeptieren hat so für Dangelmayr „den Charakter einer vollzogenen Erfahrung, einer existenziellen Selbstsetzung"[34].

Vorliegende Arbeit wird ebenfalls die Ungeschiedenheit von „natürlichem" und geoffenbartem Wissen bei Cusanus vertreten und kann so Dangelmayr in den Hauptpunkten folgen. Es muß aber eine adäquate Interpretation des Verhältnisses von Vernunft und Glaube im Sinne von *explicatio* und *implicatio* ergänzt werden. Der Glaube bleibt nicht leer, sondern umfängt mit der Menschwerdung die Fülle allen Wissens. Dann muß auch über Dangelmayrs letzten Punkt hinausgedacht werden, vor allem wenn in dieser Arbeit vertreten wird, daß auch das Faktum der Menschwerdung, zumindest nach *De docta ignorantia*, für die Vernunft einsichtig gemacht werden kann. Damit wird keineswegs geleugnet, daß die Wirklichkeit der Vollendung der Vernunft allein durch Gott geschenkt wird. Aber der Glaube ist dabei gerade der die Wahrheit suchenden Vernunft der *docta ignorantia* noch innerlicher, weil er nicht erst als existenzielle Setzung vollzogen werden muß, sondern je schon als Anfang der Vernunft, *initium intellectus*, da ist. Dies wird aber nur verständlich, wenn einerseits gesehen wird, wie sogar die Menschwerdung für die Schöpfung konstitutiv wird, und wenn andererseits die Eigenart der Selbstreflexion der Ver-

---

[31] S. ebd., 454 und 457.
[32] S. ebd., 455.
[33] S. ebd., 462: „Das Faktum, daß dem intellectus die volle und erfüllende Wahrheit wirklich eröffnet ist, kann das philosophische Denken als solches nicht beibringen. Das kann nur der Vollzug des Glaubens an die dem intellectus Jesu hypostatisch verbundene Wahrheit des verbum, in welchem dem intellectus die Wahrheit gegeben wird, die als fides bezeichnete Annahme und Übernahme der Faktizität des Gegebenseins der Wahrheit."
[34] S. ebd., 462.

nunft als *comparativa inquisitio* genauer mitbeachtet wird. Hat nicht schon diese den Glauben an Jesus zum Fundament? Da zudem Cusanus in dieser Arbeit nicht als Beginn der neuzeitlichen Philosophie[35], sondern eher als Abschluß des mittelalterlichen Denkens angesehen wird, ist auch der Traditionshintergrund zu diskutieren.

d) Wolfgang Lentzen-Deis

Wolfgang Lentzen-Deis[36] kommt das Verdienst zu, nicht nur erstmals die Cusanische Glaubenslehre zum Gegenstand einer eigenen Abhandlung gemacht, sondern auch die zentrale Bedeutung des Glaubens für das gesamte Cusanische Denken hervorgehoben zu haben. Dies verfolgt er allerdings hauptsächlich unter den Gesichtspunkten einer praktischen Theologie, so daß „der bisher kaum gesehene glaubensmittlerische Aspekt des Gesamtwerkes"[37] von ihm auch nur als didaktisches Konzept für die Glaubensvermittlung eines von Cusanus anscheinend ungebrochen übernommenen Traditionsgutes gesehen wird.[38] So wird Cusanus selbst hinsichtlich seiner auffälligen Abweichungen von der mittelalterlichen Tradition, auf die Lentzen-Deis insbesondere hinsichtlich der *fides Christi* selbst verweist[39], davon freigesprochen, „dogmatische Ist-Feststellungen"[40] zu treffen. Er wird vielmehr nur unter dem Aspekt untersucht, inwieweit er „'praktische' Wahrheiten und Impulse vermitteln"[41] will, diesen Glauben Christi mitzuvollziehen. Auch wenn Lentzen-Deis so bewußt jegliche dogmatische Diskussion und den Vergleich mit anderen mittelalterlichen Theologen vermeidet, sucht er doch mittels einer Analyse von *De docta ignorantia* und *Sermo* XXIV der Cusanischen Glaubensdidaktik eine theologische und erkenntnistheoretische Grundlage zu geben. Dabei gibt er dem Sündenfall eine ausschlaggebende Bedeutung für das

---

[35] So Dangelmayr, Siegfried: Gotteserkenntnis und Gottesbegriff in den philosophischen Schriften des Nikolaus von Kues [= Monographien zur philosophischen Forschung 54], Meisenheim 1969. Für vorliegende Arbeit ergibt sich daraus die Aufgabe, auch die mit Dangelmayrs Interpretation schwer zu vereinbarenden Aussagen von Cusanus, die es zur Genüge gibt, wie Haubst belegt, doch sinnvoll zu deuten.

[36] Lentzen-Deis, Wolfgang: Den Glauben Christi teilen. Theologie und Verkündigung bei Nikolaus von Kues [= Praktische Theologie heute 2], Stuttgart/Berlin/Köln 1991.

[37] Ebd., 17.

[38] Was die dogmatisch-philosophische Klärung des Verhältnisses von Vernunft und Glaube angeht, baut Lentzen-Deis auf Haubst auf (s. die Zusammenfassung des Forschungsberichtes ebd., 43), hat aber leider die Arbeit von Dangelmayr nicht berücksichtigt.

[39] Ebd., 72 Anm. 130.

[40] Ebd., 77.

[41] Ebd., 77.

Cusanische Anliegen, den Glauben als Teilhabe am Glauben Christi weiterzuvermitteln, um so die Rückkehrbewegung des gefallenen Geschöpfes wieder zu ermöglichen.[42] Bei der Interpretation verschiedener Predigten kann er seiner Hauptthese selbst dann folgen, wenn Cusanus dort keinen ausschlaggebenden Bezug des Glaubens als der Erfüllung der Sehnsucht der Vernunft zum Sündenfall annimmt. Demgegenüber will die vorliegende Interpretation zeigen, wie der Glaube primär auf die Inkarnation als Schöpfungszentrum ausgerichtet ist. Der Bezug zur Erlösung von der Sünde durch den Glauben an Jesus wird dabei nur ein sekundärer Teilaspekt sein. Gestützt auf Belege auch aus dem Predigtwerk stellt Lentzen-Deis den Glauben Christi gebührend ins Zentrum seiner Darstellung.[43] Klar sieht er auch eine Verbindung zwischen der allein in Jesus erreichten Wahrheit der menschlichen Natur und der Erlösung durch den Glauben Christi. Daß aber Christus selbst ein Glaube zugeschrieben wird, wird nicht schlüssig, nur daß der Glaube an Christus mit dessen Glaube zusammenfällt und dies zur Erlösung führt.[44] So muß weiter überlegt werden, ob Cusanus seine Glaubenslehre wirklich primär an eine Erlösung von der Sünde gebunden hat. Die von Lentzen-Deis behauptete Verbindung von Glaube Christi und maximaler Menschennatur soll erneut aufgegriffen werden, nun aber auf die Menschwerdung als Vervollkommnung der Schöpfung hin.

e) Ulrich Offermann

Ulrich Offermann[45] ist in einer werkimmanenten Interpretation von *De docta ignorantia* der diesem Werk eigenen Denkbewegung gefolgt, die erst im dritten Teil, also mit Jesus Christus an ihr Ziel kommt. Dabei hat er die fundamentale Bedeutung der Christologie für das gesamte Cusanische Denken hervorgehoben und sich gegen eine Trennung von Philosophie und Theologie ausgesprochen.[46] Deutli-

---

[42] Ebd., 66-68 und 98. Dabei muß der Autor - ähnlich wie schon Haubst, dem er hier folgt (ebd., 68 Anm. 104) - auf das Predigtwerk, besonders *Sermo* LIV, zurückgreifen, wozu er seine Analyse von *De docta ignorantia* unterbricht.

[43] S. ebd., 71 zum Glauben Christi: „In seinem Glauben fallen mithin der Glaubende und der Glaubensgegenstand sowie Glaubensvollzug und komprehensive Schau in eins."

[44] S. ebd., 76.

[45] Offermann 1991.

[46] Bei Cusanus Philosophie von Theologie zu unterscheiden, hält auch Kurt Flasch in seiner nach Fertigstellung dieser Arbeit erschienenen Studie nicht für sinnvoll (s. ders.: Nikolaus von Kues. Geschichte einer Entwicklung, Frankfurt 1998, 53f.) und spricht zum Beispiel pointiert von „Inkarnationsphilosophie" (z. B. ebd., 135, 141, 360).

cher als Dangelmayr stellt er heraus, daß Jesus Christus die Wahrheit
des Denkens in der Weise sei, „daß die Erkenntnis Jesu Christi erst das
Fundament des Denkweges des Nikolaus von Kues schafft"[47]. Auf die
Problematik des Glaubens übertragen, heißt dies, daß es keine abge-
grenzten Erkenntnisbereiche von Vernunft und Glaube gebe. So
könne die endliche Vernunft die Existenz Gottes und der göttlichen
Trinität beweisen[48] und müsse schließlich die der Inkarnation „als
Bedingung der Möglichkeit ihrer eigenen Existenz und ihres eigenen
Vollzugs postulieren"[49]. So kann Offermann Vernunft und Glaube in
der Weise kennzeichnen, daß die Vernunft ihre reflexive Selbsterkenntnis nur von Jesus Christus habe.[50] Die Vernunft sei im Glauben
gegründet, das Wissen um das Nichtwissen verdanke sich Jesus Christus und nicht sich selbst.[51]

Diese Erkenntnisse können von der vorliegenden Arbeit bestätigt
und aufgenommen werden, wenn *De docta ignorantia* als Ausgangspunkt für die Darstellung der Cusanischen Lehre vom Glauben interpretiert wird. Jedoch ist der Rahmen dadurch von vornherein weiter
gefaßt, da hier das Gesamtwerk untersucht werden soll. Die manchmal bei Offermann fehlenden exakten Textnachweise seiner Analysen
von *De docta ignorantia* können gegeben werden. Es zeigt sich dann,
daß Kapitel III 1, mit dem Cusanus die Christologie beginnt, gerade
den entscheidenden Hinweis dafür gibt, wo genau Jesus schon in der
docta ignorantia als *investigatio comparativa* gegenwärtig ist. Kann ohne

---

[47] Ebd., 167, vgl. 82 Anm. 86. Damit sieht er sich in Übereinstimmung mit Wilhelm
Dupré, der in einem Aufsatz vor allem anhand von Predigtzitaten Jesus Christus als
„konstitutives Prinzip des Denkens" (ders.: Nikolaus von Kues und die Idee der
christlichen Philosophie, in: Philosophisches Jahrbuch 73 (1965/66) 23-32, 32) bei
Cusanus und in einer christlichen Philosophie hervorhebt (vgl. Offermann 1991,
177f. Anm. 114).
[48] S. ebd., 79-82 und 112.
[49] Ebd., 157.
[50] S. ebd., 177. Neuerdings wendet sich auch Louis Dupré gegen eine Trennung von
Vernunft und Glaube im Sinne einer Unterscheidung von Natur und Übernatur
und formuliert in einem Aufsatz (ders.: The Mystical Theology of Nicholas of Cusa's
De visione dei, in: Christianson, Gerald, und Izbicki, Thomas M. (Hrsg.): Nicholas of
Cusa on Christ and Church. Essays in memory of Chandler McCuskey Brooks [=
Studies in the history of Christian thought 71], Leiden/New York/Köln 1996, 205-
220, 219, Hervorhebung v. Autor): „The impact of faith occurs *within* the ultimate
act of thinking, not after it or beyond it." Vgl. ders.: Nature and Grace in Nicholas of
Cusa's Mystical Philosophy, in: American Catholic Philosophical Quarterly 64
(1990) 153-170, 167.
[51] S. ebd., 178f.: „Nicht das Wissen der Vernunft darum, daß sie nichts weiß, macht
ihre Gelehrtheit aus, sondern die Tatsache, daß sie in der Reflexion auf sich selbst
erkennt, daß sie ihr Wissen um ihr Nichtwissen letztlich nicht sich, sondern dem
Grund [sc. Jesus Christus] verdankt, aus dem sie lebt." Zur Rolle der *fides Christi* für
den Cusanischen Gedanken gibt Offermann keine neuen Hinweise (s. ebd., 180f.).

das *maximum absolutum contractum* überhaupt ein Unterschied von mehr oder weniger, *excedens* und *excessum* ausgemacht werden? Über Offermann hinaus sollen die Bezüge und Unterschiede des Cusanischen Gedankens zu anderen signifikanten Theologen, mit denen Cusanus sich implizit oder explizit auseinandersetzt, herausgearbeitet werden. Die auch von Offermann festgehaltene, alles entscheidende Offenbarung in Jesus Christus[52] bekommt bei Cusanus eine ganz andere Qualität. Die enge Verbindung der Inkarnation mit der Schöpfung läßt den Sinn der Offenbarung als eines freien Gnadengeschenkes Gottes nicht mehr hervortreten, ohne daß dies von Cusanus irgendwie geleugnet wäre. Vielmehr wird sie überall unmittelbar präsent,[53] kann doch die Schöpfung ohne die Menschwerdung im Grunde genommen gar nicht sein. Wenn sich nach Cusanus die Vernunft hierauf besinnt, so folgt sie der eigenen Bestimmung, als lebendiges Abbild Gottes alle Erkenntnis im Glauben an Jesus zusammenzufassen. Sie nimmt teil am produktiven Grundzug der Trinität, die ihre absolute Macht in der Menschwerdung äußert, alle Vielheit darin aus sich entspringen läßt und über Vermittlung der Kirche, der Glaubenden, wieder in sich vereint. So nimmt Cusanus das ihm überkommene theologische Wissen auf.

f) Albert Dahm

Albert Dahm[54] hat dem Glauben ein Kapitel in seiner Monographie zur Erlösungslehre bei Cusanus in den Schriften bis 1445 gewidmet. Darin hält er fest, daß der Glaube die Vernunft zur Schau Gottes führe, indem er sie von der durch die Erbsünde eingetretenen Lähmung befreie und für die Gabe Gottes bereit mache, wobei der Glaube selbst eine solche Gabe sei.[55] Das zweite wichtige Moment im Glauben sei, daß durch ihn der Mensch christusförmig werde, insbesondere durch die Tugenden, die ihn von der Bindung an die sinnliche Welt lösen.[56] Drittens hebt er hervor, daß der Glaube eine geistige Einfach-

---

[52] S. etwa ebd., 86 und 177.

[53] Die unmittelbare Gegenwart des verborgenen Gottes auch im Buch der Natur ist aus der Schöpfungsmittlerschaft Jesu Christi eher herauszulesen als ein Ansatz für ein durch Christus qualifiziertes geschichtliches Denken, auch wenn sich interessante Verbindungsmöglichkeiten anbieten (vgl. ebd., 82 und 196-199). Denkt man Geschiche derart, müßte man doch auch zeigen, wie Jesus unmittelbar darin aufzufinden wäre, was wegen der Struktur der Zeit schwer denkbar ist.

[54] Dahm, Albert: Die Soteriologie des Nikolaus von Kues. Ihre Entwicklung von seinen frühen Predigten bis zum Jahr 1445 [= BGPhThMA. NF 48], Münster 1997, zum Glauben bes. ebd., 179-204.

[55] S. ebd., 181-183.

[56] S. ebd., 187f.

heit hervorbringe, „dem Intellekt seine einfache Wirklichkeit erschließt und ihn an sein Ziel führt"[57]. Die soteriologische Bedeutung
des Glaubens liege darin, daß er den Menschen mit Christus „zu einer
Subjekt-Einheit"[58] verbinde, so daß gelte:

„Die objektiv in der alles umfassenden Maximität Christi gründende Einheit
mit dem Erlöser vollendet sich, wird subjektiv Wirklichkeit in der *unio* des
Glaubens, der seinerseits als Teilhabe an der *fides maxima* konzipiert ist."[59]

Dadurch erlange der Glaubende die Heilsfrüchte.

Die Ergebnisse Dahms können in dieser Arbeit bestätigt werden,
insbesondere daß mit dem Glauben die Maximalität (*maximitas*) Christi in einem endlichen Menschen gegenwärtig wird. Allerdings soll
auch herausgearbeitet werden, wie in der Cusanischen Begrifflichkeit
das Moment des Gnadenhaften im Glauben als eigenständiger Bereich zurücktritt. Dies erschließt sich, wenn seine theologischen Argumentationsgänge auf das Verhältnis von Vernunft und Glaube hin
untersucht werden. Sie zeigen, wie sich der Sinngehalt theologischer
Gedanken bei Cusanus gegenüber der vorausgehenden Tradition
verändert hat. Gegenüber Dahms Deutung der Darstellung des Lebens Jesu in *De docta ignorantia* III, insbesondere seines Todes, müssen
einige Vorbehalte angemeldet werden, zumal sie auch die Erkenntnisbereiche von Vernunft und Glaube unterscheidet.[60] Dahm stellt
heraus, daß Cusanus die Heilung der in Sünde gefallenen menschlichen Natur gegenüber der Frage nach einer Wiedergutmachung immer stärker betont, wenn er in *De docta ignorantia* die Erlösungspro-
blematik im Rahmen einer kosmologischen Inkarnationslehre behandelt.[61] Gerade diese Beobachtung soll in vorliegender Arbeit zu der
Frage anregen, welchen Sinngehalt dabei die Erlösung als Vereinigung mit Christus durch den Glauben bekommt, und zwar gegenüber
einer Christologie, die dezidiert die Heilung von der Sünde in den
Mittelpunkt stellt.

---

[57] Ebd., 190.
[58] S. ebd., 194. Dahm zieht v. a. *Sermo* LIV heran; s. hierzu unten Dritter Hauptteil.D.V.
[59] Dahm 1997, 195.
[60] S. ebd., 108 zur Wirklichkeit der Menschwerdung, 118-121 zu den Mängeln in der
     menschlichen Natur und 139f. zur Notwendigkeit des Todes Jesu.
[61] S. ebd., 145.

2. Gesamtplan der Arbeit

Der Glaubensbegriff des Nicolaus Cusanus soll sowohl systematisch als auch umfassend aus seinem Werk entwickelt und in seiner Eigenart plastisch gemacht werden. Dazu werden vor allem diejenigen Schriften eingehender untersucht, in denen er zum Glauben Stellung bezogen hat. Dies sind grundlegend die Predigten, *De docta ignorantia* von 1440, *De pace fidei* von 1453, *De visione Dei* von 1453, *De possest* von 1460 sowie einige kleinere Schriften. Da es wichtig ist, die jeweiligen Aussagen aus ihrem Zusammenhang heraus zu deuten, sollen die genannten Werke als ganze auf den Glaubensbegriff hin interpretiert werden. Bei den Predigten wird durch umfassende Dokumentation einerseits die Übereinstimmung mit den theoretischen Schriften, andererseits auch die Disparatheit der dortigen Überlegungen und Skizzen aufgezeigt werden. Mit einer eingehenden Interpretation von *De docta ignorantia* wird im ersten Hauptteil der Grundstock gelegt. Hier stehen vor allem die Christologie und ihre Bedeutung für den Glaubensbegriff im Mittelpunkt. Im zweiten Hauptteil wird dagegen der Schwerpunkt der Darstellung auf den Trinitätsspekulationen von Cusanus liegen, wenn die Bedeutung des Glaubensbegriffs für die Auseinandersetzung mit anderen Religionen, für die Mystik und in bezug auf seine produktive Bestimmung des Menschen dargestellt wird. Ein Überblick über die knapp 300 Predigten und Predigtskizzen bildet den dritten Hauptteil, in dem der Akzent auf der christologischen Bestimmung des Glaubens liegt. Manche Wiederholungen sind bei diesem Vorgehen unvermeidlich, werden aber je nach Kontext nochmals einen eigenen Gesichtspunkt ans Licht bringen. Zu bedenken ist, daß Cusanus dem Glauben keine separate Abhandlung gewidmet hat.

Um die Besonderheit und Neuartigkeit der Cusanischen Position deutlich zu machen, ist es sinnvoll, seine Konzeption systematisch mit der einiger Vertreter mittelalterlicher Philosophie und Theologie zu kontrastieren, zu denen es historische oder quellenmäßige Bezüge verschiedener Art gibt. Thomas von Aquin wird gewählt, weil er für die bisherige theologische Interpretation des Cusanischen Werkes eine wichtige Rolle spielt und sich besonders eignet, die Eigenart der Cusanischen Theologie in der Verhältnisbestimmung von Vernunft und Glaube herauszuarbeiten. Daß beide sich in einem Kernpunkt gerade gegenüberstehen, wie dargestellt werden soll, rechtfertigt diese Wahl auch systematisch. Ein starkes Gewicht sollen auch Anselm und Raimundus Lullus bekommen, um Cusanus' Betonung der Ra-

tionalität des Christentums näher zu qualifizieren. Diese gewinnt aber
vor dem Hintergrund der geistesgeschichtlichen Situation des 15.
Jahrhunderts eine eigene Prägung, vor allem durch die Umbrüche in
der Philosophie und Theologie des 14. Jahrhunderts, die heute mit
Nominalismus oder *via moderna* überschrieben werden. Wie Cusanus
darauf reagiert, soll im ersten Hauptteil mitbeachtet werden, indem
an wichtigen Stellen Occams Position mitdiskutiert wird. Diese Abgrenzungen können nicht erschöpfend sein, sollen aber Kernpunkte
treffen. Im Zentrum der vorliegenden Arbeit steht der Cusanische
Gedanke, der möglichst umfassend ans Licht zu bringen ist.

Erster Hauptteil: Der Glaube in *De docta ignorantia*

A. Vorbemerkung und Begründung der Vorgehensweise

I. ALLGEMEINER KONTEXT

Mit seinem ersten großen theologisch-philosophischen Werk – die mehr kirchenpolitische Schrift *De concordantia catholica* als Frühwerk einmal zurückgestellt – hat sich Cusanus einen bleibenden Platz in der Geschichte der abendländischen Theologie und Philosophie geschaffen. Mehr als alle anderen Schriften, die der vielbeschäftigte Kirchenmann nach 1440 verfaßte, fasziniert diese systematische Darstellung seines Denkens heutige Interpreten. In keinem anderen Werk hat er so viele Themen und insbesondere die christlichen Kern- und Brennpunkte derart ausführlich dargestellt. Zwar ist das Predigtwerk, das er durchaus zu seinem Gesamtwerk dazurechnet und unter anderem den interessierten Mönchen am Tegernsee zur weiteren Lektüre empfiehlt, reich an Einzelthemen, doch fehlt die Geschlossenheit und Einheitlichkeit der zugrundeliegenden Konzeption. Zu seinen Lebzeiten hat allerdings *De docta ignorantia* ein geringeres Interesse gefunden als etwa das oben genannte Frühwerk, sein mathematisches Schaffen oder *De visione dei.* Um so mehr sieht man dagegen heute in dieser Schrift nicht nur das reife Cusanische Denken zusammengefaßt, sondern sogar unsere heutige geistige Situation in manchem auf den Punkt gebracht.

Allerdings schränken aktualisierende Interpretationen, die etwa die heutige Skepsis und Unsicherheit über das menschliche Wissen in der Cusanischen Einsicht in die Unwissenheit als höchster menschlicher Erkenntnis vorformuliert sehen, ihren Gesichtskreis stark ein und bleiben oft genug beim ersten, allenfalls zweiten Buch von *De docta ignorantia* stehen. Dabei gilt heute unter den Cusanus-Forschern als ausgemacht, daß das Zentrum des Werkes gerade *De docta ignorantia*

III und die dort behandelte Christologie ist. Ihr wendet man sich deshalb auch vermehrt zu.[62]

Gerade für die Themenstellung dieser Arbeit ist das dritte Buch von zentraler Bedeutung, denn keineswegs kann man behaupten, Cusanus habe bezüglich Vernunft und Glaube keine „befriedigende inhaltliche Bestimmung ihres Verhältnisses"[63] geleistet. Vielmehr wird hier gezeigt werden, wie die ausgearbeitete Christologie mit einer expliziten Bestimmung des Glaubens nicht nur einhergeht, sondern sogar identisch ist. Dabei soll sowohl auf die immanente Argumentation geachtet als auch der Bezug zur theologischen Tradition hergestellt werden. Obwohl Cusanus einen sehr eigenwilligen Weg geht, setzt er sich implizit mit seinen großen theologischen Vorgängern, die er bei seiner reichen Lektüre gut kannte, auseinander und formuliert seine Aufgabe in Anhalt an diese. Dabei ist die Aufgabe der Cusanischen Vernunft weniger durch die von ihm genannten Gewährsmänner für die belehrte Unwissenheit wie Sokrates, Salomon und Aristoteles (s. *De docta ignorantia* I 1) oder seine Kronzeugen für die negative Theologie, Dionysius Areopagita, Maimonides und andere (s. *De docta ignorantia* I 26), gegeben, sondern, wenn man mit der Zentralstellung von *De docta ignorantia* III Ernst macht, durch die großen Theologen des Hoch- und Spätmittelalters. Hierbei ist auf die Entwicklung in der Theologie von Albertus Magnus, Thomas von Aquin und Bonaventura vor allem zu Occam und anderen Nominalisten zu achten. Wenn Cusanus auf den Angriff des Dominikaners Johannes Wenck von Herrenberg in der *Apologia doctae ignorantiae* heftig gegen die *aristotelica secta* reagiert, die sein Koinzidenzprinzip für Häresie halten muß,[64] so wird er sich nicht allein in der Methode als neuplatonisch inspirierter Denker über die aristotelisch geprägte scholastische Theologie erheben, sondern auch ihre Inhalte umformen. Das wird nicht nur an

---

[62] S. hierzu und zur Literatur bis 1990 Offermann 1991, 4-22. Für seine eigene Analyse hält er fest (ebd., 142): „Eine Interpretation, die meint, bei der Darlegung des Gedankenganges des Nikolaus von Kues auf den dritten Teil von „De docta ignorantia" verzichten zu können, muß notwendigerweise zu kurz greifen. Erst von der Interpretation des dritten Teiles her lassen sich Buch I und II von „De docta ignorantia" angemessen verstehen." Vgl. Schönborn, Christoph: „De docta ignorantia" als christozentrischer Entwurf, in: Jacobi, Klaus (Hrsg.): Nikolaus von Kues. Einführung in sein philosophisches Denken, Freiburg/München 1979, 138-156.

[63] Meier- Oeser, Stephan: Die Präsenz des Vergessenen. Zur Rezeption der Philosophie des Nicolaus Cusanus vom 15. bis zum 18. Jahrhundert [= Buchreihe der Cusanus-Gesellschaft 10], Münster 1989, 65 Anm. 165. Ob der Autor die Cusanische Vernunftabsicht verstanden hat, wenn er u. a. in bezug auf *De docta ignorantia* III 11 von einer „Forderung nach Unterwerfung des intellectus unter die fides" (ebd., 64f. Anm. 165) spricht, muß bezweifelt werden.

[64] S. *Apologia doctae ignorantiae*, h II, 6 Z.7-12.

seiner Interpretation der mystischen Theologie des Areopagiten deutlich, deren Differenz zu den Interpretationen seiner großen Vorgänger er sich wohl bewußt war.[65]

In dieser Arbeit soll bei der Darstellung des Glaubensbegriffes außerdem gezeigt werden, wie Cusanus sein Programm einer belehrten Unwissenheit als eine Weiterführung des Nominalismus versteht, um die dortige Trennung von selbständigem natürlichem Erkennen und bloßem Glauben hinsichtlich ihrer rational begründeten Verbindung zu überwinden. Zerfällt die innere Rationalität des Glaubens für das nominalistische Denken in eine unverbundene Kontingenz von einzelnem, so ergibt sich für Cusanus gerade von einer nur noch suchenden Vernunft aus eine Rationalität, die nicht nur direkt auf den Glauben als Wurzel und Grund führt, sondern in ihrer eigenen suchenden Entfaltung die Explikation des Glaubens selbst wird. Das ist der entscheidende Punkt, in dem Cusanus die Herausforderung der Theologie der *via moderna* aufnimmt. Diese neue Weise des Denkens muß allerdings jenseits aller syllogistischen Argumentation geschehen, weil die suchende endliche Vernunft bei Cusanus keine eigenständigen Prinzipien mehr hat. Das drückt sich zuhöchst darin aus, daß sie vor das Aristotelische Prinzip vom zu vermeidenden Widerspruch, das als das der *ratio naturalis* eigentümliche Prinzip gilt, zurückgeht. Sogar die Lehre von der absoluten Macht Gottes, in die Occam den ersten Satz des Glaubensbekenntnisses entfaltet, stand noch unter diesem Prinzip und war von dessen Rationalität geprägt. Wenn sich Cusanus darüber erhebt, so will er sich auch über den Nominalismus setzen und nicht nur – ohne dies auszuschließen – eine neuplatonisch inspirierte theologische Tradition fortsetzen. Deshalb sollen Positionen Occams als eines exponierten Vertreters der *via moderna* in der Gottes- und Schöpfungslehre mitberücksichtigt werden, da Cusanus gerade hier durch seine Christologie eine davon abweichende Rationalität entfaltet.[66]

So soll in der folgenden Interpretation nicht nur diese berücksichtigt werden, sondern ebenso das Verhältnis der Cusanischen Argumentation zu den anderen großen Positionen der mittelalterlichen

[65] S. hierzu Baur, Ludwig: Cusanus-Texte III. Marginalien 1. Nicolaus Cusanus und Ps. Dionysius im Lichte der Zitate und Randbemerkungen des Cusanus [= Sitzungsberichte der Heidelberger Akademie der Wissenschaften, Philosophisch-historische Klasse 31 (1940/41) 4. Abh.], Heidelberg 1941.

[66] Cusanus kannte vermutlich Occam nicht direkt, doch war er u. a.im persönlichen Besitz von Schriften von Albert von Sachsen, Nikolaus von Oresme, Marsilius von Inghen. Die Klärung des Verhältnisses von Cusanus zur *via moderna* ist noch nicht geleistet, s. Hoffmann, Fritz: Nominalistische Vorläufer für die Erkenntnisproblematik bei Nikoalus von Kues, in: MFCG 11 (1975) 125-159.

Theologie aufgezeigt werden. Hierbei werden neben den oben genannten Autoren auch Augustinus, Anselm und vor allem Lull zur
Sprache kommen müssen.

II. DER AUFBAU VON *DE DOCTA IGNORANTIA*

Cusanus stellt an mehreren Stellen den Aufbau seines Werkes vor. In
einem Vorwort[67] nach den ersten erkenntnistheoretischen Darlegungen zur *docta ignorantia* skizziert er den Aufbau in drei Büchern folgendermaßen. Das erste Buch handelt vom *maximum absolutum*, das
heißt von Gott, das zweite Buch vom *universum* als *maximum contractum*, das dritte schließlich von demjenigen *maximum*, das zugleich
absolutum und *contractum* ist, das heißt von Jesus. Diese Einteilung wird
im Prolog zu *De docta ignorantia* III und im Widmungsbrief nochmals
aufgegriffen. Man könnte also sagen, daß Cusanus Gott, die Welt und
Jesus Christus behandelt.[68] Gotteslehre, Schöpfungslehre und Christologie – um in heutigen theologischen Begriffen zu sprechen – werden
sukzessive dargelegt.

Cusanus betont dabei drei Dinge. Erstens weiß er, daß er dieses
Werk nicht dem eigenen Bemühen verdankt, sondern Gott als *dux*[69]
und Geber aller guten Gaben[70], genau genommen Jesus selbst[71]. Den
Topos dieser frommen Einsicht wird Cusanus mit seinem Werk sogar
selbst begründen.[72] Zweitens betont er, daß er ohne Sprünge linear in
seiner Darstellung voranschreitet.[73] Drittens macht er schon in seinen
Überblicken über das Werk unmißverständlich deutlich, daß es ihm
nicht nur hauptsächlich um Jesus als den *finis perfectissimus*[74] geht,
sondern daß sein Werk sogar auf Jesus selbst gründet. Dies kann er

---

[67] *De docta ignorantia* I 2, h I, 7 Z.3 - 8 Z.8.

[68] Vgl. Offermann 1991, 42-52. Wenn *De docta ignorantia* stärker auf die Neuzeit hin
     gedeutet wird, versucht man hinter dieser Aufteilung die dreifache Gliederung der
     metaphysica specialis zu sehen. Daß dann die Lehre von Jesus zur Lehre vom Men-
     schen oder dem endlichen Geist wird wie etwa bei Volkmann-Schluck (s. ders.: Ni-
     colaus Cusanus. Die Philosophie im Übergang vom Mittelalter zur Neuzeit, Frank-
     furt 1957, 51), scheint eine verkürzte Interpretation zu sein.

[69] S. *De docta ignorantia* I 2, h I, 7 Z.14.

[70] S. ebd. III *Epistola auctoris*, h I, 163 Z.8.

[71] S. ebd. 2, h I, 8 Z.7f.

[72] Vgl. Offermann 1991, 51.

[73] Vgl. etwa die Formulierungen *subsequenter* (*De docta ignorantia* I 2, h I, 7 Z.26) und *ex
     eodem semper progrediens fundamento* (ebd. III *Epistola auctoris*, h I, 163 Z.18f.; s. auch
     ebd. II prol., h I, 59 Z.4 und III 9, h I, 149 Z.7).

[74] Ebd. I 2, h I, 8 Z.5.

zunächst nur fordern.[75] Dennoch will er Ernst machen mit der Aussage, Jesus sei der Weg zu sich als der Wahrheit.[76] Dieses große Wort hat er erst dann eingelöst, wenn die Christologie in ihrer inhaltlichen Entwicklung abgeschlossen ist (*De docta ignorantia* III 1-10) und der Weg zu dieser Wahrheit noch einmal reflektiert wird (*De docta ignorantia* III 11-12).

Interessanterweise ist *De docta ignorantia* in drei Büchern angeordnet. Damit hebt es sich von viergliedrigen Werken des Mittelalters ab, etwa den am Sentenzenbuch von Petrus Lombardus orientierten Sentenzenkommentaren. Eine auffällige Nähe stellt sich allerdings zur *Summa Theologiae* von Thomas von Aquin ein. Auch sie ist bekanntlich dreigegliedert, nämlich in einen Teil über Gott (STh I *De Deo*), in der auch die Schöpfungstheologie abgehandelt wird, einen umfangreicheren, nochmals geteilten zweiten praktischen Teil (STh II *De motu rationalis creaturae in Deum*) und in die Christologie des dritten Teiles (STh III *De Christo, qui secundum quod homo, via est nobis tendendi in Deum*).[77] Zunächst fällt auf, daß Cusanus wie Thomas den Teil, der explizit von Christus und der Menschwerdung und den damit zusammenhängenden Themen handelt, ans Ende seines Werkes stellt – als Schlußstein und Grund. Bei Thomas steht und fällt mit dem rechten Verständnis der Inkarnation der gesamte christliche Glaube.[78] Für Cusanus dagegen ist Jesus der *finis intellectualium desideriorum*[79], ja sogar *finis omnis intellectionis*[80], ohne den also jegliches endliches Erkennen ziel- und grundlos wäre. Christus ist demnach für beide nicht nur in einem unspezifischen christlichen Sinne Grund und Fundament ihrer beiden großen Werke, sondern durchaus auch aufgrund systematischer Überlegungen.

Allerdings fällt auf, daß bei Thomas der zweite Teil von der praktischen Bestimmung des Menschen handelt, wie er sich als Herr seiner Werke auf Gott hinordnen soll[81], wobei die Christologie den Schlußstein bildet. Christus ist ja insofern der Weg zu Gott, als in ihm alle Gnade ihren Ursprung hat, ohne die kein Mensch zu jenem übernatürlichen Ziel der *visio beatifica* gelangen könnte. Der Mensch als *imago* kommt also zu Gott als *exemplar* nur über Christus, der nicht allein das vollkommene Bild des Vaters ist, sondern auch als Mensch

---

[75] S. ebd., h I, 8 Z.1-3 zusammen mit ebd. II prol., h I, 59 Z.2-12.
[76] S. ebd. III prol., h I, 117 Z.7.
[77] S. STh I 2 introd.
[78] S. STh III 2, 2 c.
[79] *De docta ignorantia* III *Epistola auctoris*, h I, 164 Z.6.
[80] Ebd. III 11, h I, 153 Z.27.
[81] S. STh I-II prol.

der Weg selbst, das heißt der Ermöglichungsgrund und das Vorbild, wie zum Vater gegangen werden soll.

Bei Cusanus behandelt dagegen das zweite Buch von *De docta ignorantia* nicht den Menschen auf dem Weg zu seinem Ziel, es bietet keine Ethik, sondern eine überaus komplizierte Deutung der Schöpfung als *maximum contractum*. Dessen Einheit ergibt sich aber gerade daraus, daß jegliches, nicht nur das Beseelte, bewegt ist.[82] Inwieweit diese universale Bewegung zu Gott als Ziel führt,[83] muß im zweiten Buch noch dem dritten Teil überlassen werden, in dem ein tieferes Verständnis der göttlichen *operatio* erreicht wird – *iuxta inspiratam divinitus veritatem*[84]. Hierauf ist dann auch die Christologie bezogen, wie schon an der Bestimmung Jesu als *maximum contractum et absolutum* deutlich wird. Cusanus zielt also auf eine kosmologisch geprägte Christologie, in deren Entfaltung Gottes schöpferisches Wesen manifest wird und alles Endliche seine letzte Begründung erhält.

III. AUFGABE UND METHODE VON *DE DOCTA IGNORANTIA*

Wo formuliert Cusanus die ihm gestellte Aufgabe? Auch hier zeigt sich eine auffällige Parallelität zu Thomas. Wie zu erwarten ist, legen sie sich und dem Leser zu Beginn ihrer Werke Rechenschaft davon ab, was diese leisten sollen. Doch wie weit geht die Parallelität?

Thomas stellt seine Aufgabe folgendermaßen vor:

„[...] propositum nostrae intentionis in hoc opere est, ea quae ad Christianam religionem pertinent, eo modo tradere, secundum quod congruit ad eruditionem incipientium."[85]

Wie diese Aufgabe in einer Theologie als Wissenschaft, als *sacra doctrina*, geleistet werden kann, bestimmt er in der dem ganzen Werk vorangehenden ersten Frage (STh I 1). Hier formuliert er auch seine berühmte Subalternationstheorie. Der Wissenschaftscharakter der Theologie ist dadurch gegeben, daß sie sich als eine Wissenschaft versteht, die einer höheren unterstellt ist, nämlich der *scientia Dei et beatorum*.[86] Von ihr empfängt sie ihre Prinzipien:

---

[82] S. *De docta ignorantia* II 10, h I, 98 Z.19-25.
[83] Vgl. ebd. II 12, h I, 109 Z.27.
[84] Ebd., h I, 110 Z.13.
[85] STh I prol., vgl. STh I 2 introd.: „[...] principalis intentio huius sacrae doctrinae est Dei cognitionem tradere [...]."
[86] S. STh I 1, 2.

„Unde sicut musica credit principia tradita sibi ab arithmetico, ita doctrina sacra credit principia revelata sibi a Deo."[87]

Diese aristotelisch orientierte Begründung der Wissenschaftlichkeit der Theologie ist nicht nur für das Mittelalter bis dato neu, sondern kommt auch bei Thomas erst in der *Summa Theologiae* ganz zum Tragen.[88] Die *sacra doctrina* kann sich dabei als eine Wissenschaft verstehen, die die anderen nicht nur an Gewißheit, sondern auch an Würde übertrifft[89], obwohl sie ihre Prinzipien empfängt und im Glauben annimmt. Die wesentlichen Prinzipien sind nämlich die Glaubensartikel, als deren rationale Durchdringung und Weitergabe – *contemplata tradere* – sich die Thomasische Theologie versteht.

Für Occam war eine solche Wissenschaftstheorie geradezu kindisch. Es macht ihm keine Probleme, die Thomasische Subalternationstheorie zu verwerfen und damit allerdings den Status der Theologie als Wissenschaft aufzugeben:

„[...] puerile est dicere quod ego scio conclusiones theologiae, quia Deus scit principia quibus ego credo, quia ipse revelat ea."[90]

Im eigentlichen Sinne ist die Theologie bei Occam nicht mehr eine wissenschaftliche Darstellung der Glaubensgeheimnisse, weshalb sich bei ihm die natürliche Vernunft sowohl freier in der Auslegung der theologischen Sentenzen bewegt als auch vermehrt anderen Feldern, zum Beispiel der Politik, zuwendet.

Bekanntlich orientiert sich auch Cusanus in *De docta ignorantia* an den Glaubensartikeln, wie sie im Glaubensbekenntnis formuliert sind. Er bestimmt das Verhältnis von Vernunft und Glaube so:

„Fides igitur est in se complicans omne intelligibile. Intellectus autem est fidei explicatio."[91]

Das Werk entwickelt sich dabei als eine sukzessive Entfaltung des apostolischen Glaubensbekenntnisses.[92] Auch Thomas spricht davon,

---

[87] STh I 1, 2 c.
[88] Vgl. Metz, Wilhelm: „Aufgehobene" Mündlichkeit. Artikel-Struktur und „ordo disciplinae" der Thomasischen „Summa Theologiae", in: Philosophisches Jahrbuch 103 (1996) 48-61.
[89] S. STh I 1, 5.
[90] Occam: Sent. I prol., q.7, OTh I, 199 Z.16-18. Die Subalternationstheorie stieß schon sehr früh auf Ablehnung.
[91] *De docta ignorantia* III 11, h I, 152 Z.3f.
[92] Vgl. Offermann 1991, 142; allerdings muß man präzisieren, daß, wenn das erste Buch vom „einen Gott, dem Vater, dem Allmächtigen" handelt, nach mittelalterli-

daß die Glaubensartikel entfaltet werden, doch gerade diese scheinbare Nähe in der Bestimmung der Aufgabe der Theologie verweist auf
den entscheidenden Unterschied. Erweist sich bei Thomas die Theologie beziehungsweise genauer das christliche Wissen als *sacra doctrina*
– selbst oft kaum von der göttlichen Offenbarung zu unterscheiden –,
so entwickelt Cusanus das Glaubenswissen in einer *docta ignorantia.*
Diese Form des Wissens habe ihm Gott bei seiner Rückfahrt von Grie-
chenland eingegeben, es vollständig zu entfalten, sieht er als seine
Aufgabe an:

„Nihil enim homini etiam studiosissimo in doctrina perfectius adveniet quam
in ipsa ignorantia, quae sibi propria est, doctissimum reperiri; et tanto quis
doctior erit, quanto se sciverit magis ignorantem. In quem finem de ipsa
docta ignorantia pauca quaedam scribendi labores assumpsi.“[93]

Man sieht also, wie Cusanus den Stoß Occams aufnimmt und nicht
nur die Wissenschaftlichkeit der Theologie preisgibt, sondern diese
sogar bis zur Unwissenheit zurücknimmt. Jedoch gerade dadurch
greift er geradezu kühn sogar noch über Thomas hinaus, wenn das
Belehrt-Werden über die eigene Unwissenheit zur „Entfaltung“ der
Glaubensgeheimnisse wird. Dies vermag die „mystische Theologie“,
als deren berufenen Fortführer sich Cusanus sah.

B. Die Vorarbeit von *De docta ignorantia* I und II

An dieser Stelle sollen die ersten beiden Bücher von *De docta ignorantia* nur insoweit behandelt werden, als dies für ein Verständnis des
ausführlich zu besprechenden dritten Buches unerläßlich ist. Ergän-
zendes kann an Ort und Stelle nachgetragen werden. Zu achten ist
dabei darauf, wie Cusanus mit der Suche der endlichen Vernunft
nach ihrem Prinzip sukzessive das Glaubensbekenntnis entwickelt. Für
den Glaubensbegriff ist dies deshalb relevant, weil die *fides quae creditur* nicht von der *fides qua creditur* losgekoppelt ist, insbesondere nicht
für Cusanus. Überhaupt wird schon aus der vernunftgemäßen Ent-

chem Verständnis damit die Trinität gemeint ist, s. Ps.-Augustinus *Sermo* 240 (PL 39,
2188-2190), auch STh II-II 1, 8.
[93] *De docta ignorantia* I 1, h I, 6 Z.19-24.

wicklung der Glaubensgeheimnisse deutlich, in welches Verhältnis Cusanus die Vernunft zur christlichen Wahrheit setzt, noch bevor er am Ende des Werkes auf den Glauben als solchen zu sprechen kommt.

I. DIE ERSTEN GLAUBENSARTIKEL

1. Der Aufweis der Existenz Gottes

a) Das vergleichende Erkennen und sein Gottesbegriff

Cusanus hat in *De docta ignorantia* I 1 unter dem Titel *Quomodo scire est ignorare* noch vor dem Überblick, den er über den Stoff der drei Bücher gibt, sein wissenschaftliches Programm kurz umrissen. Alles Erkennen vollzieht sich in einem Streben nach Einsicht in das Unbekannte. Dabei geht es vergleichend vor und mißt das Neue am schon Bekannten. Einer solchen *inquisitio comparativa* entgeht allerdings das Unendliche, weil es jenseits aller Verhältnisse liegt. Es bleibt unerkannt, *ignotum*. Überhaupt übersteigt die vollständige Genauigkeit, die allein im Unendlichen erreicht werden kann, alles endliche Erkennen. Dies führt Cusanus in einem zweiten methodologischen Kapitel aus. Hier formuliert er auch seinen erkenntnistheoretischen Grundsatz, den er in seinen Schriften oft wiederholen wird:

„[...] ex se manifestum est infiniti ad finitum proportionem non esse [...]."[94]

Dieser Satz überrascht nicht, kann er doch auf Aristoteles zurückgeführt werden und erfreut sich allgemeiner Akzeptanz im Mittelalter, wenngleich auch mit unterschiedlichen Intentionen gefüllt. Ihn an die Spitze seines Denkens zu stellen, ist eine Eigenheit von Cusanus. Für ihn drückt sich darin der absolute Unterschied des Unendlichen vom Endlichen aus. Dieser bestimmt sich als der Unterschied des *maximum* vom *maius*[95], also in Anhalt an das messende, vergleichende Erkennen des *intellectus finitus*. Endliches und Unendliches werden zunächst in leerer Abstraktion bestimmt. Beim einen gibt es noch *excedens* und *excessum* und somit nie eine völlige Gleichheit, beim anderen nicht. Zu jeglichem aber, bei dem es ein Mehr-und-Weniger

---

[94] Ebd. I 3, h I, 8 Z.20f.
[95] S. ebd., h I, 9 Z.1-3

gibt, bleibt das Maximum in einem unüberwindlichen Unterschied.[96] Cusanus nennt diesen Sachverhalt später die *regula doctae ignorantiae*, in *De docta ignorantia* bildet sie zusammen mit dem erkenntnistheoretischen Grundsatz der Verhältnislosigkeit des Endlichen und Unendlichen das von Cusanus immer wieder genannte Fundament.[97] Das Unendliche wird so vom *maximum* her gefaßt, das Cusanus in *De docta ignorantia* I 2 folgendermaßen verstanden haben will:

„Maximum autem hoc dico, quo nihil maius esse potest."[98]

Dabei darf das *maximum* nicht mehr quantitativ verstanden werden. Ebenso stimmt es nicht mit einem reinen Vernunftbegriff überein, da es mit dem *minimum* zusammenfällt, und dies in reiner Einheit. Der Cusanische Maximum-Begriff ist also unmittelbar zusammen mit dem Zusammenfall der Gegensätze zu verstehen, ebenso der Begriff des Unendlichen.

Von hier ergibt sich für die vergleichend erkennende Vernunft von allein, daß das *maximum* in einem Jenseits zu ihr verbleibt – und mit ihm auch die Wahrheit, die dieselbe Struktur aufweist.

„Non potest igitur finitus intellectus rerum veritatem per similitudinem praecise attingere. Veritas enim non est nec plus nec minus [...]."[99]

Dies überträgt sich auf alles Wahre. So kann nicht allein von Gott als *maximum* nicht mehr erkannt werden, was er ist, sondern auch von allen Dingen. Die Wesenheiten, *quidditates rerum*, bleiben unbekannt. Selbst die eigenen Produkte der endlichen Vernunft, zum Beispiel die mathematischen Begriffe, verharren in einem nicht zu überwindenden Unterschied und Abstand zum Erkenntnisvermögen. Cusanus radikalisiert also die nominalistische Stoßrichtung, die nur den Bezug der Begriffe zur Wirklichkeit in Frage stellten. Um so klarer und gewisser ist sich allerdings die Cusanische Vernunft bezüglich ihrer Einsicht in diese Unwissenheit.

---

[96] S. als Folgerung aus dem erkenntnistheoretischen Grundsatz ebd., h I, 8 Z.21 - 9 Z.1: „[...] ex hoc clarissimum, quod, ubi est reperiri excedens et excessum, non deveniri ad maximum simpliciter, cum excedentia et excessa finita sint."

[97] S. z. B. *De docta ignorantia* II 1, h I, 63 Z.10-14; III 12, h I, 159 Z.17; ebd. I 6, h I, 13 Z.25 als *regula* bezeichnet; vgl. *De venatione sapientiae* 26 N.79 Z.1-3, h XII, 76; vgl. *De ludo globi* II N.96 Z.22-24, h IX, 121. Zur Auswirkung dieser Regel auf Cusanus' mathematisches Denken s. Roth, Ulli: Die Bestimmung der Mathematik bei Cusanus und Leibniz, in: Studia Leibnitiana 29 (1997) 63-80.

[98] *De docta ignorantia* I 2, h I, 7 Z.4f.

[99] Ebd. I 3, h I, 9 Z.10f.

Damit verwandelt Cusanus die Lehre von einer „Analogia entis".[100] In einem ersten Schritt muß er sie von seinem erkenntnistheoretischen Grundsatz her leugnen[101], denn alles mißt er sofort an der absoluten Genauigkeit, die allein dem *maximum* vorbehalten bleibt. In der Einsicht in die Unwissenheit selbst holt er sie wieder ein. Dann allerdings erkennt die Vernunft unwissend, ohne Verhältnis auch des Endlichen zum Unendlichen, an der Inadäquatheit ihrer Begriffe in jenem Dunkel, in dem sie voller Gewißheit den verborgenen Gott weiß. Dies wird schon an der Bestimmung des Unendlichen über das *maximum* deutlich.

Thomas sieht ebenfalls den absoluten Unterschied Gottes von allem anderen im Unendlichkeitsbegriff ausgedrückt[102], doch bestimmt sich für ihn die Unendlichkeit über das Sein. Gott ist reine Form, durch keine Materie begrenzt. Im Gegensatz zu den Engeln, bei denen ein Unterschied von Wesen und Sein ausgemacht werden kann, gilt für ihn allein, daß er sein eigenes Sein ist.[103] Von diesem Sein haben wir Menschen allerdings eine gewisse Einsicht, denn alle Vollkommenheiten finden sich auch in Gott, wenn auch in überragender Weise, wie Thomas in seiner Analogielehre festhält.[104] Insofern ist auch der Satz, vom Endlichen zum Unendlichen gebe es kein Verhältnis, kein Einwand gegen die Möglichkeit eines Beweises des Daseins Gottes aus dem Endlichen.[105]

Für Cusanus muß aber jegliches endliche Wissen erst an Gott selbst gemessen werden und kann nur im Sinne eines Nichtwissens Einsicht gewähren. In dieser vorsichtigen Weise dringt die mystische Theologie in das Dunkel eines ihr verborgenen Gottes, denn ihr sind die *negationes* und *remotiones* gegenüber allen affirmativen Bestimmungen wahrer, auch wenn sie hierbei durchaus Grade feststellen kann.[106] Dabei unterscheidet Cusanus nicht mehr zwischen einem *modus signi-*

---

[100] S. auch Jacobi, Klaus: Die Methode der cusanischen Philosophie [= Symposion 31], Freiburg/München 1969, 218f., und Offermann 1991, 96, insb. Anm. 134.

[101] Nur insofern ist Stadler, Michael: Rekonstruktion einer Philosophie der Ungegenständlichkeit. Zur Struktur des Cusanischen Denkens [= Die Geistesgeschichte und ihre Methoden. Quellen und Forschungen 11], München 1983, 93f., recht zu geben, Cusanus richte sich gegen die Denkweise der „Analogia entis". Keineswegs wird damit das Unendliche zu einem der Vernunft immanenten Prinzip in Richtung auf eine apriorische Idee der Vernunft, wie Stadler auch behauptet, auch wenn er Cusanus nochmals von der Transzendentalphilosophie Kants abzuheben versucht.

[102] S. STh I 7, 1 ad 3 u. 7, 2.

[103] S. ebd. q.7, a.1 c.

[104] S. ebd. q.14, a.6.

[105] S. ebd. q.2, a.2.

[106] S. *De docta ignorantia* I 26, h I, 56 Z.5-12.

ficandi und der *res significata*. Die Gott allein eigentümliche Unendlichkeit, die sein Wesen ausmacht und noch vor dem Unterschied der
Personen liegt, ist das erste Maß der negativen Theologie und ihres
vergleichenden Erkennens.[107] Auch in der ewigen Seligkeit wird sie
der endlichen Vernunft eine unüberwindliche Grenze bleiben. Eine
Besinnung darüber, wie Gott doch den endlichen Vernunftwesen die
Schau seines Wesens verheißen hat, kommt der negativen Theologie
nicht in den Blick. Hierüber wird erst die Christologie Aufschluß geben, denn anders als die Theologie des Thomas, aber auch noch die
Spekulationen des Areopagiten entwickelt Cusanus seine Gedankengänge nicht in Anhalt an die göttliche Offenbarung, wie sie vor allem
in der Heiligen Schrift festgehalten ist.

Wenn Pseudo-Dionysius in *De divinis nominibus* die Möglichkeiten
und Bedeutungen positiver Gottesprädikate behandelt, so gibt er sich
als Regel vor, sich an das in den heiligen Schriften Ausgesagte zu halten.[108] Jede positive Aussage gründet also darin, daß sich Gott selbst
positiv ausgesagt hat. An diese Vorgabe ist die endliche Vernunft bei
Cusanus nicht gebunden, auch wenn sie sich auf sie bezieht und sich
mit ihr völlig einig weiß. Bezüglich der Frage nach einer affirmativen
Theologie vernimmt sie aus dem hermetischen Schrifttum des Her-
mes Trismegistus und aus der Heiligen Schrift jedoch nur, daß für sie
Gott nicht mit dem Tetragrammaton benennbar ist, sondern allein
mit der Einheit.[109] Die absolute Einheit liegt aber jenseits der Plurali-
tät aller Gegensätzlichkeiten, die durch affirmative Aussagen je neu
provoziert werden würden. In ihrem Angesicht gehen der endlichen
Vernunft alle Namen aus – aber auch alle Sinngehalte der Namen,
wenn sie auf Gott bezogen werden, sogar der der Einheit selbst[110]. Daß
manche Prädikate im Sinne der Thomasischen Analogielehre hinsichtlich der *res significata* sogar zuerst Gott und dann dem Endlichen
beizulegen sind, kann der *docta ignorantia* erst über den Schritt in die
Unwissenheit aufgehen. Cusanus macht völlig Ernst damit, daß sogar
die Wesenheiten der Dinge unbekannt sind. Wie könnten sie da eine
Basis für einen Aufstieg zu Gott bilden oder etwas anzeigen, das in
eminenter Weise Gott zukäme? Oder doch in belehrter Unwissenheit?

---

[107] S. ebd., h I, 55 Z.24 - 56 Z.4.

[108] S. Dionysius Areopagita: Corpus Dionysiacum I. De divinis nominibus, hrsg. v.
Suchla, Beate Regina [= Patristische Texte und Studien 33], Berlin/New York 1990,
108 Z.6-8.

[109] S. *De docta ignorantia* I 26, h I, 48 Z.13 - 49 Z.2. Cusanus zitiert Sach 14,9 und Dtn 6,4,
in denen die Einheit Gottes ausgesprochen wird. Die Identität von *maximum* und
unitas hat er schon ohne Rückgriff auf die Schrift in *De docta ignorantia* I 5 nachgewiesen und die Deuteronomiumstelle angeschlossen.

[110] S. *De docta ignorantia* I 24, h I, 49 Z.21-26.

b) Der Gottesbeweis bei Cusanus

Das endliche Erkennen weiß, daß es vergleichend vorgeht und alles zumindest hinsichtlich eines *maius et minus* prüfen kann, an dem es ein *excedens* und *excessum* festhält.[111] Die dabei entstehenden Verhältnisse vermag sich die endliche Vernunft zuallererst mathematisch zu vergegenwärtigen, konzentriert auf den höchsten Abstraktheitsgrad, bar aller Qualitäten. So geht ihr die Vielheit des Endlichen auch zuerst als numerische auf. Mag nun die Zahlenreihe nach oben der Möglichkeit nach unabgeschlossen sein, auch wenn sie in Wirklichkeit Grenzen hat, so kann sie es nach unten nicht sein:

„Et si in descensu pariter se numerus haberet, ut dato quocumque parvo numero actu, quod tunc per subtractionem semper dabilis esset minor sicut in ascensu per additionem maior, – adhuc idem; quoniam nulla rerum discretio foret, neque ordo neque pluralitas neque excedens et excessum in numeris reperiretur, immo non esset numerus. Quapropter necessarium est in numero ad minimum deveniri, quo minus esse nequit, uti est unitas."[112]

Die Einheit als *minimum* liegt allem voraus und gibt den Zahlen und der Vielheit der Dinge nicht nur überhaupt erst die Möglichkeit der Existenz, sondern erlaubt es erst, zu unterscheiden und eine Vielheit wahrzunehmen.[113] Zugleich ist diese absolute Einheit das *maximum*, Gott selbst. Für diesen Gottesbeweis genügt der endlichen Vernunft ihr vergleichendes Vorgehen, in dem sich gerade ihre Unwissenheit manifestiert hat. Keineswegs muß sie die Existenz von etwas außerhalb der Vernunft als Beweisgrundlage annehmen. Dies hat sie mit dem Anselmschen Gottesbeweis gemein. Allerdings schließt Cusanus auch nicht von einem *esse in intellectu* auf ein *esse in re*. Das *maxi-*

---

[111] S. ebd. I 5, h I, 12 Z.1-3.

[112] Ebd., h I, 12 Z.13-20. Der hier vorausgesetzte *ordo* wird mit Jesus nochmals eigens begründet.

[113] Vgl. ebd., h I, 13 Z.6-11. Zum neuplatonischen Rückschluß von der Vielheit auf eine notwendig vorauszusetzende Einheit s. z. B. Plotin, Enneade VI 9, 1-3. Daß Cusanus keinen Beweis der Existenz Gottes führe, wie etwa Dangelmayr, Siegfried: Anselm und Cusanus. Prolegomena zu einem Strukturvergleich ihres Denkens, in: Analecta Anselmiana 3 (1972), 112-140, 120, behauptet, ist von dieser Stelle her nicht zu halten (vgl. auch *De docta ignorantia* I 6, h I, 13 Z.14-21). Auch Offermann entdeckt einen Gottesbeweis im Cusanischen Denken von *De docta ignorantia*, allerdings gibt er keinen konkreten Beleg aus *De docta ignorantia* an, s. ders. 1991, 112f. Daß Cusanus durchaus Gottesbeweise ganz neuer Art entwarf, in denen allerdings der Existenzbegriff entleert wird, belegen auch die Predigten *Sermo* XXII N.9 Z.1-9, h XVI, 336f. und *Sermo* CCIV N.3 Z.1-11, h XIX/1, 2.

mum ist kein Begriff der Vernunft, von dem aus geschlossen würde.[114] Vielmehr schließt man auf es hin, gerade dann, wenn sich herausstellt, daß es das Prinzip von allem ist. Cusanus verfügt über keine *rationes necessariae*. Es genügt ihm das Wissen um eine wie auch immer geartete Vielheit, die stets mit einem Mehr-und-Weniger behaftet sein wird, ausgedrückt in der Kenntnis der Zahlen, den Produkten der endlichen Vernunft[115]. Damit löst sich Cusanus von den Thomasischen fünf Wegen. Allenfalls zum vierten Weg scheint eine gewisse Ähnlichkeit auf. Allerdings bleiben die komparativischen Spezifizierungen *maius* und *minus* bei Thomas immer auf eine bestimmte Qualität bezogen, ohne die sie keinen Sinn machen würden, selbst wenn es für den Beweis unwichtig ist, welche Qualität zugrunde liegt, sofern sie nur eine Vollkommenheit anzeigt. Cusanus nimmt bei seinem Beweis alle Qualitäten auf die diskreten Quantitäten zurück, ja kann in *De docta ignorantia* I 6 sogar noch darauf verzichten, wenn er nur noch von *excedens* und *excessum* spricht.[116] Damit kann er auch den Bezug zur Kausalordnung, den Thomas für alle fünf Wege herstellt, umgehen, denn diese war in ihrer Rationalität gerade von Occam bezüglich ihrer Erkennbarkeit und noch schärfer von anderen Nominalisten in Frage gestellt worden.

c) Occams Stellung zur Möglichkeit eines Gottesbeweises

Occam stellt sich im *Quodlibet* II, q.1[117] die Frage, ob mit der natürlichen Vernunft bewiesen werden könne, daß Gott die erste bewirkende Ursache von allem sei. Es lasse sich aber nicht ausreichend zeigen,

---

[114] Vgl. Dangelmayr, Siegfried: Maximum und cogitare bei Anselm und Cusanus. Zur Problematik des Proslogion-Arguments, in: Analecta Anselmiana 4/1 (1975) 203-210, 208f., und Offermann 1991, 45.

[115] S. *De docta ignorantia* I 5, h I, 13 Z.6f.: „[...] numerus, qui ens rationis est fabricatum per nostram comparativam discretionem [...].“ Schon in *De docta ignorantia* ist Cusanus der Ansicht, daß der menschliche Geist die Zahlen und die mathematischen Gegenstände selbst hervorbringt, was er in *De coniecturis* weiter durchdenken wird.

[116] Auch der Rückgriff auf Kausalverhältnisse (s. ebd. I 6, h I, 13 Z.22-27), wenn mittels des Verbotes des unendlichen Regresses bewiesen werden soll, daß die Existenz des Endlichen ohne das Unendliche nicht möglich sei, stützt sich auf die *regula doctae ignorantiae* und das Verhältnis von *excedens* und *excessum* zum Maximum (s. ebd., h I, 13 Z.14-21).

[117] S. Occam: Quodl. II, q.1, OTh IX, 107 Z.1 - 111 Z.103. Zur Problematik der Möglichkeit und Unmöglichkeit von Gottesbeweisen bei Occam und den unterschiedlichen Aussagen im Sentenzenkommentar - in Sent. I d.2, q.10, OTh II, 355 Z.12 - 357 Z.9, führt Occam einen Beweis für die Existenz eines einzigen Gottes auf der Basis der *causa conservans*, nicht der *causa efficiens* - und den späteren *Quodlibeta* s. die neueste Zusammenfassung bei Leppin, Volker: Geglaubte Wahrheit. Das Theologieverständnis Wilhelms von Ockham [= Forschungen zur Kirchen- und Dogmengeschichte 63], Göttingen 1995, 153-154.

daß Gott die unmittelbare oder auch die mittelbare Ursache irgendeiner Wirkung ist.[118] Wäre das möglich, müßte man zeigen, daß Gott eine ungenügende Ursache wäre, oder der ganze Beweis hätte zur Folge, daß andere Ursachen überflüssigerweise angesetzt würden.[119] Dieses Argument ist auffällig. Während das Glaubenswissen, wie es bei Occam unter dem ersten Glaubenssatz von der Macht Gottes steht, dazu führt, daß es durchaus denkbar ist, daß Gott alles ohne Zweitursachen unmittelbar wirkt, und das Gegenteil für das Glaubenswissen keine größere Rationalität beanspruchen kann, so stellt sich für die natürliche Vernunft der umgekehrte Gedanke ein. Für die Kausalabläufe in der Welt genügt der natürlichen Vernunft durchaus ein Himmelskörper als Erstursache.[120] Ebenso läßt sich auch nicht ausreichend beweisen, daß es nicht viele erste Verursachende gibt, die für verschiedene Effekte am Beginn einer Kausalreihe stehen. Hier tritt für Occam an einer Stelle ein *problema neutrum* auf, wo Thomas noch ein *praeambulum fidei* sichern konnte. Allerdings findet die Occamsche Vernunft doch noch zu einer Überzeugung, die sie beruhigt und ihre Art von Rationalität offenbart, nämlich das bessere und überredende Argument[121] zu haben:

„Tertio dico quod potest persuaderi rationabiliter quod Deus est causa efficiens vel movens alicuius effectus, quia aliter frustra poneretur nisi posset aliquid effective causare in universo."[122]

Hier gibt es doch noch Gründe, das Occamsche „Rasiermesser" nicht anzusetzen. Aber es gibt keine manifesten und für das natürliche Licht zwingenden Gründe, aus Kausalüberlegungen einen Beweis für das Dasein Gottes, eine *demonstratio*, durchzuführen. Die für den Menschen ausmachbare Rationalität des Occamschen Universums wird noch deutlicher, wenn man mitbetrachtet, daß auch keine bestimmte Wirkung auf eine Zweitursache zurückgeführt werden kann[123], aber ebenfalls nicht auf Gott als Erstursache, denn es ist eine

---

[118] S. Quodl. II, q.1, OTh IX, 107 Z.11f. sowie 108 Z.21f. und Z.34f.; vgl. ebd., q.2, OTh IX, 112 Z.18-20.

[119] S. ebd. q.1, OTh IX, 107 Z.13 - 108 Z.20.

[120] S. ebd., q.1, OTh IX, 111 Z.100-103. Dies lehnt Thomas schon zu Beginn der Summe ab (s. STh I 3, 1).

[121] Vgl. Vossenkuhl, Wilhelm: Vernünftige Kontingenz. Ockhams Verständnis der Schöpfung, in: ders. und Schönberger, Rolf (Hrsg.): Die Gegenwart Ockhams, Weinheim 1990, 77-93, 90.

[122] Occam: Quodl. II, q.1, OTh IX, 109 Z.43-45.

[123] S. Sent. II q.3f., OTh V, 72 Z.21 - 73 Z.12; so kann z. B. aus keiner bestimmten Wirkung, etwa einer menschlichen Handlung, geschlossen werden, daß sie von einer bestimmten Ursache, hier also von einem Menschen, verursacht worden sei, es

Sache des Glaubens, Gott als freie Ursache von allem anzunehmen. Als solcher ist er weder als Erstursache aller noch als Erst- und Zweitursache mancher Dinge beweisbar.[124] Umgekehrt kann aber auch nicht mit natürlichen Gründen eine bestimmte Wirkung aus Gottes Wirken erklärt werden, gerade weil er eine freie Ursache ist.[125] Sogar für innerweltliche Ursachen, also von etwas, dessen Verursachen feststeht, kann ihre Wirkung nur partikulär, mit einem Zeitindex versehen, bewiesen werden und muß ansonsten der Erfahrung überlassen werden.[126] Mag also sein, daß Occam „vernünftige Kontingenz"[127] zu denken vermag, so ist doch nur das Faktum der Kontingenz vernünftig, nicht aber die Kontingenz in sich noch weiter rational erkennbar. Wenn der Wahrheit nach gilt, daß Gott *causa immediata cuiuslibet rei factibilis, totalis vel partialis* ist, dann ist dies in seiner Konkretion ein reiner Glaubenssatz,[128] und dies, um die Kontingenz der Welt auch im Sinne des zeitlichen Anfangs halten zu können.

Könnte man sagen, daß sich diese Gedankengänge gewissermaßen gegen Thomas richten, so entzieht Occam auch der Anselmschen und Scotischen Argumentation ihren Boden. Duns Scotus und sein Lehrer Wilhelm von Ware rehabilitierten bekanntlich gegenüber Thomas den sogenannten ontologischen Gottesbeweis. Occam hört sich nun zwei Beschreibungen des Wortes „Gott" an und setzt sich anschließend explizit mit Duns Scotus auseinander.

„Circa primum dico quod hoc nomen 'Deus' potest habere diversas descriptiones: una est quod Deus est aliquid nobilius et melius omni alio a se; alia descriptio est quod Deus est illud quo nihil est melius nec perfectius."[129]

---

könnte ja auch ein Engel gewesen sein (bei Vossenkuhl 1990, 88, mißverstanden, richtig bei Iserloh, Erwin: Gnade und Eucharistie in der philosophischen Theologie des Wilhelm von Ockham. Ihre Bedeutung für die Ursachen der Reformation, Wiesbaden 1956, 143). Gottes mögliche Anordnung löst den Kausalnexus als denknotwendigen auf. Dies ist letztlich in der Lehre von der *potentia absoluta* begründet. Gott handelt immer *ordinate*, ob *de potentia absoluta* oder *de potentia ordinata*. Dabei bedeutet *ordinate* hier „angeordnet", nicht „geordnet" (s. Leppin 1995, 45-51, bes. 50).

[124] S. Sent. II q.3f., OTh V, 55 Z.16-18 und ebd. q.5, OTh V, 84 Z.2-16; vgl. auch Vossenkuhl 1990, 88.

[125] S. Sent. II q.3f., OTh V, 79 Z.11-15.

[126] S. ebd., 79 Z.4-13.

[127] Vgl. den Titel von Vossenkuhl 1990.

[128] S. Sent. II q.5, OTh V, 87 Z.13-19.

[129] Quodl. I, q.1, OTh IX, 1 Z.17 - 2 Z.20; vgl. hierzu neben der oben genannten Literatur auch Ghisalberti, Alessandro: Schöpfung bei Wilhelm von Ockham, in: Vossenkuhl, Wilhelm, und Schönberger, Rolf (Hrsg.): Die Gegenwart Ockhams, Weinheim 1990, 63-76, 66-69.

Er wendet ein, daß man bei Zugrundelegung der ersten Beschreibung keinen Existenzbeweis führen könne, obwohl anderenfalls leicht folgen würde, Gott sei einer. Mit der zweiten Beschreibung kommt man zwar insofern weiter, als sich ein Existenzbeweis führen läßt. Allerdings bleibt dann offen, ob es nicht viele Götter gibt. Der Glaube an nur einen Gott ist bei Occam in der Tat ein bloßer Glaube, *hoc tantum fide tenetur*[130]. Damit wird für ihn das gesamte Credo zum reinen Glaubensbekenntnis, denn die Entscheidung, welcher Beschreibung des Gottesnamens man folgt, liegt in der Hand eines jeden einzelnen.

Wenn Cusanus diesen Stoß aufnimmt, wie kann er dann bei seinem Nachweis der *unitas absoluta*, die Gott ist, weil sie die *maximitas* ist,[131] sowohl Einheit als auch Existenz Gottes sinnvoll verbinden? Zunächst greift er gerade jenes vergleichende Erkennen als Ausgangsbasis auf, wie es sich auch in den beiden Beschreibungen bei Occam findet. Dabei ist ihm aber dann das Maximum weder ein Begriff[132] noch ein im eigentlichen Sinne Bezeichenbares[133]. Gewissermaßen liegt es gerade vor dem Wort Gott, wie es bei Occam noch eine Beschreibung verlangt, es ist nur *innominabiliter nominabile*[134]. In diesem Dunkel des Zusammenfalls der Gegensätze gewinnt Cusanus wieder eine Vernünftigkeit, für die die *praeambula fidei* evident sind, wenn auch in einer neuen Art und Weise der Evidenz. Ganz im Gegensatz zu Occam hält er bezüglich des Maximums fest:

„Hoc maximum, quod et D e u s omnium nationum fide indubie creditur [...].“[135]

---

[130] Occam: Quodl. I, q.1, OTh IX, 3 Z.57-9; vgl. hierzu ebd., OTh IX, 1 Z.10-12 und *conclusio* 3 (ebd., OTh IX, 3 Z.43-52), in der festgehalten wird, daß der Einwand, Gottes Einheit könne auf der zweiten Beschreibung nicht demonstrativ bewiesen werden, keinen eigenen Grund anzugeben braucht, auf dem er steht, sondern es dabei bewenden lassen muß, gegenteiligen Meinungen zu widersprechen. Er darf vernünftigerweise grundlos bleiben.

[131] S. *De docta ignorantia* I 5, h I, 12 Z.22-26.

[132] S. ebd. I 4, h I, 10 Z.1-3: „Maximum [...] cum maius sit, quam comprehendi per nos possit [...].“ S. auch ebd., h I, 10 Z.7f: „[...] super omne id est, quod per nos concipi potest.“

[133] S. ebd. I 4, h I, 11 Z.18-20.

[134] Ebd. I 5, h I, 11 Z.26.

[135] Ebd. I 2, h I, 7 Z.12-13, vgl. ebd. I 7, h I, 14 Z.24f.

2. Aufweis der Trinität

Cusanus setzt in *De docta ignorantia* I seinen Weg der Erkenntnis in belehrter Unwissenheit fort und nimmt sich schließlich der Frage nach der Trinität an. Dies soll hier nur kurz skizziert werden. Der Vielheit ist sowohl Andersheit, *alteritas*, als auch Trennung, *divisio*, anzusehen. Ihr müssen aber analog zur Einheit Gleichheit und Verbindung, *aequalitas* und *connexio*, vorausgehen. Diese drei sind ewig und vollkommen, deswegen ununterschieden und somit eins.[136] Nicht das Bekenntnis oder die Schrift führt zum Trinitätsgeheimnis, sondern die vernünftige Suche nach dem letzten Grund aller Vielheit. So sprechen auch die theologischen Lehrer in der Schrift nur in bezug auf die Geschöpfe vom Vater, Sohn und Geist, wobei die von Cusanus bevorzugten Begriffe *unitas*, *aequalitas* und *connexio* seiner Ansicht nach genauer treffen.[137] Sie sind nämlich einfacher, weil leerer an für die endliche Vernunft einsehbarem Inhalt. Der Bezug zum Geschaffenen ist in ihnen zurückgenommen, nicht aber verschwunden.

Nicht zurückgenommen ist in diesem von Cusanus bevorzugten Ternar der Sinngehalt einer *operatio*, die einen Grund in sich erkennen läßt. Cusanus denkt nämlich – und hier greift er Lull auf – die Trinität unter dem Gesichtspunkt einer *productio*. Hatte Thomas seine Gotteslehre allein von den beiden immanent bleibenden göttlichen *operationes* des *intellegere* und des *velle* entwickelt und mit der dritten Art, der *operatio ad extra*, die Schöpfungslehre begonnen, so kennt Cusanus eine *productio ad intra*.[138] Gerade die Bezeichnungen Vater, Sohn und Geist, derer sich die affirmative Theologie bedient, stammen aus der Bestimmung Gottes als Schöpfer, selbst wenn es keine Schöpfung gegeben hätte:

„Unde patet ex hoc, quod Deus ab aeterno potuit res creare, licet eas etiam non creasset, respectu ipsarum rerum Filius dicitur. Ex hoc enim est Filius, quod est aequalitas essendi res, ultra quam vel infra res esse non possent; ita videlicet quod est Filius ex eo, quod est aequalitas entitatis rerum, quas Deus facere poterat, licet eas etiam facturus non esset [...]."[139]

Dies muß genau gehört werden. Sohn wird die Gleichheit hinsichtlich der Schöpfungsmöglichkeit nicht nur genannt, sondern sie ist es

---

[136] S. das Kapitel *De trina et una aeternitate*, ebd. I 7, h I, 14 Z.24 - 16 Z.25.
[137] Vgl. ebd. I 9, h I, 18 Z.26 - 17 Z.14.
[138] Vgl. hierzu Lulls *actio intensa* bzw. *intrinseca Dei*, s. unten Zweiter Hauptteil B.II.2.b.bb.
[139] Ebd. I 24, h I, 51 Z.1-6.

auch. Dies gilt weder hinsichtlich des Geschaffenen als Resultat noch hinsichtlich der Handlung des Schaffens, sondern allein schon im Blick auf die Möglichkeit.[140] Hier geht es also um keine bloße Attribution. Insofern unterstellt Cusanus auch Augustinus einen Sinn, den dieser gerade an der von ihm intendierten Stelle nicht meinen kann, sind doch die Werke der Trinität gemeinsam.[141] Von ihnen kann man gerade nicht auf die Trinität schließen. Cusanus geht allerdings sogar noch weiter. Die göttliche Allmacht zielt auf Gottes Wesen selbst:

„[...] quas [sc. res] si facere non posset, nec Deus Pater vel Filius vel Spiritus sanctus, immo nec Deus esset. Quare, si subtilius consideras, Patrem Filium gignere, hoc fuit omnia in Verbo creare."[142]

Gott steht also bei Cusanus unter der Bestimmung, Schöpfer zu sein.[143] So holt er Lulls Ablehnung eines *deus otiosus* ein. Das kann man ebenfalls seiner Darstellung der göttlichen Hervorgänge entnehmen. Sie werden nämlich nicht als Relationen in Gott entwickelt. Der Ausdruck Relation fällt auch kaum, dafür das sicher auf Lull zurückzuführende *correlatio*[144]. Den Hervorgang des Sohnes, die *generatio,* versteht Cusanus als *unitatis repetitio vel eiusdem naturae multiplicatio a patre procedens in filium*[145]. Selbst wenn in beiden Bestimmungen die *ratio similitudinis* vorhanden ist[146], die etwa nach Thomas entscheidend dafür ist, diese *processio* als *generatio* bezeichnen zu können,[147] so liegt bei Cusanus eindeutig ein Akzent auf dem Sinngehalt einer Hervorbringung, nicht allein eines Hervorganges. Dies zeigt die Wahl von *repetitio* und *multiplicatio* an. Sie gehen nicht auf eine Relation zurück, sondern meinen das Entstehenlassen eines Zweiten durch eine Rück-

---

[140] Cusanus ist also mit seiner Weise, von Gottes Macht zu reden, noch vor die Thomasische Entscheidung für das *per respectum ad creaturas* (s. Scg II 10) zurückgegangen und bezeichnet eigentlich damit genau das *principium actionis* (s. STh I 45, 6 c.).

[141] S. De docta ignorantia I 24, h I, 51 Z.8-10: „Quare, si subtilius consideras, Patrem Filium gignere, hoc fuit omnia in Verbo creare. Et ob hoc Augustinus Verbum etiam artem ac ideam in respectu creaturarum affirmat." Augustinus spricht sich in *De Trinitate* VI 10, 11 Z.26-28, CChr. SL 50, 241 gerade dagegen aus, einen notwendigen Zusammenhang zwischen dem göttlichen Wissen, mithin dem Wort, und dem Geschaffenwerden fixieren zu wollen: „Non enim haec quae creata sunt ideo sciuntur a deo quia facta sunt, ac non potius ideo facta sunt uel mutabilia quia immutabiliter ab eo sciuntur." Vgl. Thomas STh I 32, 1 c. und 34, 3, bes. ad 4.

[142] *De docta ignorantia* I 24, h I, 51 Z.6-9.

[143] Vgl. Offermann 1991, 94f., insb. Anm. 127. Daß Cusanus damit auch das Trinitätsgeheimnis in sich verwandelt denkt, wird von ihm nicht mehr ausgeführt.

[144] *De docta ignorantia* I 10, h I, 20 Z.23.

[145] S. Ebd. I 8, h I, 17 Z.14f.

[146] S. *De docta ignorantia* I 8, h I, 17 Z.14f.: 're-petitio' und *multiplicatio.*

[147] S. STh I 27, 2.

wendung auf ein Erstes.[148] Beim Hervorgang des Geistes, der *spiratio*, die Cusanus mit *processio* bezeichnet, zeigt sich ein ähnlicher Akzent:

„Dicitur autem processio quasi quaedam ab altero in alterum extensio; quemadmodum cum duo sunt aequalia, tunc quaedam ab uno in alterum quasi extenditur aequalitas, quae illa coniungat quodammodo et connectat."[149]

Drückt der Begriff *extensio* nur die *ratio impellentis et moventis in aliquid*[150] aus? In der Ausdehnung oder Ausspannung ist doch auch die Vorstellung enthalten, daß etwas nicht in sich bleibt, wenn es auf ein anderes hingezogen wird, sondern gerade als es selbst bei diesem ist, bis zu diesem ausgedehnt wird. Nun ist natürlich auch der Liebende beim Geliebten, doch für Thomas nur insofern, als zuerst das Geliebte im Liebenden ist und ihn auf dieses hin antreibt.[151] Allein diese Ordnung ist mit *extensio* nicht gemeint.[152]

3. Die Bedeutung der Offenbarung für De docta ignorantia *I*

a) Die Entwicklung der ersten Glaubensartikel

Bevor nun *De docta ignorantia* III angegangen wird, bleibt folgendes festzuhalten. Cusanus kann im ersten Buch nicht nur die vormaligen *praeambula fidei*, etwa die Existenz Gottes, sondern auch die Lehre vom einen Gott und der Trinität mittels derselben Methode darstellen. Die einzige Basis, auf die er sich stützt, ist die Einsicht, daß alles Sein und Erkennen vergleichend vorgeht, sich immer in Unterschieden bewegt und damit die Wahrheit als absolute Genauigkeit nie erreicht. Stets ist aber ein Maximum vorauszusetzen, da sonst auch kein Mehr-und-Weniger festzuhalten wäre. Dieses Maximum läßt sich mit dem *intellectus,* der nicht an das Widerspruchsprinzip gebunden ist, berühren, auch wenn es nochmals als unerkennbar und unnennbar allem vorausliegt. Gerade das Maximum kann aber als existierende Einheit und sogar Dreiheit eingesehen werden. Hierzu wird man durch eine *manifestissima inquisitio*[153] geführt, die dies alles als notwen-

---

[148] In der Tat ist Cusanus allerdings sehr genau und spricht erst bei einer zweifachen Wiederholung von einem *procreare aliud ex se,* s. *De docta ignorantia* I 8, h I, 17 Z.17-19.

[149] Ebd. I 9, h I, 18 Z.5-8.

[150] Vgl. STh I 27, 4 c.

[151] S. ebd. q.27, a.3 c.

[152] Vgl. *De docta ignorantia* I 9, h I, 18 Z.10-13.

[153] Ebd., h I, 19 Z.14.

dig und wahr begründet[154]. So gewinnt Cusanus sowohl für Gegenstände, die nach Occam keine eindeutige Aussage und Einsicht erlauben und dem Glauben zu überlassen sind, als auch für die Trinität als Glaubensgeheimnis sensu stricto der Tradition einen Erkenntniszugang, der auf bescheidenster Basis steht, nämlich der Einsicht in das Nichtwissen des *intellectus finitus*,

„quoniam in docta ignorantia proficies in hac via, ut – quantum studioso secundum humani ingenii vires elevato conceditur – videre possis ipsum unum maximum incomprehensibile, Deum unum et trinum semper benedictum"[155].

Cusanus muß also kein Glaubenslicht oder die Vorgabe der Offenbarung voraussetzen, die ihm das trinitarische Bekenntnis vorlegt, das er erst in einem zweiten Schritt unter dieser Gabe klar und rein zu denken versucht. Wer richtig denkt, kann schon die Einheit nie anders denn als Dreiheit verstehen.[156] Dies ist ein erster Hinweis darauf, daß für Cusanus die Rationalität des Glaubens und die der endlichen Vernunft nicht verschieden sind. Von der Komposition des Werkes her ist klar, daß Cusanus mit *De docta ignorantia* I 1-10 den Glaubensartikel der Trinität, der für das mittelalterliche Verständnis bei der Zählung von zwölf Glaubensartikeln in der Aussage *in unum Deum patrem* mitausgesagt ist, dargelegt hat.[157] Cusanus bedarf nicht der Vorgabe der Heiligen Schrift und der Offenbarung, um überhaupt dazu zu kommen, die Dreifaltigkeit Gottes als Faktum anzunehmen. Die belehrte Unwissenheit allein hat hier das „Daß" gefunden und macht sich nun in den Kapiteln I 11-23 auf, das „Was" mittels mathematischer Spekulationen zu vergegenwärtigen. Das transsumptive Vorgehen hat nämlich in seinen höchsten Begriffen, in der *simplicissima et abstractissima intelligentia*[158], wo alles eins ist, auch allen Bezug zum Endlichen abgebrochen. Es hat sozusagen die Analogie des Seins hinter sich gelassen. Sie wird aber wieder in dem Sinne eingeholt, daß die sichersten Begrifflichkeiten und Erkenntnisse im Endlichen in das Unendliche hineingetragen werden. Dies geschieht gerade in den mathematischen Spekulationen mittels des doppelten Überstieges.[159] Hier werden nämlich die Eigentümlichkeiten der vom *intellectus finitus*

---

[154] S. ebd. I 10, h I, 21 Z.17-19.
[155] Ebd., h I, 21 Z.21-25.
[156] S. ebd., h I, 20 Z.15f.
[157] S. etwa auch STh II-II 1, 8 ad 3.
[158] S. *De docta ignorantia* I 10, h I, 20 Z.7f.
[159] S. ebd. I 12, h I, 24 Z.11 - 25 Z.14.

erdachten unendlichen mathematischen Figuren auf das göttliche Unendliche übertragen. Es ergeben sich dann Einsichten und Verhältnisse, die zwar der Vernunft unbegreiflich bleiben, sie jedoch durchaus – *in aenigmate* – belehren, hat sie doch in ihren unendlichen Figuren ein Abbild davon.[160] Auch wenn Cusanus versucht, die Trinität zu denken, so bleibt für ihn maßgeblich, daß die Wesenheiten der Dinge letztlich unbekannt sind. Deshalb hält er sich an das für die endliche Vernunft Sicherste, nämlich die mathematischen Gegenstände. Doch wenn das Maximum schlechthin unbegreiflich bleibt, wie kann in *De docta ignorantia* I schon ein *maius* und *minus* im Endlichen festgemacht und wie können die mathematischen Gegenstände ausgezeichnet werden? Wenn das Endliche kein Kriterium dafür abgibt, weil Cusanus alles an der absoluten Genauigkeit mißt, muß dann infolgedessen nicht gesagt werden, daß *De docta ignorantia* I noch ohne Fundament bleibt? Von dieser Frage her muß das dritte Buch angegangen werden, wenn man verstehen will, warum Jesus das Ziel aller Vernunftbemühungen ist, ja alles Seienden.

b) Die Rolle der Schriftzitate in *De docta ignorantia* I

Die Schriftzitate in *De docta ignorantia* I haben keine konstitutive Bedeutung für die darin aufgezeigten Erkenntnisse. Dies macht besonders deutlich, daß das Cusanische Denken nicht aus dem Offenbarungswort entspringt. Zwar kommen mehrere explizite Bibelworte vor, doch die Art ihrer Verwendung stützt gerade die Einschätzung, daß das Wissen der endlichen Vernunft mit dem des Glaubens, der Schrift, zusammengeht. So taucht etwa Salomon zwischen Sokrates und Aristoteles als Zeuge dafür auf, daß alles wahre Wissen belehrte Unwissenheit sei, und eine Formulierung von Paulus fließt nahtlos in den philosophischen Gedankengang[161]. Diese Ungeschiedenheit wird sogar durch die Zitation etwa von Deut 6,4 in *De docta ignorantia* I 5[162] bestätigt, da das Schriftzeugnis sogar am rein aus der endlichen Vernunft Entwickelten hinsichtlich seiner Wahrheit gemessen wird. Zur Verwendung von Schriftzitaten in den ersten drei Büchern der *Summa contra gentiles* besteht in der Hinsicht eine Analogie, als hier nach dem philosophischen Gedankengang mit den Schriftworten darauf hinwiesen wird, daß die philosophische Wahrheit ebenfalls von der Schrift gelehrt werde. Stehen im Thomasischen Werk Vernunft und Offenba-

---

[160] S. bes. ebd., h I, 24 Z.23-25.
[161] S. Röm 11,36 in *De docta ignorantia* I 21, h I, 43 Z.19f. und I 23, h I, 47 Z.13f.
[162] S. ebd. I 5, h I, 13 Z.2f.

rung einander gegenüber, wenn auch in keinem Gegensatz, so belegen die Schriftzitate aus *De docta ignorantia* I gerade eine ungeschiedene Verbindung. Für den Nachweis des trinitarischen Wesens des ersten Prinzips muß sogar überhaupt nicht auf die Offenbarung als Grundlage zurückgegriffen werden, die zumindest das Faktum für die denkerische Durchdringung bereitstellen würde. Vielmehr gehen gerade die philosophischen Begriffe *unitas, aequalitas* und *connexio* den in der Schrift beziehungsweise von den heiligen Lehrern gegebenen an Genauigkeit voraus und wurden von diesen nur anders benannt, zum Beispiel Vater, Sohn und Geist oder Liebe.[163] Die biblischen Namen für die Trinität sind nicht mehr die eigentlichen Namen. Entscheidend ist, daß in Kapitel I 24 alle positiven Namen und Bezeichnungen in der Theologie und auch in der Heiligen Schrift auf die Macht Gottes als deren Grundlage zurückgeführt werden, auch das Tetragramm. Als solche ergeht es ihnen wie den Gottesnamen der Heiden. Sie sind vor Gottes Unendlichkeit nichtig und verschwinden im Dunkel der belehrten Unwissenheit als negativer Theologie. Gerade in ihrem Verschwinden geben sie jenen Geschmack von absoluter Präzision ab, der die Unwissenheit nicht nur belehrt, sondern auch erstrebenswert macht.

II. SCHÖPFER UND SCHÖPFUNG IN *DE DOCTA IGNORANTIA* II

Cusanus entfaltet den Glaubensartikel von Gott als Schöpfer im zweiten Buch von *De docta ignorantia*. In *De docta ignorantia* III 1 vertieft er allerdings seine Vorarbeiten, woraus folgt, daß *De docta ignorantia* II die Schöpfungslehre nicht abschließt. Deshalb genügt es auch, für unsere Fragestellung nur kurz auf das zweite Buch einzugehen, das Entscheidende muß bei der Interpretation von *De docta ignorantia* III 1 zur Sprache kommen. Auch in *De docta ignorantia* II 1 betont Cusanus, sich noch immer auf demselben Erkenntnisweg zu befinden, wenn er nun dasjenige untersuchen will,

„quae omne id, quod sunt, ab ipso absoluto maximo sunt."[164]

Eines ist dabei völlig offensichtlich. Gerade wenn er sich dem Endlichen als Verursachtem zuwendet, darf man keine sicherere Erkenntnis als in der Gotteslehre erhoffen. Da Cusanus immer an der

---

[163] S. ebd. I 9, h I, 18 Z.26 - 19 Z.12; vgl. unten Zweiter Hauptteil B.II.2.a.
[164] Ebd. II prol., h I, 59 Z.4f.

absoluten Präzision mißt, haben die endlichen Gegenstände gerade keinen Vorzug. Mögen sie auch unseren Sinnen näher liegen, so sind sie bei Cusanus weder an sich noch für uns gewisser oder aussagekräftiger. Dies hängt allein damit zusammen, daß sie verursacht sind, mithin vom Unendlichen verschieden sind:

„Cum autem causatum sit penitus a causa et a se nihil [...]: patet difficile contractionis naturam attingi exemplari absoluto incognito."[165]

Auch hier bleibt nur der Weg der *docta ignorantia*, gewissermaßen sogar in gesteigerter Form, richtet sich doch das Erkennen nur auf ein Zweites, das Verursachte, und nicht wie im ersten Buch auf das allem vorausgehende Unendliche.

1. Das sich bewegende Universum

Die Schöpfung ist aus sich nichts und will deshalb der ersten Ursache so nahe wie möglich sein. Diesen Drang hat sie mit dem endlichen Erkennen gemeinsam, denn zu Beginn von *De docta ignorantia* I hatte Cusanus den Anfang der Aristotelischen Metaphysik in eigentümlicher Weise umformuliert und ausgeweitet:

„Divino munere omnibus in rebus naturale quoddam desiderium inesse conspicimus, ut sint meliori quidem modo, quo hoc cuiusque naturae patitur conditio [...]."[166]

So haben bei Cusanus nicht nur die vernünftigen Wesen ein *desiderium naturale*, das über sie hinaus auf eine übernatürliche Erfüllung geht, die allerdings in der eigenen Natur gefunden werden soll, sondern dies gilt für alle Dinge. Deshalb versucht alles Verursachte, dem eigenen Ursprung so nahe wie möglich zu sein.[167] Dies findet seine Konkretion in der Tatsache, daß nicht nur die Erde sich bewegt, sondern der ganze Himmel, alle Sphären, sogar die Fixsterne.[168] Das einzige feste Zentrum ist aber Gott selbst:

---

[165] Ebd., h I, 59 Z.6-9.
[166] Ebd. I 1, h I, 5 Z.3-5.
[167] S. ebd. II prol., h I, 59 Z.6-8 und III 1, h I, 120 Z.20-24.
[168] S. ebd. II 11, h I, 100 Z.15 - 101 Z.24; vgl. Hoffmann, Ernst: Das Universum des Nikolaus von Cues, in: Sitzungsberichte der Heidelberger Akademie der Wissenschaften, Philosophisch-historische Klasse 21 (1929/30) 3. Abh. [= Cusanus-Studien 1], Heidelberg 1930, 44f., und Mahnke, Detlef: Unendliche Sphäre und Allmittelpunkt. Beiträge zur Genealogie der mathematischen Mystik, Halle 1937, 89-98.

„[...] ille est centrum terrae et omnium sphaerarum atque omnium, quae in mundo sunt [...].“[169]

Wie dieses Zentrum konkret von den einzelnen Geschöpfen angesteuert wird und wie es selbst jede Bewegung in sich sammelt, kann erst dann angezeigt werden, wenn Gott alles in allem ist[170], denn dies weiß nur Gott allein, weil er selbst seine *operatio* ist.[171] Erst in Jesus, der zuhöchst alles in allem ist, läßt sich die Frage beantworten, wie jede Bewegung der Geschöpfe in Gott ihr Ziel finden und erreichen kann.[172] So wird die Schöpfungslehre nicht nur direkt auf die Christologie bezogen, sondern findet in ihr ihre Entscheidung und reicht sogar bis in die Spitze, weil Erfüllung, der Lehre von Christus, nämlich des Richteramtes Christi.[173] Gott hat ja alles auf sich hin geschaffen.[174] Darauf verweist auch die Kennzeichnung des Universums als *privative infinitum*. Es wird im Unterschied zum *negative infinitum* genommen. Nur das *maximum absolutum* kann als Unendliches im negativen Sinne verstanden werden, allein schlechthin ohne Grenze, weil nur von ihm gilt:

„[...] esse potest omni potentia.“[175]

Im Gegensatz zu Gott ist das Universum zwar ohne angebbare Grenze, doch durchaus in sich beschränkt, da von keiner unendlichen Aktualität:

„[...] licet in respectu infinitae Dei potentiae, quae est interminabilis, universum posset esse maius: tamen resistente possibilitate essendi aut materia, quae in infinitum non est actu extendibilis, universum maius esse nequit [...].“[176]

Deshalb kann das Universum die göttliche Macht nicht ausschöpfen. Doch wenn Gott bei Cusanus in erster Linie als Schöpfer in den Blick kommt, wie kann er dann in vollkommener Weise dieser Be-

---

[169] *De docta ignorantia* II 11, 101 Z.9f., vgl. ebd. II 12, h I, 107 Z.10.

[170] Vgl. hierzu die Vorarbeiten in ebd. II 4 und 5.

[171] S. ebd. II 12, h I, 110 Z.12.

[172] S. die offenen Fragen ebd., h I, 109 Z.22-27.

[173] S. ebd. II 12, h I, 110 Z.8-14 und III 9, h I, 146 Z.3 - 148 Z.12, vgl. den Hinweis im Stellenapparat in h zu h I, 109 Z.12.

[174] S. ebd. II 12, h I, 110 Z.8f.

[175] Ebd. II 1, h I, 64 Z.15.

[176] Ebd., h I, 65 Z.1-4.

stimmung folgen? Sollte es ein *dabile* geben, das zugleich auch das *maximum absolutum* wäre?[177]

2. Die Begründetheit der Kontingenz in der potentia absoluta

Sowohl Ende als auch Anfang des zweiten Buches deuten direkt auf das dritte. Die Gedankengänge von *De docta ignorantia* II fordern wie das Cusanisch verstandene Universum ihre Vollendung in Christus. Nur hier kommt die Bewegung des Alls an ihr Ziel, und allein hier wird auch das immer gleiche Fundament gesichert, von dem auch *De docta ignorantia* II ausgeht[178]. Der Glaubensartikel von Gott dem Schöpfer wird also direkt auf die Entwicklung der Christologie hin angelegt. Dabei spielt das Moment des zeitlichen Anfangs des Geschaffenen bei Cusanus gerade keine besondere Rolle. Zwar nimmt er sich in *De docta ignorantia* II 2 der Kontingenz der Welt an, doch gerade nicht im Sinne eines durch die Offenbarung gegebenen Glaubenswissens. Für Thomas war die Frage nach dem zeitlichen Anfang der Schöpfung ein *problema dialecticum* und die Entscheidung für die Zeitlichkeit der spezifische Inhalt dieses Glaubensartikels, nicht jedoch das Faktum einer Schöpfung, nicht einmal die der *materia prima*. Es gibt keinen Beweis für die Zeitlichkeit der Schöpfung, sie kann nur im Glauben mit Willenszustimmung angenommen werden – wie etwa auch das Geheimnis der Trinität.[179] Allerdings gibt es Konvenienzgründe, die aus dem Glaubenswissen entstehen, da uns der Aspekt der Zeitlichkeit der Schöpfung deutlicher auf das freie Wollen Gottes und die göttliche Schöpfermacht hinweist.[180]

Cusanus verbindet aber die absolute Notwendigkeit und die Kontingenz, aus der das Geschaffene stammt, in diesem selbst, auch wenn der endlichen Vernunft die Verbindung eines zeitlichen Hervorgangs des Seins aus dem Ewigen ein Rätsel bleiben muß. So kann er es nur bei Fragen belassen.[181] Abgelöst von der Frage nach dem zeitlichen Anfang der Schöpfung kann er jedoch bezüglich der Struktur der Welt sagen, daß sie hinsichtlich ihrer Konkretion – *contractio* – nicht kontingent von Gott sei.[182] Hier trifft er in den Kern der Lehre von

---

[177] S. ebd., h I, 64 Z.10-13.
[178] S. ebd., h I, 63 Z.10f.
[179] S. STh I 46, 2.
[180] S. STh I 46, 1, insb. ad 6.
[181] S. *De docta ignorantia* II 2, h I, 66 Z.7 - 67 Z.6.
[182] S. ebd. II 8, h I, 89 Z.8-15; zur Frage nach dem Cusanischen Ursprung der in den Kapiteln II 7-10 verwendeten Terminologie s. Hoenen, Maarten J.F.M.: 'Ista prius

der *potentia absoluta.* Hatte diese der absoluten Macht Gottes alles als Mögliches überlassen, was nur keinen Widerspruch in sich einschloß, so besinnt sich Cusanus darauf, daß so die absolute Macht Gottes auf ein anderes, nämlich das Mögliche, bezogen wird. Nun ist aber eine *absoluta possibilitas,* die allein in Gott ist, von jeglicher *possibilitas con-tracta,* wie sie dem von Gott wie auch immer Machbaren eigen ist, zu unterscheiden.[183] Diese *possibilitas contracta,* in ihrer konkreten Aus-führung zwar noch völlig leer, ist doch keine reine Möglichkeit mehr, weil sie schon zusammengezogen ist. Sie ist in kontingenter Weise, da sie nicht der göttliche Akt ist. Dennoch ist diese Möglichkeit in sich schon von einer bestimmten, wenn auch erst als Möglichkeit abge-zeichneten Vernünftigkeit, denn für die Kontraktion zur Möglichkeit, die nicht Gottes absolute Möglichkeit selbst ist, wird bereits eine ge-wisse Aktualität gefordert:

„Contingit autem possibilitas per hoc, quod esse a primo non potest esse penitus et simpliciter et absolute actus. Quare contrahitur actus per possibili-tatem, ut non sit absolute nisi in potentia; et potentia non est absolute, nisi per actum sit contracta."[184]

Diese *possibilitas contracta* hat nun eine innere Fähigkeit (*aptitudo*), zum Beispiel diese Welt zu werden, so daß diese Welt auch nicht grundlos entsteht, sondern mit mehr Grund, als wenn sie nicht ent-standen wäre.[185] Cusanus faßt folgerichtig zusammen:

„Unde ex notitia possibilitatis videmus, quomodo maximitas contracta evenit ex possibilitate necessario contracta; quae quidem contractio non est ex contingenti, quia per actum."[186]

Daraus kann er dann die Schlußfolgerung ziehen, die ihn von allen Gegenargumenten mittels der *potentia absoluta* befreit:

„Et ita universum rationabilem et necessariam causam contractionis habet, ut mundus, qui non est nisi esse contractum, non sit contingenter a Deo, qui est maximitas absoluta."[187]

---

inaudita'. Eine neuentdeckte Vorlage der *Docta ignorantia* und ihre Bedeutung für die frühe Philosophie des Nikolaus von Kues, in: Medioevo 21 (1995) 375-476.
[183] S. *De docta ignorantia* II 8, h I, 87 Z.21 - 88 Z.9.
[184] Ebd., h I, 88 Z.14-18.
[185] S. ebd., h I, 88 Z.25 - 89 Z.2.
[186] Ebd., h I, 89 Z.10-13; vgl. ebd., h I, 89 Z.7f.

Abgelöst von der Frage nach der Zeitlichkeit der Schöpfung kommt Cusanus zu einer vernünftigen und notwendigen Ursache für das Universum als gesamtes, wie es die göttliche Macht nur auf zusammengezogene Weise, *contracte*, wiedergeben kann. Selbst wenn diese nicht bekannt ist, so ist sie doch in der Schöpfung als solcher befestigt und nicht allein dem freien Willen Gottes als einem undurchsichtigen Abgrund zuzuschreiben. Die Kontingenz der Welt verhindert nicht, daß sie eine auch für uns erkennbare innere Vernünftigkeit, Ordnung und Struktur hat. Genau an diesem Punkt wendet Cusanus sich gegen einen, wenn nicht den zentralen Gedanken Occams.

Bekanntlich hat Occam die Bedeutung der Argumentation *de potentia absoluta* gegenüber Thomas und vor allem Duns Scotus stark ausgebaut.[188] Ausgeformt wird sie im *Quodlibet* VI, q.1. Gott kann einiges *de potentia absoluta* machen, einiges auch *de potentia ordinata*. Dabei darf diese Unterscheidung nun nicht so verstanden werden, als ob zwei real verschiedene Mächte in Gott seien. Es gibt nur eine einzige Macht Gottes nach außen,

„quae omni modo est ipse Deus"[189].

Auch darf man nicht denken, Gott handle manchmal nicht *ordinate*, wenn er *absolute* handle,

„quia Deus nihil potest facere inordinate"[190].

Vielmehr ist dies so zu verstehen, daß Gott *de potentia ordinata* etwas kann, wenn er gemäß seiner angeordneten Gesetze etwas tut. Ein Können *de potentia absoluta* aber meint, daß Gott ohne Rücksicht auf seine Anordnungen etwas tut. Dabei vermag er alles, was keinen Widerspruch in sich schließt.[191] Occam geht es dabei darum, die Souve-

---

[187] Ebd., h I, 89 Z.13-15; vgl. zu dieser Frage, die Cusanus immer wieder beschäftigt hat, *Idiota de sapientia* II N.35 Z.2-4, h ²V, 67 und *De beryllo* N.51 Z.8-19, h ²XI/1, 58 und N.68 Z.6-12, h ²XI/1, 78f.

[188] S. v. a. die Monographie von Bannach, Klaus: Die Lehre von der doppelten Macht Gottes bei Wilhelm von Ockham. Problemgeschichtliche Voraussetzungen und Bedeutung [= Veröffentlichungen des Instituts für Europäische Geschichte Mainz 75, Abteilung für Abendländische Religionsgeschichte], Wiesbaden 1975, und Leppin 1995, 45-51.

[189] Occam: Quodl. VI, q.1, OTh IX, 586 Z.18.

[190] Ebd., OTh IX, 586 Z.20f.

[191] S. ebd., OTh IX, 586 Z.22-29: „Sed est sic intelligenda quod 'posse aliquid' quandoque accipitur secundum leges ordinatas et institutas a Deo, et illa dicitur Deus posse facere de potentia ordinata. Aliter accipitur 'posse' pro posse facere omne illud

ränität des göttlichen Willens gegenüber der von ihm geschaffenen Welt deutlich zu machen. Dabei wird sowohl die Schöpfung als auch die Heilsgeschichte zu einem veränderlichen und kontingenten Geschehen.[192] Es wird zwar nicht deren Rationalität überhaupt geleugnet, doch zumindest ist die des faktisch Geschehenden für die endliche Vernunft nicht einsehbar. Die „Welt ist in Occams Denken kein System mehr"[193], es gibt keine übergreifende Ordnung, weder hinsichtlich eines Schöpfungsplanes noch eines göttlichen Heilsplanes, soweit dies von uns erkannt werden kann. Dabei löst sich mit der Kontingenz von Schöpfung und Erlösung auch der Zusammenhang der einzelnen Ereignisse,[194] wie dies oben schon an den Occamschen Überlegungen zum Kausalnexus deutlich geworden ist. Dies geht soweit, daß Gott gerade auch sein Handeln in angeordneter Weise, *ordinate*, nicht nur so gestalten kann, daß er einen ganzen Anordnungszusammenhang durch einen anderen ersetzt, sondern daß er auch einen bestimmten immer auch punktuell durchbrechen kann. Kein Vernunftgrund garantiert, daß es eine Kontinuität eines Weltzusammenhanges gibt, selbst wenn Gott immer *ordinate* handelt.[195] Ordnet Gott *de potentia absoluta* etwas anderes an, ist dies auch *ordinate*, eben angeordnet.[196] Damit wird das Faktische an den Rand einer blossen Positivität gedrängt. Cusanus entdeckt jedoch schon im Gedanken einer Welt als bloß möglicher einen Grund und eine Vernünftigkeit, die nicht nur die Existenz dieser Welt, sondern auch ihre innere Struktur halten. Erkennbar wird dieser Grund allerdings erst in der Christologie. Dort muß nochmals auf das Wesen und die Bedeutung der *contractio* als solcher eingegangen werden.

III. ZUSAMMENFASSUNG

Bevor mit *De docta ignorantia* III 1 das erste Kapitel des dritten Buches angegangen wird, soll nochmals kurz vergegenwärtigt werden, wie die

---

quod non includit contradictionem fieri, sive Deus ordinaverit se hoc facturum sive non [...]; et illa dicitur Deus posse de potentia absoluta."

[192] Vgl. Bannach 1975, 22.

[193] Ebd., 314.

[194] Vgl. Cren, Pierre-Réginald: Der Offenbarungsbegriff im Denken von Ockham und Gabriel Biel, in: Seybold, Michael: Offenbarung. Von der Schrift bis zum Ausgang der Scholastik [= Handbuch der Dogmengeschichte I 1a], Freiburg/Basel/Wien 1971, 144-152, 149.

[195] Vgl. Leppin 1995, 50, gegen Bannach 1975, 273.

[196] Leppin zeigt, wie Occam gewissermaßen ein Handeln *de potentia absoluta* mit einem Handeln *ordinate* identifiziert (s. ebd., 48-51).

ersten beiden Bücher auf das dritte hinlaufen. Sie finden in ihm ihre
Konkretion und kommen hier zur Entscheidung. Aus dem ersten
Buch ist die *regula doctae ignorantiae* festzuhalten, die alles Erkennen
wie ein oberster Grundsatz leitet. Wird sie im Glauben erst ihr Fundament finden und sich selbst einsichtig werden, eine Reflexion im
Sinne einer Konversion durchführen? Weiter wurde gesehen, wie
Gott, sofern er überhaupt nennbar ist, bei Cusanus primär unter der
Bestimmung steht, Schöpfer zu sein. Dies zielt sogar auf sein Wesen,
wird doch auch die Trinität unter dem Gesichtspunkt der Schöpfertätigkeit entwickelt. Auf der anderen Seite bleibt Gott als Maximum
allem endlichen Erkennen unerreichbar, obwohl dieses nicht nur
unmittelbar auf ihn bezogen ist, sondern sich und überhaupt alles
stets an der göttlichen Genauigkeit mißt und keine Scheu vor dem
daraus entstehenden Dunkel der Unwissenheit hat. Nun weist auch
das gesamte Universum diese suchende Struktur der endlichen Vernunft auf. Es ist ohne eigenes Zentrum und in dauernder Bewegung,
selbst die Fixsterne sind davon nicht ausgenommen. Dennoch verweist schon seine bloße Möglichkeit auf einen Grund, der die Welt
aus aller Kontingenz heraushebt und im Dasein erhält. In dieser Weise hat Cusanus die ersten Glaubensartikel des apostolischen Glaubensbekenntnisses entwickelt, ohne dabei vom Geben der Offenbarung auszugehen, ohne allerdings sein Wissen auch als solches behaupten zu können oder zu wollen. Vielmehr nimmt er Bescheidenheit an und läßt sich über seine Unwissenheit belehren.

C. Jesus als der Inhalt des Glaubens

Wenn nun das dritte Buch von *De docta ignorantia* in seiner Gesamtheit
durchgegangen werden soll, obwohl erst die beiden letzten Kapitel
dem Glauben gelten, so hat dies folgende Gründe. Von der heute
gebräuchlichen Unterscheidung von *fides quae creditur* und *fides qua
creditur* her ist es nur verständlich, beide Aspekte – sowohl die Glaubensinhalte als auch den Glaubensakt – bei der Darstellung des Glaubensbegriffes zu berücksichtigen. Beides muß ja im Zusammenhang
stehen, soll es sich nicht um einen puren Fideismus handeln. Nun
könnte noch eine stärkere sachliche Trennung möglich sein, wenn
dies vom Autor her so vorgegeben wäre. Demgegenüber behauptet

diese Interpretation, daß sich Cusanus gerade dadurch von anderen mittelalterlichen Theologen abhebt, daß ihm die Unterscheidung von *fides qua* und *fides quae* äußerlich bleiben muß. Ob dies allein darin zum Ausdruck kommt, daß Christus selbst glaubt, oder sogar noch tiefer führt, muß gefragt werden. Weiter gibt es keine prinzipielle Scheidung von Vernunft und Glaube. Sie verhalten sich wie *explicatio* und *complicatio* im spezifisch Cusanischen Verständnis. Die endliche Vernunft findet in der Entwicklung des Glaubenswissens zu ihrer Erfüllung als Glaube. Insofern muß gerade das Verhältnis von *De docta ignorantia* III 1-3 zu *De docta ignorantia* III 4-10 interessant werden, hat man doch hier immer einen Sprung von einer rein denkerischen hypothetischen Deduktion der Christologie im Sinne einer Hinführung zum Glaubensgeheimnis der Menschwerdung zur Annahme desselben im Glauben gesehen. Hätte Cusanus aber dann nicht das je selbe Fundament, das er auch noch für die Entwicklung des Begriffs von Jesus, *conceptus de Jesu*[197], beansprucht, verlassen? Allein diese drei Gründe lassen es geraten erscheinen, den Blick auf das gesamte dritte Buch zu richten. Dabei soll Schritt für Schritt der Gedankengang nachgezeichnet und in bezug auf die Fragestellung expliziert werden.

I. VORBEMERKUNG ZUM VERHÄLTNIS VON KOSMOLOGISCHER INKARNATIONSLEHRE UND OFFENBARUNG

Cusanus beginnt das dritte Buch, in dem es um das *maximum absolutum pariter et contractum*[198], das heißt um Jesus Christus, gehen soll, mit einer erneuten Ausführung über das Universum. Nachdem er dieses mit einer gewissen Eigenständigkeit für sich in *De docta ignorantia* II behandelt hat, will er jetzt in *De docta ignorantia* III die Bezogenheit des *maximum contractum* auf das *maximum absolutum* erneut zum Thema machen. Cusanus beginnt also die Christologie im Hinblick auf die Schöpfung. Dies bedeutet eine grundsätzliche Entscheidung. Im Gegensatz zu einer vom Sündenfall her einsetzenden, soteriologisch motivierten Lehre von der Inkarnation, schlägt Cusanus in *De docta ignorantia* den Weg einer kosmologischen Inkarnationslehre ein.[199] Beides wurde im Mittelalter vertreten und etwa von Bonaventura für

---

[197] S. *De docta ignorantia* III prol., h I, 117 Z.6.
[198] S. ebd., h I, 117 Z.3f.
[199] Vgl. bes. Haubst, Rudolf: Vom Sinn der Menschwerdung. „Cur Deus homo", München 1969.

jeweils gültige Auslegungen des christlichen Glaubens gehalten[200].
Dabei ergriff für die zweite Möglichkeit vor allem Albertus Magnus in
einem persönlichen Wort Stellung[201], während der Skotismus, wie er
sich in den Reportationen ausspricht, schon einen prinzipiellen Vorrang der Inkarnation zur Vollendung der Schöpfung vor der Erlösung
von der Sünde lehrte. Auch wenn es keinen Sündenfall gegeben hätte, wäre Christus Mensch geworden, wie bei der Betrachtung der göttlichen Dekrete einsichtig wird. Duns Scotus hat in der ganz auf ihn
zurückgehenden *Ordinatio* nur die Möglichkeit bewiesen, daß die
Inkarnation nicht vom Sündenfall als condicio sine qua non abhängt.[202] Thomas läßt die Meinung, die der Skotismus, aber auch sein
eigener Lehrer Albert vertreten hat, im Sentenzenkommentar noch
als probabel gelten[203], weist aber auch darauf hin, um was es in dieser
Frage geht, nämlich inwieweit die Heilige Schrift maßgebend ist.
Wenn sich in der Summe die ganze Theologie unter die *divina revelatio* stellt, entscheidet er sich klar und im Sinne einer allgemeinen
Verbindlichkeit[204] dafür, daß die Menschwerdung angemessener auf
die Erlösung von der Sünde bezogen wird, als daß ein anderer Grund,
der durchaus möglich ist, angegeben wird[205]:

„Ea enim quae ex sola Dei voluntate proveniunt, supra omne debitum creaturae, nobis innotescere non possunt nisi quatenus in sacra Scriptura tradun-
tur, per quam divina voluntas innotescit.“[206]

Die Entscheidung der Frage *Cur Deus homo?* fordert also ebenso eine Entscheidung heraus, inwieweit die Offenbarung für die Suche der

---

[200] S. Bonaventura: Sent. III d.1, a.2, q.2 conclusio, Op. omn. III, 24: „Quis autem
horum modorum dicendi verior sit, novit ille qui pro nobis incarnari dignatus est.
Quis etiam horum alteri praeponendus sit, difficile est videre, pro eo quod uterque
modus catholicus est et a viris catholicis sustinetur. Uterque etiam modus excitat
animam ad devotionem secundum diversas considerationes.“ Da die soteriologische
Begründung mehr mit den Autoritäten übereinstimme und die Frömmigkeit mehr
entfache, hält er sie auch für vorrangig, ohne andere Gründe ausschließen zu wollen (s. ebd., Op. omn. III, 25).
[201] S. Albertus Magnus: Sent. III d.20, B, a.4, ed. Borgnet 28, 361.
[202] Vgl. Balic, Karl M.: Duns Skotus' Lehre über Christi Prädestination im Lichte der
neuesten Forschungen, in: Wissenschaft und Weisheit 3 (1936) 19-35; Algaida, Samuel ab: Christologia lulliana seu de motivo incarnationis doctrina B. Raymundi
Lull, in: Collectanea Franciscana 1 (1931) 145-183, und Haubst, Rudolf: Das hoch-
und spätmittelalterliche „Cur Deus homo?“, in: Münchener Theologische Zeitschrift 6 (1955) 302-313, 310f.
[203] Thomas: Sent. III d.1, q.1, a.3.
[204] Thomas hat sich noch bei der Auslegung von 1 Tim 4,15 nur in einem persönlichen
Votum für diese Ansicht entschieden, s. *I Ad Timotheum* cap. I, lect. 4 N.40.
[205] S. STh III 1, 3.
[206] STh III 1, 3 c.

Vernunft nach dem Grund maßgebend ist. Die mittelalterliche Auslegung der Heiligen Schrift ist nämlich in dieser Frage eindeutig: Die
Menschwerdung geschah um der Erlösung von der Sünde willen.[207]
Daß es noch andere Gründe geben könnte, war damit allerdings nicht
ausgeschlossen. Die Inkarnation ist ein völlig ungeschuldetes Eingreifen Gottes, eine Äußerung der göttlichen Güte, die um so deutlicher
zum Vorschein kommt, je gnadenhafter das Erlösungswerk gesehen
werden kann. Daß Gott das verdorbene Menschengeschlecht überhaupt erlöst, obwohl er es gerechter Weise der Verdammnis hätte
überlassen können, wie Augustinus lehrte, und daß er es darüber
hinaus durch die Annahme einer menschlichen Natur nicht nur erlöst, sondern sogar erhöht, obwohl ihm andere Wege offen standen,
manifestiert die göttliche Güte in ihrem völlig freien Geben. Dies soll
zum Beispiel bei Thomas gedacht werden, deshalb stellt er seine
Theologie ganz unter die göttliche Wissenschaft, konkretisiert in der
Heiligen Schrift, der allein das freie Geben Gottes in seiner Vernünftigkeit, nämlich in seinem Willen, bekannt ist.

Wenn Cusanus nun die Inkarnation ganz von seiten der Schöpfung
her betrachtet, um welche Vernunftabsicht geht es ihm dann? Zunächst nimmt er seinen Ausgangspunkt bei einer Vernunft, die sich
auf ihre Unwissenheit besinnt. Hier entfaltet sie gewissermaßen prin-
zipienlos ihre eigenen Kräfte, allerdings in der Weise, daß sie sich
genau auf das christliche Wissen zu beziehen weiß, ja sie erhält sogar
noch ihre eigene Vernünftigkeit als *docta ignorantia* aus der Offenbarung, wie sich gerade am Glaubensbegriff zeigen wird. Hierzu sammelt sich die Vernunft jedoch nicht auf das ungeschuldete Geben der
Offenbarung, wie es als ein gnadenhaftes Geben, nämlich ein Geben
an einem Gegebenen, dem Wirken der Gnade an der Natur, deutlich
wird. Vielmehr nimmt sie auch die Offenbarung in ein einmaliges
Geben zurück, indem sie Schöpfung und Erlösung, Natur und Gnade
in einen Punkt zusammenführt. So wie Jesus Christus in der Schöpfung gegenwärtig ist und diese nicht ohne ihn sein kann, so wirkt die
Gnade immer schon in der geschaffenen Natur. Genau diesen Gedanken bereitet Cusanus mit dem ersten Kapitel von *De docta ignorantia* III 1 vor. Wenn er dann alles, nicht nur die Schöpfung, sondern
auch noch die Erkenntnis derselben, ja alle Erkenntnis überhaupt, in
Jesus zusammenführt, so stellt er sich gewiß nicht außerhalb der
christlichen Lehre oder leugnet etwa die Offenbarung. Nur wird das

---

[207] Thomas sieht am Ende seines Schaffens in der Schrift stets den Sündenfall als
Grund der Inkarnation ausgesprochen, s. ebd.; vgl. Bonaventura: Sent. III d.1, a.2,
q.2 conclusio, Op. omn. III, 24.

freie ungeschuldete Geben der göttlichen Güte nicht mehr als solches gedacht, auch wenn noch explizit und betont gesagt wird, daß von ihm aus allein gedacht wird. Wenn dieses Geben aber nicht mehr als solches gedacht wird, so entschwindet es in seinem Sinn und damit in seiner eigentlichen Gegenwart.

II. DIE UNVOLLKOMMENHEIT DES UNIVERSUMS (*DE DOCTA IGNORANTIA* III 1)

Das erste Kapitel des dritten Buches bildet nicht nur den Einstieg in die Christologie, sondern auch die Grundlage ihrer Darstellung. Insofern war es also auch notwendig, das Universum aus einer bloßen Kontingenz herauszunehmen, wenn es jetzt eine argumentative Basis sein soll. Cusanus faßt zu Beginn des dritten Buches zuerst das zweite Buch nochmals unter einem höheren Gesichtspunkt zusammen. Dabei wird sowohl die Struktur der Welt und ihr Suchen nach einem Grenzpunkt, der sich durch Vollkommenheit auszeichnet, erneut betrachtet als auch das Erkennen der endlichen Vernunft in einem solchen Universum. Sowohl ontologisch als auch erkenntnistheoretisch werden die Weichen aufgezeigt, die sich auf die Inkarnation hin stellen. Der erste Aspekt wird in *De docta ignorantia* III 2-10 eingeholt, der zweite in *De docta ignorantia* III 11-12. Dabei sind beide nur für uns Menschen geschieden, in Jesus Christus jedoch vereint, denn nicht nur findet in ihm die Welt ihre Vollendung und ihr Haupt, er ist auch die höchste Vernunft und Erkenntnis selbst. Beides kulminiert im Glauben Christi.

1. Das Universum als Kontinuum

Das Universum ist die Gesamtheit aller Gattungen. Dabei besitzt es keine eigene Wirklichkeit neben ihnen, sondern nur in ihnen. In ihnen ist es als eines in einer Vielheit realisiert, „zusammengezogen", wie sich Cusanus in Anhalt an ein Denken in den Begriffen von Materie und Form ausdrückt. Aber weder die Gattungen noch die Arten haben eine eigenständige Wirklichkeit, sondern nur die Individuen:

„Non autem subsistunt genera nisi contracte in speciebus neque species nisi in individuis, quae solum actu existunt."[208]

Somit ist das Universum hauptsächlich durch Vielheit gekennzeichnet, nämlich die Vielheit der allein real existierenden Individuen. Hierdurch unterscheidet es sich dann auch vom *maximum absolutum*, das eine reine Einheit ist. Das Universum kann nur als solches sein, wenn es vielheitlich ist. Daraus folgt aber unmittelbar, daß ihm ein Hauptmerkmal des göttlichen *maximum* als *maximum contractum* abgeht, nämlich die absolute *praecisio*. Cusanus übersetzt das berühmte Wort aus Weish 11,21 derart in sein System, daß alles Existierende durch eine bestimmte Einzigartigkeit ausgezeichnet ist, die es vorrangig als solches bestimmt, noch vor seinen Gemeinsamkeiten mit anderem:

„Omnia igitur ab invicem differre necesse est aut genere, specie et numero; aut specie et numero; aut numero: ut unumquodque in proprio numero, pondere et mensura subsistat."[209]

Nichts kann mit einem anderen völlig übereinkommen, so daß es mit ihm zusammenfiele. Immer bleibt ein gradueller Unterschied, der im Endlichen nie aufgehoben werden kann. So geht jegliches über anderes hinaus oder wird von diesem überragt.[210] Damit greift Cusanus zu Beginn von Buch III sein bisheriges Fundament, daß es im Endlichen nur jeweils *excedens* und *excessum* ohne ein Maximum gibt, wieder auf, nun von seiten der Prädikabilien *genus, species, proprium* und *differentia* in der Ordnungsstruktur des Universums nachgewiesen. Dabei ist entscheidend, daß es in Wirklichkeit nur Individuen gibt. Nur von ihnen her ist klar, daß es eine graduelle Ordnung geben kann, ohne daß damit eine Vollkommenheit im strengen Sinne ermöglicht würde.[211] Die Ordnung des Universums zeichnet sich sogar gerade dadurch aus, daß sie sich als Unvollkommenheit beziehungsweise Anlage auf eine nicht erreichte Vollkommenheit zeigt.

Das expliziert Cusanus an der Kontinuumsstruktur des Universums. Alle Gattungen und Arten hängen nämlich in der Weise zusammen, daß sie kontinuierlich im Sinne des Mittelalters[212] ineinander übergehen, das heißt die oberste Art einer Gattung ist auch die unterste der

---

[208] *De docta ignorantia* III 1, h I, 120 Z.4-6.
[209] Ebd., h I, 119 Z.12-14.
[210] S. ebd., h I, 119 Z.16-18.
[211] S. ebd., h I, 120 Z.4-13.
[212] S. zum Kontinuumsbegriff im Mittelalter Breidert, Wolfgang: Das aristotelische Kontinuum in der Scholastik, Münster ²1979.

nächsthöheren Gattung und fällt mit dieser zusammen. Nur in bezug auf diesen Sachverhalt nennt Cusanus das Universum vollkommen, *unum continuum perfectum universum*[213]. Dabei ist entscheidend, daß sich die Kontinuumsstruktur nicht auf die Ebene der Individuen, also des allein wirklich Existierenden niederschlägt. Nur die Spannung von kontinuierlichem Universum und diskreter Subsistenz desselben gibt Cusanus die Möglichkeit, eine Welt zu denken, in der Gott in seinem absoluten Unterschied von allem überall unmittelbar gegenwärtig ist, oder anders ausgedrückt eine Ordnung, der die Vollkommenheit fehlt. Die Verfassung des Universums als Kontinuum bleibt nämlich nur eingeschränkt für die Ebene der Individuen gültig. Die Individuen können eine bestimmte Spezies nicht ausschöpfen. Sie erreichen die Grenze der Art nicht, auch nicht in ihrer Gesamtheit. Immer kann es noch ein Individuum geben, das die Art mehr verwirklicht und deren Grenze erreicht. Diese werden aber nie im Endlichen eingeholt. So konkretisiert sich für Cusanus die Bestimmung des Universums, der Schöpfung:

„[...] ut omnia sint id, quod sunt, meliori quidem modo intra maximum et minimum, et Deus principium, medium et finis universi et singulorum, ut omnia, sive ascendant sive descendant sive ad medium tendant, ad Deum accedant."[214]

Das Universum strebt auf eine Vollkommenheit auch im Individuellen hin, ist sogar nur als ein solches Streben real, doch erreicht es diese nie. Dieser Umstand wird besonders am mathematischen Beispiel für den Unterschied von Kontinuumsstruktur und Diskretheit der Wirklichkeit deutlich. Cusanus greift hier die antike Überlegung auf, zu einem Kreis müsse es auch ein Quadrat mit gleichem Flächeninhalt geben, denn wenn man sich ein dem Kreis einbeschriebenes Quadrat und ein umbeschriebenes Quadrat vorstellt, so ist offensichtlich, daß das eine einen kleineren und das andere einen größeren Flächeninhalt hat. Vergrößert man nun aber das einbeschriebene Quadrat kontinuierlich bis zum umbeschriebenen, so müßte einmal ein Quadrat erreicht werden, das weder größer noch kleiner wäre, sondern dessen Flächeninhalt dem des Kreises gleich wäre. Dies muß offensichtlich gelten, wenn die Gesetzmäßigkeit des Kontinuums auch für die Ebene der Individuen, hier für Kreis und Quadrate, gilt. Cusanus hält aber für ein solches wachsendes Quadrat fest:

---

[213] *De docta ignorantia* III 1, h I, 120 Z.29.
[214] Ebd., h I, 120 Z.20-24.

„[...] etiam si uno tempore minus eo fuerit et alio maius, hunc transitum facit in quadam singularitate, ut numquam aequalitatem praecisam attingat [...]."[215]

Die Natur macht also bei Cusanus doch Sprünge. Dabei nennt er zugleich die entscheidende und prinzipielle Verankerung für diese heute merkwürdig anmutende Behauptung. Die absolute Genauigkeit ist allein in Gott und niemals im Endlichen zu finden. Gerade wenn wir uns einen kontinuierlichen Übergang auch im Diskreten denken, begehen wir nach Cusanus einen prinzipiellen Fehler. Nichts Endliches ist Grenze, *terminus*, für Endliches, alles ist unmittelbar auf Gott bezogen. Wie die Arten nie von den Individuen und auch das Universum nie von den Gattungen eingeholt werden, so erst recht nicht Gott. Das Verhältnis von Kontinuum und Diskretion ist also bei Cusanus eine Spur, die direkt auf Gottes absoluten Unterschied von allem hinführt, die *praecisio absoluta*. Sie ist im Endlichen als Endlichen nicht realisierbar. Deshalb sind auch etwa zwei miteinander verbundene Arten nicht in einem Individuum, das heißt einem *indivisibile*[216], verbunden, sondern in einer weiteren Art. Die Kontinuumsstruktur schlägt sich also nicht unmittelbar und übergeordnet in der Ebene der Individuen nieder.

2. Das unvollkommene Erkennen

So weist das Universum bei Cusanus einerseits *ordo, harmonia ac proportio*[217] auf, andererseits sind diese nicht als solche in der eigentlichen Wirklichkeit der Individuen nachweisbar. Alles Individuelle zeichnet sich nämlich durch eine *singularitas* aus, die nicht über die Ordnung der Gattungen und Arten erfaßt werden kann, doch gerade als derart beschaffen ist das Universum unmittelbar auf Gott ausgerichtet, ist doch jegliches *meliori modo*. Es wird geprägt von einer Ordnung, die zwar allgemein vorhanden und bestimmend ist, doch nur gebrochen individuell ausgedrückt wird.

Da nun also nichts Wirkliches vollkommen sein kann und die individuelle Wirklichkeit weder vollständig erkannt wird noch überhaupt erkennbar ist, endet die Cusanische Schöpfungslehre in einer Unwissenheit. Genau dies thematisiert er auch am Ende von *De docta igno-*

---

[215] Ebd., h I, 122 Z.7-9.
[216] S. *De docta ignorantia* III 1, h I, 121 Z.1.
[217] Ebd., h I, 121 Z.23.

rantia III 1. Diese letzten beiden Abschnitte haben als Reflexionen über das bisher Dargestellte höchste Bedeutung für das Folgende, sowohl für die nun explizit einsetzende Christologie als auch für die Lehre vom Glauben, der in dieser Interpretation als Reflexion auf die belehrte Unwissenheit verstanden wird. Kein endliches Individuum ist nämlich vollkommen. Selbst wenn nun regional und zu einer bestimmten Zeit manche Individuen gefunden werden, die in gewisser Hinsicht als vollkommener als die übrigen erkannt werden, zum Beispiel Salomo, der sich durch seine sprichwörtliche Weisheit auszeichnet, so gilt dies nicht absolut.[218] Wenn kein Individuum – auch nicht hinsichtlich einer bestimmten Eigenschaft – vollkommen ist, dann kann es auch nicht vollkommen darin erkannt werden, wie es zumindest besser als andere ist. Hierüber bleiben wir unwissend, denn die relativen Urteile gelten nicht allgemein, sondern sind so vielfältig und disparat wie die Kulturen und Religionen, in denen sie entstehen. Dies ändert sich erst dann, und das Unwissen über die Individuen des Universums klärt sich zu einem Wissen, wenn wir ein Individuum vollkommen erkennen können. Dies kann nur das vollkommene Individuum selbst sein, das *maximum contractum individuale*. Nur von ihm aus wird Licht in die relativen Urteile gebracht und der Nebel der kulturellen und religiösen Unterschiede gelichtet auf das Aufleuchten der Wahrheit hin.[219] Erst wenn wir ein Individuum vollkommen erkannt haben, können wir auch mit Gewißheit sagen, inwieweit eines das andere überragt oder nicht und wo ein Mehr-und-Weniger vorliegt. Nur von der Erkenntnis des *maximum contractum individuale* wird also das erkenntnistheoretische Fundament von *De docta ignorantia*, die *regula doctae ignorantiae*, selbst fundiert. Hierauf zielt die Christologie. Von den Kontinuumsüberlegungen und ihren Konsequenzen her wird nun einsichtig, was es heißt, Jesus sei *finis omnium intellectionum*. Er ist nämlich der einzige *terminus*, der auch erreicht wird.

Wenn Cusanus in *De docta ignorantia* III 1 nochmals auf das Universum zu sprechen kommt, so zeigt er an, daß er die Christologie von der Seite der Schöpfung her angehen will. Damit soll aber Gott als einziges Zentrum von allem betont werden, was gerade die eigentümliche Kontinuumsstruktur des Alls mit seiner individuellen Verwirkli-

---

[218] Vgl. ebd., h I, 122 Z.15 - 123 Z.3.

[219] Wenn in *De docta ignorantia* III 1, h I, 123 Z.4-9 Einheit und Frieden unter den Völkern und Kulturen damit begründet werden, daß ein verbindlicher Maßstab nicht erkannt werden kann, so ist dies von dem Programm in *De pace fidei* und in *Cribratio Alkorani* genau zu unterscheiden. Dort gewährt erst die in Jesus Christus erkannte Wahrheit eine Basis für den Frieden unter den Völkern, nicht die aus den kulturellen Differenzen entstehende skeptische Zurückhaltung.

chung verdeutlicht. Unmittelbar hieran ist die Tatsache geknüpft, daß das *desiderium naturale* aller Dinge in der Schöpfung als solcher nicht befriedigt wird. Ebenso ist das *desiderium naturale* der Vernunft nicht an sein Ziel gekommen, sondern hat nur den Grund seiner Unwissenheit tiefer eingesehen. Solange kein Individuum vollkommen erkannt ist, bleiben alle Erkenntnisse nicht nur in einem Mehr-und-Weniger gefangen. Dieses Mehr-und-Weniger ist sogar selbst noch einmal bloß relativ, kulturell bedingt, und taugt nicht zu einem allgemeinen Urteil. So drängt alles Sein und alles Erkennen auf ein *maximum contractum individuale* und auf das Begreifen eines Individuums. Inwieweit wird dies nun im Begriff von Jesus verwirklicht?

III. DIE HYPOSTATISCHE UNION (*DE DOCTA IGNORANTIA* III 2)

Mit Kapitel III 2 nimmt Cusanus die Darstellung der Inkarnation in Angriff. Dabei gliedert sich der Gedankengang wie folgt. Zunächst sucht Cusanus den rechten Begriff, das „Was" des individuellen Maximums in der Welt. Hierzu bedient er sich der Hypothese, ein solches Maximum habe es gegeben, und schreibt in *De docta ignorantia* III 2-3 im Konjunktiv. Allerdings ändert sich dies schon in III 3, wo Cusanus auch die Rationalität und den Grund der Wirklichkeit der Inkarnation untersucht, also das „Daß" begründet. Das vierte Kapitel hält dann fest, daß dies alles in Jesus Christus Wirklichkeit geworden ist. Hier taucht das Moment des konkreten Zeitpunktes der Inkarnation auf, das sich dem Begriff entzieht. Genau dieses nicht einholbare Moment wird dann zum Ausgangspunkt, die Lebensgeschichte Jesu von der geistgewirkten Zeugung in Kapitel III 5 bis zur Übernahme des Richteramtes in Kapitel III 9 zu entwickeln. In der Lebensgeschichte Jesu, wie sie das apostolische Glaubensbekenntnis überliefert, wird bei Cusanus – insbesondere mit dem Tod Jesu – das der Vernunft äußerlich bleibende zeitliche Moment abgearbeitet, so daß es verschwindet, wenn Jesus selbst zur Wahrheit der hypostatischen Union, mithin seiner selbst gelangt ist. Dann erst kann man sagen, daß der Begriff von Jesus vollständig ist, völlig klar und rein, auch gereinigt von der Zeitlichkeit.

Diese Interpretation kann also nur eingeschränkt in den ersten drei Kapiteln von *De docta ignorantia* III eine „Manuduktion" zum Christusgeheimnis sehen, die dann unvermittelt von ihrem rein hypothetischen Status erlöst und in Kapitel III 4 durch die Offenbarung auf den Boden des übernatürlichen Glaubens gehoben werde, auf dem dann auch die folgende Auslegung der christologischen Glaubensartikel stehe. So übersieht man, welches Gewicht Cusanus dem *desiderium naturale* nach der übernatürlichen Erfüllung beimißt und wie christozentrisch, ja „jesuzentrisch" er bis in die untersten Konkretionen hinein denkt. Das wird ganz klar, wenn man sich vor Augen hält, daß gerade Jesus das realisierte *quodlibet in quolibet* ist. Daß aber bei Cusanus der Aspekt eines nochmaligen Gebens am in der Schöpfung Gegebenen zurückgeht, das heißt, daß die Gnade nicht als eigener Bereich gedacht, sondern immer schon in die Schöpfung hineingenommen wird, soll mit dieser Interpretation erwiesen werden.

Cusanus überlegt sich in *De docta ignorantia* III 2 den Fall:

„[...] si maximum contractum ad speciem actu subsistens dabile esset [...]."[220]

Das *maximum contractum* ist das Universum. Dieses kann in seiner inhaltlichen Fülle auch nicht von allen Gattungen zusammen erreicht werden, erst recht nicht von den Arten oder gar den Individuen. Gäbe es nun doch ein Maximum auf der Ebene der Arten, so könnte es doch nur als Individuum wirklich sein. Wegen seiner Maximalität würde es aber gerade auch alle Vollkommenheiten der bestimmten Gattung und Art, in der es verwirklicht wäre, in sich fassen.[221] Allem anderen, nicht maximalen Endlichen ist es ja gerade als solchem nur gegeben, in unvollkommener Weise die eigene Natur zu verwirklichen. Daraus folgt bei Cusanus, daß alles Endliche stets aber eben auch nur *meliori modo* ist. Das *maximum contractum individuum* wäre allem in seiner Gattung Verwirklichten völlig ähnlich, ja sogar genau gleich, ohne einen Unterschied, weil es „alle Vollkommenheiten der Gattung in seiner Fülle"[222] in sich faßte.[223]

In dieser Betrachtungsweise ist nun auch klar, daß ein solches Maximum nicht allein endlich sein kann. Es kann aber auch nicht Gott selbst sein. In ihm sind zwar alle Vollkommenheiten vereint, aber eben in höchster Weise, nicht *contracte*, nicht in endlicher Weise wie in dieser Welt. Daraus folgert Cusanus:

---

[220] *De docta ignorantia* III 2, h I, 123 Z.15f.
[221] S. ebd., h I, 124 Z.2-4.
[222] Ebd., h I, 124 Z.8f.: „[...] omnium perfectiones in sua plenitudine complicans."
[223] S. hierzu die schöne Formulierung bei Dahm 1997, 108 (Hervorhebung im Zitat): „*Das Sein auf je bessere Weise* ist damit bei Nikolaus von Kues christologisch begründet." Er verweist hierzu auf *Sermo* XLI N.11 Z.8-12, h XVII/2, 149: „Omnis enim creatura desiderat meliori modo esse, quo potest. Et hoc aliter esse nequit quam in homine omnes naturas inferiores in intellectuali sua complicante, qui sit et Deus."

„[...] necessario foret maximum contractum, hoc est Deus et creatura, absolutum et contractum, contractione, quae in se subsistere non posset nisi in absoluta maximitate subsistente."[224]

Damit hat Cusanus ausgehend von seiner Konzeption von Gott und von der Welt den Begriff einer hypostatischen Union entwickelt.[225] Das *maximum contractum individuum* wäre Gott und Geschöpf, ohne daß damit schon angegeben würde, in welcher Natur es verwirklicht wäre. Unverkennbar ist aber, daß die Vereinigung nicht als Zusammenschluß Verschiedener oder Getrennter zu denken ist. Es handelt sich auch nicht um eine Verbindung wie Ganzes und Teil oder Form und Materie.[226]

An dieser Stelle ist es sehr erhellend, den Cusanischen Gedankengang mit der Vorgehensweise von Thomas zu kontrastieren. In gewisser Weise bewegen sie sich gerade in entgegengesetzten Richtungen. Cusanus denkt zuerst ein *maximum contractum individuum*, das als hypostatische Union im Sinne einer Vereinigung von Schöpfer und Geschöpf zu verstehen ist. Der klare Begriff eines derartigen Maximums konkretisiert diese dann völlig. Schon in *De docta ignorantia* III 2 können folglich christologische Irrlehren, die nur eine Zusammensetzung oder aber eine Vermischung denken wollen, ausgeschlossen werden. Der Inhalt der Lehrentscheidung von Chalcedon wird also aus diesem einen Begriff eines Individuums entwickelt. Im folgenden Kapitel III 3 wird dann die Vereinigung von Schöpfer und Geschöpf derart weiterbestimmt, daß einerseits auf der geschöpflichen Seite nur eine menschliche Natur und auch nur eine einzige in Frage kommt und daß andererseits auf der göttlichen Seite nur eine einzige göttliche Person, nämlich das göttliche Wort, in den Blick geraten kann. Danach wendet Cusanus sich noch im dritten Kapitel der Wirklichkeit und dem Grund der Inkarnation zu.

Bei Thomas werden diese Themen gerade in umgekehrter Reihenfolge behandelt. Die Frage, inwieweit Jesus Christus Gott, Schöpfer und Geschöpf ist, behandelt er erst spät.[227] Zuerst läßt er sich den

---

[224] Ebd., h I, 124 Z.14-17.
[225] S. ebd., h I, 124 Z.21f.
[226] S. ebd., h I, 124 Z.24 - 125 Z.17. Auffällig ist, daß der ohne Berufung auf die Schrift oder einen Konzilsentscheid entworfene Begriff des *maximum contractum individuum* die hypostatische Union schon so genau denken läßt, so daß gerade das, was von mittelalterlichen Theologen als Verstehenshilfen herangezogen wurde, wie etwa die Vereinigung von *materia* und *forma*, in seiner Unangemessenheit schon durchschaut werden kann. Zur Lehre von der hypostatischen Union bei Cusanus s. v. a. Haubst 1956, 109-137.
[227] S. STh III 16, 8 u. 10.

Grund der Menschwerdung aus der Schrift vorgeben.[228] Die Weise der Vereinigung entnimmt er keinem hypothetischen Begriff, sondern der Lehrentscheidung von Chalcedon. Von hier aus schließt er die christologischen Irrlehren aus. Die Konkretion zu einer einzigen menschlichen Natur, die vom göttlichen Wort angenommen wird, muß er sich ebenfalls vorgeben lassen, da andere Weisen Gott durchaus offen standen.[229] Damit stellt sich Thomas unter das Übernatürliche und Gnadenhafte der Menschwerdung sowohl hinsichtlich des Faktums selbst als auch unseres Begreifens desselben.

Cusanus folgt aber dem konsequenten Drang, den alles auf die Inkarnation hin hat – und dies nicht nur von der Seite des Geschaffenen her, sondern auch von seiten Gottes. Obwohl Cusanus an keiner Stelle dem Dogma von Chalcedon widerspricht, denkt er es in *De docta ignorantia* völlig anders als Thomas. Das Geheimnis der Menschwerdung ist dann aber auch seinem inneren Gehalt nach etwas anderes für ihn geworden. Deshalb wird es mit einem anderen Glauben geglaubt. Das geht vor allem aus dem folgenden Kapitel hervor.

IV. DIE EINUNG VON SCHÖPFER UND GESCHÖPF (*DE DOCTA IGNORANTIA* III 3)

Da das dritte Kapitel die Entscheidung über das *maximum contractum individuum* bringt, soll es genau analysiert werden. Die Stärke und Stringenz des Cusanischen Vorgehens wird nun ganz deutlich. Dies zeigt vor allem die Kontrastierung mit den Argumentationen bei Thomas und Occam.

1. Die vereinten Naturen

Cusanus engt in *De docta ignorantia* III 3 die Überlegungen derart ein, daß er präzisiert, in welcher Natur sich das *maximum absolutum et contractum* realisiert und ob und warum es sich verwirklicht. Im ersten Teil des Kapitels[230] geht er in drei Schritten vor. Im ersten Schritt sucht er nach der geeigneten endlichen Natur. Danach bestimmt er, ob es nur ein einziges solches *maximum contractum individuale* geben kann. Im letzten Schritt geht es dann um die göttliche Seite der In-

---

[228] S. ebd. q.1.
[229] S. ebd. q.2 - q.4.
[230] S. *De docta ignorantia* III 3, h I, 125 Z.24 - 128 Z.10.

karnation, nämlich um die Frage, wie viele göttliche Personen und welche sich mit dem Endlichen vereinigen. Schon aus dieser Übersicht kann man entnehmen, wie Cusanus typische scholastische Fragen aus der Christologie durcharbeitet. Dabei ist er immer davon überzeugt, daß dies alles durch Vernunftüberlegungen nicht nur leicht, sondern auch konsequent aus dem bisherigen Gedankengang weitergefolgert werden kann, also in einem Bereich, der gemeinhin allein dem Glaubenswissen überlassen blieb und zu vielen Irrlehren geführt hatte.[231] Im zweiten Teil[232] nimmt er sich der Wirklichkeit und des Grundes der Inkarnation an. Bei der Frage nach dem konkreten Zeitpunkt erreicht er seine Grenze, die aber gleichzeitig den Gedankengang auf die Lebensgeschichte Jesu öffnet.

a) Die *natura media* und die Vorgabe der Offenbarung

aa) Bei Cusanus

Zunächst fragt Cusanus nach der Natur, die geeignet ist, mit dem Göttlichen verbunden zu werden, nach dem *ens magis maximo sociabile*[233]. Hierbei geht er von der Ordnung aus, die es im Universum gibt, nämlich der Stufung der Wesen nach der aus dem Neuplatonismus und vor allem bei Augustinus überlieferten Einstufung in bloß Seiendes, in Lebendiges und in Erkennendes. Dabei gilt von erkennenden Wesen, daß sie sowohl sind als auch leben. Sie haben also die Qualitäten der anderen beiden Stufen in sich und sind insofern auch umfassender und höher, denn eine niedrige Natur, Cusanus gibt als Beispiel eine Linie an, entspricht nicht der Bestimmung des *maximum absolutum et contractum*. Die hypostatische Union von Schöpfer und Geschöpf führt nur dazu, daß auf der Seite des Geschöpflichen alle Vollkommenheiten verwirklicht werden, die der entsprechenden geschöpflichen Natur möglich sind. Auch eine mit dem *maximum absolutum* geeinte Linie bliebe eine Linie und könnte also weder Lebendiges noch Vernünftiges verwirklichen. Damit wäre es aber auch kein *maximum contractum individuum*, das nicht doch übertroffen werden könnte. So muß eine vernünftige Natur am geeignetsten sein. Sie kommt dem *maximum absolutum* schon als endliche insofern am nächsten, als gerade dieses die *entitas omnium* ist. Wenn es aber um eine hypostatische Union im Sinne des *maximum contractum individuum*

---

[231] S. ebd., h I, 125 Z.24.
[232] S. ebd., h I, 128 Z.11 - 129 Z.14.
[233] Ebd., h I, 126 Z.6.

geht, darf es nicht die höchste vernünftige Natur selbst sein, etwa ein
Engel. Hier wird jetzt das Koinzidenzprinzip entscheidend. Das Maximum fällt mit dem Minimum zusammen. Nur bei einer *natura me-
dia*[234] gilt, daß sie Niederes und Höheres in gleicher Weise vereinen
kann, ohne etwas auszulassen. Nun gilt natürlich von allem Vernünftigen, daß es das Niedrigere in sich faßt, aber eben in der Weise der
Vernünftigkeit. Im angestrebten Maximum soll aber jegliches als es
selbst, nur in Vollkommenheit verwirklicht sein. Deshalb geht Cusanus zur Disjunktion in sinnlich und vernünftig über.

Ein Engel hat keinen Anteil mehr am Sinnlichen, auch wenn er alle Vollkommenheiten des Sinnlichen in vernünftiger Form in sich
birgt. Nur die menschliche Natur ist eine mittlere Natur, ein Mikro-
kosmos, wie die philosophische Überlieferung lehrt, höher als alle
anderen Werke Gottes und nur um ein Geringes kleiner als die Engel,
wie die Heilige Schrift bezeugt.[235] Dieser Vorrang des Menschen
kommt also dann am deutlichsten zum Vorschein, wenn erkannt wird,
wie er allein in eigentlichem Sinne der Inkarnation entspricht. Genau
hierin besteht bei Cusanus die Würde des Menschen. Diese Würde
hat er immer schon, quasi mit der Erschaffung mitgegeben. Sie wird
nicht erst durch die Menschwerdung in einem neuen Akt gegeben,
sondern nur verwirklicht.[236] Nur von der menschlichen Natur gilt, daß
sie *convenienter*[237], in angemessener, das heißt allein angemessener
Weise, vom *maximum absolutum* erhoben werden kann:

„Nam cum ipsa intra se complicat omnes naturas, ut supremum inferioris et
infimum superioris, si ipsa secundum omnia sui ad unionem maximitatis

---

[234] Ebd., h I, 126 Z.22.

[235] S. ebd., h I, 126 Z.29 - 127 Z.3.

[236] Auch Thomas kennt eine mit der Natur des Menschen mitgegebene Würde (s. STh
III 4, 1 c.). Diese wird aber durch die Menschwerdung in einem neuen Akt gnadenhaft erhöht, s. STh III 1, 2 c. u. 4, 6 c., bes. deutlich aber STh I 25, 6 ad 4: Die
Menschheit Christi, die geschaffene Seligkeit und die Gottesmutter besitzen eine
dignitas infinita, die nicht mehr vergrößert werden kann. Der Unterschied zu Cusanus ist ein erneutes Zeichen dafür, daß dieser die Gnade nicht mehr als Gnade jenseits der Natur denkt.

[237] Hier benutzt Cusanus einen Spezialausdruck, der sonst, insbesondere bei Thomas'
Konvenienzargumenten, für die Rationalität von Gründen steht, die für die natürliche Vernunft nicht zwingend sind, da es noch andere sinnvolle Möglichkeiten gibt,
aber doch eine überzeugende Vernünftigkeit hinsichtlich eines bestimmten Zieles
offenlegen. Bei Cusanus gibt es jedoch, wie die dargestellte Argumentation zeigt,
gerade keine anderen Möglichkeiten, die nicht den ganzen Sinn entstellen würden.
Diese Angemessenheit entspricht einer Notwendigkeit für ein bestimmtes Ziel und
kommt darin mit den Anselmschen *rationes necessariae* überein.

ascenderit, omnes naturas ac totum universum omni possibili modo ad summum gradum in ipsa pervenisse constat."[238]

Allein der mittleren Natur ist es eigen, daß bei ihrer maximalen Verwirklichung das ganze Universum nicht nur eingefaßt, sondern auch auf alle möglichen Weisen, konkret sinnlich und geistig, verwirklicht wird. Damit hat Cusanus das *maximum absolutum et contractum* zu einer hypostatischen Union in einer menschlichen Natur als einzig sinnvoller Weise weiterbestimmt. Ein Bezug zur Erlösung von der Sünde wird nicht einmal erwähnt. Nur so ist es aber Cusanus möglich, in einer geradlinigen Argumentation das Inkarnationsgeheimnis zu ergründen. Alle Seitenargumentationen versucht er mit seinen Maximumsüberlegungen auszuschließen. Nur so ergibt sich die von ihm erstrebte Stringenz, und die endliche Vernunft kann ihre Kraft entfalten. Dies wird besonders deutlich, wenn man sich vor Augen führt, wie Cusanus die Thomasische und auch Occamsche Argumentation verwandelt. Auch hier muß dann gefragt werden, inwieweit das gnadenhafte göttliche Geben in der Offenbarung bei Cusanus noch als solches gedacht wird und welche selbstbescheidenere Rationalität er gegen eine nominalistische Erkenntniseinschränkung vorbringt.

bb) Bei Thomas und Occam

Thomas knüpft die Notwendigkeit der Inkarnation an ein Ziel, insofern sie nämlich die angemessenere Weise ist, wie Gott die menschliche Natur wiederherstellt und das Menschengeschlecht erlöst. Somit ist sie weder in sich notwendig noch auch im Sinne einer condicio sine qua non, da Gottes Macht auch andere Wege offen standen, das Menschengeschlecht zu erlösen, wie auch schon Augustinus lehrte.[239] Damit stellt er sich nach eigenem Bekunden ganz unter die Heilige Schrift, die Gottes Willen bezüglich der Menschwerdung dahingehend darlegt, daß die Erlösung von der Sünde der Grund derselben war. Auch wenn die Menschwerdung Gott möglich gewesen wäre, selbst wenn es keine Sünde gegeben hätte, muß man sagen, daß er dann nicht Mensch geworden wäre.[240] Alle weiteren Aussagen über die Inkarnation, sofern sie sich nicht zwingend aus diesen Voraussetzungen ergeben und rein logisch gefordert werden müssen, sind an diesem Grund der Inkarnation zu prüfen und zu entscheiden. Somit bleiben auch sie an die Offenbarung in der Schrift rückgebunden. In

---

[238] *De docta ignorantia* III 3, h I, 126 Z.24-28.
[239] S. STh III 1, 2.
[240] S. ebd. q.1, a.3 c.

der Tat muß man sogar sagen, daß erst die Tatsache, die Inkarnation an die Erlösung von der Sünde zu knüpfen, in gewisser Weise ermöglicht, daß sich im weiteren ein Freiraum eröffnet, in dem die eine Gnadentat der Geburt des Gottessohnes derart weiterbestimmt wird, daß die unendliche Gnade, die er in sich faßt, auch in der menschlichen Vernunft als solche gedacht werden kann und gegenwärtig wird. Dieses Kontrastbild zu Cusanus soll hinsichtlich der Frage nach der Natur, welche von Gott angenommen werden kann, kurz vorgestellt werden.

Thomas behandelt in seiner Christologie, die man gerade in ihrer expliziten Rückbindung an die Offenbarung als eine „Christologie von oben" bezeichnen müßte, zuerst in STh III 3 die göttliche Seite der Vereinigung – auch dies im Gegensatz zu Cusanus –, bevor er dann in STh III 4 klärt, welche geschaffene Natur angenommen wird. Wenn dabei festgestellt wird, daß vor allen geschaffenen Naturen allein der menschlichen ein Vorzug gegeben werden kann, so soll damit auch bei Thomas nichts Einschränkendes über die göttliche Allmacht als solche ausgesagt werden. Wenn andere Naturen nicht als aufnehmbar, *assumptibilis*, bezeichnet werden, so wird damit nichts der göttlichen Allmacht entzogen.[241] Weiter führt Thomas allerdings seine Überlegungen nicht, die das der *potentia absoluta* Mögliche und Unmögliche darstellen könnten. Er läßt sich in der *Summa Theologiae*, im Unterschied zum Sentenzenkommentar, gar nicht auf eine Argumentation aufgrund der *potentia absoluta* ein. Vielmehr bindet er gerade auch die Frage nach der *natura assumptibilis* an den aus der Schrift entnommenen Grund der Inkarnation. Da diese Tat den Bereich des Natürlichen übersteigt, kann nicht von seiten des Geschaffenen, von der *potentia passiva naturalis*, aus geklärt werden, welche Natur am besten geeignet ist. Also hat man sich an die in der Schrift gegebene Bestimmung der Vereinigung zu halten. Eine Angemessenheit beziehungsweise Übereinstimmung, *congruentia*, mit der Menschwerdung kann nun in der menschlichen Natur sowohl hinsichtlich einer Würdigkeit als auch einer Notwendigkeit gesehen werden. Einerseits zeichnet sich der Mensch als Vernunftwesen dadurch aus, daß er sich selbst durch seine eigenen Handlungen zu Gott, präziser dem göttlichen Wort, hin bewegt. Hier erinnert Thomas an die bei ihm entscheidende Bestimmung des Menschen als Bild Gottes, die sich vor allem im Akt zeigt und die bloße Ähnlichkeit mit dem Schöpfer im

---

[241] S. STh III 4, 1 ad 1.

Sinne einer Spur übertrifft,[242] ja in gewisser Weise schon gegenüber den Engeln einen Vorzug gibt. Andererseits stellt sich allein für den Menschen die Notwendigkeit einer Erlösung von der Sünde, denn im Gegensatz zu den anderen gefallenen Geschöpfen wie den gefallenen Engeln bedarf er sinnvoller Weise der Wiederherstellung, wie Thomas in einer Antwort auf ein Gegenargument ausführt. Die Sünde der Engel kann nämlich nicht mehr geheilt werden.[243] Wenn also der Sinn der Menschwerdung die Erlösung von der Sünde und die Vereinigung des Menschengeschlechtes mit Gott ist, dann läßt sich klar entscheiden, daß die menschliche Natur eine herausragende Mitte einnimmt, sowohl hinsichtlich ihrer Schwäche, nämlich der Erlösungsbedürftigkeit, als auch hinsichtlich ihrer Stärke, ihrer Würde als Vernunftwesen auf dem Weg zu Gott. Der Mensch nimmt auch bei Thomas die Position einer mittleren Natur ein, doch bezüglich der Inkarnation wird diese Mitte nicht aus der Schöpfungsordnung entnommen, wo der Mensch, wenn auch über den vernunftlosen Wesen, so doch unter den reinen Intelligenzen steht, sondern wird selbst von der Inkarnation und ihrem Sinn her bestimmt.[244] Aus dieser folgt ja auch eine neue Würde des Menschen, eine gnadenhaft gegebene, die so bei Cusanus nicht gedacht wird. Er faßt die Würde des Menschen in bezug auf die geschaffene Natur, den Menschen als Zusammenfassung des Universums im kleinen. Die praktische Bestimmung des Menschen im Sinne der *imago dei*, die einen unmittelbaren Bezug zur Gnade hat, nimmt er auf eine schöpferische, „natürliche" zurück, die er *viva imago*[245] nennt.

Occam widmet der Frage nach der *natura assumptibilis* keine eigene größere Untersuchung, doch seine kurze Stellungnahme im Sentenzenkommentar ist bezeichnend:

---

[242] S. ebd. q.4, a.1 ad 2; s. allgemein zur Bestimmung des Menschen als Bild Gottes bei Thomas von Aquin Shin, Chang-Suk: „Imago Dei" und „Natura Hominis": Der Doppelansatz der thomistischen Handlungstheorie [= Epistemata: Reihe Philosophie 138], Würzburg 1993.

[243] S. STh III 4, 1 ad 3 und I 64, 2.

[244] Natürlich kannte Thomas die Mittelstellung des Menschen (s. *In octo libros Physicorum Aristotelis expositio* VIII 2, lect. 4 N.3). Entscheidend ist aber, wie sie im jeweiligen Kontext bestimmt wird, erst das gibt das Gedachte. In Scg IV 55 kommt zwar auch das Argument, daß sich Gott als Ursache von allem mit demjenigen Geschöpf eher vereinigen wird, durch das er mehr mit allen anderen Geschöpfen in Verbindung steht, also mit dem Menschen, der selbst schon körperliche und geistige Natur verbindet. Doch das folgende Argument greift genau die in STh III 4,1 c. genannten Gründe auf, allerdings noch nicht explizit hinsichtlich der ja erst in der STh entwickelten spezifisch Thomasischen Bestimmung des Bildseins.

[245] S. unten Zweiter Hautteil D.III.1 und Strub, Christian: Singularität des Individuums? Eine begriffsgeschichtliche Problemskizze, in: Miscellanea Medievalia 24 (1996) 37-56, 52f.

„[...] non videtur mihi plus inconveniens concedere quod lapis sit personabilis a persona divina quam homo. Quia personari a persona divina nihil aliud est quam sustentificari a persona divina. Nunc autem indifferenter potest natura irrationalis sustentificari a persona divina sicut rationalis. Et ideo potest lapis vel asinus sic personari sicut homo."[246]

Bei dieser Überlegung, die für Occam sicher nicht auf eine „*asinus*-Christologie" hinauslaufen möchte, fällt zunächst auf, daß er gar nicht auf eine Argumentation *de potentia absoluta* zurückgreift, die sonst in dieser Frage durchaus auftaucht. Der Begriff der hypostatischen Union, des *sustentificari a persona divina*, ist selbst schon völlig losgelöst von der Erlösungslehre entworfen.[247] Weiter ist die Menschwerdung ein derart großes Geheimnis für das sich selbst überlassene natürliche Erkennen, daß ihm auch die hypostatische Union in einer Menschennatur schon unangemessen, ja *magis inconveniens* anstatt angemessen erscheinen muß. Es geht also nicht mehr um die Möglichkeit, daß eine nichtmenschliche Natur angenommen wird, sondern beides muß als gleich unangemessen erscheinen. Überhaupt erschüttert das Faktum der Menschwerdung bisherige Prädikationsweisen und läßt aus allgemeinen Aussagen bloß kontingente werden, die nur im Faktischen gegründet sind.[248] Gerade die göttliche Offenbarung führt die natürliche Vernunft bei Occam in die Krise. Cusanus will dagegen zeigen, wie beides sich nicht nur in Harmonie befindet, sondern bis zur Ununterscheidbarkeit zusammenkommt. Das bedeutet natürlich auch, daß er Vernunft und Glaube anders zu denken hat.

b) Die Anzahl der angenommenen Naturen

Die Frage, ob nur eine menschliche Natur angenommen wird oder doch mehrere, kann Cusanus sehr schnell beantworten:

„Humanitas autem non est nisi contracte in hoc vel illo. Quare non esset possibile plus quam unum verum hominem ad unionem maximitatis posse ascendere [...]."[249]

---

[246] Occam: Sent. III q.1, OTh VI, 33 Z.17-22. Auf den Unterschied zwischen Thomas und Occam in der *personalitas*-Auffassung und der Problematik des einen Seins in Jesus Christus kann hier nicht eingegangen werden. Zu Cusanus' undeutlicher Position hinsichtlich dieser Frage s. Haubst 1956, 127-128.

[247] S. Occam: Sent. III q.1, OTh VI, 4 Z.20 - 5 Z.11 und 9 Z.9 - 10 Z.2; vgl. Borchert, Ernst: Der Einfluß des Nominalismus auf die Christologie der Spätscholastik nach dem Traktat De communicatione idiomatum des Nicolaus Oresme [= BGPhThMA 35/4-5], Münster 1940.

[248] S. Occam: Sent. III q.1, OTh VI, 29 Z.1 - 31 Z.14.

[249] *De docta ignorantia* III 3, h I, 127 Z.7-9.

Eine menschliche Natur hat nur eine individuierte Existenz. Sie ist für Cusanus so unmittelbar an ihre Individuation gekoppelt, daß mehrere angenommene menschliche Naturen die Einheit der *unio* zerstören würden.[250] Auch wenn er an einer gemeinsamen Menschennatur aller Menschen festhalten kann, wie noch zu sehen sein wird, gibt es eine Natur bei ihm nur als individuierte. Deshalb spricht er in obigem Zitat auch schon fast häretisch davon, ein Mensch steige zur Vereinigung empor, um zu zeigen, wie die endliche Vernunft aus sich die Glaubensartikel entwickeln kann.[251] Er will jedoch keineswegs damit behaupten, das göttliche Wort habe eine menschliche Person angenommen.

Interessanterweise kann sich Thomas durchaus denken, daß es der göttlichen Allmacht möglich ist, daß mehrere menschliche Naturen, die in ihrer Konkretion durchaus auch verschieden wären, von einer göttlichen Person angenommen würden.[252] Trotz zweier Naturen wäre es durchaus richtig zu sagen, daß dieses ein einziger Mensch sei, wenn man die sprachphilosophische Ebene, das heißt den *modus significandi*, genau beachtet. Das Dogma, das nur von einem Menschen Jesus Christus spricht, wäre also durchaus nicht verletzt.[253] Mit dieser Seitenargumentation will Thomas zeigen, daß die göttliche Macht nicht vom Geschöpf eingegrenzt und umgriffen werden kann.[254] Die Inkarnation ist also für Thomas rein von Gott her zu verstehen. Wichtig bleibt aber für ihn, daß sie auch dann nicht einen willkürlich von Gott gesetzten Ort im Feld aller denkbaren Möglichkeiten einnimmt, sondern gerade ihre Bestimmung in der von Gott gewählten Weise für die menschliche Vernunft am deutlichsten wird. Dies kommt sogar bei der Frage nach der Anzahl der angenommenen Naturen klar zum Vorschein. Gerade das Gedankenspiel zweier angenommener Naturen macht offensichtlich, daß die personale Union der menschlichen mit der göttlichen Natur sogar noch tiefer und totaler ist, als die zweier geschaffener Naturen bei einem göttlichen Träger.[255]

---

[250] Zum Problem der Individualität bei Cusanus s. die neuesten Untersuchungen von Leinkauf, Thomas: Die Bestimmung des Einzelseienden durch die Begriffe contractio, singularitas und aequalitas bei Nicolaus Cusanus, in: Archiv für Begriffsgeschichte 37 (1994) 180-211, und Strub 1996, dort weitere Literatur.

[251] Dazu ist aber auch zu bemerken, daß *homo* sowohl für das *suppositum* als auch die *natura* stehen kann. Allerdings läßt *ascendere* nur an ein *suppositum* denken. Zur Stellung von Cusanus gegenüber der *homo-assumptus*-Lehre s. Haubst 1956, 118-122, die obige Stelle wird hier aber nicht angeführt.

[252] S. STh III 3, 7.

[253] S. ebd. q.3, a.7 ad 2.

[254] S. ebd. q.3, a.7 c.: „[...] non enim increatum a creato comprehendi potest."

[255] S. ebd. q.3, a.7 ad 3.

Cusanus kann sich aber nach eigenem Bekunden nur denken, daß eine einzige menschliche Natur aufgenommen wird. Gewiß betont gerade er die Maximalität dieser Einung, ebenso, daß das Geschaffene die göttliche Macht nicht ausschöpfen kann, doch versteht er die Menschwerdung primär von einer *operatio ad extra* her. Der Grund wird dann in der Entfaltung der Macht manifest, während bei Thomas die Güte als frei geschenkte und gegebene gedacht werden soll. Thomas will gerade einen Freiraum im natürlichen Wissen, aber auch im Glaubenswissen offen halten, um dieses göttliche Geben erfassen zu können. Cusanus denkt zwar auch explizit immer in bezug auf die Offenbarung, doch geht es ihm nicht um dieses freie Geben, sondern um ein Ankommen des *intellectus finitus* in sich selbst beim Unendlichen. Gerade im Aufsuchen und Finden dieses Weges, könnte man sagen, erfüllt die *mens* bei Cusanus ihre Bestimmung, in schöpferischer Weise ein lebendiges Bild Gottes zu sein.

c) Das göttliche Wort in der Einung

In einem nächsten Schritt muß Cusanus klären, welche der drei göttlichen Personen Mensch geworden ist oder ob sich etwa mehrere Personen inkarniert haben. Im dieser Frage gewidmeten Abschnitt kann er ohne Zuhilfenahme der Offenbarung dahingehend antworten, daß das göttliche Wort allein Mensch werden kann. Allerdings überläßt er es dem Leser, diese Konklusion zu ziehen, und vermeidet es, sich so deutlich auszudrücken. Gott selbst ist als Schöpfer die *aequalitas essendi omnia*. Genau mit dieser wäre der *homo perfectus* aber derart vereint,

„[...] ut ipse Deus per assumptam humanitatem ita esset omnia contracte in ipsa humanitate, quemadmodum est aequalitas essendi omnia absolute"[256].

Von diesem Ausgangspunkt wird aber klar, daß dem maximalen Menschen hinsichtlich des Universums genau dieselbe Stellung zugesprochen werden müßte wie dem Sohn selbst, denn dieser hat ja seinen positiv gefüllten Namen gerade in bezug auf die göttliche Schöpfermacht. Hierauf verweist Cusanus an dieser Stelle selbst.[257] Hinsichtlich der Geschöpfe, auch wenn sie nie geschaffen worden wären, ist der Sohn nicht nur als *aequalitas omnium*, sondern überhaupt als *aequalitas* zu verstehen. Das *maximum contractum individuum* wäre somit nicht nur wie das göttliche Wort, sondern die *essendi aequalitas*, die

---

[256] *De docta ignorantia* III 3, h I, 128 Z.4-6.
[257] Vgl. ebd. III 3, 128 Z.9 mit I 24, h I, 51 Z.2-6.

Sohn heißt.[258] Die Maximumsüberlegungen bei Cusanus dringen also bis in die verborgensten Geheimnisse ein. Das wird sofort deutlich, wenn man sich vergegenwärtigt, wie diese Frage sonst im Mittelalter diskutiert worden war. Dabei ist entscheidend, um Cusanus richtig zu sehen, wie seine mit traditionellen Theologumena reich gesättigte Argumentation nicht etwa das christliche Bekenntnis verändert, sondern derart neu denkt, daß das göttliche Geben auf einen Punkt konzentriert wird – Gott ist Mensch geworden. In der mittelalterlichen Diskussion war nämlich allgemein anerkannt, daß durchaus mehrere göttliche Personen sich hätten inkarnieren können.

Occam erscheint es zum Beispiel in einer Auseinandersetzung mit Duns Scotus ebenfalls so, daß mehrere göttliche Personen eine menschliche Natur annehmen konnten.[259] Dies bedeutet nämlich, wie er im *Quodlibet* IV ausführt, keinen Widerspruch in sich.[260] Allerdings müßte man dann zugestehen, daß dies nun auch trotz einer einzigen menschlichen Natur drei Menschen wären, da ja auch drei *supposita*. Wenn man nicht ganz so streng logisch sprechen würde, müßte man zwar nicht sagen, dies seien drei Menschen, allerdings könnte man auch nicht nur von einem Menschen sprechen.[261] Die Formulierung des Bekenntnisses hätte er also aufzugeben, auch wenn er dies nicht explizit zugesteht. Thomas betont dagegen eigens, daß selbst im Falle, daß alle drei göttlichen Personen dieselbe Natur annähmen, man immer noch von einem Menschen sprechen könnte. Es wäre durchaus eine wahre Aussage, wie man ja auch von einem Gott spricht, obwohl er in drei Personen subsistiert.[262] Wenn Gott offenbart, daß nur das Wort sich mit der menschlichen Natur verbunden hat, so kommt bei Thomas nicht nur das Moment des *mysterium stricte dictum* noch deutlicher zum Vorschein, auch die Eigenständigkeit der dann als Konvenienz aufgewiesenen Rationalität tritt frei hervor. Dies schließt Occam, ohne das Bekenntnis anfechten zu wollen, durch seine auf sprachphilosophischem Boden gewachsene Grenzziehung aus.

---

[258] S. ebd. III 3, h I, 128 Z.6-9.

[259] S. Occam: Sent. III q.1, OTh VI, 21 Z.10-13.

[260] S. ders.: Quodl. IV, q.8, OTh IX, 338 Z.8-22.

[261] S. ebd., OTh IX, 340 Z.62 - 341 Z.69; Occam bringt hier die Unterscheidung von *suppositio concreta* und *suppositio abstracta* ins Spiel.

[262] S. STh III 3, 6 ad 2. An der Parallelstelle im Sentenzenkommentar (Sent. III d.1, q.2, a.4) begründet Thomas diese Entscheidung wie in der STh, greift dabei allerdings auch auf die Suppositionslehre zurück und verweist darauf, daß der Terminus homo als *suppositio naturalis* nur auf die *res naturae humanae* zielt und nicht schon wie bei einer *suppositio accidentalis* auf den Träger als solchen (s. ebd. q.2, a.4 ad 6).

Bei Thomas geht es aber in dieser Frage darum, die Rolle der göttlichen Macht bei der Inkarnation gegenüber der Rolle, die das Geschöpfliche spielt, deutlich zu machen. Die göttliche Macht hat hier den Primat.[263] Dies soll hervorgehoben werden, wenn festgehalten wird, daß mehrere Personen dieselbe menschliche Natur hätten annehmen können. So treten die Gründe für die Inkarnation des Wortes, obwohl für die menschliche Vernunft einsichtig, in einem Freiraum auf, der dieser allein auf sich gestellt überhaupt nicht zugänglich ist. In der Tat war es nämlich nach Thomas nicht nur *conveniens*, sondern *convenientissimum*, daß sich allein der Sohn inkarniert hat.[264] Ihm kann auch gegenüber dem Vater und dem Geist ein Vorzug eingeräumt werden. Der Bezug zum Schöpfungswerk kann dann sogar dahingehend präzisiert werden, daß der Sohn durch die Macht des Vaters die *recreatio* der *creatio* durchführt.[265] Also denkt Thomas auch die Schöpfung gewissermaßen unter dem praktischen Gesichtspunkt der Erlösung von der Sünde als einer Neuschöpfung. Seine Argumente bewegen sich dabei in dem der natürlichen Vernunft nicht aus sich zugänglichen Bereich und konkretisieren doch für diese das freie Geben der Güte Gottes, wie es in der Erlösung von der Sünde und der Rechtfertigung als Gabe des Heiligen Geistes gedacht wird.[266]

2. Der Grund der Wirklichkeit der Menschwerdung

Cusanus hat nun die beiden Seiten der Inkarnation hinsichtlich ihres Inhalts dargestellt. Sein „hypothetisches" Vorgehen erreicht in *De docta ignorantia* III 3 seinen höchsten Punkt, wenn Cusanus nach dem Begriff der Möglichkeit, dem Inhalt der Menschwerdung, schließlich den Grund der Existenz und die Wirklichkeit der hypostatischen Union untersucht. Thomas geht den umgekehrten Weg, indem er erst

---

[263] S. STh III 3, 6 c. Im Sentenzenkommentar argumentiert Thomas wiederum explizit mittels der *potentia absoluta*, die er zu diesem Zweck sogar in einer längeren Darstellung extra einführt (s. v. a. Sent. III d.1, q.2, a.3 c. und a.4).

[264] S. STh III 3, 8 c. Als Gründe werden angeführt: 1. Der Sohn hat als göttlicher *conceptus* von allem auch eine *similitudo exemplaris* mit allen Geschöpfen; dieses Argument steht dem Cusanischen Gedankengang am nächsten, ist aber bei Thomas am unspezifischsten. 2. Eine besondere Ähnlichkeit besteht zum Menschen als Vernunftwesen, weil das Wort die ewige Weisheit selbst ist. 3. Die Menschen sind zu Söhnen Gottes bestimmt und sollen der *imago Filii* gleichförmig werden, zu diesem Ziel sollen sie durch die Erlösungstat des Gottessohnes geführt werden. 4. Der Sündenfall entsprang einem verfehlten Griff nach der Weisheit, die Weisheit selbst stellt nun die rechte Weise des Erkenntnisstrebens wieder her.

[265] S. ebd. q.3, a.8 ad 2.

[266] S. ebd. q.3, a.8 ad 3.

die Angemessenheit der Inkarnation und dann die Weise der Einung behandelt. Aus dem oben Dargestellten hat sich für Thomas schon ergeben, daß seine Vorgehensweise nicht zufällig ist. Erst der in der Schrift gewiesene Grund der Menschwerdung kann auch deren inhaltliche Seite aufschließen.[267] Cusanus will dagegen mit dem Inhalt, dem Begriff von Jesus, auch schon seine Wirklichkeit erreichen. Nur so kann Jesus „kontinuierlich größer in der Vernunft und im Gefühl"[268] werden. Vergegenwärtigt man sich zudem, daß der wahre, weil völlig genaue Begriff einer Sache bei Cusanus mit dieser selbst zusammenfällt, so ist diese Vorgehensweise noch plausibler.

Cusanus geht in drei Schritten vor. Zunächst hält er fest, daß aus Gott als bestem und vollkommenstem Wesen auch eine – um es verkürzt zu sagen – vollkommene Schöpfung hervorgehen muß. Hierbei argumentiert er mittels des Begriffs der Güte und der Vollkommenheit. Danach leitet er mit dem Maximumsbegriff auf die Macht Gottes über, die als größte in sich begrenzt sein muß. In einem letzten Schritt subsumiert er die Inkarnation als einzigen Fall unter den Begriff einer maximalen Äußerung der göttlichen Macht. Das soll im folgenden genauer betrachtet werden. Es kann sich dabei nämlich auch zeigen, wie das dritte Kapitel des dritten Buches über sich hinaus drängt und damit eine Verbindung der „hypothetischen" Argumentation von *De docta ignorantia* III 2-3 und der weiteren affirmativen in den Kapiteln III 4-10 schafft. Einsichtig wird dies allerdings erst, wenn die entscheidenden beiden Schlußkapitel über den Glauben zum Zuge kommen.

---

[267] Haubst sieht allerdings bei Thomas „auch schon vor dem Sündenfalle eine wirkliche Konvenienz für die Menschwerdung Gottes" gegeben (s. ders. 1955, 307), weil Thomas als ihren Grund zuerst in STh III 1, 1 die göttliche Güte nenne und erst in STh III 1, 2 auf die Erlösung von der Sünde zu sprechen komme. Allerdings bezieht Thomas die Annahme einer menschlichen Natur schon in STh III 1, 1 ad 2 auf das menschliche Heil. Zu beachten ist auch, daß Adam im Paradies schon explizit an Jesus Christus als letzte Erfüllung glaubte, doch über den Heilsweg, die Befreiung von der Sünde, noch in Unkenntnis war (s. STh II-II 2, 7 c). Gerade weil Gott andere Wege der Erlösung von der Sünde offen standen (s. STh III 24, 4 ad 3), kann die Tatsache der einen Prädestination der Erlösten und der Menschwerdung als Indiz dafür interpretiert werden, daß die Inkarnation nach Thomas primär nur in bezug auf die Sünde zu denken ist (gegen Haubst 1955, 308). Außerdem sagt Thomas ganz klar, daß der Menschensohn nicht gekommen wäre, wenn es keinen Sündenfall gegeben hätte.

[268] *De docta ignorantia* III *Epistola auctoris*, h I, 163 Z.20f.: „[...] continue maior in intellectu et affectu per fidei incrementum [...]." Der an dieser Stelle angedeutete Zusammenhang mit dem Glauben - *per fidei incrementum* - muß in Bezug zum „hypothetischen Vorgehen" gesehen werden.

a) Die göttliche Güte unter schöpferischer Bestimmung

Auffällig ist, daß Cusanus schon im ersten Schritt den Begriff der Güte mit der Vollkommenheit verbindet:

„Et quoniam Deo optimo atque perfectissimo non repugnant ista, quae absque sui variatione, diminutione aut minoratione per ipsum fieri possunt [...]."[269]

So versucht er eine zwingende Argumentation, ohne doch Gott einer Notwendigkeit unterwerfen zu wollen, denn das Gute drängt immer über sich hinaus, will sich mitteilen. Es füllt aber den ganzen Bereich des Gott Möglichen aus, wenn das Gute nicht nur das Beste, sondern das Vollkommenste ist. Thomas leitet seine Christologie ebenfalls mit einem Rückgriff auf die göttliche Güte ein, die ja Gottes Wesen ausmacht. Die maximale Mitteilung seiner Güte ist gerade die Menschwerdung.[270] Diese ist aber als *recreatio* des gefallenen Geschöpfes zu verstehen. Die Güte Gottes tritt also, da die Vereinigung einer menschlichen Natur mit dem göttlichen Wort in einer Hypostase sogar in gewisser Weise die größte ist, bei Thomas im Gnadenhandeln am deutlichsten zutage.

Cusanus hat nun aber einerseits die Güte mit dem Begriff der Vollkommenheit verbunden, um das Uneinholbare, weil Ungeschuldete, im Begriff der Güte durchsichtig zu machen. Andererseits knüpft er die Güte aber unmittelbar selbst wieder an die göttliche Macht, denn keineswegs denkt er die höchste Weise der Mitteilung der Güte im Sinne einer *recreatio*, sondern im Sinne der *creatio* selbst:

„[...] sed potius immensae bonitati conveniunt, ut optime atque perfectissime congruo ordine universa ab ipso et ad ipsum creata sint [...]."[271]

Cusanus legt also die Güte Gottes hier in bezug auf die Schöpfung aus. Nun gilt zwar auch sonst im Mittelalter, daß Gott die Welt schuf, weil er gut ist, doch die Güte tritt noch deutlicher und erst im eigentlichen Sinne bei der Erlösung ganz hervor. Hier zieht ja Gott das Geschöpf ganz zu sich und gibt ihm Anteil an der ewigen Seligkeit. Erst das Gnadenhandeln als ein Wirken an Geschaffenem, ein Geben an Gegebenem, läßt auch die Güte als Güte manifest werden. Cusanus zieht aber Schöpfung und Erlösung in eins zusammen. Deshalb faßt

---

[269] Ebd. III 3, h I, 128 Z.11-13.
[270] S. STh III 1, 1 c.
[271] *De docta ignorantia* III 3, h I, 128 Z.13-15.

er die Schöpfung in der angemessensten Ordnung schon in die Klammer von *exitus* und *reditus, ab ipso et ad ipsum,* die nicht getrennt werden dürfen. So kann er daraus auch auf die Inkarnation weiterfolgern. Gleichzeitig bezieht er das Geschaffene wieder auf Gott zurück. Nur so kann er auch für die Superlative *optime* und *perfectissime* einen maximalen Sinn in der Weise des göttlichen Maximums einfordern.

b) Die *operatio maxima*

Die beiden Adverbien *optime* und *perfectissime* scheinen sich dabei noch auf die Weise des Hervorbringens und noch nicht auf das Hervorgebrachte selbst zu beziehen. Dies wird sich erst als Konklusion einstellen. Allerdings erläutert Cusanus schon unmittelbar im Anschluß:

„[...] semota hac via omnia perfectiora esse possent [...]."[272]

Die beste und vollkommenste Weise fordert also auch das beste und vollkommenste Werk.[273] Diesem Gedankengang könne sich kein vernünftig Denkender entziehen, er müßte nämlich Gott selbst oder Gott als den Besten leugnen.[274] Auch hier sieht man wieder, daß bei Cusanus Gott primär als Schöpfer bestimmt ist. Nicht nur die Trinität, sondern auch die Existenz Gottes ist unmittelbar mit seinem maximalen Schöpferwirken verbunden. Dies wird im folgenden noch zugespitzt. Zunächst hält Cusanus fest:

„Relegata est enim procul omnis invidia ab eo, qui summe bonus est, cuius operatio defectuosa esse nequit, sed sicut ipse est maximus, ita et opus eius, quanto hoc possibilius est, ad maximum accedit."[275]

Jetzt hat er mit aller Deutlichkeit die Weise des Hervorbringens, *optime et perfectissime,* mit dem Resultat desselben, *opus eius,* verknüpft. Damit hat er aber auch in einer scholastischen Frage Stellung bezogen.

---

[272] Ebd., h I, 128 Z.15.
[273] Bonaventura betont, obwohl er die kosmologischen Gründe der Inkarnation anerkennen kann, doch die Übernatürlichkeit der Vollendung der Welt in Jesus, s. Sent. III d.1, a.2, q.2 ad 9, Op. omn. III, 27 (Hervorhebungen im Original): „[...] ille quartus modus producendi hominem [sc. ex muliere absque viro sicut nativitas Jesu] non est de perfectione universi, sed supra perfectionem universi. [...] Nec ex hoc [sc. Christo non incarnato] sequitur, quod universum sua perfectione careret [...]."
[274] S. *De docta ignorantia* III 3, h I, 128 Z.16f.
[275] Ebd., h I, 128 Z.17-20.

Thomas fragt etwa, ob Gott etwas Besseres machen kann als das, was er macht (*potest aliquid melius facere*).[276] Im Lateinischen kann nun *melius* sowohl als Nomen als auch als Adverb gelesen werden. Genau diesen Unterschied hält Thomas mit aller Deutlichkeit offen, während Cusanus, wie oben gezeigt, eine Verbindung, wenn nicht gar Identität sucht. Gott kann nämlich wohl bessere andere Dinge als jene schaffen, die er geschaffen hat. Allerdings wirkt er immer alles in einer Weise, die nicht besser sein kann, weil er stets mit seiner ganzen Weisheit und Güte schafft.[277] Beides ist aber genau voneinander abzuheben. Diese Welt ist nicht die beste aller möglichen. Ihre Ordnung ist zwar bei den gegebenen Dingen nicht steigerbar.[278] Hier trifft Thomas sich mit Cusanus. Jedoch kann Gott andere, dem Wesen nach bessere Dinge als die bisher geschaffenen hervorbringen. Auch die Güte der erschaffenen Dinge, sofern sie außerhalb des Wesens liegt, kann Gott noch steigern und ihre Seinsweise verbessern.[279] Gerade hier schafft er sich Raum für sein Gnadenwirken. Dies kommt erst dann an seine Grenze, wenn es die Erfüllung erreicht hat wie bei der hypostatischen Union oder der Seligkeit der Jungfrau Maria. Eine solche unendliche Würde ist nicht weiter steigerbar.[280] Sie stammt aber jedesmal aus einem erneuten Geben über die Schöpfung hinaus. Cusanus versucht nun aber die gnadenhafte Erfüllung der Schöpfung in der Neuschöpfung schon in der ersten Schöpfung selbst zu denken. Dabei hält er am absoluten Unterschied Gottes von allem Geschaffenen fest. So formuliert er auch erst vorsichtig, daß das Werk Gottes, soweit dies „möglicher" ist, zum Maximum hinaufsteigt. Jedoch zeichnet sich auch das Universum, wie schon in den Anfangssätzen des ersten Buches von *De docta ignorantia* von allen Dingen behauptet, dadurch aus, daß es an das Maximum herankommen will. Das wird an dieser Stelle schöpfungstheologisch und christologisch in einem begründet[281], denn der Drang, auf je bessere Weise zu sein, gründet in Gottes eigenem Drang, sich auf maximale Weise zu äussern, im größten Werk seiner unendlichen Macht.

---

[276] S. STh I 25, 6, insb. obj.1 u. ad 1.

[277] S. ebd. q.25, a.6 ad 1.

[278] S. ebd. q.25, a.6 ad 3: Ein anderes Universum könnte auch ein besseres sein.

[279] Hier ist darauf hinzuweisen, daß nach Thomas die Gnade als Formursache in der Tiefenebene der *essentia* selbst wirkt.

[280] S. ebd. q.25, a.6 ad 4, vgl. STh III 7, 9-12 zur Fülle der Gnade Christi.

[281] Erst das Licht der Herrlichkeit führt zu einer nicht mehr steigerbaren Erhöhung der Natur, wie oben schon an der Seligkeit der Jungfrau Maria deutlich geworden ist. So wird Cusanus auch schon in dieser Welt das *lumen gloriae* wahrnehmen können.

„Potentia autem maxima non est terminata nisi in seipsa, quoniam nihil extra ipsam est, et ipsa est infinita. In nulla igitur creatura terminatur, quin data quacumque ipsa infinita potentia possit creare meliorem aut perfectiorem."[282]

Die größte und vollkommene Betätigung der Macht Gottes führt zwar nach außen, *ad extra*, aus Gottes Wesen heraus, doch bei Cusanus findet sie ihren Zielpunkt wieder in Gott. So vertieft das maximale Werk Gottes auch das bisherige Geschaffene, das ja *ab ipso et ad ipsum* geschaffen worden war.

Doch wie kann sich Cusanus eine Begrenzung der Macht Gottes in ihr selbst denken? Thomas denkt die unendliche Macht Gottes im Sinne eines *infinitum negative*. So hat ja auch Cusanus die Unendlichkeit Gottes bestimmt. Für Thomas folgt jedoch daraus, daß keine Wirkung seiner Macht diese ganz aufnehmen und begrenzen kann.[283] Dabei läßt er offen, ob es unendliche Werke Gottes gibt oder nicht. In der Tat gibt es sie, wie gleich zu sehen sein wird, doch eine Rückbeziehung der Macht Gottes auf sich selbst denkt Thomas nicht, allenfalls eine Rückbeziehung der Güte[284].

Es gibt nun bei Cusanus genau ein Werk Gottes, das als adäquater Ausdruck der maximalen Macht Gottes angesehen werden muß:

„Sed si homo elevatur ad unitatem ipsius potentiae, ut non sit homo in se subsistens creatura, sed in unitate cum infinita potentia, non est ipsa potentia in creatura, sed in seipsa terminata."[285]

Auf die Inkarnation, das *maximum contractum individuum*, das sowohl *maximum contractum*, Geschöpf, als auch *maximum absolutum*, Schöpfer, ist, läuft also die ganze Argumentation zu. In der Tat ist, sofern man die Inkarnation als Schöpfung versteht, diese *operatio* der göttlichen Macht nicht in einem anderen, Geschaffenen, sondern in sich selbst begrenzt, auch wenn sie nach außen geht, denn der Kern des Gottmenschen, der Träger ist das göttliche Wort selbst. Dieses war aber bei Cusanus gerade wegen seines Bezuges zur Schöpfung der Sohn.

c) Die Notwendigkeit der Inkarnation

Wenn somit die Weise und das Resultat der göttlichen Schöpfertätigkeit bestimmt ist, so muß nun noch deutlicher der Grund bestimmt

---

[282] *De docta ignorantia* III 3, h I, 128 Z.20-23.
[283] S. STh I 25, 2, insb. ad 2.
[284] S. *De potentia* I q.1, a.5 c.
[285] *De docta ignorantia* III 3, h I, 128 Z.24-26.

werden, aus dem Gott so handelt.[286] Oben wurde schon gesehen, daß dies an der göttlichen Güte liegt. Diese wurde dabei sogleich primär in Verbindung mit dem Schöpfungswerk gedeutet. Zwar ist die Güte eine der Wesenseigenschaften Gottes, doch Cusanus geht nun noch tiefer:

„Haec autem est perfectissima operatio maximae Dei potentiae infinitae et interminabilis, in qua deficere nequit; alioquin neque creator esset neque creatura."[287]

---

[286] Auch Offermann 1991, 157, hält fest: „Die menschliche Vernunft kann durch Reflexion auf sich selbst dazu gelangen, daß sie ein zugleich zusammengezogenes und absolutes Größtes als Bedingung der Möglichkeit ihrer eigenen Existenz und ihres eigenen Vollzugs postulieren muß [...]." Allerdings gibt er keinen konkreten Textbeleg für diese wichtige und treffende Behauptung, die in diesem Punkt endgültig über Interpretationsansätze hinausweist, die Haubst folgen. Dabei hat schon Gloßner, Michael: Nikolaus von Cusa und Marius Nizolius als Vorläufer der neueren Philosophie, Münster 1891, 107, auf die von mir hervorgehobene Textstelle hingewiesen.

[287] *De docta ignorantia* III 3, h I, 128 Z.26-29. Die Unerhörtheit des Gedankens hat Übersetzungsprobleme hervorgerufen. Ich unterstütze an dieser Stelle die Übersetzung von Haubst, v. a. aber von Boeder, Heribert: Topologie der Metaphysik, Freiburg/München 1980, 339f.: „Dies ist aber die vollkommenste operatio der höchsten, unendlichen und unbestimmbaren Macht Gottes - von welcher Wirksamkeit er nicht lassen konnte; sonst gäbe es weder Schöpfer noch Schöpfung." Den gleichen Gedanken drückt auch die Übersetzung von Haubst 1956, 173f., aus: „Das ist somit die vollkommenste Wirksamkeit der größten, unendlichen und unbegrenzbaren Macht Gottes. Daran kann sie es nicht fehlen lassen. Andernfalls gäbe es weder einen Schöpfer noch ein Geschöpf." Vgl. die schon ungenauere Übersetzung bei W. Dupré, die hier der von Scharpff (s. Scharpff, Franz Anton: Des Cardinals und Bischofs Nicolaus von Cusa wichtigste Schriften in deutscher Übersetzung, Freiburg 1862 (Nachdruck Frankfurt 1966), 81) folgt, s. Nikolaus von Kues: Philosophisch-Theologische Schriften, hrsg. v. Gabriel, Leo, dt. v. Dupré, Dietlind und Wilhelm, 3 Bde., lat.-dt., Wien 1964-67, Bd. I, 443 (vgl. Dahm 1997, 113): „Diese aber ist die vollkommenste Tat der größten, unendlichen und unbegrenzten Mächtigkeit Gottes, in der keine Schwäche sein kann, sonst gäbe es weder Schöpfer noch Geschöpf." Dem steht die Übersetzung von Senger gegenüber, s. Nikolaus von Kues: Die belehrte Unwisssenheit. Buch III, übers. u. hrsg. v. Senger, Hans Gerhard [= Schriften des Nikolaus von Kues 15c], Hamburg 1977, 25: „Das aber ist das vollkommenste Werk der größten, unendlichen und unbegrenzbaren göttlichen Potenz, in dem kein Mangel sein kann, sonst wäre es nicht Schöpfer und nicht Geschöpf." Ähnlich ist die Übersetzung bei Hopkins, Jasper: Nicholas of Cusa on Learned Ignorance. A Translation and an Appraisal of De Docta Ignorantia, Minneapolis 1981, 132, und Santinello, Giovanni: Nicolò Cusano. La dotta ignoranza. Le congetture [= I classici del pensiero. Sezione II], Milano 1988, 198: „È l'opera perfettissima compiuta dalla potenza infinita e senza termine di Dio, nella quale non vi può essere manchevolezza; altrimenti non sarebbe né Dio né creatura." Dagegen ist einzuwenden, daß sich *qua* auf *operatio* bezieht und bei *deficere* kein absoluter Gebrauch anzunehmen ist, das zu ergänzende Subjekt ist *potentia* oder *Deus*. Aus dem Kontext ergibt sich weiter, daß die anschließende rhetorische Frage (s. *De docta ignorantia* III 3, h I, 128 Z.29f.), die die Begründung unterstützen soll, auf das Sein

Die ganze Schöpfung, ja Gott selbst als Schöpfer und dreieiner steht mit der *maxima operatio*[288] auf dem Spiel. Es ist unmöglich, daß sich Gott nicht inkarniert, wenn es schon eine Schöpfung gibt oder auch nur geben soll.[289] Diesen Schluß begründet Cusanus nochmals, wenn er die *contractio* auf den inkarnierten Gottessohn selbst zurückführt und in ihm verankert. Also nicht nur das „Was", sondern auch das „Daß", das Faktum der Menschwerdung kann von der endlichen Vernunft entwickelt werden.

Damit geht Cusanus weiter als Anselm, der gedacht hat, daß Gott es sich schulde, seine Schöpfung nicht dem Verderben anheimfallen zu lassen, so er sie einmal geschaffen hat und sie in Sünde gefallen ist.[290] An diesen beiden kontingenten Bedingungen hängt seine Argumentation für die Inkarnation. Dagegen ist bei Cusanus der grundlegende

des Geschaffenen überhaupt geht, nicht allein auf die kontrakte Weise desselben; das endliche Sein hat zudem keine andere Wirklichkeit als eine zusammengezogene. Selbst wenn man der zweiten Übersetzungsweise folgte, ergibt sich aus dem Zusammenhang obige Schlußfolgerung. Dieser Sinn wird am Ende des Kapitels weitergeführt, wenn vom Hervorgang von allem Geschaffenen aus der hypostatischen Union die Rede ist. Die Verbindung von Schöpfer und Geschöpf war aber schon zuvor Thema gewesen. Als äußeres Argument kann auf die *De docta ignorantia* in vielem nahe stehende Predigt *Sermo* XXII verwiesen werden. Dort (ebd. N.32 Z.7-10, h XVI, 351) heißt es ebenfalls hinsichtlich der Frage nach der Notwendigkeit der Inkarnation: „Nam nisi Deus assumpsisset humanam naturam, cum illa sit in se ut medium alias complicans, totum universum nec perfectum, immo nec esset."

[288] Cusanus spricht m. E. mit Absicht von einer *maxima operatio*, also Wirksamkeit oder Tätigkeit, allenfalls Tat, und nicht von einem *opus*, Werk, als Effekt einer Tätigkeit (so übersetzt Senger 1977, 25), um klar festzuhalten, daß Gott mit der Inkarnation eigentlich gar keine *operatio ad extra*, die allerdings in einem *opus* endet, vollzieht, sondern in gewisser Weise auch bei der Inkarnation ganz in sich bleibt, vgl. Boeder 1980, 340. Deshalb verläßt er auch die Unterscheidung Lulls von *operatio intrinseca* und *operatio extrinseca* und faßt beides zusammen, wobei allerdings darauf hinzuweisen ist, daß *operatio* eines der Prinzipien der Lullschen *ars* ist.

[289] Das ergibt sich aus der Übersetzung von Haubst 1956, 173f., der aber für seine Interpretation nicht mehr diesen Schluß zieht, sondern nur einen „Kongruenzbeweis" (ebd.; vgl. ebd., 150 und ders. 1991, 364) darin erkennt. Dahm bleibt unschlüssig, ob er dies als „metaphysisch gefordert" (ders. 1997, 113) erachten soll oder nur als *manuductio* und „philosophisch nahegelegt", so daß insb. *De docta ignorantia* III 4 wieder als Schriftbeweis für eine Inkarnation überhaupt, nicht die die konkreten Menschen Jesus erscheint (s. ebd., 108f.).

[290] Gott muß bei Anselm mit Notwendigkeit den Menschen erretten, das einmal begonnene Werk verpflichtet ihn sozusagen dazu. Diese Notwendigkeit ist zwar als Gnade zu verstehen und meint eigentlich die *immutabilitas honestatis* Gottes (s. *Cur Deus homo* II, 5, Op. omn. II, 100 Z.24f.). Dennoch gibt es hier für Gott, soweit die Menschen das einsehen können, keine Wahl. Dies ist, wenn man schon will, das Skandalon der Satisfaktionstheorie. Gäde zeigt, wie der Inkarnationsgedanke bei Anselm aufs engste mit dem Gottesbegriff des Proslogions zusammenhängt und von dort sein Fundament bekommt (s. Gäde, Gerhard: Eine andere Barmherzigkeit. Zum Verständnis der Erlösungslehre Anselms von Canterbury [= Bonner Dogmatische Studien 3], Würzburg 1989, 151-158). Analog macht sich auch bei Cusanus in der Forderung nach der *maxima operatio* der Maximumsbegriff geltend.

Bezug zur Sünde weggefallen, auch wenn er im nachhinein wieder, allerdings verwandelt, aufgebaut werden kann. Die Menschwerdung ist aber darüber hinaus unmittelbar mit der Schöpfung verbunden. Ohne Inkarnation gibt es keine Schöpfung und keinen Schöpfer. Der Bezug zur Trinität wird von Cusanus nicht mehr aufgegriffen, kann aber ergänzt werden. Gott könnte auch nicht trinitarisch sein, gäbe es keine Menschwerdung, denn die Menschwerdung ist der eigentliche Vollzug der *potentia Dei*. Diese richtet sich aber nicht allein nach außen, sondern auch auf Gott selbst. Wenn Cusanus seine Trinitätsspekulationen vor allem von der Macht Gottes her entwickelt, wie später noch genauer gesehen werden kann, so sind dies nicht einfach Spurensuchen und Handreichungen im und aus dem Geschaffenen. Vielmehr steht Gott bei Cusanus auch als trinitarischer unter der Bestimmung, Schöpfer zu sein.

Gott handelt und schafft bei Cusanus mit einer inneren Konsequenz, die aufzuspüren die endliche Vernunft erfreut, welche sich jedoch nicht mehr unter die beherrschende Vorgabe der Offenbarung stellt. Zwar bezieht sie sich genau auf diese und holt sogar die strengsten Glaubensartikel in ihr vernünftiges Licht herein, ohne sie übergehen zu müssen, doch die vormals darin zur Anschauung gebrachte und dem Denken gegenwärtige göttliche Güte kommt dabei nicht mehr zu ihrer beherrschenden und richtungsweisenden Geltung. Das verdeutlicht besonders überzeugend ein weiterer Vergleich mit einer Stelle bei Thomas zur Allmacht Gottes. Welche ist die maximale Weise, wie Gott seine Macht ausübt? Ein Opponent meint, daß man diese in Handlungen wie eine andere Welt zu schaffen und ähnlichem zu suchen hat. Thomas hält aber dagegen:

„[...] Dei omnipotentia ostenditur maxime in parcendo et miserando, quia per hoc ostenditur Deum habere summam potestatem, quod libere peccata dimittit [...]."[291]

---

[291] STh I 25, 3 ad 3. Thomas begründet dies damit, daß er auf den dabei zugrundeliegenden Rechtsgedanken hinweist. Der oberste Gesetzgeber steht nochmals über seinen eigenen Gesetzen. Dies ist auch der Hintergrund für die Lehre von der *potentia absoluta*, deren eigene Auslegung Thomas im *corpus* dieses Artikels gibt (zu diesem Rechtsgedanken, der im römischen Recht grundgelegt ist, und seine Verbindung mit dem theologischen Gedanken von der *potentia absoluta* s. Bannach 1975, 13f., dort auch weitere Literaturhinweise). Der Gedanke, daß die Erlösung von der Sünde auf die unendliche Macht Gottes verweisen kann, ist Cusanus nicht fremd, s. *Sermo* LIV N.17 Z.14-20, h XVII/3, 259.

Gerade als der Gott, der sich erbarmt, kann er in höchster Weise seine Macht offenbaren, hier läßt er die größte, ja sogar unendliche, äußerste Wirkung entstehen:

„Vel quia parcendo hominibus, et miserando perducit eos ad participationem infiniti boni, qui est ultimus effectus divinae virtutis."[292]

In der Rechtfertigung schafft Gott das größte Werk, da die Teilhabe am Göttlichen alles Geschaffene bei weitem übertrifft; auch die Schöpfung aus dem Nichts kann dagegen nur hinsichtlich der Handlungsweise als maximales Werk bezeichnet werden.[293] Der *ultimus effectus* enthüllt sich aber gerade da, wo offenkundig wird, daß er völlig ungeschuldet ist, weshalb sogar die Gnade der Rechtfertigung die Gabe der Herrlichkeit in gewisser Hinsicht übertrifft.[294] In dieser Konstellation wird auch das Negative der Sünde, das Gottes Erbarmen überwindet, ganz ernst genommen. Die Schöpfung wurde zwar aus dem Nichts schlechthin geschaffen, doch die Neuschöpfung übertrifft die Schöpfung, da der Sündenfall nicht nur eine Abwendung vom höchsten Gut darstellt, sondern sogar ewige Strafe nach sich zieht und ins geistliche Nichts zurückverwandelt.[295]

Ganz deutlich steht also Cusanus an dieser Stelle mit dem bei Thomas Gedachten im Kontrast. Dabei geht es nicht darum, wer nun in Einzelaussagen recht hat, sondern es ist auf den tieferen Grund der Argumentationen zu sehen. Offensichtlich versucht Thomas die Güte Gottes als zwar vernünftige, aber völlig freie und ungeschuldete zu denken, dies vor allem im praktischen Bezug, weil da die Güte rein als solche manifest wird. Cusanus indessen hält sich an die suchende endliche Vernunft, die an ihr Ziel gelangen will, aus eigener Kraft, wenn auch mit göttlicher Hilfe, doch diese Hilfe ist eine einmalig immer schon gegebene, keine je neu von Gott geschenkte.

d) Die Inkarnation als Fundament der Schöpfung

Daß sich das göttliche Geben in seiner Fülle im Schöpfungsakt konzentriert, wird in den letzten Ausführungen in *De docta ignorantia* III 3 offensichtlich. Hier bezieht sich Cusanus nochmals auf *De docta ignorantia* II zurück, um einen dort offen gelassenen Sachverhalt nun mit dem Schlußstein Jesus Christus, dem Erstgeborenen der ganzen

---

[292] STh I 25,3 ad 3.
[293] S. STh I-II 113, 9 c.
[294] S. ebd. und den Hinweis auf die Barmherzigkeit in STh I 25, 3 ad 3.
[295] S. STh I-II 87, 4, bes. ad 1.

Schöpfung, zu klären. Mit einer rhetorischen Frage begründet er nochmals die Aussage, daß es ohne die *perfectissima operatio* weder Geschöpf noch Schöpfer gebe:

„Quomodo enim creatura esset contracte ab esse divino absoluto, si ipsa contractio sibi unibilis non esset?"[296]

Cusanus sieht also in der Inkarnation die tiefste Begründung für die Möglichkeit und auch Wirklichkeit der Schöpfung.[297] Aber was versteht er unter der *contractio unibilis?* Die in *De docta ignorantia* III 3 folgenden Sätze können darüber kaum Aufschluß geben. Ein Blick zurück auf eine Kernstelle des zweiten Buches kann mehr Klarheit verschaffen.

Cusanus hat sich in *De docta ignorantia* II 8 durch seine Verwandlung der Lehre von der *prima materia* nicht nur seine eigene Sicht der Dinge geschaffen, sondern – wie dargelegt – diese Welt von einer grundsätzlichen Kontingenz befreit, dies etwa gegen Occam. Die Kontingenz bleibt zwar bezüglich ihrer Wirklichkeit, nicht aber ihrer Möglichkeit, wie Cusanus überraschend festhält:

„Quare, cum contractio possibilitatis sit ex Deo et contractio actus ex contingenti, hinc mundus necessario contractus ex contingenti finitus est."[298]

Die Einschränkung zu dieser Welt ist also sowohl notwendig als auch kontingent. Entscheidend war bei den Cusanischen Überlegungen, daß die von der *possibilitas absoluta* zu unterscheidende endliche *possibilitas contracta* nicht völlig ohne Aktualität gedacht werden kann. Diese allem vorausgehende *contractio* der Möglichkeit ist aber gerade wegen ihrer Aktualität nicht kontingent, sondern sogar so voller Grund und Bestimmtheit, daß sie die Verwirklichung gerade dieser Welt mit einem rationalen Fundament versehen kann. Der ersten *contractio* geht Cusanus jedoch im zweiten Buch nicht mehr weiter nach. Dies ist auch nicht möglich, da der *actus* dieser *contractio* nochmals vor der *possibilitas contracta* oder zugleich mit ihr zu denken ist, dann allerdings auch einen Vorrang aufgrund ihrer Aktualität hat.

---

[296] *De docta ignorantia* III 3, h I, 128 Z.29f. An der *contractio unibilis* hängt nicht nur das zusammengezogene Sein des Endlichen, sondern überhaupt seine Existenz, da es ja keine andere hat. Hierauf hätte Jasper Hopkins verweisen können, wenn er auch in *De docta ignorantia* die Implikation sieht, daß ohne die Inkarnation die Schöpfung nicht hätte sein können, s. ders.: Nicholas of Cusa's Dialectical Mysticism. Text, Translation an Interpretive Study of De visione dei, Minneapolis 1985, 87f.
[297] Vgl. schon Gloßner 1891, 134.
[298] *De docta ignorantia* II 8, h I, 89 Z.8-10.

Genau auf diese *contractio,* die *contractio* als solche, geht Cusanus mit der obigen Frage ein. In der Tat ist ja die Aktualität der ersten *contractio* vor der *possibilitas contracta* zu denken. Wenn aber Schöpfung nur so gedacht werden kann und diese Aktualität von Gottes absoluter Aktualität nochmals zu unterscheiden ist, aber auch von der eines konkret Existierenden, so bleibt nur, diese Aktualität und damit die erste *contractio* als *contractio unibilis* mit Gott zusammen zu denken.[299] Die Welt hat einen vernünftigen Grund und geht nicht kontingent aus Gott hervor, wie Cusanus in Kapitel II 8 nachgewiesen hat. Gott ist als *causa contractionis* zu bestimmen. Diese ist im zweiten Buch nicht näher gefaßt worden. Nun zeigt sich aber, daß sie die Menschwerdung selbst ist. Die *contractio unibilis* ist aber als die mit Gott vereinte menschliche Natur Christi denkbar.[300] Sie allein hat diese Mittelstellung zwischen zusammengezogen und absolut inne.[301] Dabei würde man Cusanus verkennen, wenn man die Menschwerdung hier nur als Finalursache dächte. Vielmehr entsteht alles aus dem menschgewordenen Gottessohn, wie Cusanus mehrfach festhält.[302]

So kehrt sich ab diesem Punkt, der das Fundament der Cusanischen Gesamtordnung aufgedeckt hat, der Gedankengang um. Nun kann Cusanus zurückblicken und das, was bisher Voraussetzung für den Aufstieg der Argumentation war, als selbst Begründetes darstellen. Hinsichtlich der mit Gott vereinten *contractio* gilt jetzt, daß Gott Schöpfer ist, daß in der hypostatischen Union alles Seiende mit ihm über die vermittelnde Menschheit, das heißt die vom göttlichen Wort angenommene Menschennatur, vereint ist und daß jegliches überhaupt aus der hypostatischen Union ins Sein kommt:

„[...] tertio loco omnia in esse contractum prodeant, ut sic hoc ipsum, quod sunt, esse possint ordine et modo meliori."[303]

---

[299] Hierauf deutet auch Haubst 1956, 176 Anm. 25, wenn er in der *ipsa contractio* einen Maximalbegriff sieht.

[300] S. *De docta ignorantia* III 3, h I, 129 Z.3-5.

[301] S. ebd. III 7, h I, 137 Z.15-20: „Humanitas enim Iesu eo ipso, quod ad hominem Christum contracta consideratur, eo ipso etiam divinitati unita simul intelligatur. Cui ut unita est, plurimum absoluta est; ut consideratur Christus verus homo ille, contracta est, ut per humanitatem homo sit. Et ita humanitas Iesu est ut medium inter pure absolutum et pure contractum." Diese Mittelstellung der Menschheit Christi entspricht der Aktualität in der ersten *contractio* aller Möglichkeiten, die der Welt einen Grund gibt, s. ebd. II 8, h I, 89 Z.3-15.

[302] S. *De docta ignorantia* III 3, N.201 Z.11-16, Senger 1977, 24 (Gliederung und Text sind gegenüber h I, 129 Z.5-8 vorzuziehen) und *De docta ignorantia* III 11, h I, 152 Z.23-25.

[303] Ebd. III 3, h I, 129 Z.7f.

Erst aus dem einen Fundament des menschgewordenen Gottessohnes kann die für Cusanus typische Ordnung *modo meliori* auch als
Ordnung gesehen werden, da sie kein endloses Streben ausdrückt,
sondern nun im *maximum contractum individuum* ihren Ruhepunkt
gefunden hat, den das Universum immerzu ansteuert. Schon zuvor
hatte Cusanus davon gesprochen, daß dieser Mensch die Vollkommenheit des Universums ist, der den Primat vor allem innehat:

„[...] ut ipse omnium perfectio esset, et cuncta, ut contracta sunt, in eo ut in
sua perfectione quiescerent."[304]

Gerade weil er die mit Gott vereinte *contractio* selbst ist, kann jegliches Einzelseiende in ihm seinen Anfang nehmen und in ihm auch zu
Gott zurückkehren.[305]

Am Kapitel 3 des dritten Buches sieht man also klar, wie Cusanus
Schöpfung und Inkarnation so verbindet, daß er sie sogar nicht mehr
ohne die Menschwerdung denken kann. Die Menschwerdung ist
Grund und wirkende Ursache der Schöpfung und des Schöpfungsak-
tes. Darin ist sie für die endliche Vernunft verankert. Ihre Bestimmung hat sie aber darin, die maximale Tätigkeit Gottes wieder in ihn
selbst zurückzuführen. Daher ist natürlich ausdrücklich hervorzuheben, daß die Menschwerdung an Würde und der Logik des Gedankens nach der Schöpfung vorangeht, auch wenn die zeitliche Ordnung gerade das Gegenteil wahrscheinlich zu machen scheint. So ist
jener, der vor aller Zeit schon bei Gott existierte, nicht das göttliche
Wort, sondern eigentlich Jesus, das inkarnierte Wort. Dementsprechend legt Cusanus immer wieder die Bezeichnung *primogenitus omnis
creaturae* aus Kol 1,15 so aus, daß damit nicht das göttliche Wort, sondern der Gottmensch gemeint ist.[306] Dessen Vorrang der Ordnung
und der Natur der Sache nach ist auch nicht allein hinsichtlich der
Schöpfung festzuhalten, sondern sogar auf Gott selbst hin zu sehen,

---

[304] Ebd., h I, 127 Z.12f.
[305] S. ebd., h I, 127 Z.17-21.
[306] S. bes. deutlich *Sermo* XLV N.5 Z.6-12, h XVII/2, 189: „Et hoc modo dicimus Christum <primogenitum omnis creaturae>; non secundum divinitatem tantum, sed ut
Christum, <Deum et hominem>; non ex apparitione temporis, quia <<Verbum ae-
ternum>>, in quo suppositatur creatura, ante omne tempus est. Et Christus sic est
<<ante omnem creaturam>>." Vgl. Haubst 1956, 176-179. Thomas legt diese Stelle
auf das göttliche Wort hin aus, s. *Ad Colossenses* cap. I, lect. 4 N.35; vgl. STh I 34, 3.

„ut ille apud Deum supra tempus cunctis prior existens in plenitudine temporis multis revolutionibus praeteritis mundo appareret."[307]

Erst mittels der *contractio unibilis*, das heißt letztlich der mit Gott vereinten menschlichen Natur, ist die Schöpfung und Gott als Schöpfer denkbar. Die maximale Entfaltung der Macht Gottes gehört wesentlich zu Gott selbst. Bis zu diesem Punkt können die Vernunftüberlegungen in *De docta ignorantia* führen, und es bleibt zu fragen, ob dies bloß hypothetische Überlegungen sind.

V. DIE WIRKLICHKEIT DER MENSCHWERDUNG IN JESUS (*DE DOCTA IGNORANTIA* III 4)

Die beiden Kapitel *De docta ignorantia* III 2 und 3 haben bis zum Begriff des Erstgeborenen der Schöpfung geführt, in dem sowohl die inhaltliche Bestimmtheit als auch der Grund der Existenz erfaßt sind. Gott muß nach dem Zeugnis von *De docta ignorantia* Mensch werden, nur so kann er seiner schöpferischen Bestimmung entsprechen. Ist er aber Schöpfer, so wird er auch die maximale Äußerung seiner absoluten Macht suchen. Diese ist als das *maximum contractum individuum* zwar der Natur und Ordnung der Vollkommenheit nach von ihm zu unterscheiden, doch nicht der Logik der Sache nach. Sowohl diese Ordnung als auch die Tatsache selbst, daß Gott Mensch wird, sind zunächst von jeder Kontingenz frei. Kontingenz im Geschaffenen drückt sich zuerst in einer nicht vollständig bestimmbaren raumzeitlichen Konkretion aus. Vom Erstgeborenen der Schöpfung gilt zwar nicht,

„[...] quod primogenitus Deus et homo tempore mundum antevenerit [...]"[308].

Vielmehr ist er der Zeit völlig enthoben. Dennoch muß er sich als Mensch doch in die Zeit begeben. Hinsichtlich des Gottessohnes wird das in *De docta ignorantia* III 5 mit dem Thema der Jungfrauengeburt behandelt, sozusagen als das Faktum in seiner raumzeitlichen Konkretion. Dieser Schritt wird aber für den Gedankengang dann festgehalten, wenn dieser Mensch, Jesus, als der Erstgeborene der Schöpfung

---

[307] *De docta ignorantia* III 3, h I, 129 Z.12-14; s. auch ebd., h I, 129 Z.9f.: „Hic ordo non temporaliter considerari debet, quasi Deus in tempore praecesserit primogenitum creaturae [...]."

[308] Ebd., h I, 129 Z.11.

geglaubt wird. Dabei muß nun genau betrachtet werden, welche Rolle die Reflexion auf das Faktum im Zusammenhang mit dem Glauben spielt.

1. Die Autoritätszeugnisse

Es ist verkürzt, zu sagen, daß alle vorausgehenden Überlegungen in jedem Punkt vor dem Geheimnis der Menschwerdung halt machen, weil nie deduziert werden kann, daß gerade dieser Mensch der Gottessohn sein soll. Daß es um eine Deduktion gar nicht gehen soll, wird im folgenden dargelegt werden. Vor welchem Punkt das hypothetische Vorgehen stoppt, muß jetzt genau untersucht werden.

Cusanus faßt das bisherige Ergebnis folgendermaßen zusammen:

„Quoniam quidem ad hoc indubia nunc fide hiis talibus ratiocinationibus provecti sumus, ut in nullo haesitantes firmiter teneamus praemissa verissima esse [...]."[309]

Das Vorausgeschickte – keinesfalls darf man *praemissa* mit unserem heutigen Verständnis von Prämissen gleichsetzen – wird als absolut wahr[310] genommen. Es baut nicht auf dem Folgenden auf, das ihm nur hinzugefügt[311] wird. Vielmehr steht es allein schon auf den *ratiocinationes*. Diese geben nicht nur eine gewisse Festigkeit (*firmiter tenere*), sondern lassen auch jegliches Zögern hinter sich. Doch wie verhalten sie sich zu der *indubia nunc fides*? Sowohl *fides* als auch *ratiocinationes* stehen im Ablativ und scheinen für den erfolgreichen Fortschritt verantwortlich zu sein. Zwar kann man *indubia fide* auch als Ablativus modalis lesen, doch wenn man bedenkt, daß die *ratiocinationes* dann keine *certitudo ex objecto* mit sich brächten, so leistet der Glaube beziehungsweise das Vertrauen in die Argumente doch einen Beitrag für den Gedankenfortschritt. Schon an dieser Stelle wird also deutlich, wie eng bei Cusanus *fides* und *intellectus* miteinander verbunden sind. Einerseits kann die bisherige Argumentation noch so gesehen werden, daß sie unter dem Zeichen des Glaubens steht – spätestens ab *De docta ignorantia* III 11 muß dies sowieso so sein –, andererseits hat sich auch der Glaube im Argumentationsweg fortentwickelt. Er ist jetzt,

---

[309] *De docta ignorantia* III 4, h I, 129 Z.18-20.
[310] Schon seit der griechischen Philosophie - besonders bei Platon - gibt es einen Superlativ von „wahr", hier bei Cusanus *verissimum*, der meist dann benutzt wird, wenn Prinzipielles erreicht ist. Als Grundlage aller Wahrheit ist es „am wahrsten ".
[311] S. das Wort *subiungentes* ebd., h I, 129 Z.20.

wenn die Existenz des *primogenitus creaturae* eingesehen ist, von allen Zweifeln befreit worden – *indubia nunc fides*. Dieses Ergebnis steht nun aber fest, noch bevor auf den in Raum und Zeit erschienen Gottessohn eingegangen wird. Daß gerade dieser bestimmte Mensch Jesus der Erstgeborene der Schöpfung sei, kann zwar nicht mehr rein vernünftig erschlossen werden, doch es spielt auch für den Begriff von Jesus nur eine sekundäre Rolle. Deshalb formuliert Cusanus:

„[...] subiungentes dicimus temporis plenitudinem praeteritam ac Iesum semper benedictum primogenitum omnis creaturae esse.“[312]

Was kommt mit der Konkretion des *maximum contractum individuum* bis zu Jesus hinzu? Daß Gott Mensch wird, ist so sicher wie das Faktum seiner Schöpfertätigkeit eingesehen worden. Ebenso gilt, daß der inkarnierte Gottessohn und nicht einfach das göttliche Wort immer schon, vor aller Zeit, bei Gott lebt, daß er aber allerdings auch, um das Schöpfungswerk zu vollenden, und zwar als Schöpfungswerk, nicht im Sinne einer neu hinzukommenden gnadenhaften Erhöhung, in der Fülle der Zeiten komme. Somit haben die Vernunftüberlegungen nicht nur das raumzeitliche Moment als etwas Sekundäres dargelegt, sondern auch in seiner Faktizität begründet. Das blanke Wann und Wo wird hinzugefügt, wenn gesagt wird, Jesus sei der erwartete Erstgeborene der Schöpfung. Nicht daß Gott Mensch wird, sondern daß er in diesem bestimmten Menschen Jesus Mensch geworden ist, kommt zum bisherigen Gedankengang hinzu.

Das Hier und Jetzt ist trotz seiner Zweitrangigkeit doch von weitreichender Bedeutung. Daran entwickelt Cusanus in *De docta ignorantia* nicht nur die weiteren Glaubensartikel und entwirft eine Lebensgeschichte, auch seine Erlösungstheologie und Sündenlehre knüpft er daran. Dabei muß aber immer im Blick bleiben, daß nicht die raumzeitliche Konkretion als solche in allgemeiner Bestimmtheit, sondern nur das singuläre hic et nunc auf dem bisherigen Fundament von der Vernunft nicht erschlossen werden kann. Wie später noch bei der Darstellung des hypothetischen Verfahrens ausführlich beleuchtet werden muß, hat Cusanus mit der bisherigen Argumentation nicht nur die Möglichkeit und die apriorischen Strukturen einer Offenbarung Gottes erschlossen, sondern demonstriert, daß die Menschwerdung immer schon geschehen mußte und alle Erkenntnis auf ihrer Wirklichkeit aufbaut, denn Jesus ist das einzige endliche Individuum, dessen Begriff vollständig angegeben werden kann. Daß dazu in ge-

---

[312] Ebd., h I, 129 Z.20-22.

wisser Weise gerade das raumzeitliche Moment wieder getilgt werden muß, ist der Ausgangspunkt für den Leidensweg Jesu. Erst Leiden und Tod Jesu überwinden diese letzte Endlichkeit an ihm, er ersteht in seinen reinen Begriff auf. So kann er jedem Glaubenden gegenwärtig sein.

Cusanus führt für die Annahme, daß Jesus der inkarnierte Gottessohn sei, eine Reihe von Argumenten ins Feld, die sich in ihrer Art von den bisherigen *ratiocinationes* unterscheiden. Ihnen eignet eine gewisse Äußerlichkeit. Da ist zunächst das Zeugnis der Wunder Jesu, auch wenn Cusanus hier den Terminus *miracula* vermeidet, sodann die Tatsache, daß sich Jesu Selbstaussagen, vor allem seine Ankündigungen, erfüllten.[313] Neben seinen Taten und Worten spricht das Zeugnis von Menschen für ihn, hier zuerst das Martyrium mancher Jünger. Darüber hinaus gibt es nicht näher genannte, aber doch unendlich viele weitere Gründe, so daß die feste Behauptung gerechtfertigt ist, daß er es sei, den jegliches Geschöpf seit Anbeginn der Welt erwartet habe.[314] Cusanus spricht hier von *iuste asserere*, nicht von *credere*. Erst wenn der bisherige Gedankengang nochmals reflexiv eingeholt worden ist, kann diese *assertio* als eine *conversio* verstanden werden. Zudem möchte Cusanus mit dieser Wortwahl die Sicherheit und Begründetheit des Glaubens an Jesus Christus unterstreichen, denn das *hic et nunc* kann nicht mehr mit Maximumsüberlegungen gefunden werden.

Wenn Cusanus dennoch gerade an dieser Stelle nicht auf den Glauben zu sprechen kommt, so darf dies nicht unbeachtet bleiben, wäre dies dafür doch der ausgezeichnete Ort. Daß Jesus der Erstgeborene der Schöpfung ist, müßte doch ein der endlichen Vernunft nicht von sich her zugängliches Offenbarungswissen sein. Hierfür sprechen eigentlich die von ihm genannten Argumente. Thomas faßt zum Beispiel die mittelalterlichen Überlegungen zur Angemessenheit von Wundern folgendermaßen zusammen. Einerseits zeigen Wunder, daß im Wundertäter Gott gegenwärtig ist. Andererseits gilt vor allem und hauptsächlich, daß Wunder insbesondere für den Glauben bedeutungsvoll sind:

„Primo quidem, et principialiter, ad confirmandam veritatem quam aliquis docet. Quia enim ea quae sunt fidei humanam rationem excedunt, non possunt per rationes humanas probari, sed oportet quod probentur per ar-

---

[313] Dem entsprechen die drei bei Thomas, STh III 43, 4 c. genannten Argumente dafür, die Wunder erwiesen in ausreichender Weise die Göttlichkeit Christi.
[314] S. *De docta ignorantia* III 4, h I, 129 Z.23 - 130 Z.2.

gumentum divinae virtutis: ut, dum aliquis facit opera quae solus Deus facere potest, credantur ea quae dicuntur esse a Deo [...]."[315]

Es ist jedoch besser, wenn ohne solche Zeichen in freier Hingabe an Gott geglaubt wird.[316] Dabei muß bedacht werden, daß nach Thomas der übernatürliche Glaube immer eine Gabe Gottes ist, denn auch Wunder und menschliche Überlegungen können nicht das Wirken der Gnade in der Glaubenszustimmung ersetzen.[317] Cusanus betont demgegenüber mit der Behauptung, Jesus sei der Gottessohn, gerade das Vermögen unserer eigenen Urteilskraft, selbständig den richtigen Schluß aus den Fakten ziehen zu können.

In *De docta ignorantia* III 4 formuliert Cusanus nun auch mit deutlicher Bezugnahme auf die Heilige Schrift die Mission und Aufgabe Christi. Die Reihenfolge und Auswahl der verschiedenen biblischen Motive ist dabei sehr bezeichnend für ihn und entspricht genau seiner bisherigen Vorgehensweise:

„Venit enim, ut omnia adimpleret, quoniam ipse voluntate cunctos sanitati restituit et omnia occulta et secreta sapientiae tamquam potens super omnia edocuit, peccata tollens ut Deus, mortuos suscitans, naturam transmutans [...]."[318]

Diese eigene Zusammenstellung bekräftigt er nochmals durch ein Schriftzeugnis aus dem Kolosserbrief:

„In quo secundum testimonium illius singularissimi praedicatoris veritatis Pauli desuper in raptu illuminati habemus perfectionem omnem, 'redemptionem et remissionem peccatorum; qui est imago Dei invisibilis, primogenitus omnis creaturae [...].'"[319]

Auffällig ist, daß bei beiden Formulierungen zuerst ausgesagt wird, daß mit Jesus alles zu seiner Fülle und Vollendung kommt. Cusanus hat das dem Kolosserzitat voranstehende *omnis perfectio* selbst ergänzt und in seiner eigenen Aufzählung der Taten Jesu die Wendung *ut omnia adimpleret*[320] an die Spitze gestellt. Dabei ist nun aus den vorausgegangenen Kapiteln des dritten Buches eindeutig hervorgegangen, daß die Erlösung von den Sünden, die im Mittelalter meistens als Ziel

---

[315] STh III 43, 1 c.
[316] S. ebd. q.43, a.1 ad 3.
[317] S. STh II-II 6, 1 c.
[318] *De docta ignorantia* III 4, h I, 130 Z.2-5.
[319] Ebd., h I, 130 Z.7-11; vgl. Kol 1,14-20.
[320] Die Formulierung *ut omnia adimpleret* kann Cusanus aus Mt 5,17 und Eph 1,23 zusammengestellt haben.

der Menschwerdung genannt wird, keine erläuternde Apposition zur Vollkommenheit des Universums sein kann. Vielmehr muß gerade die Befreiung von der Sünde und die Wiederherstellung der Gesundheit aus der Vollendung vor allem im Sinne eines Abschlusses des Schöpfungswerkes verstanden werden. Dies wird insbesondere im Kapitel über den Tod Jesu anschaulich werden.

In *De docta ignorantia* III 4 zeigt Cusanus außer dem bisher Vorgestellten erneut, wie das *maximum contractum individuum*, nun konkret als dieser Mensch Jesus ausgemacht, alle Fülle in sich birgt. Dies erfaßt er erst in belehrter Unwissenheit, danach gibt er sowohl hierzu als auch zum Gedanken der *unio hypostatica* eine *manuductio*, einmal aus der Physik genommen, einmal aus der Mathematik. Dies soll zum Anlaß genommen werden, an dieser Stelle den genauen Sinn der Cusanischen Handreichungen und des hypothetischen Vorgehens zu bestimmen.

2. Das manuduktorische und das hypothetische Vorgehen

In der Sekundärliteratur zu Cusanus spricht man von folgenden Vorgehensweisen oder Methoden, mit denen er als Theologe und Philosoph versucht, der endlichen Vernunft die Geheimnisse des unendlichen Gottes zu erschließen: *manuductio*[321] beziehungsweise Handleitung oder Handreichung, *symbolica investigatio*[322], doppelter *transcensus*[323], hypothetisches Vorgehen[324], Maximitätsprinzip[325], Präsuppositionsprinzip[326]. Diese Verfahren werden von den Interpreten unterschiedlich kombiniert und zum Teil gegenseitig miteinander erklärt. Das Maximitätsprinzip kann eine Handleitung sein, um von der Menschheit Jesu zu seiner Gottheit zu kommen.[327] Es wird auch im hypothetischen Vorgehen eingesetzt.[328] Der doppelte *transcensus* ist die Konkretion der *manuductio*, der Erkenntnisaufstieg vom Vorstellbaren zum rein Intelligiblen,[329] oder auch die Vorgehensweise der spekulati-

---

[321] S. u. a. *De docta ignorantia* I 2, h I, 8 Z.12-17.
[322] S. Jacobi 1969, 204-214.
[323] S. *De docta ignorantia* III 12, h I, 24 Z.10 - 25 Z.14 und bes. Jacobi 1969, 167f. und 212-214.
[324] S. Haubst 1956, 147-150; mit anderem Akzent Offermann 1991, 153.
[325] S. Haubst 1956, 150-154, 310; 1991, 365f.
[326] S. Haubst 1969, 128 u. 1991, 56-61; Euler 1995, 215f.
[327] S. Haubst 1956, 310.
[328] S. ebd., 150.
[329] S. Lentzen-Deis 1991, 60-63.

ven Erkenntnis als *symbolica investigatio* selbst[330]. Die Handreichung
kann aber auch als Präsuppositionsprinzip realisiert werden[331], also
nicht nur in der Form des hypothetischen Vorgehens oder des doppelten Überstiegs.

Diese verwirrend erscheinende Konstellation von Interpretation-
sentwürfen hat ihre Basis in einem auch bei Cusanus nicht ganz ein-
heitlichen Sprachgebrauch. Weiter muß man beachten, daß ein und
dasselbe Verfahren je nach Ort ein völlig unterschiedliches Gewicht
bekommt, ob es etwa zur Verdeutlichung eines Sachverhaltes eingesetzt wird oder diesen erst finden läßt. Im folgenden sollen kurz die
für die Interpretation von *De docta ignorantia* wichtigen methodischen
Vorgehensweisen der endlichen Vernunft anhand von *De docta ignorantia* selbst präzisiert werden, um von hier aus die inhaltliche Entwicklung des dritten Buches genau in den Blick zu nehmen. Das erst
in den Kapiteln III 11-12 explizit dargestellte Verhältnis von Vernunft
und Glaube ist implizit schon in den Methoden des Cusanischen
Denkens auch der vorigen Kapitel gegenwärtig und bestimmend.

a) Die *manuductio*

Den Begriff *manuductio* verwendet Cusanus in zweifacher Weise. Die
eine[332] übernimmt er aus der Tradition, verwandelt sie allerdings in
seinem Sinne:

„Exemplaribus etiam manuductionibus necesse est transcendenter uti, linquendo sensibilia, ut ad intellectualitatem simplicem expedite lector ascen-
dat [...]."[333]

Das manuduktorische Verfahren besteht darin, aus dem Bereich
des Vorstellbaren, insbesondere des sinnlich Gegebenen, Beispiele zu
finden, deren Sinngehalt das rein zu Denkende in einem bestimmten
Sinne trifft und das schon in seinem „Daß" Erschlossene in seinem
„Was" veranschaulichend dem Verständnis näher bringt. Dazu muß
natürlich letztlich das sinnliche Fundament verlassen werden. Mit

---

[330] S. Jacobi 1969, 210-214.
[331] S. Euler 1995, 215 (Hervorhebungen im Original): „Rein formal betrachtet zeigt
sich die *manuductio* in den religionsvergleichenden Schriften des Kardinals in zwei
Argumentationsweisen: als abstrakte philosophisch-theologische Spekulation und -
im Verständnis des Cusanus - quellenkritische Textanalyse. Ersterer Aspekt tritt im
aus *De pace fidei* bekannten *Präsuppositionsprinzip* besonders zutage, letzterer im Gedanken der *pia interpretatio* des Korans in *Cribratio Alkorani*."
[332] Vgl. hierzu Lentzen-Deis 1991, 60-63.
[333] *De docta ignorantia* I 2, h I, 8 Z.12-14.

diesem Verfahren wird man gleichsam an der Hand geführt, bekommt wie die Kinder Milch statt fester Speise, die man noch nicht
verdauen kann. Diese *manuductio* kommt in den verschiedensten Cusanischen Schriften vor und kann andere Namen haben, zum Beispiel
symbolica investigatio[334]. Bei diesem Verfahren wird allerdings der rein
geistige Sachverhalt nicht vollkommen so erkannt, wie er ist. Er wird
aber auch nicht verfehlt, sondern in belehrter Unwissenheit erreicht.[335] Diese Art von *manuductio* setzt Cusanus in *De docta ignorantia*
ein, um einen bestimmten, als reines Faktum schon bekannten Sachverhalt intelligibel zu machen.[336] Die Gewißheit des so Erreichten
kann noch gesteigert werden, wenn statt der sinnlichen Gegenstände
mathematische als Ausgangsbasis genommen werden. Sie zeichnen
sich nämlich erstens durch Unbeweglichkeit aus, wie für das Mittelalter maßgeblich schon Boethius im Anschluß an Aristoteles festgehalten hatte, und zweitens sind sie Produkte der endlichen Vernunft.[337]
Diese mathematische Spielart der *manuductio* wird genauer in der
Methode des doppelten Überstiegs ausgeführt.[338] Von endlichen mathematischen Figuren soll man in einem ersten Schritt zu unendlichen mathematischen Figuren übergehen, um in einem zweiten

---

[334] S. Jacobi 1969, 209f. Nach Jacobi ist Philosophie bei Cusanus notwendigerweise eine
derartige *investigatio symbolica* bzw. *speculatio*, Schau im Spiegel. Entscheidend ist es
allerdings, herauszuarbeiten, in welcher Weise die Nähe der absoluten Wahrheit
von Cusanus gedacht wird, konkret also, wie Gott sich in der *speculatio* zeigt, d. h.
gibt. Dies thematisiert Cusanus anhand des Glaubensbegriffes.

[335] S. *De docta ignorantia* I 2, h I, 8 Z.14-17. Auch Thomas kennt eine *manuductio*, einerseits eine *manuductio materialis* mittels materiell vorliegender Dinge, die zu einer *ali-
qualis cognitio immaterialium rerum* führt (STh I 88, 2 obj.1 u. ad 1), auch zu der Gottes, wie Röm 1,20 lehrt (vgl. *manuductio sensibilium* in STh II-II 81, 7 c.), andererseits
eine *manuductio* mit den der *ratio naturalis* zugänglichen Wissensgegenständen zum
Glaubenswissen, das über der natürlichen Vernunft liegt (s. STh I 1, 5 ad 2; vgl. Occam OTh VI, 10 Z.8-11 zur hypostatischen Union: „[...] dico quod haec unio non
potest demonstrari, sed solum per fidem tenetur. Tamen ad intelligendum istam
unionem possumus manuduci per alias uniones, puta materiae et formae, substantiae et accidentis."). Die spezifische Bedeutung der *docta ignorantia* macht aber den
Unterschied von Cusanus zu Thomas in diesem Punkt aus.

[336] S. etwa *De docta ignorantia* II 5, h I, 78 Z.27-29 und III 4, h I, 131 Z.14.

[337] Den Vorzug, den die mathematischen Gegenstände hinsichtlich *certitudo* und *praecisio* gerade deshalb haben, weil sie als *ens rationis* zu denken sind, wird Cusanus in
dem im Anschluß an *De docta ignorantia* geschriebenen Werk *De coniecturis* hervorheben und danach an vielen Stellen wiederholen. Jener Vorzug, der nach Thomas
die Mathematik zur für uns sichersten Wissenschaft macht, daß nämlich die mathematischen Gegenstände wie die metaphysischen ohne Bezug zur Bewegung gedacht werden und doch gerade wegen ihrer Vorstellbarkeit über die *materia intelligibilis* unserem von den Sinnen ausgehenden Erkenntnisvermögen am meisten ent-
gegenkommen, wird von Cusanus nicht angeführt. Der letzte Punkt stimmt nicht
mit seinem Programm der *docta ignorantia* überein.

[338] Vgl. bes. Jacobi 1969, 212-214.

Schritt zum völlig einfachen, göttlichen Unendlichen weiterzuschreiten. Entscheidend ist dabei, daß die *passiones* und *rationes*, also bestimmte mathematische Sachverhalte und Bezüge der endlichen Figuren, sich in verwandelter Weise bis hin zur Übertragung auf das göttliche Unendliche erhalten.[339] Jedoch wird beim Schritt zum absolut Unendlichen nicht nur jede Brücke zum Endlichen hinter sich abgebrochen, sondern die Bedeutung des Übertragenen entleert sich und gibt gerade damit die gesuchte Erkenntnis frei.[340] Diese Weise der spekulativen Erhellung schon bekannter Sachverhalte läßt dabei nichts an Stringenz vermissen, wie Cusanus versichert, und geht gerade den Weg der belehrten Unwissenheit.[341]

Des weiteren gibt es die *manuductio,* die nicht bei der Erhellung bestimmter vorausgesetzter Sachverhalte stehen bleibt, sondern selbst Neues auffindet. Auch dieses Vorgehen, das vom Endlichen seinen Ausgang nimmt, kann Cusanus mit *manuductio* bezeichnen.[342] Da er den Begriff *manuductio* in späteren Werken mehr als in *De docta ignorantia* in diesem Sinne verwendet[343], haben manche Cusanus-

---

[339] S. *De docta ignorantia* I 12, h I, 24 Z.13-25.

[340] S. Borsche, Tilman: Was etwas ist: Fragen nach der Wahrheit der Bedeutung bei Platon, Augustinus, Nikolaus von Kues und Nietzsche, München 1990, 217f. Er macht darauf aufmerksam, daß die *transsumptio,* von der auch Cusanus Verwendung macht, ein antikes rhetorisches Stilmittel ist, vergleichbar der Metapher. Allerdings gilt dabei, daß die semantische Brücke zur Ursprungsbedeutung verloren geht, durch eine Verdoppelung der Übertragung, wie ergänzt werden könnte. Er hält fest (ebd., 218): „Man vesteht ein Wort transsumptiv genau dann, wenn man erkennt, daß es in der Sphäre, in die es übertragen wird, seine gewöhnliche Bedeutung verliert, ohne dafür eine andere angebbare und verständliche Bedeutung zu erhalten. Der Verlust der alten Bedeutung selbst ist der neue Sinn."

[341] S. *De docta ignorantia* I 10, h I, 21 Z.17-22: „Unde, ut acuatur intellectus, ad hoc te facilius indubitata manuductione transferre conabor, ut videas ista necessaria atque verissima, quae te non inepte, si ex signo ad veritatem te elevaveris verba transsumptive intelligendo, in stupendam suavitatem adducent; quoniam in docta ignorantia proficies in hac via [...].“ Die Lieblichkeit der in *docta ignorantia* erreichten Erkenntnis entspringt der Nähe Gottes selbst in diesem Erkennen. Dabei muß beides festgehalten werden, einerseits das Dunkel für unser Erkennen, wenn alle Stützen des Endlichen zurückgelassen werden (s. Borsche 1990, 218), andererseits die Gegenwart des Absoluten selbst, s. Jacobi 1969, 211: „'Symbolica investigatio' meint etwas grundsätzlich anderes als alle nur veranschaulichende und erklärende Metaphorik. [...] Das Symbol, wie Cusanus es versteht, steht nicht für Anderes, sondern es ist Ausdruck der eigenen absoluten Wahrheit; es zeigt die absolute Wahrheit im Modus der Konkretion." Beides muß im Glauben als realisiert verstanden werden.

[342] S. *De docta ignorantia* II 5, h I, 78 Z.27-29: „[...] tunc secundum hanc quidem positionem reperta est similitudo Dei et mundi et eorum omnium manuductio, quae in istis duobus capitulis tacta sunt, cum aliis multis quae ex hoc sequuntur." Vgl. auch ebd. I 25, h I, 53 Z.14f.

[343] Vgl. etwa die Kapitelüberschriften von *Cribratio Alkorani* II 5-7.

Interpreten vor allem diese Bedeutung von *manuductio* vor Augen[344]. Sie ist aber scharf von der ersten, die noch eine starke Nähe zur scholastisch geprägten Tradition zeigt, abzuheben. Vielmehr geht diese Art von *manuductio* in das hypothetische Vorgehen ein. In *De docta ignorantia* spricht Cusanus allerdings nie eindeutig davon, daß seine hypothetischen Überlegungen in den ersten Kapiteln des dritten Buches mit einer *manuductio* gleichzusetzen seien.

b) Das hypothetische Vorgehen

Nachdem Cusanus noch in *De docta ignorantia* III 1 seine Analyse des Universums vorangetrieben hat, wechselt er mit dem zweiten Kapitel seine Argumentationsweise. Er nimmt nun an, es gebe ein *maximum contractum et absolutum*, und zieht aus dieser Hypothese Schlußfolgerungen. Diese stehen im Konjunktiv, solange die Wahrheit der Voraussetzung nicht bewiesen ist. Erst im vierten Kapitel wechselt Cusanus wieder in den Indikativ, wenn er festhält, daß Jesus der menschgewordene Gottessohn ist. Haubst spricht mit Blick auf diese Argumentationsweise von einem hypothetischen Verfahren. Cusanus setze die Existenz eines *maximum absolutum et contractum* voraus und untersuche die aus dieser Annahme entstehenden Konsequenzen. Sie führten zur inhaltlichen Entfaltung der hypostatischen Union. Darin sieht Haubst eine fundamental-christologische beziehungsweise transzendentale Methode vorweggenommen.[345] Sie sei „quasi-apriorisch"[346], gehe dem Faktum der Menschwerdung voraus, indem Schlußfolgerungen auf einer hypothetischen Grundlage gezogen würden. Sie sollen nur Denkschwierigkeiten ausräumen, ehe das tatsächliche Ergangensein der Offenbarung „in der Fülle der Zeit" vorgelegt werde[347].

Die hier erarbeitete Analyse von *De docta ignorantia* III 2-3 hat jedoch gezeigt, daß das hypothetische Vorgehen tiefer reicht. Die Ge-

---

[344] S. v. a. Haubst 1956, 150, wo dieser das hypothetische Vorgehen als *manuductio* bezeichnet, ebenso ders. 1969, 162; vgl. hierzu Lentzen-Deis 1991, 62, und Dahm 1997, 108.

[345] S. Haubst 1956, 150 zu *De docta ignorantia* III: „Die Methode der drei ersten Kapitel bleibt gleichsam im Bereich des Fundamental-Christologischen. [...] Sie besteht darin, auf dem formal noch rein spekulativen Wege der Hypothese die Denkschwierigkeiten auszuräumen sowie die innere Möglichkeit, nämlich die Konsequenz und Geschlossenheit dessen zu erweisen, was im Glauben zu bejahen ist. Danach erst tritt Cusanus aus der philosophischen Reserviertheit seines schon von Grund auf im Licht der Theologie stehenden kosmologisch-metaphysischen Denkens heraus, um die Glaubenswahrheit der Inkarnation des Wortes zu formulieren."

[346] Haubst 1969, 158.

[347] S. ebd., 161.

dankenschritte entkräften nicht nur Gegenargumente gegen die Inkarnation oder räumen Verständnisprobleme aus. Hierzu hätte eine
Argumentation in üblicher scholastischer Weise ausgereicht. Allerdings erschließen sie auch nicht nur die inhaltliche Seite der hypostatischen Union, so daß deren Faktum als Vorgabe der Offenbarung in
einem reinen Willensakt anzunehmen wäre. Vielmehr reicht die hypothetische Argumentation sogar bis zu dem Punkt, die Existenz des
Erstgeborenen noch vor aller Zeit zu erweisen. Tatsächlich wechselt
Cusanus schon im Kapitel III 3 in den Indikativ, und zwar genau an
der Stelle, an der er die Wirklichkeit der Inkarnation aus der Macht
Gottes aufzeigt.[348] Nur der bestimmte Zeitpunkt, der dann allerdings
auch die Fülle der Zeit ausmacht, bleibt ein von außen Vorgegebenes.
Wie er mit dem Leben und Sterben Jesu selbst nochmals zur Wahrheit
der Auferstehung geläutert wird, kann am Argumentationsgang ab
Kapitel III 5 nachvollzogen werden. Das hypothetische Verfahren zielt
also auf das Wesen und die Wirklichkeit[349] der Offenbarung in Jesus
und dringt bis in das tatsächliche Ergangensein der Offenbarung vor.
Dies ist deshalb möglich, weil Jesus immer schon in allem Vernunftstreben gegenwärtig ist und der Begriff von Jesus nicht erst entstehen, sondern nur wachsen muß. Diese christologischen Gedanken
sind für den Glaubensbegriff von besonderer Wichtigkeit.

Die Cusanische Vorgehensweise unterscheidet sich deutlich von
der Anselms. Dieser unternimmt es in der Schrift *Cur deus homo, Christo remoto*, also unter Absehung von der Offenbarung, die Notwendigkeit der Menschwerdung des Gottessohnes für die Erlösung des Menschengeschlechtes mit zwingenden Gründen zu beweisen.[350] Deren
Notwendigkeit ist als *necessitas ad aliquid simpliciter* zu bestimmen, das
heißt als objektive Notwendigkeit des Mittels der Menschwerdung
zum Ziel der Erlösung der Menschen.[351] Diese Notwendigkeit ist direkt

---

[348] Bis *De docta ignorantia* III 3, h I, 128 Z.10, hält Cusanus den Konjunktiv in den Kapiteln III 2 und 3 durch, wechselt dann aber ab ebd., h I, 128 Z.11-28 in den Indikativ.
Entscheidend ist die indikativische Formulierung *perfectissima operatio* [...] *in qua deficere nequit*. Die folgenden beiden Sätze widerlegen eine Position, die sich gegen
die Menschwerdung ausspricht und nun ihrerseits in den Konjunktiv gesetzt werden
kann (s. ebd., h I, 128 Z.28-30). Die letzten Sätze des Kapitels III 3 (ebd., h I, 128
Z.30 - 129 Z.14) stehen wieder im Konjunktiv, weil die Menschwerdung jeder Ver-
nunftüberlegung vorausgeht, was am Moment der Zeitlichkeit deutlich wird.

[349] Haubst schreibt es dem Glauben zu, die Wirklichkeit der Menschwerdung zu erfassen (s. Haubst 1956, 150; vgl. ders. 1991, 364).

[350] S. Anselm: *Cur deus homo*, praefatio, Op. omn. II, 42 Z.11-13: „Ac tandem remoto
Christo, quasi numquam aliquid fuerit de illo, probat rationibus necessariis esse
impossibile ullum hominem salvari sine illo."

[351] Vgl. Geyer, Bernhard: Zur Deutung von Anselms Cur deus homo, in: Theologie und
Glaube 34 (1942) 203-210, 208f., nach dem Anselm zwar eine objektive Notwendig-

mit der des göttlichen Wesens selbst verbunden, für Anselm fallen so *necessitas* und *immutabilitas honestatis* Gottes zusammen.[352] Er schließt gerade in Auseinandersetzung mit Augustinus die Möglichkeit aus, das ganze Menschengeschlecht hätte verdammt werden können. Ganz im Gegensatz hierzu gilt für Cusanus, daß weder etwas Geschaffenes sein noch irgend etwas von der endlichen Vernunft erkannt werden kann, wenn Jesus ausgeblendet wird.[353] Das hypothetische Vorgehen kann gerade nicht von Jesus absehen, weil er als Ziel aller Vernunftüberlegungen, wie sich später herausstellen wird, in allem Nachdenken schon gegenwärtig ist. Cusanus folgt demgemäß auch nicht dem Programm *fides quaerens intellectum* Anselmscher Art. Vielmehr muß man das hypothetische Vorgehen als eine Einfaltung der Vernunft in den Glauben verstehen, bezeichnet Cusanus doch den *intellectus* als *explicatio fidei*. Glaube und Vernunft sind bei ihm demnach so innig vereint, daß gerade die Rückbewegung, Einfaltung der Vernunft in den Glauben, der *ascensus*, die Entfaltung des Glaubens selbst, einen *descensus* vollzieht. Es hat dabei mehr Gemeinsamkeiten mit dem Aristotelischen Beweisverfahren für die Prinzipien, die durch Induktion und Rückschluß gesucht werden sollen und dabei doch zugleich die Grundlage des Rückschlusses strukturieren. Jesus Christus ist nicht nur Ziel alles Geschaffenen, sondern auch dessen Prinzip. Allerdings besteht die Eigentümlichkeit bei Cusanus darin, daß er von einer suchenden, unwissenden Vernunft ausgeht und die höchste Erkenntnis allein in belehrter Unwissenheit erreicht.

Von der Thomasischen Argumentationsweise hebt sich Cusanus dadurch ab, daß er deren Unterscheidung von *lumen naturale* und *lumen fidei* nicht übernimmt. Bleiben hier Inhalt und Faktum des Christusgeschehens strenges Glaubensgut, wenn auch nicht von der Vernunft getrennt oder gar widervernünftig, so zeigt gerade das „apriorische", vor aller expliziten Offenbarung ansetzende Nachdenken bei Cusanus, daß er die Offenbarung und den Glauben ganz anders versteht. Er sucht keine Konvenienzgründe, um das im Glauben Angenommene der natürlichen Vernunft einsichtig zu machen und

---

keit zwischen Mittel und Zweck behauptet, ohne daß damit die Argumente eine innere Notwendigkeit aufweisen müssen.

[352] S. *Cur deus homo* II 5, Op. Omn. II, 100 Z.16-29. Dies gesteht auch Geyer ebd., 209, ein, wobei noch zu präzisieren wäre, daß *necessarium ad aliquid simpliciter*, auf das Anselm zielt, selbst bei einem problematischen *aliquid* von einer Konvenienz zu unterscheiden ist (s. hierzu die Weise, wie Thomas in STh III 1, 2 c. die „Notwendigkeit" der Menschwerdung einführt).

[353] Eine Voraussetzung, wie sie Anselm auch für das zweite Buch von *Cur deus homo* behauptet, nämlich *quasi nihil sciatur de Christo* (*Cur deus homo*, praefatio, Op. omn. II, 42 Z.14), könnte Cusanus nicht teilen; sie kommt bei ihm auch gar nicht vor.

sie zu einer Schau der Wahrheit zu führen. Die Offenbarung in Jesus war und ist bei ihm immer schon gegenwärtig – *natura et ordine perfectionis*[354] –, auch der Vernunft, wenn diese nur zu ihrem wahren Selbstverständnis kommt. Gerade wenn aber die Offenbarung als Gnadenwirken Gottes in unmittelbarer Verbindung mit der Schöpfung verstanden wird, ist sie zwar immer schon da und ermöglicht die Cusanischen Vernunftüberlegungen. Ihre Gnadenhaftigkeit steht aber nicht mehr im Zentrum, und das göttliche Geben entzieht sich eben im Verstehen der Schöpfung und ihrer Vervollkommnung.

Gegenüber Lull kann Cusanus insofern abgegrenzt werden, als er nicht mit einem Wissen über Gott, sondern mit der menschlichen Unwissenheit einsetzt. Eine Beweisart *per aequiparantiam* ist ihm verwehrt. Ebenso kann Cusanus nicht von Unterscheidungen in Gott, etwa der für Lull zentralen von *operatio intrinseca* und *operatio extrinseca*, ausgehen. Allerdings holt er die Lullschen Anliegen ein, die Glaubensgeheimnisse auch gegenüber ihren Leugnern beweisbar zu machen.[355] Dabei stützt er sich nicht auf *rationes necessariae*, sondern auf die Tatsache, daß die Wahrheit in ihrer absoluten Präzision nicht erkennbar ist. In der Tat geht er dabei sogar noch weiter als Lull. Dieser unterscheidet die *operatio intrinseca*, aus der er die Trinität ableitet, von der *operatio extrinseca*, aus der nicht allein die Schöpfung, sondern mit ihr auch die Inkarnation folgt. Schon in *De docta ignorantia* I hat Cusanus aber die Trinität im Ausgang vom Endlichen aufgewiesen und die Unterscheidung der drei Personen schon hinsichtlich der möglichen Schöpfermacht Gottes behauptet. Cusanus stimmt zwar mit Lull überein, wenn er die Menschwerdung als *perfectissima operatio* der göttlichen Macht versteht und unmittelbar mit seinem Schöpfersein verbindet.[356] Cusanus geht jedoch weiter, weil er das Schöpfersein schon im trinitarischen Wesen Gottes ausgesprochen sieht und in *De docta ignorantia* nicht zwischen *operatio intrinseca* und *extrinseca* unterscheidet. Allerdings kann er dies nicht mit notwendigen Gründen vortragen, weil er hierfür von der Schöpfung und vom Endlichen ausgehen muß, das im Vergleich zu den göttlichen Grund-

---

[354] S. *De docta ignorantia* III 3, h I, 129 Z.11f.

[355] Vgl. Euler 1995, 266-268.

[356] S. hierzu die reichen Belege aus Lull-Exzerpten und eigenen Schriften von Cusanus bei Colomer, Eusebio: Nikolaus von Kues und Raimund Llull. Aus Handschriften der Kueser Bibliothek [= Quellen und Studien zur Geschichte der Philosophie 2], Berlin 1961, 135f., z. B. aus der *Ars mixtiva*, Codex Cusanus 83, fol. 94ʳ (hier nach der Handschrift zitiert): „[...] et sic vnissimitas dei tamquam causa vnissima caret subiecto siue effectu et non est quietata quod est impossibile ergo incarnatio est [...] Item deus operalissimus causat effectum operalissimum ut per suum effectum cognoscatur ipsum esse operalissimum sed hoc sine incarnatione esse non potest ergo [...].“

würden, *dignitates*, bei Lull nur eine schwache Ausgangsbasis bildet, von der aus man gerade keine *praecisio* oder auch *aequiparantia* erreichen kann. Deshalb steht über der affirmativen die negative Theologie. Dennoch geht es Cusanus um mehr als Konvenienzargumente, da er hinsichtlich der Vervollkommnung des Universums keine andere Möglichkeit kennt.[357]

VI. DAS ZEITLICHE MOMENT

1. Der Eintritt in die Zeitlichkeit (De docta ignorantia III 5)

Cusanus widmet der Jungfrauengeburt ein ganzes Kapitel. Dabei geht er erneut allein vom Faktum eines *maximum contractum individuum* aus, das heißt von Jesus Christus. In zwei Argumentationssträngen sucht er die Geistzeugung Christi und die Jungfräulichkeit der Gottesmutter zu erweisen. Von hier aus greift er nochmals das Moment der Zeitlichkeit auf, das er am Ende von Kapitel III 3 in leerer Bestimmtheit belassen mußte und in Kapitel III 4 den Zeugnissen der Heiligen und des Gottessohnes selbst entnahm, und treibt es jetzt weiter voran.

Den Ausgangspunkt bildet die *humanitas perfectissima suppositata*, die sich von allem anderen Geschaffenen vor allem dadurch unterscheidet, daß sie eine Genauigkeit erreicht, die sonst im Bereich des Endlichen nicht vorkommen kann. Cusanus nennt sie *terminalis contracta praecisio*[358]. Der maximale Mensch vereint zweierlei, das sonst immer geschieden ist. Einerseits gehört er dem Endlichen an, das immer ein Mehr-und-Weniger kennt. Andererseits ist er eine Grenzerscheinung, weil er vollkommen ist und genau das ist, was ein Mensch sein kann. Diese von allem, was nicht Gott ist, unerreichbare Genauigkeit kommt ihm zu, auch wenn er Mensch ist. Cusanus versucht diesen Sachverhalt mit dem Begriff *terminus* zu erfassen. Hierbei ist an den Grenzpunkt etwa einer Linie zu denken. Er schließt die Linie ab und begrenzt sie. Er liegt auch in der Linie, doch ist er kein Teil von ihr, denn jeder Teil einer Linie kann mit ihr hinsichtlich der Länge verglichen werden, und man kann das gegenseitige Längenverhältnis darstellen. Ein ausdehnungsloser Punkt steht aber in keinem Längenverhältnis zur Linie. Diese Tatsache stellt eine Analogie dazu dar, daß

---

[357] Gegen Colomer 1961, 136 Anm. 18.
[358] *De docta ignorantia* III 5, h I, 133 Z.5.

der unendliche Schöpfergott ebenfalls kein Verhältnis zum Endlichen kennt. So hält Cusanus folgerichtig fest:

„Terminus autem cum careat termino, caret finitatione et proportione."[359]

Genau weil der *homo maximus* jegliches Verhältnis überschreitet, kann er im Endlichen eine wahre Genauigkeit sein, da sonst bei jeder Veränderung eine Verbindung von Ähnlichkeit und Unähnlichkeit und damit ein bestimmtes Verhältnis von mehr und weniger vorliegt. In der menschlichen Natur ist er Gott.

Aus diesen Eigenschaften folgert Cusanus nun, daß der maximale Mensch einerseits aus Gott Vater als aktivem Prinzip, andererseits aus einem passiven Prinzip, das heißt einer menschlichen Mutter, hervorgehen muß. Damit erschließt er sich den Glaubensartikel von der Jungfrauengeburt aus dem Heiligen Geist. Die *maxima operatio* erfordert auch die höchste einende Kraft, den Heiligen Geist. Diese Zuweisung ergibt sich für Cusanus zwingend[360], hat er doch schon bezüglich der Schöpfung das Augustinische Axiom, die Werke der Trinität seien der Dreifaltigkeit gemeinsam und eindeutige Zuweisungen nur von der Schrift her möglich, verlassen.[361] Auch an dieser Stelle geht Cusanus deutlich über eine scholastische Position hinaus, wie sie etwa von Thomas vertreten wird.

Thomas antwortet auf die Frage, ob der Heilige Geist das aktive Prinzip der Empfängnis Christi sei:

„Respondeo dicendum, quod conceptionem corporis Christi tota Trinitas est operata: attribuitur tamen hoc Spiritui Sancto [...]."[362]

Auch wenn er diese Zueignung mit Gründen untermauert, stützen sich diese hauptsächlich auf die Schrift selbst und können nicht etwa aus einem Begriff von Jesus entnommen werden.[363] Ebenso gilt auch, daß für die Geburt durch eine Frau keine zwingenden Gründe vorliegen:

---

[359] Ebd., h I, 133 Z.8.
[360] S. ebd., h I, 133 Z.21f.: „[...] non dubium a sancto Spiritu [...] necessario existit."
[361] S. *De docta ignorantia* II 7 *De trinitate universi.* Haubst kann dafür, daß Cusanus der Augustinischen Position treu bleibt, nur Belege aus den Predigten vorlegen, s. Haubst 1956, 89, insb. Anm. 53. Vgl. aber hierzu einschränkend unten Dritter Hauptteil B.I.
[362] STh III 32, 1 c.
[363] S. ebd q.32, a.1 c. und ad 1; vgl. zum Erkennen der Trinität STh I 32, 1 und 2, Thomas betont dabei eigens die Heilsbedeutung (s. STh I 32, 1 ad 3).

„Respondeo dicendum quod, licet Filius Dei carnem humanam assumere potuerit de quacumque materia voluisset, convenientissimum tamen fuit, ut de femina carnem acciperet.“[364]

Auch an dieser Stelle hält Thomas eine Spanne offen, die das Gnadengeschehen der Erlösung zwar als vollständig, sogar überreich begründetes – *convenientissimum* – erkennen läßt, aber an einer Nichtnotwendigkeit und damit völlig freien Ungeschuldetheit auf der Seite Gottes festhält.[365] Die Tatsache einer Jungfrauengeburt ergibt sich erst unter der Bedingung, daß der Gottessohn aus einer Frau geboren wird, mit Notwendigkeit.[366] Die Überlegungen in der *via moderna*, die die Annahme sogar einer vernunftlosen Natur in Erwägung ziehen, um das Ungenügen des endlichen Erkennens vor der absoluten Macht Gottes zu zeigen, gehen in diesem Punkt noch weiter. Je mehr sich aber bei Thomas das Glaubenswissen entfaltet und je einsichtiger es für die natürliche Vernunft wird, desto überschwenglicher wird es auch für sie. Dabei hebt er das Gnadenwirken Gottes und die Übernatürlichkeit des Glaubenslichtes nicht nur im Anfang der Christologie hervor, sondern in jedem neuen Punkt, der dieses konkretisiert. Je weiter aber bei Cusanus die endliche Vernunft den Glauben entfaltet, desto mehr erkennt sie, daß sie von diesem im Grunde gar nicht geschieden ist.

Mit der Geburt aus einer Jungfrau hat Cusanus den Punkt erreicht, der die Fülle der Zeit ausmacht. Dies betont er eigens, denn so kann er die Grenzlinie, die in Kapitel III 4 durch den Unterschied von *supra tempus* und *plenitudo temporis* markiert war, weiter zurückschieben. Der Erstgeborene muß, weil er aus einer Jungfrau hervorgeht, auch zeitlich geboren werden:

„Non enim potuit esse homo ex matre virgine nisi temporaliter, neque ex Patre Deo nisi aeternaliter [...].“[367]

Erst wenn es um den konkreten Zeitpunkt der Menschwerdung geht, wird auch die Jungfrau in ihrer Individualität, das heißt mit ihrem Namen, genannt.[368] Den genauen Ort und die genaue Zeit konnte aber nur Gott vorauswissen, einem Weisen war es allenfalls

---

[364] STh III 31, 4 c.
[365] Das von Cusanus vorgebrachte Argument für die Geburt aus einer Frau taucht bei Thomas in veränderter Form nur als Konvenienzgrund auf, s. STh III 31, 4 c.: „Secundo, quia per hoc veritas incarnationis adstruitur.“
[366] S. STh III 31, 5; vgl. Scg IV 45.
[367] *De docta ignorantia* III 5, h I, 135 Z.14-16.
[368] S. ebd., h I, 135 Z.12.

möglich, durch Vernunftgründe, die sich auf prophetische Inspiration stützen mußten, die Fülle der Zeit vorauszusehen.[369] Noch im Eintritt in die Zeitlichkeit dokumentiert der *homo maximus* seine Einzigartigkeit, die ihn über diese erhebt.[370]

2. Der Kreuzestod als Erlösung von der Sünde *(De docta ignorantia III 6)*

Wenn Cusanus eine kosmologische Interpretation des Christusereignisses vornimmt, will er damit keinesfalls eine soteriologische ausschließen. Vielmehr fallen beide für ihn zusammen. Eine gewisse Uneinheitlichkeit ergibt sich aber scheinbar, wenn man Kapitel III 6 betrachtet. Schon oft wurde bemerkt, daß Cusanus in seinem systematischen Werk den Sündenfall fast gar nicht thematisiere.[371] Im Predigtwerk findet sich allerdings Material, das teils im Rahmen einer Satisfaktionslehre bleibt, teils den kosmologischen Entwurf von *De docta ignorantia* noch pointierter fortsetzt.[372] Die Sündenlehre in *De docta ignorantia*, sofern man überhaupt von einer solchen sprechen kann, läßt aber eine gewisse Ambivalenz erkennen.[373] Einerseits spricht Cusanus gerade in Kapitel III 6 von Sünden, andererseits aber nie von der Ursprungssünde. Außerdem scheint er die Sünden mit *carnales deliciae* beziehungsweise *temporalia et gravantia desideria* gleichzusetzen.[374] Von einem Vergehen oder einer Willensentscheidung gegen Gott ist nicht die Rede. Für die Fragestellung dieser Arbeit ist jedoch Kapitel III 6 insofern von Bedeutung, als hier in *De docta igno-*

---

[369] S. ebd., h I, 135 Z.19-31.

[370] S. die instantane Zeugung ebd., h I, 134 Z.16-23; vgl. Haubst 1956, 238-240. Auch in *De pace fidei* steht nicht die Wirklichkeit des Gottmenschen in Frage, sondern allenfalls der Zeitpunkt seines Kommens, s. ebd. 13 N.45, h VII, 41 Z.25 - 42 Z.18.

[371] Vgl. den Literaturüberblick bei Dahm 1997, 1-7. Haubst muß sich so für seine Darstellung der Erlösungsbedürftigkeit des Menschen und einer entsprechenden Satisfaktionstheorie hauptsächlich auf die Predigten stützen (s. Haubst 1956, 79-89). Die Gedanken aus *De docta ignorantia* stellt er „daneben" und bezeichnet sie als „unmittelbar metaphysische Gedankengänge" (ebd., 85). Dahm 1997, 81, konstatiert gerade in *De docta ignorantia* gegenüber den früheren Schriften „eine Vorordnung der auf den kosmischen Primat abzielenden Schau Christi", der bis dahin gerade in soteriologischen Fragestellungen aufgetaucht war, sieht aber in den Cusanischen Andeutungen eine Erbsündenlehre vorausgesetzt, s. ebd., 121.

[372] S. unten Dritter Hauptteil B.II.2.

[373] Dies bemängelt vor allem Offermann und bezweifelt, daß die Cusanischen Überlegungen zur Sünde überhaupt Eingang in seine systematischen Arbeiten gefunden haben (s. ders. 1991, 6 Anm. 13 bzw. 170). Für *De pace fidei* treffen Offermanns Vorbehalte sicher zu.

[374] S. *De docta ignorantia* III 6, h I, 137 Z.1f. und 21f.; vgl. Offermann 1991, 170.

rantia zum ersten Mal der Glaube zum Thema wird und Cusanus von hier aus auf das Ende von *De docta ignorantia* III verweist.

Zunächst ist festzuhalten, daß Cusanus nicht erst in Kapitel III 6 auf die Sünde zu sprechen kommt. Schon im Kapitel III 4 wird die Erlösung von den Sünden unter den Taten Jesu aufgezählt.[375] Allerdings steht diese Aussage unter einer Vorgabe, die sie in den Rahmen des Grundgedankens der Christologie von *De docta ignorantia* stellt, daß nämlich Jesus Christus als die Vervollkommnung des Universums zu begreifen ist. In seiner Vollkommenheit kommt alles Geschaffene zur Ruhe.[376] Dies bringt Cusanus an besagter Stelle dadurch zum Ausdruck, daß er vor den Einzeltaten die Bestimmung Jesu nennt:

„Venit enim, ut omnia adimpleret [...].“[377]

Diese Reihenfolge wiederholt sich, wenn er den Kolosserhymnus zitiert. In das Schriftzeugnis, das längste Schriftzitat in *De docta ignorantia*, fügt er den Hinweis auf die Vervollkommnung ein, noch bevor er die Erlösung von den Sünden anführt:

„In quo [...] habemus perfectionem omnem, 'redemptionem et remissionem peccatorum [...].'“[378]

Schon diese Umformungen machen augenfällig, daß Cusanus keine Erlösungslehre im üblichen Sinn aufstellen will, sondern seine Sündentheologie vielmehr unter die Bestimmung der Vervollkommnung von allem stellen wird.

Auch bei der Behandlung der Jungfrauengeburt geht er auf die Sündlosigkeit Mariens nicht näher ein, erwähnt allerdings, daß sie *sanctissima* gewesen sei.[379] Inwieweit Maria notwendigerweise sündlos sein mußte, um den Erlöser gebären zu können, muß dahingestellt bleiben, Cusanus scheint dies jedoch vorauszusetzen.[380] Auffällig ist, daß er *sanctissima et superbenedicta* mit *virginitas in partu* parallelisiert.

---

[375] S. *De docta ignorantia* III 4, h I, 130 Z.4f.

[376] S. ebd. III 3, h I, 127 Z.10-13.

[377] Ebd. III 4, h I, 130 Z.2. S. hierzu Dahm 1997, 109, der weiter in *De docta ignorantia* eine Akzentverschiebung in der Soteriologie zur *sanatio naturae* feststellt, s. ebd., 125 und 145.

[378] *De docta ignorantia* III 4, h I, 130 Z.7-10.

[379] S. ebd. III 5, h I, 135 Z.1 und 6f. Die ebd., h I, 135 Z.9 genannte *immaculata virginitas* kann nicht als *immaculata conceptio Mariae* verstanden werden, als ob Cusanus hier schon eine von Erbschuld freie Empfängnis Mariens lehrte, sondern meint nur die Unversehrtheit der Jungfräulichkeit bei der Geburt Jesu. Zur unbefleckten Empfängnis Mariens im Cusanischen Predigtwerk s. Haubst 1956, 241-243.

[380] S. *De docta ignorantia* III 5, 135 Z.1-3; vgl. hierzu STh III 28, 1 c.

An dieser Stelle, wo ein Wort zur Übertragung der Erbschuld angemessen gewesen wäre, schweigt Cusanus und umgeht das Problem.

Erst wenn Cusanus über den Glaubensartikel von der Passion und
dem Sterben am Kreuz handelt, thematisiert er die Sünde eingehender. Dabei ist zu beachten, daß er nur um der Erklärung des Kreuzes,
das heißt des Leidens, nicht des Todes Jesu willen diese Überlegungen anstellt:

„Digressionem parvam et expressionem intenti antemitti convenit, ut mysterium crucis clarius attingamus."[381]

Unter diesem primären Gesichtspunkt ist also das Folgende zu lesen. Anscheinend ergibt sich die Lehre vom Leiden Christi nicht so
konsequent wie das bisher Dargelegte. Allerdings sollte man hier auch
keinen Bruch im sonst so geschlossenen Werk *De docta ignorantia* behaupten. Wenn Cusanus unter Absehung von der Offenbarung die
zentralen Glaubensinhalte allein von der endlichen Vernunft aus
entwickeln und sich dabei nicht in Widerspruch zur Offenbarung
stellen will, so wird er dies auch am zentralen Gedanken der Sündenerlösung unter Beweis stellen müssen.

Im Menschen finden sich *sensus, ratio* und *intellectus.* Die Sinnlichkeit ist dem Veränderlichen und Zeitlichen zugewandt, die Vernunft
dem Unveränderlichen und Unbewegten, die *ratio* verbindet beide.
Während nun die sinnlichen Vermögen den *carnalia desideria* folgen
müssen, kann die *ratio* mittels Gesetzen und Regeln als höheres Vermögen dieses Streben so einschränken, daß die höhere Bestimmung
des Menschen nicht zum Scheitern verurteilt ist.

„[...] ne homo in sensibilibus finem ponens desiderio spirituali intellectus
privetur."[382]

Jedoch selbst wenn dies gelingen sollte, gilt,

„quod nihilominus homo per se in finem intellectualium et aeternorum
affectuum pervenire non valeret"[383].

Nicht die Möglichkeit, daß die *ratio* der Sinnlichkeit das rechte Maß
geben könnte, wird in Frage gestellt, sondern daß dies schon die aus-

---

[381] Ebd. III 6, h I, 136 Z.3f.
[382] Ebd., h I, 136 Z.19f.
[383] Ebd., h I, 136 Z.27 - 137 Z.1.

reichende Bedingung dafür wäre, als Vernunftwesen zum Ziel gelangen zu können. Cusanus begründet dies folgendermaßen:

> „Nam cum homo ex semine Adam in carnalibus voluptatibus sit genitus, in quo ipsa animalitas secundum propagationem vincit spiritualitatem, tunc ipsa natura in radice originis carnalibus deliciis immersa [...] penitus impotens remanet ad transcendendum temporalia pro amplexu spiritualium."[384]

Wie ist dies zu verstehen? Deutlich spielt Cusanus in der Wortwahl auf die Lehre vom Sündenfall Adams und der Erbschuld an[385], doch nennt er den entscheidenden Terminus, *peccatum originale*, nicht. Setzt er etwa voraus, daß man dies bei der Nennung Adams mitversteht?[386] Müßte man dann aber nicht auch eine ausgefaltete Lehre vom Urstand zu dieser Betrachtung hinzunehmen? Auch dies umgeht Cusanus.[387] Vielmehr versucht er das Leiden Christi verständlich zu machen, indem er gerade auf diese theologischen Argumente verzichtet. Er leugnet eine traditionelle Sündenlehre nicht, entwickelt auch keine Alternative dazu, sondern will nur in dieser eine Linie aufzeigen, die auch eine allein auf sich gestellte endliche Vernunft ohne Rückgriff auf die Offenbarung entdecken kann. Deshalb hält er sich auch an die Folgen der Erbschuld, die die endliche Vernunft an der *condicio humana* ablesen kann, ohne diese auf ihre Ursache zurückzuführen. Die fleischlichen Genüsse ziehen die höheren Erkenntniskräfte nach unten, weil die menschliche Natur in sinnlichen Freuden weitergegeben wird, die das Geistige überwinden.[388] Wenn die menschliche Natur so von ihrem eigenen Anfang an einen Hang zum Zeitlichen hat, kann sich auch der *intellectus* nicht frei und rein dem Geistigen und Gott zuwenden. Dies ist besonders gravierend, da ja der Mensch seine eigene Vernunft ist, in der die gesamte menschliche Natur zusammengefaßt ist. Nicht nur aufgrund seiner grundlegenden Konstitution als eines Endlichen, das nach dem Unendlichen strebt, ist klar, daß der Mensch von sich aus keine Vollkommenheit finden kann. Auch seine sinnliche Veranlagung als eines auf endliche Weise

---

[384] Ebd., h I, 137 Z.1-6.

[385] Adam wird in *De docta ignorantia* nur an dieser Stelle erwähnt; die Übertragung der Erbschuld geschieht über die Fortpflanzung; die Erbschuld heißt *peccatum originale*, weil sie im Urvater aller Menschen ihren Ursprung hat (s. etwa die Namenserklärung in STh I-II 81, 1 c.), Cusanus formuliert entsprechend *in radice originis*.

[386] So Dahm 1997, 121f.

[387] S. ebd., 122: „Anders als noch in Predigt VI hält Cusanus sich hier ganz aus dem scholastischen Disput um die Wesensdefinition der Erbsünde heraus."

[388] Damit beschreibt Cusanus genau die Situation der Fortpflanzung der Menschen im *status naturae lapsae* und im *status naturae reparatae*, nicht aber im Paradieseszustand.

Gezeugten macht nochmals in ihm offensichtlich, daß er seine Bestimmung nur durch Hilfe von anderer Seite erreichen kann. Deshalb betont Cusanus wiederholt die nichtfleischliche göttliche Zeugung Jesu.[389] Damit will er nicht in erster Linie sagen, Jesus sei nicht der Erbschuld oder deren Folgen unterworfen – was selbstverständlich wäre –, sondern daß seine Menschennatur keine Neigung zum Zeitlichen hat[390], wie sie jedem anderen fleischlich gezeugten Menschen eigen ist. Cusanus eröffnet mit diesen Gedanken nicht nur eine Möglichkeit, das Leiden Christi auf dem stets selben Fundament in *De docta ignorantia* zu behandeln, sondern reiht den Glauben in seine Hauptargumentationslinie ein: der Glaube als Vervollkommnung der endlichen Vernunft im Sinne einer Konversion derselben.

„Si vero ratio dominatur sensui, adhuc opus est, ut intellectus dominetur rationi, ut supra rationem fide formata mediatori adhaereat, ut sic per Deum Patrem attrahi possit ad gloriam."[391]

Während Cusanus in seiner allgemeinen Glaubenslehre vor allem unterstreicht, daß der Mensch nur in Jesus die Vollkommenheit und das Ziel seines Lebens erreichen kann, so legt er an dieser Stelle den Akzent darauf, daß diese Hinwendung des Menschen zu Jesus auch im Menschen selbst eine Wende einfordert. Sie führt weg von den sinnlichen Neigungen zum Ewigen. Dieser Schritt ist aber noch nicht mit einer Einschränkung oder Beherrschung derselben geleistet, die vielleicht noch von der *ratio* mittels Gesetzen und Geboten geleistet werden könnte, sondern nur in deren Abtötung und Auslöschung. Das vermag allein der nicht natürlich gezeugte Gottessohn.[392] Wie bekommen aber die Menschen im Glauben Anteil an dieser Erlösung von den sinnlichen Begierden?

Wie schon erwähnt, setzt Cusanus vor die Befreiung von der Sünde die Bestimmung Jesu, alles zu erfüllen und dem gesamten Universum den Mangel an Vollkommenheit zu nehmen. Auch wenn er an den entscheidenden Punkt kommt, an dem er klären muß, wie die Taten Jesu, insbesondere seine Verdienste, auf andere Menschen übertra-

---

[389] S. *De docta ignorantia* III 6, h I, 137 Z.18f., aber auch schon die ewige, zeitlose Vaterschaft Gottes ebd. III 5, h I, 134 Z.20-23 und 135 Z.15f., ebenso die alleinige Aktivität Gottes ebd. III 5, h I, 133 Z.22f.

[390] S. ebd. III 6, h I, 137 Z.18f.: „[...] ipsa humana natura non ex voluntate carnis, sed ex Deo nata nihil obstaculi habuit, quin et potenter ad Deum Patrem rediret." Einen Hinweis auf die Sündlosigkeit Jesu sieht Dahm 1997, 126, an dieser Stelle angedeutet.

[391] Ebd. III 6, h I, 137 Z.10-13.

[392] S. ebd., h I, 137 Z.22-29.

gen werden, wiederholt er diese Bestimmung, nun auch auf die Vergehen, zumindest Mängel der Menschen bezogen:

„Humanitas igitur in Christo Jesu omnes omnium hominum defectus adimplevit."[393]

Der Gottmensch ist nämlich mit allen Menschen vereint, weil in der maximalen Natur alle Möglichkeiten der menschlichen Art einbegriffen sind, allerdings ohne Mangel. Übertragen sich also die Verdienste Christi auf „natürliche" Weise über die Maximalität der menschlichen Natur Jesu? Würde so nicht jeder Mensch, auch der Ungläubige, automatisch Anteil an Jesus erhalten? Diese Schlußfolgerung befürchtete schon Johannes Wenck von Herrenberg in seiner gegen *De docta ignorantia* gerichteten Schrift *De ignota litteratura* und sah sich deshalb veranlaßt, gegen die Cusanische *universalizacio humanitatis Christi*[394] vorzugehen. Wenck stellt fest, daß es hier um die Gnade geht, und trifft damit die Sache genau:

„[...] et quod periculosissimum est, meritum Christi ascribit maximitati humane nature, non Christo gratuite nos iustificante, inimicus gracie, quantum in se esset suffocans Christi iusticiam [...] nihil ascribit de merito iusticie Christi, unde omne nostrum meritum [...]."[395]

Er glaubt nämlich, daß Cusanus lehre, Jesus Christus sei gewissermaßen ein *homo universalis* und folglich sei jeder Mensch schon als Mensch Christus.[396] Die Bedeutung, die Cusanus in diesem Zusammenhang dem Glauben beimißt, übergeht er.[397] Cusanus denkt aber keine „natürliche", automatische Übertragung der Verdienste Christi, weil die Vereinigung mit ihm eben nicht schon allein mit der Menschwerdung geschieht. Hier bekommt der Glaube seine alles entscheidende Rolle:

---

[393] Ebd., h I, 138 Z.3f.
[394] S. Johannes Wencks von Herrenberg *De ignota litteratura*, ediert bei Vansteenberghe, Edmond: Le „De ignota litteratura" de Jean Wenck de Herrenberg contre Nicolas de Cuse [= BGPhMA 8/6], Münster 1910, 40. In anderen Punkten verzeichnet er allerdings den Cusanischen Gedanken grob.
[395] Ebd., 39.
[396] Ebd., 39.
[397] Johannes Wenck (ebd., 38) zitiert *De docta ignorantia* III 6, h I, 138 Z.4-9 unvollständig und läßt insbesondere die Formulierung *in quolibet homine sibi per formatam fidem adhaerenti* aus. Der Erwähnung des Glaubens und der Liebe ebd., h I, 138 Z.14, die er zur Kenntnis nimmt, kann er dann keinen positiven Sinn mehr abgewinnen und sieht darin nur eine verwerfliche Formulierung, dem Menschen die eigenen Übeltaten vertuschen zu helfen.

„Nam hoc agit maximitas humanae naturae, ut in quolibet homine sibi per formatam fidem adhaerenti Christus sit ipse idem homo unione perfectissima, cuiuslibet numero salvo."[398]

Die maximale menschliche Natur Christi führt noch nicht zur vollen Einheit mit Christus. Die Einheit mit den Menschen ist nur für Christus gegeben, er steht jedem näher als alle anderen Menschen, weil er ja die Gleichheit selbst ist. Damit ist der einzelne Mensch jedoch noch nicht mit Christus vereint. Dies vermag er allein, wenn er sich mit seinem höchsten Vermögen, der Vernunft, Jesus zuwendet und ihn in sich aufnimmt. Er muß an Jesus, die *incarnata ratio omnium rationum*[399], glauben, also an die Wirklichkeit gewordene Möglichkeit jeder individuierten Vernunft, das göttliche Unendliche als Endliches zu erreichen. Cusanus identifiziert demnach nicht *unio naturae, unio hypostatica* und *unio mentis cum Deo*, wie ihm Johannes Wenck vorwirft[400]. Erst durch den Glauben erhält man Anteil an Jesu Herrlichkeit.

Allerdings hat Johannes Wenck richtig erfaßt, daß es in diesem Punkt um die Gnade geht. Die Übertragung der Verdienste Christi hängt aber nach Cusanus von zwei Dingen ab, einerseits von der Maximalität der menschlichen Natur Jesu, andererseits von der *fides formata*. Da die *natura humana maxima* nicht mit einer jedem Menschen gemeinsamen *natura universalis* identisch ist, sondern in höchster Singularität allein dem Gottmenschen zukommt, dessen Kommen so ungeschuldet ist wie die Schöpfungstat selbst, kann Cusanus nicht als *inimicus gratiae* bezeichnet werden. Zwar hat Jesus dieselbe Menschennatur wie jeder einzelne Mensch, doch dies letztlich nur wegen der auf seine Gottheit zurückgehenden Maximalität.[401] Zu beachten

---

[398] Ebd., h I, 138 Z.7-9.

[399] Ebd. III 11, h I, 154 Z.7f.

[400] S. Johannes Wenck von Herrenberg: *De ignota litteratura*, Vansteenberghe 1910, 39.

[401] Allerdings hat Cusanus diesen Gedanken, der klarer in *Sermo* XXII N.37 Z.12 - 38 Z.9, h XVI, 354 formuliert ist, in *De docta ignorantia* so noch nicht zu Ende gedacht (vgl. Haubst 1956, 228-230), obwohl die Grundlagen da sind. Er setzt eine einzige *indivisibilis humanitas et omnium specifica essentia* (*De docta ignorantia* III 8, h I, 142 Z.24f.) an, die auch die Christi sei und ihm für die Erklärung der Auferstehung genügt, obwohl er zugleich festhält, daß Christus im Gegensatz zu allen anderen Menschen dieser Menschennatur am nächsten war (s. ebd., h I, 143 Z.11). Die gleiche Problematik findet sich in *De pace fidei* (s. z. B. ebd. 11 N.31, h VII, 32 Z.14-21), wo er sogar den Ausdruck *communis omnium natura* verwendet (ebd. 13 N.44, h VII, 41 Z.18f.), der auch auf Jesus angewendet wird. Mit den gewichtigen Einwänden Johannes Wencks von Herrenberg: *De ignota litteratura*, Vansteenberghe 1910, 40, zu dieser Problematik setzt er sich bezeichnender Weise in der *Apologia doctae ignorantiae* nicht auseinander. Hopkins hält diese Einwände für offensichtlich verdreht,

ist, daß allein für ihn uneingeschränkt gilt, daß er einem anderen Menschen ähnlich oder gar gleich ist.[402] Erst in Jesus Christus gibt es die eigentliche Gemeinschaft der Menschen als Menschen, endgültig realisiert in der Kirche.[403]

Es muß aber ebenso bemerkt werden, daß Cusanus an dieser Stelle seinen Gedankengang auch nicht explizit auf die Gnade bezieht. Sie entschwindet ihm im Dunkel der in der *natura maxima* miteingeschlossenen Unendlichkeit. Dies geht aus der Cusanischen Formulierung hervor. Die *maximitas humanae naturae* vereint die verdienstlichen Taten Christi und der Menschen.[404] Sie wurde aber im bisherigen Gedankengang primär auf dem Hintergrund der Vervollkommnung des Universums gedacht. Ein eigentlich neues Eingreifen Gottes in den Gang der Schöpfung soll damit nicht gedacht werden. Vielmehr kommt mit der Menschwerdung, ja, wie noch zu sehen sein wird, mit dem jüngsten Gericht die Schöpfung allererst an ihr Ende. Schöpfung und Heilsgeschichte werden bei Cusanus in einem gedacht. Das ungeschuldete Geben Gottes, das in der Gnadenlehre gedacht wird, tritt so bei ihm als Gedachtes, auf dem er seine Argumentation aufbauen könnte, zurück, ohne daß er es leugnet. Vielmehr läßt er sogar die Stelle erkennen, wo es immer wieder auch in seinem Entwurf zu suchen ist, nämlich in der Maximalität der menschlichen Natur. Auf der Seite der einzelnen Menschen entspricht ihr der Glaube, der, wenn auch erst durch Christus und seinen Glauben ermöglicht, doch ganz in der Hand eines jeden liegt. Im Glauben wird Christus als Ziel der Vernunft, als die endliche Vernunft, wie sie mit dem unendlichen Gott vereint ist, aufgenommen und damit auch alle von Christus gewirkten Taten. Die Sakramente als gnadenvermittelnde Heilsmittel, in denen das völlig unverfügbare Handeln Gottes sogar sinnlich manifest wird, in denen Gott eine nicht in der Schöpfung schon angelegte Neuschöpfung der gefallenen Welt bewirkt, können in der Systematik von *De docta ignorantia* keinen Ort finden. Sie reduzieren sich in ihrem wesentlichen Gehalt

---

verweist aber selbst auf die Schwierigkeit, den Begriff der menschlichen Natur Jesu in *De docta ignorantia* zu klären, s. ders. 1981, 34f. und 37-40.

[402] S. *De docta ignorantia* III 6, h I, 138 Z.4-7.

[403] S. über die triumphierende Kirche ebd. III 12, h I, 159 Z.2-4: „[...] una Christi humanitas in omnibus hominibus, et unus Christi spiritus in omnibus spiritibus [...]." Zur menschlichen Natur Christi in den Predigten s. unten Dritter Hauptteil C.I.

[404] S. ebd. III 6, h I, 138 Z.9-14.

auf den Glauben[405], denn der Glaube allein rechtfertigt[406], weil er mit Jesus verbindet.

Für die Befreiung von den fleischlichen Begierden ergeben sich somit drei Punkte. Christus gleicht mit seinem Erdenleben, insbesondere seinem Tod aus Liebe, die Mängel der Menschen aus, reinigt diese und leistet Genugtuung.[407] Weiter erwirbt er durch sein Leiden Verdienste, an denen auch andere Anteil haben können. Schließlich gibt er ein Beispiel, wie man im irdischen Leben mit dem Vergänglichen umgehen soll.[408] Damit nennt Cusanus die traditionellen Punkte eines satisfaktorischen, meritorischen und beispielhaften Wirkens Jesu. Die Menschen können daran Anteil haben, weil die maximale menschliche Natur Jesus mit jedem Menschen verbindet, sofern er diese Verbindung auch im Glauben in sein Leben aufnimmt. Mit diesen Kernpunkten skizziert Cusanus in *De docta ignorantia* seine Lehre von der Sündenerlösung. Er versucht dabei einerseits ganz im Rahmen seiner Christologie zu bleiben, die auf die Vervollkommnung des Universums hin angelegt ist. Nur diese kann der endlichen Vernunft einsichtig werden, da in ihr vom Willen Gottes und seinen Ratschlüssen abgesehen und von seiner Macht her argumentiert werden kann. Dies findet seinen Niederschlag darin, daß Cusanus auch die Erlösung von den Fehlern und Mängeln der Menschen im Sinne der Erfüllung des Schöpfungswerkes zu denken versucht. Andererseits nimmt er deutlich Bezug auf die Lehre von der Erbschuld und der Erlösung durch das Leiden Christi am Kreuz. Die hierfür aufgezeigte Notwendigkeit ergibt sich aber allein aus der Verfallenheit der Menschen an die zeitlichen Begierden, nicht mehr innerlich aus der Vervollständigung des Begriffs von Jesus. Deshalb wirken auch zwei Elemente zusammen, wenn die Menschen mit diesem Teil des Heilsgeschehens verbunden werden, die Maximalität der menschlichen Natur des Gottmenschen und der Glaube der Menschen. Da dem Glauben aber so die entscheidende Rolle für die Menschen zukommt, wird auch die Lehre von der Rechtfertigung wieder ganz in den Bereich der Darstellung der Vervollkommnung des Universums hineingenommen, wie in den beiden letzten Kapiteln von *De docta ignorantia* III beobachtet werden kann. Insofern hat Cusanus wirklich eine kleine „Abschweifung" unternommen, um das Leiden und Kreuz Christi

---

[405] Erwähnt wird die Taufe in *De docta ignorantia* III 6, h I, 138 Z.15 in Anspielung auf Kol 2,12.

[406] S. *De docta ignorantia* III 6, h I, 138 Z.17-21.

[407] S. ebd., h I, 137 Z.27 - 138 Z.2. Siehe hierzu Dahm 1997, 128-134.

[408] S. *De docta ignorantia* III 6, h I, 138 Z.22 - 139 Z.4.

erklären zu können. Für die Darstellung der Glaubensartikels vom Tod Christi bedarf er dessen nicht.

VII. DIE VOLLSTÄNDIGKEIT DES BEGRIFFS VON JESUS (*DE DOCTA IGNORANTIA* III 7 UND 8)

Wenn Cusanus in Kapitel III 6 das Leiden und den Kreuzestod Jesu behandelt, hat er auf eine Unvollkommenheit in der Schöpfung Rücksicht genommen, die durch die Weiterführung der Schöpfung, nämlich die natürliche Abstammung des Menschen vom Menschen, zustande kommt. Daß der Gottmensch sich dem Leiden unterwirft, obwohl er ihm nicht notwendig unterliegt, führte über die sonstige Argumentationsbasis in *De docta ignorantia* hinaus. Auf sie kann sich Cusanus aber wieder uneingeschränkter stützen, wenn er nun nicht den Kreuzestod, sondern allein den Tod Jesu betrachtet. Diese Glaubenswahrheit folgt nämlich konsequent aus dem Begriff von Jesus als maximalem Menschen. Da aber Jesus sterben und auferstehen muß, wie Cusanus mit Berufung auf Lk 24,46 betont, werden auch alle Menschen auferstehen, wie Kapitel III 8 festhält. Ohne den Gottmenschen und sein Sterben und Auferstehen wäre es undenkbar, daß überhaupt ein Mensch zu neuem Leben ersteht. Dies ist für Cusanus eine „natürliche" Einsicht, die auch den Muslimen und Juden nicht hätte verborgen bleiben dürfen, wenn sie schon an eine Auferstehung glauben. Für den Gang von *De docta ignorantia* III sind die beiden Kapitel III 7 und 8 deshalb so wichtig, weil Jesus nun alle zeitliche Kontingenz ablegt und in seine eigene Wahrheit einkehrt. Mit ihm dringt aber auch die Vernunft immer weiter vor, bringt sie doch mit Tod und Auferstehung die irdische Lebensgeschichte Jesu, wie sie das Glaubensbekenntnis entwickelt, zu ihrem Abschluß.

1. Die Notwendigkeit des Todes Jesu

Cusanus hält zu Beginn und am Ende von Kapitel III 7 fest, daß Christus sterben mußte. Nur so kann er die Unsterblichkeit Gottes annehmen und die Schuld des Todes einlösen. Hier darf man sich aber nicht durch die Formulierung *debitum mortis*[409] irre führen lassen. Keineswegs setzt Cusanus die Lehre von der Ursprungsgerechtigkeit vor-

---

[409] S. *De docta ignorantia* III 7, h I, 139 Z.12.

aus, in der es bekanntlich durch göttliche Gnadenmitteilung für die Menschen kein Sterben gab. Ohne diese bestreiten zu wollen, versucht er hier allein von der endlichen Vernunft aus auch diesen Glaubensartikel einzusehen und als Faktum zu begründen.[410] Zunächst scheint es aber so, daß auch der Tod nur um der Menschen willen von Jesus auf sich genommen worden sei.[411] Dieser Eindruck wird noch durch die Ausdeutung des Zitates Joh 12,24f. unterstützt, daß das Weizenkorn nur durch seinen Tod reiche Frucht bringen kann. Aber wenn Cusanus dies in belehrter Unwissenheit beleuchtet, erkennt man, daß Jesus als maximaler Mensch nicht nur sterblich war, sondern auch sterben und auferstehen mußte.[412] Im Gegensatz zur verbreiteten mittelalterlichen Auffassung hält Cusanus nämlich daran fest, daß die menschliche Natur den toten Jesus nicht verlassen hat.[413] Nur bezüglich der niedereren Natur, der Zusammensetzung der menschlichen Natur aus Leib und Seele, war eine Trennung von Leib und Seele möglich, auch wenn bei Christus beide nicht von ihrem göttlichen Träger getrennt waren:

„[...] secundum naturam inferiorem, quae divisionem animae a corpore secundum suae naturae veritatem pati potuit, temporaliter et localiter divisio facta est, ut eodem loco et eodem tempore non essent simul mortis hora anima et corpus.“[414]

Allein die zeitliche Geburt des Erstgeborenen der ganzen Schöpfung ermöglicht auch seinen Tod.[415] Die zeitliche Verbindung von Leib und Seele ist auflöslich und ermöglicht somit Tod und Auferstehung Jesu.[416] Die *veritas humanitatis*, das heißt die Bestimmung von Körper und Seele, vereint zu sein, fordert nach Cusanus eine zeitlose

---

[410] Dahm 1997, 137, rückt den soteriologischen Aspekt in den Vordergrund.

[411] S. *De docta ignorantia* III 7, h I, 139 Z.15-20.

[412] Nur scheinbar steht der folgende Satz (ebd., h I, 139 Z.20-22) unter der einleitenden Formulierung, Christus sei für uns gestorben. Das *propter nos* hat nichts von einer Finalursache, sondern gibt eine reine Folge an, denn: „Non potuit verus homo esse nisi mortalis, et non potuit ad immortalitatem mortalem naturam vehere nisi spoliata mortalitate per mortem.“

[413] S. ebd., h I, 140 Z.11-17; vgl. auch Haubst 1956, 276-279.

[414] *De docta ignorantia* III 7, h I, 140 Z.17-21.

[415] Vgl. die erneute Überlegung ebd., h I, 141 Z.20-24 Christus sei nur *secundum quid corruptibilis* gewesen.

[416] S. ebd., h I, 140 Z.22-28: „Sed temporalis nativitas morti separationi temporali subdita fuit, ita quod completo circulo reditionis ad solutionem de compositione temporali absolutoque amplius corpore ab hiis motibus temporalibus veritas humanitatis, quae supra tempus est, ut divinitati unita incorrupta remanens, prout eius requirebat veritas, veritatem corporis veritati animae adunaret [...].“

Verbindung der beiden. Sie selbst ist nämlich zeitlos[417] und bleibt immer mit der göttlichen Natur vereint. Deshalb müssen auch Leib und Seele Christi wieder zusammenkommen:

> „Sine qua quidem unione veritas humanitatis incorruptibilis verissime absque confusione naturae divinae personae hypostatice unita non fuisset."[418]

Die Trennung von Seele und Leib und auch ihre Vereinigung werden von der hypostatischen Union als solcher gefordert, fließen aus ihrem Begriff, der *veritas hypostaticae unionis*:

> „Et hanc quidem unionem necessario exposcebat ipsa veritas hypostaticae unionis humanae naturae et divinae."[419]

Die durch die zeitliche Geburt Christi bedingte, auflösbare Vereinigung von Leib und Seele muß unauflösbar werden. Die Zeitlichkeit der Verbindung und folglich auch die Zeitlichkeit der Geburt Jesu selbst, das hic et nunc, das in Kapitel III 4 nicht mehr den Cusanischen Maximumsüberlegungen zugänglich war, muß in die Zeitlosigkeit des Begriffes übergehen. Diese Notwendigkeit ergibt sich aber allein schon aus der hypostatischen Union selbst. Cusanus will also nicht allein die Möglichkeit des Todes, sondern auch einen Grund für die Wirklichkeit des Todes nachweisen. Nur wenn die Sterblichkeit abgelegt ist, ist auch die *veritas humanitatis* erfüllt. Der *homo maximus* muß ein *verus homo* sein. Dieser zeichnet sich aber hauptsächlich durch seine Vernunft aus, die nicht an die Zeit gebunden ist. Je mehr diese von allem Vergänglichen gelöst ist, desto mehr erreicht sie auch ihre eigene Bestimmung.[420] So setzt Cusanus auch hier seine Definition, daß der Mensch seine eigene Vernunft sei. Die endliche Vernunft ist aber auf ihr unendliches Ziel unmittelbar bezogen und erreicht nur hier ihre Wahrheit, nicht in einer „natürlichen Glückseligkeit".

---

[417] *Veritas humanae naturae* meint die vereinigte Gesamtheit all dessen, was wesensgemäß zu einer menschlichen Natur gehört, also vor allem die Vereinigung von Körper und Seele. In dieser Bedeutung kommt der Ausdruck schon bei Anselm und im 12. Jahrhundert vor (s. Heinzmann, Richard: Veritas humanae naturae. Ein Beitrag zur Anthropologie Anselms, in: Wahrheit und Verkündigung. FS M. Schmaus, hrsg. v. Scheffczyk, Leo u. a., München/Paderborn/Wien 1967, 779-798), ähnlich auch bei Thomas (etwa Scg IV 45; STh I 119, 1 c.; III 15, 1 c.).

[418] *De docta ignorantia* III 7, h I, 141 Z.3-5.

[419] Ebd., h I, 142 Z.11f.; s. auch ebd., h I, 142 Z.9f. Diese *veritas* wird auch entscheidend für die Auferstehung der Toten überhaupt, s. *De docta ignorantia* III 12, h I, 158 Z.29 - 159 Z.4.

[420] Vgl. ebd. III 7, h I, 141 Z.25 - 142 Z.1.

Die Auferstehung Jesu wird jedoch nicht nur von der hypostatischen Union gefordert, sondern ergibt sich auch zwangsläufig, wie aus folgender Äußerung zu entnehmen ist:

„Et quoniam ipsa humanitas sursum fuit in incorruptibilitate divina radicata inseparabiliter, tunc completo motu temporali corruptibili non potuit resolutio fieri nisi versus radicem incorruptibilitatis."[421]

Selbst wenn sich im Tod Jesu Leib und Seele voneinander trennen und dabei nicht von ihrem Träger abgelöst sind, können sie doch nicht in diesem Zustand verbleiben. Gerade wenn diese Trennung, der Tribut an die Zeitlichkeit der Geburt, vollzogen ist, ist diese Endlichkeit überwunden, und es bleibt allein die menschliche Natur in ihrer Zeitlosigkeit. Erst hier gelangt sie auch zu ihrer Wahrheit und Vollständigkeit. Nach dem Tod und der Auferstehung ist damit auch die hypostatische Union vollständig und in jeder Hinsicht maximal. Die Fülle der Menschwerdung Christi ist also erst nach dem Tod erreicht. Dann ist nach Cusanus die *veritas hypostaticae unionis* gefunden.

Mit dieser Argumentation hat Cusanus einen sehr eigenwilligen Weg eingeschlagen, wobei nicht so sehr darauf zu achten ist, daß er etwa im Gedanken, die menschliche Natur Jesu bestehe auch über den Tod hinaus, die Hauptströmung scholastischer Theologie verläßt und sich in gefährliche Nähe zu einer bloß habituellen Auffassung der Einung der beiden Naturen in Jesus Christus begibt[422]. Vielmehr muß man sein Augenmerk darauf richten, wie Cusanus die Notwendigkeit von Tod und Auferstehung, die im Lukasevangelium behauptet wird, als eine innere Notwendigkeit zu denken versucht.[423] So stellt er aber auch an dieser Stelle das freie, ungeschuldete Gnadenhafte des Todes Jesu zurück. Als Kontrast sollen deshalb kurz einige wesentliche Punkte der Thomasischen Position angeführt werden.

Für Thomas fällt der Tod Jesu unter die *defectus corporis*. Es war angemessen, daß Christus diesen Mängeln unterworfen war, so konnte er Genugtuung leisten. Er legte damit Zeugnis davon ab, daß er, anders als etwa die Manichäer dachten, einen wahren menschlichen

[421] Ebd., h I, 142 Z.1-4.

[422] S. hierzu Haubst 1956, 286-295.

[423] S. Lk 24,46, zitiert in *De docta ignorantia* III 7, h I, 142 Z.14: „Oportebat Christum sic pati et tertia die resurgere a mortuis." Dahm sieht die philosophisch behauptete Notwendigkeit des Todes Jesu als von Cusanus selbst wieder auf eine Konvenienz zurückgenommen (s. ders. 1997, 139f.), übergeht allerdings die Argumente mittels der *veritas humanae naturae* und der *veritas hypostaticae unionis*.

Leib hatte. Außerdem gab er ein Beispiel für die Geduld.[424] Diese
Folgen der Menschwerdung zog er sich allerdings nicht notwendig zu.
Vielmehr beschränkte er selbst die Seligkeit in sich auf die Seele und
die höheren Seelenkräfte und hielt sie davor zurück, auch seinen Leib
zu überströmen. Wenn Jesus qua Mensch leiden sollte, so ist dies keine schlechthinige Notwendigkeit, auch nicht bezüglich des Todes:

„[...] secundum naturalem habitudinem quae est inter animam et corpus, ex
gloria animae redundat gloria ad corpus: sed haec naturalis habitudo in
Christo subiacebat voluntati divinitatis ipsius, ex qua factum est ut beatitudo
remaneret in anima et non derivaretur ad corpus [...]."[425]

Wenn Christus seine eigene Herrlichkeit in sich zurückhält und
leidet, so tut er dies aus völlig freien Stücken[426], allein um der Erlösung der Menschen willen[427]. Die *gloria immortalitatis* kommt ihm
schon im ersten Augenblick seines Lebens zu, ohne daß er dazu erst
durch den Tod hätte gehen müssen.[428] Wenn er die *gloria corporis* dennoch Verdiensten verdankt, so auch nur, weil er es so wollte.[429] Sein
Tod ist demnach als völlig freie Tat zu verstehen und allein Resultat
einer Unterscheidung des Willens in sich, nämlich des natürlichen
Willens, der die Lebenserhaltung verlangt, vom Gehorsam gegenüber
dem Vater in der Selbsthingabe.[430] Auch diese Tat ist nochmals Ausdruck seiner reinen Liebe. Schon mit der Geburt und den Verdiensten, die aus der Gnadenfülle der Geburt entspringen, hat Christus
die Sünde des ersten Adam überreich vergolten. Wenn er sich jedoch
verwundbar macht und den Menschen bis ins Leiden folgt, so wegen
einiger *impedimenta* auf der Seite der Menschen.[431] Nur weil er das
Erlösungswerk nicht an den Menschen vorbei vollbringen wollte, geht
er ihnen bis in ihre Niederungen nach. Wenn Thomas so gerade an
den zentralen Lehrstücken über Leiden und Tod Christi immer wieder den göttlichen Willen und so auch das Zeugnis der Schrift als
Leitfaden benutzen muß, so will er damit doch gerade dessen Ratio-

---

[424] S. STh III 14, 1 c.; ähnliche drei Argumente bringt Thomas für die Angemessenheit
des Todes vor (s. ebd. 50, 1 c.).
[425] Ebd. q.14, a.1 ad 2.
[426] S. ebd. q.14, a3 c.; vgl. auch ebd. q.14, a.2.
[427] S. ebd. q.14, a.3 ad 1; vgl. ebd. q.46, a.1 und a.2.
[428] S. ebd. q.34, a.3 ad 3.
[429] S. ebd. q.19, a.3 ad 3.
[430] S. ebd. q.47, a.2 ad 2; vgl. ebd. q.48, a.4 c.
[431] S. ebd. q.48, a.1 ad 2: „[...] Christus a principio suae conceptionis meruit nobis
salutem aeternam: sed ex parte nostra erant impedimenta quaedam, quibus impe-
diebamur consequi effectum praecedentium meritorum. Unde, ad removendum
illa impedimenta, oportuit Christum pati [...]."

nalität in den vielfältigen Konvenienzgründen faßbar machen. Dabei wird die göttliche Güte, die in der Liebe Jesu bis zum Kreuzestod anschaulich wird, eben dadurch in ihrer Ungeschuldetheit rein gedacht, daß alle natürlichen Zwänge von Jesus ferngehalten werden und jeder rein vernünftige Versuch, das Geheimnis der Erlösung auszuleuchten, abgeschnitten wird, etwa Anselms Satisfaktionstheorie. Gott hätte weder auf diese Weise noch überhaupt das gefallene Menschengeschlecht erlösen müssen. Wenn Cusanus dagegen auf dem stets selben Fundament bis zur Auferstehung Jesu vordringt, so nähert sich die endliche Vernunft zwar immer weiter ihrer Vollendung, doch die völlig freie Güte Gottes bestimmt dabei nicht ihren Weg und ihr Denken.

Auch das Erlösungswirken Jesu an den Menschen geschieht bei Thomas nicht allein über seine menschliche Natur. Seine Menschheit ist zwar *instrumentum divinitatis*, doch Thomas hält für die Übertragung der Gnade fest:

„Sed gratia non derivatur a Christo in nos mediante natura humana, sed per solam personalem actionem ipsius Christi."[432]

Dies geschieht vor allem durch das Leiden Christi.[433] Anteil an Christus erhalten die Menschen durch das Gnadengeschenk des Glaubens und die Sakramente, das heißt über eine geistige Berührung mit Christus.[434] Auch die Auferstehung der Toten geschieht nicht aufgrund der mit Jesus gemeinsamen Menschennatur, sondern aufgrund der göttlichen Kraft und des göttlichen Willens, letztlich also aufgrund der freien Verfügung Gottes, die Auferstehung der Menschen an die Christi zu knüpfen.[435] Die göttliche Kraft kann sich auf alle Orte und Zeiten erstrecken und verbindet die Seelen der Verstorbenen mit ihren im Tod bis zu den Elementen aufgelösten Körpern.[436] Die menschliche Natur kann diese Verbindung nicht schaffen. Sie wird bei Thomas ja auch im Tod zerstört, der Körper löst sich bis in die Elemente auf. Demgegenüber sieht Cusanus in der

---

[432] Ebd. q.8, a.5 ad 1; Thomas wendet sich hier dagegen, die Übertragung der Erbsünde über eine geschädigte Natur seit Adam mit der Übertragung der Gnade Christi auf „natürliche" Weise zu parallelisieren. Die Pointe ist dabei, daß die Menschen dadurch gerade noch tiefer mit Christus verbunden sein können, da die *gratia personalis* und die *gratia capitis*, in der die Menschen Anteil an Christus erhalten, nicht unterschieden werden müssen.

[433] S. ebd. q.48, a.1 c. und a.6 c.

[434] S. ebd. q.48, a.6 ad 2.

[435] S. ebd. q.56, a.1.

[436] S. ebd. q.56, a.1 ad 3.

menschlichen Natur einen unmittelbaren Bezug der Auferstehung Christi zu der der Menschen gegeben, der auch allgemein einsichtig gemacht werden kann.

2. Die Auferstehung der Toten (De docta ignorantia III 8)

Der Tod und die Auferstehung Christi waren schon in Kapitel III 7 in ihrer Notwendigkeit erschlossen worden. Kapitel III 8 zieht daraus nur noch die Konsequenz, daß Jesus somit auch allen Toten die Auferstehung erwirkt hat:

„Ostensis hiis facile est videre Christum primogenitum ex mortuis esse. Nemo enim ante ipsum resurgere potuit, quando humana natura nondum in tempore ad maximum perveniens incorruptibilitati et immortalitati, uti in Christo, unita fuit."[437]

Für Cusanus ist nun offensichtlich, daß alle Menschen, ob gute oder böse, mit ihrer menschlichen Natur auch die Unsterblichkeit besitzen, denn diese Natur ist nicht von der des maximalen Menschen verschieden. Seit ihm gilt:

„Induit igitur in Christo humana natura immortalitatem [...]."[438]

Cusanus entwirft also eine Konzeption, nach der die menschliche Natur durch die Auferstehung Jesu verändert wurde und nun unsterblich ist. Dabei setzt er allerdings, wie schon erwähnt, voraus, daß nicht nur der tote Jesus wahrhaft als Mensch zu bezeichnen ist, sondern daß auch jeder andere Mensch im Tod nicht aufhört, Mensch zu sein. Ob dies konsistent gedacht werden kann, sei hier dahingestellt.[439] Für Cusanus ist dies allerdings so einleuchtend[440], daß er sich über die Lehren der Muslime und Juden nicht nur wundert, sondern dahinter die reine Bosheit am Werk sieht. Wenn bei beiden zwar eine allgemeine Auferstehung behauptet wird, das Dogma von der Menschwer-

---

[437] *De docta ignorantia* III 8, h I, 142 Z.17-20.

[438] Ebd., h I, 142 Z.22f.; dies betont Cusanus mehrmals, vgl. ebd., h I, 143 Z.3f. und 23f.

[439] Zur Problematik der Weiterexistenz der menschlichen Natur Christi im Tod s. Haubst 1956, 276-295. Daß aber darüber hinaus auch noch gezeigt werden müßte, daß jeder Mensch als Toter seine menschliche Natur nicht verliert, damit die Cusanische Argumentation schlüssig wird, bleibt als weiteres Problem.

[440] S. *De docta ignorantia* III 8, h I, 143 Z.30 - 144 Z.2: „Vides, ni fallor, nullam perfectam religionem homines ad ultimum desideratissimum pacis finem ducentem esse, quae Christum non amplectitur mediatorem et salvatorem, Deum et hominem, viam, vitam et veritatem."

dung Gottes aber abgelehnt wird, so kann dieser offensichtliche Widerspruch nicht mehr an einem Mangel an Einsichtskraft liegen. Er muß vielmehr auf das Wirken des Teufels selbst zurückgehen. Der Glaube an die Menschwerdung Gottes ergibt sich geradezu analytisch aus der Lehre einer Auferstehung der Menschen.[441] An diesem Punkt läßt sich Cusanus nicht auf eine Argumentation mittels der Allmacht Gottes ein. Sein Gedanke trennt sich damit sowohl von der Lehre der Spät- als auch der Hochscholastik.

Mit der Auferstehung läßt Christus für Cusanus nicht nur jegliche Zeitlichkeit hinter sich, sondern auch alle Räumlichkeit. Beide waren der suchenden Vernunft nicht zugänglich gewesen. Nun hat sich Christus selbst davon befreit. Wenn sich Christus bis zur *veritas unionis hypostaticae* fortbestimmt hat, ist er auch ins Himmelreich eingetreten, dem einzig angemessenen Ort der Wahrheit, weil von aller Veränderlichkeit oder gar Vergänglichkeit losgelöst.[442]

VIII. DAS GERICHT (*DE DOCTA IGNORANTIA* III 9 UND 10)

Mit den beiden Kapiteln III 9 und 10 beschließt Cusanus den inhaltlichen Gang durch das Glaubensbekenntnis. Das letzte Gericht führt die Menschen und die ganze Schöpfung an ihr Ziel. Wie in einem Feuer wird dabei alles geläutert, geprüft und so an seinen Ort gebracht. Allerdings ist auch hier erkennbar, wie Cusanus das Gerichtsgeschehen unter der Bestimmung der endlichen Vernunft sieht, ihr unendliches Ziel zu erreichen und im unendlichen Gegenstand der Erkenntnis die ewigen Freuden zu finden. So deutet er das Richteramt Jesu und das Gericht unter der Vorgabe einer suchenden Vernunft. Ihr wird nun angesichts des Gerichtes der Gegensatz eines Strebens, das sein Ziel erreicht, und eines Strebens, das sein Ziel verfehlt, vor Augen geführt. Daraus ergibt sich für die Vernunft eine Lehre, wie sie ihr Ziel finden kann, eine theologische Tugendlehre, die über das in Kapitel III 6 durch die *ratio* gewiesene „natürliche Gesetz" hinausgeht. Die schon oben genannte Bekehrung im Glauben wird breiter ausgeführt.

Zunächst ist aber auffällig, daß auch der Glaubenssatz vom Richteramt Christi primär als intellektuelles Geschehen gefaßt wird:

---

[441] S. ebd., h I, 145 Z.3-5 und v. a. Z.6-9: „Obcaecati itaque sunt omnes resurrectionem credentes et Christum medium possibilitatis ipsius defitentes, cum resurrectionis fides sit divinitatis et humanitatis Christi et ipsius mortis ac resurrectionis affirmatio […]." Vgl. die Argumentation in *De pace fidei* 13.

[442] S. *De docta ignorantia* III 8, h I, 145 Z.22-28; vgl. schon ebd. III 3, h I, 128 Z.3-6.

„Quis iudex iustior quam qui et ipsa iustitia? Christus enim, caput et principium omnis rationalis creaturae, est ipsa ratio maxima, a qua est omnis ratio.
Ratio autem est iudicium discretivum faciens."[443]

Jesus Christus kommt es zu, Haupt und Prinzip jeglichen Geschöpfes zu sein, weil alles in ihm geschaffen wurde, wie vor allem aus dem
Ende des Kapitels III 3 hervorgeht. Für das Gericht ist diese Bestimmung ebenfalls grundlegend. Er zeichnet sich nämlich so durch eine
besondere Nähe zu jedem Geschöpf aus, die ihm die richterliche
Kompetenz sichert.

„Iudicat autem supra omne tempus per se et in se omnia, quoniam complectitur omnes creaturas, cum sit maximus homo, in quo omnia, quia
Deus."[444]

Der menschgewordene Gottessohn ist Prinzip, Mittel und Ziel des
Universums, die *universalis contracta entitas singularum creaturarum*[445].
Diese Bestimmung kommt ihm nicht nur hinsichtlich der Schöpfertätigkeit zu, sondern auch hinsichtlich der Vollendung der Schöpfung,
wie sie noch von seiten des Geschaffenen, besonders der vernünftigen
Geschöpfe, aussteht. Die Vollendung ist aber schon in seiner
Menschwerdung eingetreten, vollständig dann, wenn er bis zur Reinheit dieser Bestimmung gekommen ist, also mit seiner Auferstehung
von den Toten. Dann hat der Menschensohn alle Zeitlichkeit hinter
sich gelassen, auch die, die sich in der bloßen Möglichkeit der Sterblichkeit verbirgt. Hat er sich so über die Zeit erhoben, kann er auch
das Gericht vollziehen, das heißt die ultimative Unterscheidung von
allem. Jeglichem wird im Gericht sein Ort zugewiesen. Hierzu bedarf
Jesus keiner neuen Ermächtigung mehr. Er hat sie, insofern er als
maximaler Mensch alle Geschöpfe in sich faßt. Wie ein Feuer alles
durchglüht, was es verbrennt, so ist alles in Jesus in dessen eigene
Reinheit aufgenommen, ohne daß jenem dabei die Prüfung auf
Reinheit erlassen würde.[446] Diese ist vielmehr dadurch, daß Jesus alles
in sich faßt, immer schon vollzogen, also über aller Zeit schon mit
seiner Menschwerdung.
Die Bestimmung Jesu als *maximum absolutum et contractum* und der
Aufweis der Menschwerdung in den ersten Kapiteln von *De docta igno-*

---

[443] Ebd. III 9, h I, 146 Z.3-5.
[444] Ebd. III 9, h I, 146 Z.8-10.
[445] Ebd. III 3, h I, 127 Z.15; vgl. ebd., h I, 126 Z.24-28.
[446] S. ebd. III 9, h I, 146 Z.17-19: „[Christus] est ignis ille spiritualis vitae et intellectus,
qui ut omnia consumens, intra se receptans, omnia probat et iudicat quasi iudicium
materialis ignis, cuncta examinans."

rantia III bleiben also auch für die Darlegung der Glaubensartikel nicht nur Verstehenshilfen, sondern die entscheidenden Grundlagen. Wenn Cusanus sie bei der Behandlung des Gerichtes wieder aufgreift, macht er damit deutlich, daß bei ihm Schöpfung, Menschwerdung und letztes Gericht als ein einziges Geschehen zu begreifen sind, in dem Gott selbst jene *unio absoluta*, die *unio unionum* wird. Einsehbar ist dies alles, sofern nur auf das Geschaffene und sein Verlangen nach dem Unendlichen geachtet wird. Die Vernunft bringt dieses Einsehen selbst an sein Ende, wenn sie sich auf die *conversio ad fidem* besinnt, in Kapitel III 9 bezogen auf die Läuterung im Gericht, also auf ein anderes hin, in Kapitel III 11 bezogen auf sich im Sinne einer Reflexion auf sich selbst.

Hinsichtlich des vernünftigen Geschöpfes gilt noch mehr, daß Jesus Christus als solchem schon das Richteramt zukommt. Er ist die *ratio maxima*. Der *ratio* ist aber das Unterscheiden eigentümlich, wie es beim Richten verlangt wird. Dabei kommt Christus das Richteramt schon in seinem Wesen zu, da er in der Weise als gerecht zu bezeichnen ist, daß er die göttliche Gerechtigkeit selbst bildet. Ihm steht es also „natürlicherweise" zu, wie der Blick auf die Schöpfung lehrt, das letzte Gericht zu vollstrecken.

Für Thomas ist festzuhalten, daß die richterliche Macht der Trinität gemeinsam ist.[447] Dennoch kann sie auch bei ihm Christus beigelegt werden, weil er die *sapientia genita* und die Wahrheit ist.[448] Dies steht ihm aber schon als ewig gezeugtem Sohn des Vaters zu, nicht erst angesichts seiner Menschheit. Vielmehr ist das Gerichtsgeschehen somit auch bei der Möglichkeit von Zuweisungen als trinitarisches zu begreifen. Der Vater richtet in seiner Autorität durch den Sohn, so wie er auch in ihm alles geschaffen hat. Wenn aber Thomas wie Cusanus die enge Beziehung von Christus als göttliche Weisheit und Schöpferkunst mit seinem Richteramt in Verbindung bringt, so ist zweierlei besonders zu erwähnen. Erstens handelt es sich nur um eine Zuweisung, die nach Thomas von seiten der geschaffenen Vernunft keine derart eindeutige Entscheidung erlaubt, wie Cusanus sie trifft. Zweitens ist diese Verbindung bei Cusanus allein erst mit Blick auf den inkarnierten Gottessohn und dessen maximale Menschennatur möglich, wobei hier die göttliche Natur Jesu immer schon mit einbezogen ist. Für Thomas gilt aber auch an dieser Stelle, daß Jesus als Mensch über die Richtergewalt nicht schon aufgrund der Tatsache verfügt, daß er göttliche und menschliche Natur vereint, sondern erst

---

[447] S. STh III 59, 1 ad 1.
[448] S. ebd. q.59, a.1 c.

wegen der *gratia capitis*. Ebenso lassen die von Thomas genannten Konvenienzgründe für ein Richteramt Jesu immer erkennen, daß die hauptsächliche richterliche Gewalt allein Gott gebührt.[449] Dies ist auch nicht weiter verwunderlich, da das letzte Gericht die Lenkung der Schöpfung vollendet, die als solche zunächst auch ohne Bezug zur Menschwerdung zu denken ist. Erst der göttliche Wille hat dann entschieden, die Leitung der Welt in dieser Weise zu konkretisieren. Für Cusanus vollendet das Gericht als Konkretion der schöpferischen Bestimmung des Gottessohnes die Schöpfung in einem unmittelbaren Bezug, von bloßen Zuweisungen sieht er dabei ab. Dies wird offensichtlich, wenn man darauf achtet, wie das Gericht nach Cusanus zu denken ist.

Cusanus vergleicht das Gericht mit einem Feuer. Wie ein Feuer durchdringt es alles und verwandelt das ihm Gleichartige beziehungsweise Ähnliche, also das Brennbare, selbst in Feuer. Alles wird erhitzt und glüht, doch nur manchem, das dafür aufnahmebereit ist, wird auch göttliches Licht, also Gottes Nähe im Sinne von Erfüllung dazugegeben. Dieser Unterschied, in dem das Gericht seine Konkretion findet und Himmel und Hölle unterschieden werden, geht auf die Beschaffenheit dessen zurück, das im Feuer des Gerichtes in Flammen aufgeht. Wenn manche nicht erleuchtet werden können, so scheint dies allein an ihrer persönlichen *indispositio* zu liegen, nicht am göttlichen Willen.[450] Graduelle Unterschiede, mit denen das Universum schon geschaffen worden war, bleiben dabei ebenfalls gewahrt. So wird letztgültig vollendet, daß Gott alles in allem ist:

„[...] ut sit Deus omnia in omnibus et omnia per ipsum mediatorem in Deo, et aequales ipsi, quanto hoc secundum capacitatem cuiusque possibilius fuerit."[451]

Diese letzte Erfüllung des *quodlibet in quolibet,* wie sie Jesus ist, wird aber nur dadurch möglich, daß Gott selbst einen Mangel an Licht im

---

[449] Die drei ebd. q.59, a.2 c. genannten Konvenienzgründe für das Richteramt Christi auch bezüglich der menschlichen Natur erlauben keinen Rückschluß vom Geschaffenen her auf eine Konkretion des göttlichen Richteramtes. Vielmehr ist in allen drei stets der Ratschluß Gottes maßgeblich. Thomas nennt als Gründe das Handeln Gottes durch Zweitursachen und Mittler, die Parallelisierung der Auferweckung der Leiber durch Christus mit der der Seelen und die Unterscheidung der Guten von den Bösen in diejenigen, die die menschliche und göttliche bzw. nur die menschliche Natur Christi zu sehen bekommen,

[450] S. *De docta ignorantia* III 9, h I, 147 Z.21. Es müßte gefragt werden, ob nicht durch Gottes Willen und sein Gnadenwirken die Grundlage für die Erlösung und die Teilhabe am göttlichen Licht geschaffen wird. Dies beleuchtet Cusanus nicht.

[451] Ebd. , h I, 147 Z.17-19.

Geschaffenen aufwiegt und auffüllt. Hier trifft man auf eine der wenigen Stellen in *De docta ignorantia,* wo Cusanus, wenn auch nicht dem Wortlaut nach, auf die Gnade zu sprechen kommt. Christus als Richter gießt nämlich auch ein göttliches intellektuelles Licht ein.[452] Damit erfüllt er alles, soweit dieses selbst für ihn aufnahmebereit ist. Gerade hierfür ist dann aber entscheidend, inwieweit das geistige Geschöpf, das allein gemeint sein kann, wenn von einer Eingießung eines *lumen intellectuale divinum* die Rede ist, dafür auch aufnahmefähig ist. Hier hat der Glaube seinen entscheidenden Ort.

Wie die vegetative Kraft es vermag, Nahrung aufzunehmen und körperliche Nahrung dem Körper selbst anzuverwandeln, so kann die geistige Kraft geistige Nahrung zu sich nehmen. Dabei wird nun aber weder die Nahrung in die Vernunft verwandelt noch umgekehrt die Vernunft in Speise. Vielmehr bleiben beide für sich, allerdings entsteht eine je größere Ähnlichkeit. So wird die endliche Vernunft immer mehr durch ihre ewige Speise vervollkommnet und in ihrem Sein in Gott aufgenommen.[453] Ewige geistige Nahrung aufzunehmen heißt, sich zu Jesus Christus zu bekehren, der die Wahrheit und das Leben ist. Er ist die göttliche Wahrheit, die unendliche Vernunft.

„Conversio vero spiritus nostri est, quando secundum omnes suas potentias intellectuales ad ipsam talem veritatem se convertit per fidem, cui omnia postponit, et ipsam talem veritatem solam amandam eligit atque amat."[454]

Das bedeutet nach Cusanus, diese Welt zu verlassen und sich nur noch Christus zuzuwenden. Auf diese Weise wird man ihm ähnlicher, und man findet den einzelnen in sich selbst, wenn er alles im Sinne des Gerichtes in sich zusammenfaßt und durchleuchtet. Die endliche Vernunft ist ebenso, wie sie als rein geschaffene noch nicht an ihrem Ziel ist, auch als nur suchende noch nicht in ihre eigene Wahrheit gelangt. Dies ist sie erst in Jesus Christus. Der Gottmensch ist nichts anderes als die endliche Vernunft, wie sie an ihr Ziel gekommen ist, der mit Gott vereinte *intellectus finitus.* Eine individuierte endliche Vernunft muß also werden wie er, um an ihr Ziel zu kommen, nämlich die Nähe Gottes auch für sich zu realisieren. Diesem Streben

---

[452] S. ebd., h I, 147 Z.16f.: „[...] ut recepto calore lumen intellectuale divinum desuper infundat [...]."
[453] S. ebd., h I, 148 Z.2-7 über den *spiritus intellectualis,* d. h. die endliche Vernunft: „Sed nec ipse, cum sit incorruptibilis, ita se in ipsa convertit, ut desinat esse intellectualis substantia; sed convertitur in ipsa, ut absorbeatur in similitudinem aeternorum, secundum gradus tamen, ut magis ad ipsa et ferventius conversus magis et profundius ab aeternis perficiatur et absorbeatur eius esse in ipso aeterno esse."
[454] Ebd., h I, 148 Z.18-21.

dienen die theologischen Tugenden, von denen Cusanus hier Glaube und Liebe nennt. Sie sind göttliche Erleuchtungen, *divinae illumina-tiones*[455], mit denen Jesus selbst aufgenommen wird. Cusanus identifiziert Jesus mit der Liebe, später auch mit dem Glauben und macht so leicht ersichtlich, daß die *conversio per fidem* je schon von Jesus vollzogen ist. Wer sie erneut nachvollzieht, nimmt eben in diesem Nachvollzug Jesus auf, der Geist Christi ist in ihm, wie sich Cusanus ausdrückt.[456] Wer also im Glauben nur noch Christus kennt, wird auch durch das Licht der Herrlichkeit verwandelt werden.[457] Wer demgegenüber nicht an Christus glaubt, hat sich damit schon selbst gerichtet und sich von seiner Erfüllung ausgeschlossen, da die Erfüllung der Vernunft eben die Vereinigung mit Gott ist, wie sie in Jesus Wirklichkeit geworden ist und wie sie jeder in sich selbst finden kann, sofern er ihre Wirklichkeit glaubt. Damit zeigt sich, daß alles Denken erst auf diesem Fundament aufbaut und immer schon steht, insofern überhaupt etwas ist oder gedacht wird. Selbst in der suchenden Bewegung der endlichen Vernunft ist Jesus Christus immer schon gegenwärtig. Dieses implizite Wissen zur gewußten Voraussetzung zu machen bedeutet, an Christus zu glauben. Der endlichen Vernunft wird das Ziel gegeben, die Wahrheit selbst, wie sie in Christus nicht mehr allein unendlich, sondern auch endlich geworden ist und sich in den Grenzen der vernünftigen Natur selbst gezeigt hat. Dabei ist die Konversion zum christlichen Glauben gerade der Abschluß der suchenden Bewegung der endlichen Vernunft. Je mehr diese sich auf sich besinnt und die Unvollkommenheit des geschaffenen Universums durchschaut, desto weiter dringt sie in das Glaubenswissen ein. Sie erkennt sich und ihre eigene Wirklichkeit aber erst dann, wenn sie alles von Jesus Christus ausgehen und in ihm vereint sieht. Dies vermag sie, wenn sie seine Wirklichkeit als Grund aller endlichen Wirklichkeit annimmt, das heißt an ihn glaubt. Diese inkarnierte Wahrheit erreicht ein Mensch dann ganz, wenn das Vergängliche, wie es sich ihm zuerst im eigenen Körper aufdrängt, abgelegt ist, also mit dem Tod. Dann tritt die *transformatio luminis gloriae* ein, die einen reinen Geist, der nur die ewige Wahrheit gekannt hat, zur ewigen Freude führt.

Himmel und Hölle denkt Cusanus primär als ein intellektuelles Geschehen. Die Hölle ist die Trennung von der Wahrheit, gekennzeich-

---

[455] Ebd., h I, 148 Z.14.
[456] S. ebd., h I, 148 Z.28 - 149 Z.2.
[457] S. ebd., h I, 149 Z.3f.; dies ist eine der wenigen Stellen in *De docta ignorantia*, an denen vom *lumen gloriae* gesprochen wird (vgl. auch *De docta ignorantia* III 12, h I, 162 Z.27f.), das *lumen gratiae* taucht dagegen nicht auf.

net durch *incertitudo* und *confusio,* ein Chaos bloßer Möglichkeit.[458] Man leidet in ihr, weil das geistige Leben unerfüllt bleibt, da nichts Sicheres gefunden wird. Im Gegensatz dazu ist der Himmel der Genuß des höchsten geistigen Objektes[459], der unverhüllten Wahrheit selbst. An dieser Stelle kommt nochmals zum Tragen, daß der Mensch für Cusanus im eigentlichen Sinne seine eigene Vernunft ist. In ihr ist sein ganzes Sein zusammengefaßt. So ergibt sich ohne weiteres Eingreifen Gottes mit der Auferstehung Christi auch die Erlösung der Gläubigen zur Herrlichkeit, denn in ihnen ist schon Christus im Glauben aufgenommen.[460] Wird nun alles im Gerichtsfeuer geläutert und die Vernunft aus dem Gefängnis der Körperlichkeit befreit, so daß der Körper in den Geist überführt wird[461], kommt endgültig die Bestimmung des Menschen als *intellectus* zu ihrer vollen Wahrheit:

„[...] ita quod corruptibile in incorruptibile, animale in spirituale resolvitur, ut totus homo sit suus intellectus, qui est spiritus, et corpus verum sit in spiritu absorptum [...].“[462]

Mit dem Endgericht und dem Richterspruch Jesu wird die Vollendung des Universums in der Menschwerdung an ihr Ende gebracht. Alles Vergängliche wird in Unvergängliches verwandelt, sei es in ewigen Schmerz oder in ewige Freude. Wenn Christus das Gericht vollzieht, verwandelt er alles in sich, wie Cusanus mittels der Feuermetapher lehrt. Kommt er aber so dazu, alles in allem zu sein, so wird auch der Mensch, der seiner Bestimmung folgte, zu dieser geführt. Er wird ganz Vernunft, selbst die Körperlichkeit wird geistig.[463] Die suchende Vernunft wird von allem Vergänglichen befreit und mit der Wahrheit vereint. Diese Vereinigung geschieht dadurch, daß die Menschwerdung Gottes in der endlichen Vernunft realisiert wird. Mit dem Glauben wird die Wahrheit, wie sie mit der endlichen Vernunft vereint ist,

---

458 S. ebd. III 10, h I, 150 Z.11-13.
459 S. ebd., h I, 150 Z.1.
460 S. *De docta ignorantia* III 12, h I, 158 Z.24-29.
461 S. ebd. III 10, h I, 151 Z.1-4: „[...] translatum in spiritum, [...] ibi vero corpus est ita in spiritu, sicut hic spiritus in corpore [...].“
462 Ebd., h I, 150 Z.26-28. Entsprechend bekommen die Aussagen über das Höllenfeuer, die auf eine Körperlichkeit des Menschen gehen, sekundäres Gewicht gegenüber den intellektuellen Schmerzen (s. ebd., h I, 151 Z.18-21).
463 Wenn Cusanus vom *corpus glorificatum* (ebd., h I, 151 Z.7) spricht, so darf man nicht übersehen, daß er bei den Erlösten kein Überfließen der Herrlichkeit der Seele auf ihren Körper im Auge hat, sondern daß gerade der Körper in den Geist übergeht und von ihm aufgesogen wird. Auch hier vermeidet Cusanus den Gedanken der Vervollkommnung einer natürlichen Grundlage durch die Gnade. Vielmehr wird das Niedere in das Höhere hineingezogen.

nämlich Jesus, aufgenommen. Das Gericht, in dem Jesus alles wie ein Feuer durchdringt und an sich mißt, vervollständigt dies, denn er befreit von allem Irdischen und Vergänglichen. So ist nur noch er als Leben gegenwärtig. Wer ihn ergriffen und die Bekehrung des Glaubens vollzogen hat, wird im Gericht auch in ihn verwandelt. So vollzieht sich die *glorificatio in translatione filiorum Dei*[464]. Aus diesen Söhnen und Töchtern Gottes besteht die triumphierende Kirche. Sie sind ein einziger Christus.[465]

D. Der Glaube (*De docta ignorantia* III 11 und 12)

I. VORBEMERKUNGEN ZU *DE DOCTA IGNORANTIA* III 11 UND 12

1. Die Anordnung der beiden Kapitel III 11 und 12

Bevor im folgenden die für den Glaubensbegriff zentralen Kapitel III 11 und 12 interpretiert werden, sollen die bisherigen Ergebnisse zusammengefaßt werden. Zunächst seien aber einige Vorbemerkungen zur Anordnung dieser Kapitel gemacht.

Cusanus scheint entgegen der heutigen Anordnung der beiden Kapitel gewünscht zu haben, sie in vertauschter Reihenfolge zu lesen. Dies geht aus einer Marginalie hervor.[466] Der Grund für diese Verfügung Cusanus' dürfte darin liegen, daß Kapitel III 12 *De ecclesia* deutlicher mit dem Vorhergehenden zusammenzuhängen scheint. Hier wird die Kirche explizit behandelt und es werden nochmals wichtige Aussagen zum Heiligen Geist gemacht. Beides steht im letzten Teil des Glaubensbekenntnisses, auch wenn Cusanus dessen eigentliches Ende, die Auferstehung der Toten und das ewige Leben, schon in den vorausgehenden Kapiteln geschildert hat. So mag man an eine Umstellung denken.[467] Dennoch deuten innere und äußere Gründe darauf hin, für eine angemessene Interpretation die Reihenfolge der Akademieausgabe zugrunde zu legen.

---

[464] *De docta ignorantia* III 10, h I, 149 Z.19.
[465] S. ebd. III 12, h I, 159 Z.2-4.
[466] Vgl. Senger 1977, 86 u. 141. Allerdings wird das zwölfte Kapitel auch dann in den Handschriften nicht vorgerückt, wenn es als vorletztes gezählt wird (vgl. ebd., 141).
[467] Vgl. ebd., 141.

Zunächst ist zu sagen, daß Kapitel III 11 ohne die Schlußformel bleibt, die sich jeweils am Ende der Bücher *De docta ignorantia* I und II findet und auch die Kapitel III 10 und III 12 abschließt. Zweitens ist vom Inhalt her klar, daß Kapitel III 12 als Ende des gesamten Werkes konzipiert ist. In ihm erfährt die große Vereinigung der beiden ersten Bücher, wie sie im *maximum absolutum et contractum* entworfen wird, ihre Vollendung. Dies leistet die Ekklesiologie und Pneumatologie, die in der *unio unionum* ihre Spitze findet. Damit wird mit dem Heiligen Geist Gott vollständig bestimmt. Außerdem ist die bisherige Reihenfolge auch deshalb sinnvoll, weil Kapitel III 12 als Weiterführung von III 11 interpretiert werden kann. Die *unio unionum* ist das Wirken des Geistes, der so die Vereinigung mit Jesus, wie sie der Glaube schafft und wie sie im Kapitel III 11 Gegenstand der Betrachtung ist, abschließt. Vorliegende Arbeit hält sich aus diesen Gründen an die Reihenfolge der Akademieausgabe.

In bezug auf das ganze Werk ist anzumerken, daß die beiden letzten Kapitel des dritten Buches sich doch von diesem absetzen. Zunächst scheint nämlich des Werk mit Kapitel III 10 abgeschlossen. Mit dem Endgericht ist das letzte Thema, sozusagen die Eschatologie selbst, behandelt. Sowohl der Glaube als auch der Heilige Geist und die Kirche waren schon Thema und scheinen nicht weiter ausgeführt werden zu müssen.[468] Deshalb steht am Ende von Kapitel III 10 die Segensbitte und sogar ein abschließendes Amen, das am Ende der anderen beiden Bücher fehlt.[469] Kapitel III 11 und 12 scheinen also einen besonderen Eigenstatus zu haben, der sie von der inhaltlichen Entwicklung des Glaubensbekenntnisses abhebt. Allerdings sollte man darin keinen Bruch vermuten, denn schon Behandeltes wird wieder aufgegriffen. Im Mittelpunkt des elften Kapitels steht der Glaube. Da aber das Glaubensbekenntnis mit dem Wort *credo* einsetzt, stellt Cusanus auch dieses erste Glied des Bekenntnisses in seinem Werk *De docta ignorantia* dar, allerdings nicht am Anfang, sondern am Ende. Welcher systematische Gesichtspunkt leitet ihn dabei?

Zunächst muß daran erinnert werden, daß das gesamte Werk *De docta ignorantia* nicht direkt mit der Entfaltung des Glaubensbekenntnisses einsetzt, sondern drei methodische Kapitel vorangestellt werden. In ihnen werden außer einem Überblick über das Werk (Kapitel I 2) die Grundzüge der *docta ignorantia* als Erkenntnisweise dargelegt.

---

[468] Cusanus nimmt sich zwar in *De docta ignorantia* III 9, h I, 149 Z.6-8 vor, noch einiges zur Kirche nachzuschicken, doch hat er ihren Wurzelgrund, die Teilhabe am Glorienlicht durch Christus, schon genannt (s. ebd., h I, 149 Z.3-6).

[469] S. ebd. III 10, h I, 151 Z.22f.

Die absolute Wahrheit ist in vollkommener Genauigkeit für uns unerreichbar und nur insoweit erkennbar, als die endliche Vernunft ihr Unvermögen vor dem Unendlichen eingesteht und damit auch einsieht:

„[...] et quanto in hac ignorantia profundius docti fuerimus, tanto magis ipsam accedimus veritatem."[470]

Die Einsicht in die Unwissenheit verbleibt jedoch nicht jenseits der Wahrheit, sondern nähert sich ihr immer weiter. Diese Annäherung ist aber allein im Raum der Wahrheit möglich. Die bisherige Analyse hat gezeigt, wie nicht nur die Lehre vom Universum, sondern auch von Gott selbst, insbesondere von seiner Trinität, mithin also einem der für Cusanus zentralsten Inhalte, an der Einsicht in die Menschwerdung hängt. Die Schöpfung in ihrer Ausprägung wie auch überhaupt ihre Möglichkeit läßt sich nur vom maximalen Menschen sinnvoll denken. Erst mit ihm ist ein Endliches gegeben, dessen Wesenheit nicht mehr im Mehr-oder-Weniger gefangen bleibt und sich der Kenntnis der endlichen Vernunft entzieht. Ist sein Begriff vollständig entfaltet und bis zur *veritas unionis hypostaticae* fortbestimmt, hat sich im Werk auch eine neue Sicht auf den Anfang desselben aufgetan. Er ging gerade von der Unerkennbarkeit der Wahrheit und der Wesenheiten der Dinge aus. Nun ist ein Individuum vollständig erkennbar geworden, wenn auch in belehrter Unwissenheit, da sich das Maximum als solches entzieht.[471] Auf diesem Fundament hat sich aber das ganze Werk von dessen Anfang her bewegt, da immer doch eines mit einem anderen verglichen worden ist. Schon von dieser Anlage her muß dem Prolog zum dritten Buch beigepflichtet werden, wenn er Jesus als Weg zu diesem selbst anruft:

„[...] ipsum invocantes, ut sit via ad ipsum, qui est veritas [...]."[472]

Dies hat sich inhaltlich bestätigt. Auch für die Methode müßte sich nach dem Durchgang durch das Werk erweisen, daß die bisherige Erkenntnisregel, die *regula doctae ignorantiae*, auf Jesus selbst aufbaut. Genau dies will Cusanus aber zeigen, wenn er in *De docta ignorantia* III 11 und 12 die endliche Vernunft erneut zum Thema macht, nun allerdings unter einem höheren Gesichtspunkt, nämlich in ihrem Verhältnis zu Jesus. Es ist dieselbe Vernunft, die sich in *De docta ignorantia*

---

[470] Ebd. I 3, h I, 9 Z.26-28.
[471] S. ebd. I 3, h I, 9 Z.24-26 und ebd. III 1, h I, 123 Z.1-3.
[472] Ebd. III prol., h I, 117 Z.6f. (Hervorhebung im Text).

I 1 und 3 auf ihre Methode besinnt und die in *De docta ignorantia* III 11 als Glaube entfaltet wird. Mit den letzten beiden Kapiteln von *De docta ignorantia* greift Cusanus also diese ersten beiden auf und vertieft sie im Blick auf die inhaltliche Entwicklung des Mittelteiles seines Werkes. Die Besinnung auf den Glauben ist diese im wörtlichen Sinn verstandene Reflexion, Rückbeugung auf die Methode und das Wesen der belehrten Unwissenheit. Im Grunde genommen ist die belehrte Unwissenheit Glaube. An diesem letzten Punkt des Werkes wird also offenbar, daß das „philosophische" Denken von Cusanus nicht von seinem „theologischen" getrennt werden kann. Überhaupt muß in Frage gestellt werden, ob solche Kategorien und Abgrenzungen sinnvoll angewendet werden können, um sein Denken zu kennzeichnen. Der Glaube ist die Reflexion der Vernunft in deren Grund, wie der inhaltliche Durchgang von *De docta ignorantia* ergeben hat. Er ist also nichts anderes als die Hinwendung der endlichen Vernunft zu Jesus. Und ist nicht auch das voranschreitende Suchen der endlichen Vernunft nach Erkenntnis, wie es das Werk selbst vollzieht, gerade die Entfaltung des Glaubens, die *explicatio fidei*[473], als die Cusanus das Wesen des *intellectus* bestimmt?

2. Zusammenfassung von De docta ignorantia *I - III 10 hinsichtlich des Glaubens*

Vor der Interpretation der beiden letzten Kapitel soll nochmals kurz zusammengefaßt werden, was die bisherige Analyse bezüglich des Glaubensbegriffes erbracht hat. Auch wenn erst das Kapitel III 11 den Glauben als solchen zum Thema hat, müssen die dortigen Ausführungen dennoch vor dem Hintergrund des gesamten Buches gelesen werden. Nur auf diese Weise können sie angemessen interpretiert werden, denn nur so wird die eigentümliche Vorgehensweise des Cusanischen Denkens in rechter Weise mitberücksichtigt. Zu leicht sieht man über die Cusanischen Akzente hinweg, wenn man seine Äußerungen, ohne das Gesamtkonzept im Auge zu haben, für sich liest und dann allein der Spur folgt, die zu ähnlichen Formulierungen bei den von ihm rezipierten Denkern hinführt. Gerade diese Spur kann die Eigentümlichkeit des Gedankens verwischen. Wenn er seine Kapitel über die *mysteria fidei* mit einem Hinweis auf die *maiores nostri omnes*[474] beginnt, muß dies zur Vorsicht mahnen.

---

[473] Ebd. III 11, h I, 152 Z.4.
[474] Ebd., h I, 151 Z.26.

Der Glaube im Sinne eines Vermögens, einer *virtus*, wird erstmals im Kapitel III 6 genannt. Der Mensch wird durch die zeitlichen Begierden zum Vergänglichen hinabgezogen. Selbst wenn die *ratio* mit Gesetzen und Regeln diesen Hang einzuschränken versucht, bleibt sie gerade in dieser Art Gesetzgebung auf das Endliche bezogen. Der *intellectus* muß außerdem die Herrschaft über die *ratio* gewinnen, um jegliche Bindung an das Zeitliche und Vergängliche zu überwinden. Dies vermag er nur, indem er sich nicht allein dem Ewigen und Unvergänglichen zuwendet – dies tut er ja sowieso –, sondern im Glauben Jesus Christus anhängt. Dabei ist hier der Glaube an Jesus gemeint, der das Kreuz auf sich nimmt und in seinem Leiden jeglicher Neigung zum Endlichen eine Absage erteilt. Mit Jesus ist jeder Mensch durch die menschliche Natur aufs engste verbunden, doch erst wenn er diese Verbindung im Glauben auch für sich zur Wirklichkeit macht, bekommt er Anteil an den Taten und Verdiensten Jesu. Sie helfen nicht nur, seine Vergehen wieder aufzufüllen, sondern auch die Neigung zum Zeitlichen zu überwinden. Letztlich wird aber die unvollständige Natur selbst erst durch den Glauben vollständig und damit im eigentlichen Sinne zu einer menschlichen Natur.

Wenn Jesus das Endgericht hält und damit auch in endgültiger Weise das Universum vollendet, so läutert er alles in sich, indem er es mit sich vergleicht. Nur das ihm Gleichförmige kann dann bestehen bleiben, also nur der *intellectus finitus*, der wie der Gottmensch geworden ist. Das ist aber die Vernunft, die im Gauben Jesus aufgenommen hat. Als glaubende ist sich diese Vernunft gewiß, trotz ihrer Endlichkeit das Unendliche erreichen zu können und in Jesus Christus bereits erreicht zu haben. Damit bricht für sie schon in diesem Leben das ewige an:

„[...] ut vita sua sit abscondita in Christo."[475]

Die theologischen Tugenden, von denen Cusanus in Kapitel III 9 Glaube und Liebe nennt, sind *divinae illuminationes*[476]. Diese sind weniger Eingebungen, als Erleuchtungen. Sie entzünden das eigene Licht der Vernunft und führen diese von der Möglichkeit zur Wirklichkeit ihrer Vollendung. Dabei wird diese Möglichkeit nicht erst durch eine gnadenhafte Formung und Erhöhung geschaffen, sondern sie ist der Vernunft schon eigen. In sich selbst kann die Vernunft Gott erreichen, wie gerade die hypostatische Union zeigt. Zu ihrer Wirk-

---

[475] *De docta ignorantia* III 9, h I, 148 Z.11.
[476] Ebd., h I, 148 Z.14.

lichkeit kommt sie allerdings nur durch die Menschwerdung. Im Glauben nimmt sie diese in sich auf und ist bei dieser Aufnahme schon nicht mehr von Jesus, dem ewigen Leben selbst, geschieden. So führt der Glaube zur Rechtfertigung, dem Anteil an der göttlichen Wahrheit selbst, während der Unglaube sich selbst richtet. Er vertraut nicht darauf, zu Gott gelangen zu können.

Je stärker Cusanus bei diesen Darlegungen die Bedeutung der maximalen menschlichen Natur Jesu betont, desto klarer ist, daß die endliche Vernunft schon in sich das unendliche Ziel finden kann, wenn auch nicht aus eigener Kraft. Dabei entspricht der Maximalität der menschlichen Natur bei Jesus der Glaube auf der Seite des Menschen. Erreicht die menschliche Natur in ihrer Maximalität das göttliche Wort und ist mit ihm aufs innerlichste vereint, so gelangt der *intellectus finitus* im Glauben, im Vertrauen darauf, daß mit Jesus das göttliche Ziel erreicht worden ist, in sich selbst in die göttliche Wahrheit, von der Möglichkeit in die Wirklichkeit. Der Glaube stellt sich so letztlich als das Selbstvertrauen der Vernunft heraus. Diese sieht sich singulär in einem einzigen Individuum durch Gottes Selbstentäußerung verwirklicht. Damit handelt es sich also um ein Selbstvertrauen, das ungeschieden ist vom Vertrauen in Gott.

Diese Ungeschiedenheit von Vernunft und Glaube wird von der Entwicklung der Glaubensgeheimnisse bestätigt, wie sie in den Kapiteln I 4 - III 10 durchgeführt wird. Wenn dort der Glaube entfaltet wird, so gerade in der Weise, daß die Vernunft auf ihre eigene Kraft vertrauend den weiten Weg einschlägt, der sie dann Jesus als das Ziel und das Ende aller Erkenntnis sehen läßt. In gewisser Weise lebt sie von einem ständigen Vorgriff, was insbesondere im Buch III ins Auge fällt. Ohne die vollständige Erkenntnis eines Endlichen könnte überhaupt kein Mehr-oder-Weniger mit allgemeiner Verbindlichkeit festgestellt werden. Nimmt man dies aber doch an, so kann nicht nur Gottes Existenz und sein trinitarisches Wesen erschlossen werden, sondern auch das Faktum der Menschwerdung als größte Tat Gottes. Dies geschieht im Blick auf die Macht Gottes und die Schöpfung. Dabei steht und fällt alles mit der Menschwerdung. Ohne sie ist nicht nur das Universum unvollkommen und dessen erster Grund uneinsichtig, obwohl eingefordert. Auch die Trinität, in Anhalt an die Schöpfung unter produktiver Bestimmung gedacht, ist über die Schöpfung mit der Menschwerdung verbunden. Alles Geschaffene geht aus ihr hervor. Die Einsicht in das trinitarische Wesen des ersten Prinzips verdankt sich letztlich nicht allein dem rechten Verständnis des Geschaffenen, sondern auch der Menschwerdung selbst. Dabei

muß Jesus nicht als göttlicher Lehrer auftreten, der sein Wissen wei-
tergibt und den Menschen einen Bereich erschließt, der ihnen von
allein völlig unzugänglich wäre. Im Faktum der Menschwerdung
selbst, wie Cusanus sie versteht, sind alle Schätze des Wissens und der
Erkenntnis nicht nur verborgen, sondern auch schon anfanghaft offenbar.

Um diese Erkenntnisse und damit ihr eigenes Leben zu gewinnen,
braucht die Vernunft allein die Bestätigung ihrer eigenen Kraft. Dies
leistet der Glaube an den Gottmenschen. Insofern setzt die Cusanische Vernunft die Menschwerdung als Offenbarung immer schon
voraus, wenn sie zu festen Einsichten, und seien es auch nur Vermu-
tungen[477], kommen will. Auch wenn ihr schon von ihrem Gottesbegriff
her klar ist, daß Gott Mensch werden wird, so vermag sie diesen Gedanken doch nur zu fassen, insofern Gott dies wirklich getan hat. Man
muß aber immer im Auge behalten, daß diese Vorgängigkeit der Inkarnation hinsichtlich der Wirklichkeit nicht ausschließt, daß der
Vernunft diese Einsichten aus sich selbst heraus möglich sind, wie
gerade der Argumentationsgang von *De docta ignorantia* zeigt. Wichtig
ist dabei natürlich, daß nicht nur der Begriff der hypostatischen Union entwickelt, sondern auch dessen Existenz a priori eingefordert
werden kann. Einerseits ist die endliche Vernunft nur suchend, selbst
ohne eigenes Prinzip. Sie vermag in ihrem messenden vergleichenden
Erkennen nur *excedens* und *excessum* zu unterscheiden. Damit vollbringt sie die Einsicht in ihre Unwissenheit vor dem zu fordernden
Absoluten. Daß sie aber andererseits auch ihr Vergleichen und Unterscheiden wiederum der Menschwerdung verdankt, geht ihr nur von
dieser her auf. Das heißt aber, daß sie ihre Selbsterkenntnis, die Reflexion auf ihre eigene Wahrheit, gerade als Hinwendung, *conversio*,
zu Jesus Christus vollziehen muß. Die Selbstreflexion führt über sie
hinaus auf ihre eigene Maximalität, wie sie allein in Jesus zur Vollendung gekommen ist. Vorausgreifend kann als Grund dafür ausgemacht werden, daß Cusanus streng die beiden Naturen im Gottmenschen unterscheidet, so eng verbunden er sie auch denkt. Gerade weil
sie in der hypostatischen Union nicht zusammenfallen, bleiben Glaube und Vernunft verschieden. Und doch ist die Vernunft nicht vom
Glauben getrennt, dieser bildet vielmehr ihre eigene Wirklichkeit,
denn Glaube und endliche Vernunft verhalten sich wie göttliche und
menschliche Natur in der hypostatischen Union. Wie die Menschen-

---

[477] Auch die Vermutung ist bei Cusanus eine feste Behauptung, s. *De coniecturis* I 11
N.57 Z.10f., h III, 58: „Coniectura igitur est positiva assertio, in alteritate veritatem,
uti est, participans."

natur nicht ohne das göttliche Wort als Träger sein kann, so auch nicht die Vernunft ohne den Glauben. Sie sind ungetrennt und unvermischt, obwohl sie eins sind, wie auch der Gottmensch nur eine Person ist. Der Glaube ist, was die Inhalte als einzelne und auch ihren Zusammenhang betrifft, keine höhere Erkenntnisstufe. Höher als die endliche Vernunft ist der Glaube allein, was die Einfachheit ausmacht, mit der die Inhalte erfaßt werden.[478] Vor diesem Hintergrund müssen nun die Kapitel III 11 und 12 gedeutet werden. Nur wenn das gesamte Buch mitbeachtet wird, können sie angemessen interpretiert werden. Daß sich hier die endliche Vernunft selbst betrachtet und damit auf den Glauben stößt, ja sich im Grunde als immer schon gläubig weiß, so sie ihrem eigenen Vermögen vertraut, rechtfertigt in vielerlei Hinsicht, warum diese Kapitel das Werk beschließen. Sie greifen insbesondere die ersten Kapitel und die Besinnung auf die Methode der *docta ignorantia* wieder auf und führen sie zu einer höheren Einsicht.

II. DER GLAUBE IN *DE DOCTA IGNORANTIA*

1. Die Vernunft als Ausfaltung des Glaubens

Cusanus leitet seine Ausführungen über den Glauben in Kapitel III 11 mit den gewichtigen Worten ein:

„Maiores nostri omnes concordanter asserunt fidem initium esse intellectus."[479]

Mit dieser Aussage glaubt er in der Mitte des fünfzehnten Jahrhunderts eine mehr als tausendjährige Geschichte theologischer Reflexion und Betrachtung der göttlichen Wahrheit zusammenzufassen. Sicher sind dabei auch die philosophischen Wahrheitssucher mitein-

---

[478] S. *De docta ignorantia* III 11, h I, 152 Z.28 - 153 Z.3: „[...] per quam [sc. fidem] in simplicitate rapimur, ut supra omnem rationem et intelligentiam in tertio caelo simplicissimae intellectualitatis ipsum in corpore incorporaliter, quia in spiritu [...] contemplemur incomprehensibiliter [...]." Im Zusammenfall der Gegensätze erkennt schon die endliche Vernunft, aber nicht in der Einfachheit des Glaubens, dessen Erkenntnisstufe Cusanus hier *simplicissima intellectualitas* (ebd. III 11, h I, 153 Z.21f. heißt sie allerdings *intellectualitas simplex*) nennt. Sie scheint nur graduell von der auch in der Vernunft möglichen *intellectualitas simplex* (s. ebd. I 2, h I, 8 Z.13) oder *intellectio simplex* (s. ebd. I 10, h I, 21 Z.15) verschieden zu sein, s. auch mit weiteren Verweisstellen Senger 1977, 144f.

[479] *De docta ignorantia* III 11, h I, 151 Z.26f.

geschlossen, wie die philosophische Begrifflichkeit der Eingangssätze nahelegt. Darf man jedoch seiner Zusammenfassung folgen? Schon die Untersuchung der Gedankenführung im bisherigen Teil des Werkes *De docta ignorantia* hat deutliche Unterschiede zur ihm überkommenen Tradition offengelegt, und auch die heutigen Interpretationen des Cusanischen Glaubensbegriffes, die auf philosophie- und theologiegeschichtliche Bezüge eingehen, weisen nicht die Einhelligkeit auf, die Cusanus den *maiores* zuspricht. Folgt Cusanus dem Anselmschen Programm *fides quaerens intellectum?*[480] Oder muß ihm nicht eine große Nähe zu Thomas bescheinigt werden, wenn der Glaube, als Glaubensinhalt verstanden, vorausgesetzt wird?[481] Aber ist nicht doch eher auf Augustinus und Bonaventura zu verweisen, wenn es Cusanus gerade um das *intelligibile in credibili* geht?[482] Oder ist Cusanus schließlich doch ein ganz singulärer Denker, der den Glauben als „existentielle Setzung" ohne Inhalt versteht?[483] Bevor also geklärt werden kann, mit welchem Recht Cusanus von einer Eintracht hinsichtlich des Glaubensverständnisses spricht, muß sein Gedankengang mit dem der *maiores* verglichen werden, um über Ähnlichkeiten in der Formulierung bis zum Movens im Gedachten vorzudringen. Gerade eine kontrastierende Vorgehensweise kann für ein adäquates Verständnis der Cusanischen Position Entscheidendes beitragen. Dabei sollen die einzelnen Denker, die als Vorbilder in Frage kommen, jeweils unter einem bestimmten Schwerpunkt untersucht werden, der ihre Position auszeichnet.

a) Jes 7,9 bei Anselm und Cusanus

Für Cusanus setzt jede Erkenntnis der endlichen Vernunft Glauben voraus, das heißt die Annahme erster Prinzipien als notwendiger Voraussetzungen, ohne die kein Erkenntnisstreben zustande kommen könnte. Diesen Sachverhalt, den er erst mit philosophischen Begriffen formuliert, sieht er schon in jenem Jesaja-Wort ausgesprochen, das sich durch die ganze christliche Tradition zieht:

„Nisi credideritis, non intelligetis."[484]

---

[480] Vgl. Euler 1995, 220.
[481] Vgl. Haubst 1991, 16f. Haubst vertritt die Ansicht, daß Cusanus eine Brücke von Augustinus und Bonaventura zu Thomas schlagen wolle.
[482] S. ders. 1991, 15.
[483] Vgl. Dangelmayr 1968, 448 und 462.
[484] Jes 7,9 in *De docta ignorantia* III 11, h I, 152 Z.3.

Anfang aller Einsicht, condicio sine qua non ist der Glaube. Ohne ihn kommt es zu keinem Verstehen. Doch was ist damit eigentlich gemeint? Bei Cusanus ist klar, daß die Menschwerdung Gottes geglaubt wird. Sie ist die Erfüllung und das Ziel allen Vernunftstrebens und geht diesem logisch voraus. Ohne Jesus bleibt die endliche Vernunft nicht nur ohne Ziel und Ruhepunkt, sondern kann sich überhaupt nicht bis zur belehrten Unwissenheit über sich, Gott und das Universum fortbestimmen. In der Tat wird Jesus im ganzen Werk vorausgesetzt, wie bereits in der Analyse von *De docta ignorantia* III erläutert wurde, ja das ganze Werk ist nichts anderes als eine vollständige Entfaltung des Begriffs von Jesus. Trifft sich Cusanus in der Rezeption der Bibelstelle mit Anselm, dessen Denken gern unter das Motto *credo ut intelligam*[485] gestellt wird?

Zunächst ist zu sehen, was Anselm im Jesaja-Wort hört:

„Et ut alia taceam quibus sacra pagina nos ad investigandam rationem invitat: ubi dicit: 'nisi credideritis, non intelligetis', aperte nos monet intentionem ad intellectum extendere, cum docet qualiter ad illum debeamus proficere.“[486]

Das Wort spornt Anselm an, sich dem im Glauben Gegebenen mit der Vernunft zuzuwenden. Dies hilft ihm über die Bedenken hinweg, die ihn oft befielen, bevor er drängenden Anfragen seiner Schüler nachgab und die Glaubensgeheimnisse mittels *rationes necessariae* entwickelte, wie sie die vernünftige Darstellung verlangt. Der Glaube hat der Vernunft vorauszugehen, weil er die Festigkeit garantiert, die auch über Schwächen der Einsicht hinweghilft.[487] Erst der Glaube führt auch zur richtigen Einstellung des Herzens bei der Wahrheitserforschung, zur *munditia cordis*[488], doch für die wissenschaftliche Untersuchung ist er ohne Bedeutung und tritt völlig zurück. Eine notwendige Einsicht kann demnach nicht nur ohne den Glauben gefunden werden, sondern sogar gegen ein Nicht-Glauben-Wollen.[489] Selbst

---

[485] S. *Cur deus homo* I, Op. omn. II, 48 Z.16-18: „Sicut rectus ordo exigit ut profunda Christianae fidei prius credamus, quam ea praesumamus ratione discutere, ita negligentia mihi videtur, si, postquam confirmati sumus in fide, non studemus quod credimus intelligere.“

[486] *Cur deus homo*, commendatio, Op. omn. II, 40 Z.7-10.

[487] Vgl. die weitere Verwendung von Jes 7,9 in *Epistola de incarnatione verbi prior recensio* 4, Op. omn. I, 284 Z.1-6.

[488] S. *Cur deus homo*, commendatio, Op. omn. II, 39 Z.2-5; s. auch *Proslogion* 1, Op. omn. I, 100 Z.15-19; *Epistola de incarnatione verbi prior recensio* 4, Op. omn. I, 284 Z.9-17.

[489] S. *Monologion* 1, Op. omn. I, 13 Z.8-11 und bes. *Proslogion* 4, Op. omn. I, 104 Z.5-7 (Hervorhebung von mir): „Gratias tibi, bone domine, gratias tibi, quia quod prius credidi te donante, iam sic intelligo te illuminante, ut si *te esse nolim credere*, non possim non intelligere.“

wenn eine Vernunfteinsicht erreicht ist, steht diese nochmals ganz für sich.[490] Die notwendigen Gründe, in denen sich die Vernunft alleine entwickeln kann,[491] garantieren ihr diese Eigenständigkeit.

Für die Anselmsche Methode ist entscheidend, daß sie völlig vom Glaubensgut und der Offenbarung absehen kann und muß. Nur so kann Anselm seine Apologie des Christentums durchführen, wobei er weder auf Zugeständnissen seiner Gegner[492] noch auf ein wie auch immer gegebenes Offenbarungsfaktum aufbaut. Dies kommt vor allem in der Formel *remoto Christo* zum Ausdruck.[493] Glaube und Vernunft bestehen also bei Anselm je für sich und in sich. Die Vernunft ist in ihren Argumentationen nicht auf den Glauben angewiesen, und der Glaube wird durch die Vernunft nicht in seiner Festigkeit und Sicherheit bestärkt.

Folgt Cusanus dem Programm *fides quaerens intellectum*? Zumindest mit dem Anselms hat er prinzipiell nichts zu tun. Seine Einsicht in die Glaubensgeheimnisse ist nicht die notwendiger Vernunftgründe, auch wenn er sicher keine Möglichkeit eingeräumt hätte, seinen Gedanken zu widersprechen, wie man besonders schön an der Auseinandersetzung mit den Juden und Muslimen sieht. Die belehrte Unwissenheit entwickelt sich zwar auch zu einem geschlossenen Gefüge, doch das Gedachte ist nicht im Sinne unerschütterlicher Gründe gegenwärtig, sondern als Gesuchtes oder Vermutetes. Da die Vernunft bei Cusanus nicht nur ohne eigenständiges Prinzip ist, sondern gerade aus dem Überstieg über das Verstandesprinzip lebt, kann sie zu keiner Eigenständigkeit neben dem Glauben gelangen. Darin ist auch gar nicht das Cusanische Anliegen zu suchen. Vielmehr will Cusanus gerade verständlich machen, daß die Vernunft vom Glauben ungeschieden ist, eben nur seine Entfaltung darstellt. Der Glaube als das Selbstvertrauen der Vernunft, die Erkenntnis der Wahrheit als endliche Ver-

---

[490] Die jeweilige Eigenständigkeit von Vernunft und Glaube bei Anselm betont vor allem Schmitt 1959, 360 und 367. Euler sieht Cusanus als Nachfolger der Anselmschen Methode, obwohl er für ihn hervorhebt, daß die Grenzen von Vernunft und Glaube unscharf und fließend seien (s. ders. 1995, 220).

[491] S. hierzu Schmitt 1959, 361-364.

[492] Die Werke Anselms bauen bekanntlich aufeinander auf und stehen auf dem Gottesbeweis als gemeinsamer Basis.

[493] S. *Cur deus homo*, praefatio, Op. omn. II, 42 Z.11-13: „Ac tandem remoto Christo, quasi numquam aliquid fuerit de illo, probat rationibus necessariis esse impossibile ullum hominem salvari sine illo." Zur Stringenz, mit der sich Anselm daran hält, s. Schmitt, Franciscus Salesius: Die wissenschaftliche Methode in Anselms Cur deus homo, in: Spicilegium Beccense 1, Congrès International du IXe centenaire de l'arrivée d'Anselme au Bec, Bec/Paris 1959, 364f. Seiner nüchternen Interpretation der Bedeutung der Gebete für die Erforschung *sola ratione* (s. ebd., 350 und 369f.) folgt vorliegende Arbeit.

nunft erreichen zu können, wie dies in Jesus Wirklichkeit geworden ist, steht hinter jedem Erkennen. Es gibt bei Cusanus kein *sola ratione persuadere*[494]. Dies kann für ihn immer nur bloße *persuasio*, Überredung, bleiben, solange nicht bis zur Einsicht durchgedrungen wird, daß die Vernunft allein auf dem Glauben steht.[495] Für Cusanus gilt vielmehr *intellectus quaerens fidem*, wobei gerade diese Suche den Glauben entfaltet. Hier entdeckt und spürt die Vernunft ihre eigene Kraft, die ihr doch allein aus dem Glauben an Jesus zuwächst, dem festen Vertrauen, daß sie schon an ihr unendliches Ziel gekommen ist.

b) Voraussetzung von Prinzipien im Glauben

Cusanus greift das Schriftwort Jes 7,9 so auf, daß er dem Glauben die Annahme erster Prinzipien und Fundamente der Erkenntnis zuweist. Der *intellectus* zieht aus ihnen Schlüsse und nimmt Einsicht in die Gegenstände, die unter diese Prinzipien fallen oder mit ihnen gegeben sind. Dadurch steigt er zu Wissen und Belehrung auf. Dieses Erste in der Erkenntnis kann nur mit dem Glauben erfaßt werden. Zunächst scheint hier ein Aristotelisch geprägtes Wissensgefüge aufgegriffen zu werden, die Kenntnis erster Prinzipien und das Wissen, das in den daraus gezogenen Schlüssen erzielt wird. Auf diesen Entstehungsprozeß des Wissens und der Erkenntnis verweist Cusanus schon zu Beginn von *De docta ignorantia*, wenn er die hierfür seit Euklid paradigmatisch gewordene Mathematik anführt.[496] Allerdings will er dort nur illustrieren, daß viele Zwischenglieder in Schlußfolgerungen ein Erkennen erschweren. Jedes Erkennen geht nämlich vergleichend vor. An einem als gewiß Vorausgesetzten wird das noch Unbekannte mittels einer Verhältnisbestimmung gemessen. Daraus entnimmt er aber sofort, daß alles menschliche Wissen nur Einsicht in unsere Unwissenheit sein kann, da sich mit dem Unendlichen auch die Wahrheit in ihrer absoluten Präzision gerade dem vergleichenden Erkennen entzieht. Kann es aber dann noch *prima notissima principia*[497] geben? Cusanus formuliert deshalb sehr genau:

„In omni enim facultate quaedam praesupponuntur ut principia prima, quae sola fide apprehenduntur, ex quibus intelligentia tractandorum elicitur."[498]

---

[494] *Monologion* 1, Op. omn. I, 13 Z.11.
[495] S. *De docta ignorantia* III 11, h I, 152 Z.25-28.
[496] S. ebd. I 1, h I, 5 Z.19-22.
[497] S. ebd., h I, 5 Z.20.
[498] *De docta ignorantia* III 11, h I, 151 Z.27 - 152 Z.1. Vgl. zu dieser Stelle Jacobi, Klaus: Ontologie aus dem Geist „belehrten Nichtwissens", in: ders. (Hrsg.) 1979, 53: „Das

Er behauptet an dieser Stelle nicht, daß es erste Prinzipien gebe, sondern daß bestimmte Sachverhalte wie erste Prinzipien, allenfalls als erste Prinzipien vorausgesetzt werden. Selbst wenn hier die ersten Prinzipien gemeint sind, wie sie etwa Aristoteles denkt, zum Beispiel das Widerspruchsprinzip oder der Satz vom ausgeschlossenen Dritten, so werden sie bei Cusanus anders gedacht. Sie sind letztlich keine eigenständigen Prinzipien, sondern etwas Vorausgesetztes, das selbst dem Mehr-und-Weniger des Endlichen unterworfen ist. Genau diese Konsequenz aus den ersten erkenntnistheoretischen Überlegungen von *De docta ignorantia* greift er hier wieder auf. Entsprechend hat sich auch sein Werk nicht in Syllogismen entwickelt und ist auch nicht in der scholastischen Struktur der Fragen und Artikel vorgegangen, sondern in einer *inquisitio comparativa*, die erst in Jesus ihr Fundament und Ziel gefunden hat. Dabei wird von der suchenden Vernunft gerade das, was etwa auf der Stufe der *ratio* als Prinzip angenommen wird, hinter sich gelassen und überstiegen, was mit der *coincidentia oppositorum* ausgedrückt wird.

Man darf sich also unter den Prinzipien, die mit dem Glauben vorausgesetzt werden, keine im Aristotelischen Sinne gedachten vorstellen, auch nicht im mittelalterlichen Verständnis der Aristotelischen Schriften, selbst wenn Cusanus hier an das Subalternationsgefüge der Wissenschaften erinnert. Die ersten Prinzipien müssen nämlich selbstverständlich sein, *per se nota*, wie seit Boethius der mittelalterliche Fachterminus lautet.[499] Deshalb formuliert Cusanus auch *sola fide apprehenduntur*. Bei ihm finden sich zwar Voraussetzungen, von denen seine Überlegungen ausgehen, etwa sein Grundsatz, vom Endlichen gebe es kein Verhältnis zum Unendlichen, doch solange das Unendliche unerkannt bleibt, gibt es für die Vernunft keinen Fixpunkt im

---

Denken des Nikolaus von Kues beruht auf Glauben. In einer Reflexion über diesen Sachverhalt legt Nikolaus dar, daß dies - formal gesprochen - kein Spezifikum religiösen oder theologischen Denkens ist."

[499] Für eine genauere Darstellung der Entwicklung von Aristoteles über Boethius bis ins 13. Jahrhundert sei auf Tuninetti, Luca F.: „Per Se Notum". Die logische Beschaffenheit des Selbstverständlichen im Denken des Thomas von Aquin [= Studien und Texte zur Geistesgeschichte des Mittelalters 47], Leiden/New York/Köln 1995, bes. 27-123, und Dreyer, Mechthild: More mathematicorum, Rezeption und Transformation der antiken Gestalten wissenschaftlichen Wissens im 12. Jahrhundert [= BGPhThMA. NF 47], Münster 1996, verwiesen. Ausschlaggebend ist, daß Prinzipien durch sich selbst erkennbar sein müssen. Im Anschluß an Boethius findet sich die Unterscheidung in die Prinzipien, die allen bekannt sind, und in die, die nur Fachleute explizit kennen. Thomas unterscheidet dann im *per se notum* noch ein *quoad nos notum*, was sowohl für seine Position hinsichtlich der Beweisbarkeit des Daseins Gottes als auch der Konzeption der Theologie als subalternierter Wissenschaft wichtig ist.

Erkennen. Dies äußert sich besonders darin, daß Cusanus in seinen vielfältigen Schriften immer neue Anläufe, die er Jagden (*venationes*) nennt, unternehmen kann, weiter in die Wahrheit vorzudringen. In *De coniecturis* reflektiert Cusanus gerade darauf, daß die *unitas absoluta* in jeder Frage vorausgesetzt wird, die der suchende Geist, die *mens investigativa*, stellt.[500] Sie ist alleiniges Prinzip, jenseits des Widerspruchsprinzips und noch jenseits des Zusammenfalls der Gegensätze. Sie ist das Erste in allem Erkennen, überall gegenwärtig, aber unaussprechbar und unerreichbar. Ebenso bleibt Gott als unendlicher in *De docta ignorantia* unbegreiflich. Er, das erste Prinzip von allem, ist sich allein bekannt und selbst im Himmel nicht erkennbar.[501]

Cusanus verläßt an diesem Punkt das hochmittelalterliche Wissenschaftsverständnis, wie es vor allem durch die Gedanken der *Analytica posteriora* gekennzeichnet ist. Besonders für die Theologie konkretisiert sich dabei, wie sie sich nicht als *sacra doctrina*, sondern als *docta ignorantia* zu entfalten hat. Wenn er die höchste Stufe der belehrten Unwissenheit gerade als Glauben denkt, wie noch ersichtlich sein wird, hält er immer das Moment des Nichtwissens in allem Erkennen fest, nicht allein beim *viator*, sondern auch noch beim endlichen *comprehensor*. Es gibt nur einen einzigen, der *viator* und zugleich *comprehensor* ist, nämlich Jesus. An dieser Stelle tritt zutage, wie entscheidend es ist, das gesamte theologische System bei Cusanus zu betrachten, um ihn nicht auf einen Denker zu reduzieren, der nur die *via negativa* pointiert. Ein gesamtes System wird von ihm verwandelt. Darin zeigt sich seine Größe.

Um den Anfang von *De docta ignorantia* III 11 zu deuten, muß man beachten, daß Cusanus hier nur dem Anschein nach erst eine philosophische Methodologie skizziert, um danach das theologische Pendant anführen zu können. Wie der Gang von *De docta ignorantia* und besonders die Reflexion auf das Ende von *De docta ignorantia* III 1 beweisen, ist nicht Gott als dreifaltiger – ohne dies auszuschließen, vielmehr um es zu konkretisieren –, sondern Jesus als *maximum absolutum et contractum* Ziel allen Erkenntnisstrebens und somit auch Anfang und Fundament:

---

[500] S. *De coniecturis* I 5 N.19 Z.1-12, h III, 24f.
[501] S. *De docta ignorantia* I 26, h I, 56 Z.1-4 und 16-19. Dies schließt nicht aus, daß Cusanus eine beseligende Anschauung zu denken vermag. Sie besteht in einem zeitlosen Erstreben und Finden der Wahrheit.

„Nulla autem perfectior fides quam ipsamet veritas, quae Iesus est."[502]

Das ist sowohl inhaltlich zu verstehen, insofern in Jesus alle Erkenntnisse in endlicher und unendlicher Weise vereint sind, als auch methodisch. Diese Aussage ist nicht allein im Sinne von Verläßlichkeit zu lesen oder nur bildlich beziehungsweise metaphorisch zu deuten. Jesus ist die Vernunft, die das Göttliche erreicht hat. Er ist vollkommener, da maximaler *intellectus finitus*. Deshalb ist er auch maximaler Glaube. Hier ist endgültig der Punkt erreicht, an dem man „Philosophie" und „Theologie" bei Cusanus nicht mehr trennen kann.[503] Es gibt nicht eine Philosophie, die auf einem Vernunftvertrauen und natürlichen, von sich her einleuchtenden Prinzipien aufbaut und eine Theologie, die sich auf übernatürliche Prinzipien stützt. Es gibt vielmehr eine einzige Vernunft, die zu ihrer vollen Wirklichkeit gelangt ist und auf der alles Erkennen ruht: Jesus. Inwieweit die hypostatische Union nicht nur ein Glaubensinhalt ist, sondern sogar der Glaube selbst, soll später bedacht werden.

Wenn nach Cusanus alles Wissen und Erkennen auf Jesus aufbaut, radikalisiert er in gewisser Weise das Thomasische Wissensgefüge. Für Thomas bilden die Wissenschaften eine Ordnung, in der die Theologie als höchste Wissenschaft hervorragt, sowohl durch die Würde ihres Gegenstandes als auch hinsichtlich des Grades der Gewißheit den anderen menschlichen Wissenschaften überlegen.[504] Sie verdankt sich und ihre Wissenschaftlichkeit der *scientia Dei et beatorum*, mit der sie über die Offenbarung zusammengeschlossen ist. Von ihr empfängt sie das Glaubenswissen, die *principia revelata*, die sich in ihr wie Keime entfalten.[505] Ihr gegenüber gibt es die Wissenschaften des natürlichen Lichtes, die analog aufgebaut sind. Die Musik etwa erhält ihre Prinzipien von der Arithmetik und glaubt diese. Dies ist aber nur sinnvoll, sofern sie entweder in der Arithmetik als höherer Wissenschaften bewiesen werden oder an sich bekannt sind. Deshalb ist es entscheidend, daß die göttliche Wissenschaft nicht allein von Gott, sondern auch von den Seligen ausgeübt wird. Die Glaubensprinzipien sind nämlich nicht allein Gott, sondern auch den Erleuchteten bekannt

---

[502] Ebd. III 11, h I, 152 Z.8f.

[503] Anders Haubst 1991, 54. Die Unterscheidung von natürlichem Vernunftvertrauen und christlichem Glauben ist für Cusanus inhaltlich nicht gegeben, denn Jesus Christus ist die Wahrheit, vgl. auch die Passage *De docta ignorantia* III 9, h I, 148 Z.18-23. Die Hinwendung im Vernunftvertrauen zur Wahrheit ist nicht mehr von der zu Christus getrennt.

[504] S. STh I 1, 5.

[505] S. ebd. q.1, a.2; vgl. hierzu Metz 1996.

und selbstverständlich. Das garantiert, daß sie für eine Theologie sinnvoll vorausgesetzt werden können, da sie nicht nur an sich bekannt sind, sondern auch für uns wenn schon nicht *per se notum,* so doch einmal als solche erkennbar sind, sollte dies auch nicht in diesem Leben möglich sein.[506]

Will man die Aussage vom vollkommenen Glauben Jesu nicht metaphorisch deuten, so werden bei Cusanus alle Wissenschaften auf Jesus als einzigem Prinzip errichtet. Occam hat die Thomasische Subalternationstheorie angegriffen, weil ihm für die Wissenschaftlichkeit insbesondere der Theologie nicht ausreicht, daß die Prinzipien von jemand anderem eingesehen werden als demjenigen, der die Schlüsse daraus zieht. Die Prinzipien müssen auch demjenigen, der eine untergeordnete Wissenschaft ausübt, entweder aus der Erfahrung oder durch sich bekannt sein.[507] Cusanus radikalisiert diesen Angriff, wenn er noch davor ansetzt und festhält, daß wir angesichts der Wahrheit sowieso unwissend sind und sich unser Wissen als Einsicht in diese Unwissenheit zu entfalten hat. Die Belehrung über das Unwissen setzt aber nicht nur ein Wissen voraus, letztlich das des Maximums als obersten Maßes, sondern führt gerade zur allerersten Wahrheit der endlichen Vernunft, Jesus. Er ist als Glaube schon im ersten Schritt des *intellectus finitus* gegenwärtig, wenn dieser seine Endlichkeit erkennen will. Natur und Gnade sind hier nicht mehr zu trennen. Sofern die Vernunft ihrer eigenen, „natürlichen" Einsichtskraft vertraut, wirkt in ihr schon der „übernatürliche" Glaube. Je mehr sie sich zutraut, desto mehr wächst sie im Glauben Jesu und nimmt seine Gestalt an, so wie das Werk *De docta ignorantia* sich am Ende in der Christologie wiederfindet.[508]

c) Vernunft als Entfaltung des Glaubens

Cusanus gibt im Anschluß an die Jesaja-Stelle seine Definition des Glaubens, wie sie sich folgerichtig aus *De docta ignorantia* ergeben muß:

---

[506] S. STh I 1, 2 ad 1: „[...] principia cuiuslibet scientiae vel sunt nota per se, vel reducuntur ad notitiam superioris scientiae. Et talia sunt principia sacrae doctrinae [...]." Zum Beispiel ist es für die Seligen zwingend, daß Gott als die höchste Güte trinitarisch ist, nicht aber für uns, s. ebd. II-II 2, 8 ad 3.

[507] S. Occam: Sent. I prol., q.7, OTh I, 199 Z.13-16: „[...] nunquam aliquis scit illas conclusiones evidenter nisi sciat eas per experientiam vel per aliquas praemissas evidenter notas. Unde nihil est dicere quod ego scio conclusiones aliquas, quia tu scis principia quibus ego credo, quia tu dicis ea."

[508] Vgl. das berühmte Wort aus Gottes Mund in *De visione Dei* 7 N.26 Z.15f., 146 (zitiert nach Hopkins 1985): „Sis tu tuus et ego ero tuus."

„Fides igitur est in se complicans omne intelligibile. Intellectus autem est fidei explicatio.“[509]

Für ein richtiges Verständnis dieser dichten Stelle ist es unverzichtbar, auf die spezifisch Cusanische Begrifflichkeit zu hören. Nur zu leicht versteht man unter *explicatio* ein unspezifisches Erklären oder Darstellen der Glaubensinhalte. Daß Cusanus aber auf seine eigenen Begriffe zurückgreift und auch von ihnen her verstanden werden will, verdeutlicht die der *explicatio fidei* entsprechende Formulierung *complicans in se omne intelligibile.* Der Glaube ist also die *complicatio intellectus,* die Vernunft die *explicatio fidei.* Damit wird auf das in *De docta ignorantia* II dargestellte Verhältnis von Zusammenfaltung oder Einfaltung und Ausfaltung zurückbezogen.

In Kapitel II 3 hat Cusanus das Verhältnis von Gott und Welt, spezifischer von Maximum beziehungsweise Einheit und vielheitlicher Welt mit den Termini *complicare* und *explicare* zu erfassen versucht. Beide zusammen beschreiben, wie Gott, der allein ist, in allen anderen sein kann und wie dieses gerade dadurch aus ihm entsteht und er es aus sich entfaltet, daß er es in sich selbst zusammenfaßt.[510] Gerade die Zusammenfaltung von allem in der göttlichen Einheit konstituiert die Vielheit. Diese Konstitution beruht aber allein auf der Einheit, so daß diese im Konstituierten derart gegenwärtig ist, daß sie im Grunde dieses selbst ist. Für die Deutung obiger Stelle sind die Beispiele, die Cusanus aus dem Bereich des Endlichen anführt, aufschlußreich.[511] Der Punkt ist die Zusammenfaltung aller kontinuierlichen Quantität, während die Linie dessen erste Entfaltung in die Vielheit ist. Analoges gilt etwa auch von Ruhe und Bewegung oder Einheit und Zahl. Dabei geht das Einheitliche dem Vielheitlichen als dessen Vollkommenheit voraus.[512] Diese ist immer zugleich konstituierend, denn das Unvollkommene kann ohne das Vollkommene nicht sein. Des weiteren ist zu sehen, daß die Linie als Entfaltung des Punktes derart von diesem durchdrungen ist, daß er, obwohl nur einer, überall in der Linie zu finden ist, so daß sie nichts anderes als der Punkt selbst zu sein scheint – allerdings im Vielheitlichen. Dabei muß mitbeachtet werden, daß der Punkt kein Teil der Linie ist, aus der sie zusammenge-

---

[509] *De docta ignorantia* III 11, h I, 152 Z.3f.

[510] S. ebd. II 3, h I, 70 Z.14-16: „Deus ergo est omnia complicans in hoc, quod omnia in eo; est omnia explicans in hoc, quod ipse in omnibus.“ Vgl. ebd., h I, 72 Z.13-16. Zum Verständnis s. Volkmann-Schluck 1957, 49.

[511] Daß Cusanus Gott wegen seiner Absolutheit in *De docta ignorantia* II 3 als *complicatio* und *explicatio* bezeichnet und niemals die Vielheit als *explicatio* Gottes, ändert für das in unserem Zusammenhang relevante Verhältnis der beiden Termini nichts.

[512] S. ebd., h I, 70 Z.10-13.

setzt ist. Eine kontinuierliche Größe besteht für das mittelalterliche Denken immer nur aus Kontinuierlichem, die Linie also aus Linienstücken.

Für die Bestimmung der Vernunft als *explicatio fidei* ist dies insofern erhellend, als in der Suchbewegung der Vernunft der Glaube als ihr Ruhepunkt nicht von ihr geschieden, vielmehr überall gegenwärtig ist. Der Glaube konstituiert die Vernunft und ihre Entwicklung wie die Ruhe die Bewegung in dem Sinne, daß jedem Erkenntnisschritt das Selbstvertrauen der Vernunft, ihr Ziel erreichen zu können, zugrunde liegt und dieser daraus entsteht. Die Bewegung der Vernunft ist somit gerade das entfaltete Vernunftvertrauen. Ebenso wie man bei jeder Teilung der Linie auf einen Endpunkt stößt, so findet man in jedem Erkenntnisschritt in *De docta ignorantia* den Grund der Möglichkeit, die *regula doctae ignorantiae* anzuwenden. Dieser ist aber Jesus, der allein ein *maximum contractum individuale* ist und erst ermöglicht, *excedens* und *excessum* festzustellen. Für die Seinsebene hat sich ja ebenfalls ergeben, daß die Schöpfung aus der hypostatischen Union hervorgeht und die *contractio unibilis* beziehungsweise *unita* jegliches zusammengezogene Seiende konstituiert.[513] Ebenso wie der Unterschied von Punkt und Linie festzuhalten ist, darf kein kontinuierlicher Übergang der Vernunft in den Glauben gedacht werden, als gebe es hier fließende Grenzen. Dies wird gerade darin explizit, daß alle Vernunft in Jesus ihr Fundament hat, in dem es ebenfalls keine Vermischung oder einen Zusammenfall der Naturen gibt.

Mit dem Begriffspaar *complicatio* und *explicatio* will jedoch Cusanus zugleich die starke Zusammengehörigkeit von Glaube und Vernunft betonen. Jene werden nämlich von ihm als zwei Bewegungen gedacht, die sich gegenseitig einfordern.[514] Eine kann ohne die andere nicht sein. Der Abstieg in die Vielheit, den die *explicatio* beinhaltet, fällt mit der aufsteigenden Sammlung zur Einheit, wie sie die *complicatio* meint,

---

[513] *Contractio* konkretisiert das Verhältnis von *complicatio* und *explicatio* und gibt zusätzlich die individuelle Bestimmung zu diesem im Unterschied zu anderem an, s. *De docta ignorantia* II 4, h I, 75 Z.12f.: „Contractio dicit ad aliquid, ut ad essendum hoc vel illud." Zur Deutung s. Volkmann-Schluck 1957, 52-54, und Leinkauf 1994, 188f. *Contractum* vereint die Sinngehalte: vielheitlich, endlich, individuell bestimmt im Unterschied zu anderem, das Gesamte in einem Einzelnen beschränkt und nicht absolut.

[514] S. Riccati, Carlo: „Processio" und „Explicatio". La doctrine de la création chez Jean Scot et Nicolas de Cues [= Istituto Italiano per gli Studi Filosofici. Serie Studi 6], Neapel 1983, 115: „Toute oeuvre du Cusain n'est qu'une méditation sur le couple 'complication-explication', dont il montre l'inséparabilité [...]." Vgl. ebd., 122.

zusammen.[515] Wenn die Vernunft nach Erkenntnis jagt, entspringt sie schon aus dem Glauben und bewegt sich in ihn zurück. Sie entfaltet ihn, indem sie zum Glauben wird, das heißt zu ihm aufsteigt. Von seiten des Glaubens gilt, daß er die Vernunfterkenntnisse in sich birgt und die Hilfe Gottes so in die Vernunft steigt, wie sich die Vernunft selbst zu ihm erhebt[516]. Wenn Cusanus die Vernunft als *explicatio fidei* bestimmt, bringt er damit auch auf den Punkt, wie sich das Werk *De docta ignorantia* als eine Entfaltung der Glaubensartikel entwickelt hat, die nichts anderes als die Vernunft und ihr Wissen selbst darstellt. Diese *explicatio fidei* geht zwar aus der Offenbarung, das heißt der In-karnation, hervor, ist aber zugleich der Selbstvollzug der endlichen Vernunft.

Damit unterscheidet sie sich von der *explicatio fidei* bei Thomas, da gerade der Unterschied von übernatürlichem Glauben und natürli-cher Vernunft nicht gemacht wird,[517] ohne daß Cusanus eine Vermi-schung oder Verschmelzung denken will. Die bei Thomas genannte *explicatio* ist als ein Ausdrücklichmachen zu verstehen, das auf einem erneuten Gnadenwirken Gottes beruht, selbst beim *intellectus fidei*. Dieser entspricht zwar mehr der Cusanischen Intention, allerdings tritt auch hier der klare Unterschied zwischen den beiden Autoren hervor. Thomas kennt durchaus ein Einsehen und Durchdringen der geglaubten Wahrheit.[518] Im Gegensatz zum *lumen fidei* als theologi-scher Tugend ist es als Geistesgabe, als das *donum intellectus* zu den-ken, das weiter reicht und die Tugend weiter vervollkommnet. Beide sind reine Gnadengeschenke, die die Natur erhöhen. Der Glaube

---

[515] S. bes. *De coniecturis* I 10 N.53 Z.1f., h III, 54: „Haec attentissime notato. Unitatem autem in alteritatem progredi est simul alteritatem regredi in unitatem [...].“ Vgl. ebd. II 1 N.78f., h III, 76f.; Bormann, Karl: Die Koordinierung der Erkenntnisstufen (descensus und ascensus) bei Nikolaus von Kues, in: MFCG 11 (1975) 62-79, 76, und Riccati 1983, 137 und 141.

[516] S. *De coniecturis* II 16 N.167 Z.19-22, h III, 169.

[517] Die etwa in STh II-II 2, 6 c. angesprochene *explicatio fidei* ist ein reines Offenba-rungsgeschehen: „[...] explicatio credendorum fit per revelationem divinam: credi-bilia enim naturalem rationem excedunt [...].“ Vgl. ebd. q.2, a.8 c. und ad 2 sowie *Ad Hebraeos* cap. XI, lect. 2 N.576f. Der Gegenbegriff zu *explicatio* bzw. *explicite* ist *im-plicatio* bzw. *implicite*. Zwar bedarf es nicht für jede *explicatio* des Glaubens einer neu-en Offenbarung, doch bleiben beide hinsichtlich der Glaubenswahrheiten auf der übernatürlichen Ebene, vgl. STh II-II 1, 9 ad 2 und ad 4. Die *explicatio fidei* bei der Präzisierung der Glaubenswahrheiten gegenüber den Häresien (s. ebd. q.1, a.9 ad 2 und ad 3) ist wohl als *donum scientiae* zu denken (s. ebd. q.9, a.1) und somit eben-falls ein Gnadengeschehen.

[518] Zum Glaubensverständnis bei Thomas s. Beumer, Johannes: Theologie als Glau-bensverständnis, Würzburg 1953, 80-93; Jenkins, John I.: Knowledge and Faith in Thomas Aquinas, Cambridge 1997, 190-197.

sieht nur ein, daß es gut und geboten ist, Gott zu glauben.[519] Wenn dem Gläubigen darüber hinaus ein tieferes Verständnis geschenkt wird, ist dies auf ein erneutes Geben Gottes zurückzuführen. Das *donum intellectus* gewährt über den Glauben als reinem *assensus* – wenn auch *cum assensione cogitare* – hinaus ein Erfassen der Wahrheit, *perceptio veritatis*[520]. Ob dieses allein negativ bestimmt ist oder auch ein Durchdringen mit positivem Sinn meinen kann, sei hier dahingestellt.[521] Gegenüber Cusanus ist jedenfalls festzuhalten, daß bei Thomas auch die Einsicht in das im Glauben Vorausgesetzte auf ein erneutes Geben Gottes zurückgeht.[522] Dagegen steigt die Vernunft nach Cusanus auf dem Fundament des Glaubens alleine auf. Daran schließt sich natürlich als Konsequenz an, daß die Illumination der endlichen Vernunft durch den Glauben in eigener Weise bestimmt ist.

d) Der Aufstieg im Glauben

Die Bedeutung Lulls für Cusanus ist außerordentlich und seit über 200 Jahren Gegenstand der Forschung. Die Analogien zwischen ihren Denkweisen sind oft dokumentiert worden, daher sollen hier nur einige wesentliche Gesichtspunkte, in denen es um die Vernunft- und Glaubenstheorie der beiden Theologen geht, in den Blick genommen werden. Dabei sollen die Unterschiede herausgearbeitet werden, um so die Eigentümlichkeit des Cusanischen Glaubensbegriffes besser fassen zu können.

Berühmt ist Lull für seine Lehre, derzufolge alle Glaubensartikel mit notwendigen Vernunftgründen beweisbar seien.[523] Hierzu entwik-

---

[519] S. Alfaro, Juan: Supernaturalitas fidei iuxta S. Thomam. I. Functio „luminis fidei", in: Gregorianum 44 (1963) 501-542, 532f., und STh II-II 1, 5 ad 1: Die Gläubigen erkennen die Glaubensgegenstände als *credenda*. Dies wird aber ebd. q.8, a.4 ad 2 dem *donum intellectus* zugeschrieben.

[520] S. STh II-II 8, 5 ad 3. Jenkins 1997, 191-193, schreibt dagegen dem *donum intellectus* die Einsicht in die Glaubensgegenstände als zu glaubende zu, dem Glaubenslicht dagegen die Einsicht, daß etwas von Gott geoffenbart ist. Er hebt aber auch hervor, daß Thomas beide unterscheidet.

[521] S. ebd. q.8, a.2 c., gegenüber ebd. q.8, a.6 ad 2; vgl. zur Problematik Beumer 1953, 85-89.

[522] Thomas sieht sogar das *donum intellectus* direkt an die *gratia gratum faciens* gekoppelt (s. STh II-II 8, 5).

[523] Die exakte Deutung von Lulls *rationes necessariae* ist seit Jahrhunderten umstritten, s. den historischen Überblick bei Madre, Alois: Die theologische Polemik gegen Raimundus Lullus. Eine Untersuchung zu den Elenchi auctorum de Raimundo male sentientium [= BGPhThMA. NF 11], Münster 1973, 89-99. Sicher ist, daß mit ihnen keine apodiktischen Gründe wie im Schluß von der Ursache auf die Wirkung gemeint sind, aber auch keine bloßen Konvenienzgründe, wie z. B. Stöhr, Johannes: Las „rationes necessariae" de R. Llull a la luz de sus ultimas obras, in: Estudios Lulianos 20 (1976) 5-52, 11, meint. Vgl. Colomer, Eusebio: Fides und Ratio bei Rai-

kelt er eine eigene Methode, da er sah, daß dies nicht mit der Aristotelischen Logik, wie sie in das theologische Denken seiner Zeit Eingang gefunden hatte, zu leisten war. Lull will die Eigenständigkeit des Glaubenswissen gewahrt wissen und es doch der menschlichen Vernunft durch Beweise zugänglich machen. Deshalb begnügt er sich nicht mit den in seiner Sicht schwächeren Beweisarten, sei es aus der Erfahrung wie in der empirischen *demonstratio palpabilis*, sei es von der Wirkung auf die Ursache wie in der *demonstratio quia*. Der Schluß von der Ursache auf die Wirkung, die *demonstratio propter quid*, scheidet ebenfalls aus, wenn es um Glaubensgegenstände wie die Trinität und die Inkarnation geht, da Gott keinen höheren Grund über sich kennt. Lull entwickelt deshalb eine eigene Beweismethode, die *demonstratio per aequiparantiam*.[524] Als Beweisgrundlage dient nichts Geschaffenes, sondern die göttlichen unendlichen und ewigen Attribute (*dignitates*) selbst. Die neun absoluten Prinzipien oder Gottesnamen der ersten Intention wie die Güte, die Größe oder die Dauer sind Wesensattribute, mit dem göttlichen Wesen und damit auch untereinander vertauschbar und identisch. Aus ihren wechselseitigen Verbindungen entspringen die *rationes necessariae*.[525] Diese stehen also auf der höchsten Vernunftstufe und gründen in Gottes Wesen selbst und in nichts anderem, etwa der endlichen Vernunft. Die *demonstratio per aequiparantiam* bedient sich ihrer und baut auf dem Glauben auf. Im Glauben werden die *dignitates*, die Wesensattribute als Beweisprinzipien vorausgesetzt, also mithin, daß die Vernunft die göttlichen Wahrheiten erreichen kann.[526] Dann erst entwickelt die Vernunft ihre Einsicht

mund Lull, in: Hagemann, Ludwig, und Glei, Reinhold (Hrsg.): Einheit und Vielheit. FS K. Bormann [= Religionswissenschaftliche Studien 30], Würzburg 1993, 271-283, 282. Lull hielt seine Beweise für stärker, nämlich für vollständig und unwiderlegbar, was für Konvenienzargumente nicht gilt, vgl. Vittorio Hösle in Raimundus Lullus: Die neue Logik. Logica nova, hrsg. v. Lohr, Charles. Übers. v. Hösle, Vittorio, u. Büchel, Walburga. Mit einer Einführung von Hösle, Vittorio, Hamburg 1985, XXII-XLIII, bes. XXX-XXXII.

[524] S. bes. Raimundus Lullus: *Liber de demonstratione per aequiparantiam*, ROL IX, op. 121, 216-231; vgl. zu den Beweisarten *Epistola Raimundi*, ROL XI, 220f., *Liber de quinque sapientibus*, MOG II, 128; *Liber de convenientia fidei et intellectus in objecto*, MOG IV, 572. Zum Verständnis s. Platzeck, Erhard-Wolfram: Raimund Lull. Sein Leben - Seine Werke - Die Grundlagen seines Denkens (Prinzipienlehre) [= Bibliotheca Franciscana 5], 2 Bde., Düsseldorf 1962/1964, I 423-425, und Lohr, Charles H.: Mittelalterlicher Augustinismus und neuzeitliche Wissenschaftslehre, in: Mayer, Cornelius P., u. Eckermann, Willigis: Scientia Augustiana. FS A. Zumkeller, Würzburg 1975, 157-169.

[525] Vgl. Platzeck 1962, I 104-106, zu den absoluten und relativen Prinzipien s. ebd., I 124-260.

[526] S. *Declaratio per modum dialogi* cap. 16 in Keicher, Otto: Raymundus Lullus und seine Stellung zur arabischen Philosophie. Mit einem Anhang, enthaltend die zum ersten

in die Glaubenswahrheiten im Sinne der notwendigen Gründe. Der Glaube geht wie eine Prämisse in einem Schluß voraus und besteht wie diese auch dann weiter, wenn die Lösung einer Frage, das heißt eine Schlußfolgerung oder eine Einsicht, gefunden ist.[527] Dabei hat die *demonstratio per aequiparantiam* nach Lull sogar den Vorzug, daß sie wegen ihrer „tautologischen Beweisstruktur", die ihr in Analogie zum trinitarischen Wesen Gottes eigen ist, keine Unterschiede in dessen einfaches Wesen hineinträgt.[528] Lulls neue Methode will das Glaubenswissen entfalten, ohne sich darüber zu stellen.

Der Wert dieser notwendigen Gründe besteht nun nicht allein darin, daß Gegenargumente ausgehebelt und so die eigenen Positionen verteidigt werden können. Es kann ihnen außerdem vernünftigerweise nicht widersprochen werden. Wenn Lull in dem weiteren Beweisverfahren der *demonstratio per hypothesim* eine These durch Widerlegung der Gegenaussage verteidigt, so ist dies nicht allein als eine negative Erkenntnis zu verstehen, sondern auch als Argument für die These. Gilt das Gegenteil einer Aussage notwendiger Weise nicht, so gilt diese, und zwar unwiderlegbar. Dies haben Lulls notwendige Gründe vor theologischen Angemessenheitsgründen voraus.[529] Daraus erklärt sich auch die Lullsche Missionsaktivität.[530] Eine positive Theologie, in der allein mit dem Willen den Glaubensgeheimnissen zugestimmt wird, kann durchaus in eine beweisende Theologie verwandelt werden.[531] Der Andersgläubige muß nicht seinen Glauben mit einem

---

Male veröffentlichte „Declaratio Raymundi per modum dialogi edita" [= BGPhMA 7/4-5], Münster 1909, 119 Z.35-38, und *Liber de convenientia fidei et intellectus in objecto*, MOG IV, 572; vgl. Stöhr 1976, 12f.

[527] S. *Liber de convenientia fidei et intellectus in objecto*, MOG, 572: „[...] posita Fide ponatur possibilitas ad intelligere, remanente Fide; sicut posito antecedente ponitur consequens."

[528] S. *Disputatio Raymundi christiani cum Homer saraceni*, MOG IV, 464: „[...] sicut Correlativi, videlicet Personae, non distinguuntur essentialiter, sed personaliter, sic Rationes non distinguuntur essentialiter; et sic probavi Trinitatem per Aequiparantiam earum Rationum, non autem per prius, neque per posterius; nam in ipsis non sunt prius, nec posterius; et talis probatio est fortior, quam per prius et posterius, quia prius et posterius differunt per essentiam, Rationes DEI autem non."

[529] Daß sich Lull dessen bewußt war, bezeugt die Schrift *De ostensione fidei catholicae*, ROL II, op. 249, 166: „Si quis autem dixerit, quod obiectiones, quae possunt fieri contra fidem, possunt solvi per rationes necessarias, et probationes, quae possunt fieri pro fide, possunt frangi per rationes necessarias, dicimus, quod implicat contradictionem. Quae stare non possunt, quia duae conclusiones circa idem contrariae stare non possunt." Für die Frage etwa nach der Ewigkeit der Welt hält aber z. B. Thomas gerade beide Positionen aufrecht und entwickelt dann darüber hinaus seine Konvenienzargumente, s. Scg II 31-38 und STh I 46, 1f. Lull dagegen behauptet, seine Beweise des Glaubenswissens seien unumstößlich.

[530] Vgl. Stöhr 1976, 10.

[531] S. Lohr in ROL XI, op. 135, 4f., und Euler 1995, 120.

anderen eintauschen, sondern das Anliegen Lulls besteht gerade darin, dieses Dilemma zu überwinden.[532] Der Andersgläubige kann sogar durch die Vernunft zum christlichen Glauben „gezwungen" werden.[533]

Lull will durch seine neue Methode den Glauben nicht ausschalten. Vielmehr steht er für ihn in diesem Leben am Anfang des Aufstieges zum *intellectus fidei*. Mit ihm werden nicht nur die göttlichen Wesensattribute als Beweisprinzipien vorausgesetzt, sondern überhaupt die Möglichkeit gegeben, daß der *intellectus* die Glaubensgegenstände einsehen und diese Möglichkeit durch seine Beweise in Wirklichkeit verwandeln kann.[534] Der Glaube dient der Vernunft wie ein Werkzeug, zum Beispiel wie eine Leiter, um über die Seelenvermögen Sinnlichkeit und Einbildungskraft zur Einsicht, das heißt dem Wissen von der Notwendigkeit der Glaubensgegenstände, emporzusteigen. Lull bezeichnet den Glauben deshalb auch als *habitus coadiuvativus intellectus*,[535] als solcher wird er von Gott eingegossen.[536] Das Ziel ist aber die Einsicht in die Notwendigkeit des Geglaubten, erst hier kommt die Vernunft zur Ruhe.[537] Allerdings ist fraglich, ob der Glaube eine logische Voraussetzung von Lulls Beweismethode ist[538] und nicht vielmehr auf die Bedingungen einer geschwächten Vernunft Rücksicht nimmt, denn was an einer Stelle als Voraussetzung bezeichnet wird, kann an anderer Stelle eine selbstverständliche Einsicht sein.

Cusanus zieht zwar zahlreiche Gedankengänge Lulls nach, hält jedoch auch abweichend davon an folgenden Punkten fest. Jegliche

---

[532] S. den berühmten Spruch des muslimischen Königs im *Liber de demonstratione per aequiparantiam*, ROL IX, op. 121, 222 Z.120f.: „Nolumus dimittere fidem pro fide aut credere pro credere; sed bene credere pro intelligere dimittemus." Vgl. auch *Liber de convenientia fidei et intellectus in objecto*, MOG IV, 574.

[533] S. *Liber ad probandum aliquos articulos fidei catholicae*, ROL XX, op. 113, 449 Z.4-7: „Quoniam infideles ad fidem cogi non possunt per sacrae Scripturae et sanctorum auctoritates, cum eas negent, et exspectent rationes, ideo hunc librum facimus sequendo modum *Artis generalis*, ut praedictos infideles ad fidem cogere ualeamus."

[534] S. *De multiplicatione*, ROL II, op. 247, 138: „[...] sed quando credit, tunc intelligere suum est in potentia cum habitu fidei, sine quo non potest deducere suum intelligere de potentia in actum." Vgl. Stöhr 1976, 13.

[535] S. *De consolatione eremitae*, ROL I, op. 214, 110; *Liber de novo modo demonstrandi*, ROL XVI, op. 199, 348 Z.3-17.

[536] Vgl. Stöhr 1976, 41.

[537] S. *Liber de praedicatione*, ROL III, op. 118, 245.

[538] Dies bestreitet z. B. Hösle in Raimundus Lullus: Die neue Logik. Logica nova, Hamburg 1985, XLII. Interessant ist eine Stelle, wo Lull für seine Beweise als Voraussetzung allein einfordert, sie für möglich zu halten, s. *Liber super Psalmum <Quicumque>*, MOG IV, 352: „Praeterea convenit, quod in principio probationis supponas, quod sit possibile id, quod intendam probare [...]." Bei Cusanus wird analog der christliche Glaube dadurch bestimmt, es für möglich zu halten, die Wahrheit zu erreichen. S. unten Dritter Hauptteil D.IV.

Bewegung der endlichen Vernunft, die nicht in die Irre gehen will, ruht im Glauben an Jesus und hat diesen als ihr Ziel. Nur so kann sie ihre genaueste Erkenntnis erreichen, nämlich die Einsicht in den Abstand von der höchsten Wahrheit, die *docta ignorantia*, die sie zugleich in unmittelbare Nähe zu Gott rückt. Somit ist leicht verständlich, daß Cusanus keine *rationes necessariae* suchen wird, da die endliche Vernunft so oder so von der *necessitas absoluta*, die allein Gott ist, getrennt bleibt. Auch stehen ihr die göttlichen Wesensattribute gar nicht mehr zur Verfügung, da sie in der belehrten Unwissenheit entleert werden, wenn sie an der Absolutheit Gottes gemessen werden. Die Kenntnis der für die Bildung eines Syllogismus nötigen Wesenheiten entzieht sich der endlichen Vernunft. Das vergleichende Erkennen kann sich zunächst nur auf ein Mehr-oder-Weniger und die Voraussetzung eines Maximums verlassen. So ist es wenig verwunderlich, daß Cusanus in seinen Werken stärker von Lulls relativen Prinzipien Gebrauch macht, die die Verhältnisse zwischen mehreren Wesen näher bestimmen, als von den absoluten.[539] Überhaupt kann er der neuen Methode Lulls nicht folgen, da sie Gott noch unter das Gesetz des Widerspruchs stellt. Wenn Lull von kontradiktorischen Annahmen ausgeht, so sieht er durch die Widerlegung der einen Aussage die andere als bewiesen an und schließt damit aus, daß auf Gott beide Aussagen zutreffen könnten.[540] Der *coincidentia oppositorum* bleibt Lull trotz des Versuches, die Aristotelische Logik zu übertreffen, in diesem Punkt fern. Allerdings weiß er, daß die göttlichen *dignitates*, seine Beweisprinzipien, untereinander identisch sind und daß daraus eine Art zirkulärer Theologie folgt. Dennoch zieht er daraus nicht die Konsequenz, überhaupt den Beweisbegriff als solchen aufzugeben und in einer *comparativa inquisitio* die der Vernunft eigentümliche Erkenntnisbewegung zu entdecken. Für diesen Schritt, den erst Cusanus vollzieht, war der Stoß der *via moderna* als Vorgabe entschei-

---

[539] Besonders die relativen Prinzipien *principium, medium* und *finis* sowie *maioritas, aequalitas* und *minoritas* finden sich in den grundlegenden Gedankengängen von *De docta ignorantia* wieder, zentral in der *regula doctae ignorantiae*. Dabei ist darauf zu achten, daß der Begriff Gottes als *maximum* oder *maximitas* im Zusammenhang mit dem vergleichenden Erkennen und im Abstoß des *maius* und *minus* gewonnen wird und somit der *maioritas* näher steht als Lulls absolutem Prinzip *magnitudo*. Auch hat Cusanus Lulls *maioritas* umbestimmt und aus ihrem Relationszusammenhang gelöst, denn das *esse meliori modo* wird z. B. von einem endlichen Wesen nicht in Beziehung auf ein anderes ausgesagt, sondern auf es selbst hin.

[540] S. *Liber de novo modo demonstrandi*, ROL XVI, op. 199, 349 Z.51-53.

dend.[541] Hinsichtlich der Selbstentfaltung des *intellectus finitus* läßt Cusanus dann aber auch die Geschiedenheit von Glaube und Vernunft, die Lull kennt, hinter sich. Lull versucht, Vernunft und Glaube „positiv zur Deckung zu bringen"[542], als wären sie getrennt. Für Cusanus ist aber schon die suchende Vernunft nie anderes denn *intellectus fidei*, mit Cusanus' Worten ausgedrückt *explicatio fidei*. So erklärt sich, daß Cusanus zwar großes Interesse an bestimmten Aussageinhalten der Schriften Lulls hat, insbesondere was Trinität und Inkarnation betrifft, doch seine Methode nicht übernimmt. Gerade so gelingt es ihm, alles in Christus zusammenlaufen zu lassen.[543]

Cusanus spielt in *De docta ignorantia* auf die Lullsche Beweismethode mittels der Grundwürden an, muß sie aber hinter sich lassen. Er gibt mit seiner Übertragung mathematischer Figuren auf das Unendliche eine Art Hinführung zur *theologia circularis*, die auf Lulls Betrachtung Gottes mittels der Wesensattribute anspielt.[544] Sie wird jedoch wie jede affirmative Theologie in der negativen Theologie im spezifisch Cusanischen Sinn nicht nur korrigiert, sondern erst in ihre Wahrheit geführt. Entscheidend ist dabei, daß für Cusanus alle positiven Bezeichnungen Gottes ihre Grundlage in der göttlichen Schöpfermacht haben. Damit gibt Cusanus die Unterscheidung Lulls zwischen *operatio intrinseca* und *extrinseca* auf und sucht ein gemeinsames Fundament. So ist es auch konsequent, daß Cusanus gerade die *theologia circularis* in ihre Schranken weisen muß, wenn es um die Erklärung der Schöpfung geht.[545] Für Lull besteht immer ein Unterschied zwischen der Rede von Gott hinsichtlich seines Wesens und der hinsichtlich der Geschöpfe, wozu auch die Menschwerdung gehört. Deshalb ist die Notwendigkeit seiner Beweise der Trinität und der Menschwerdung nicht dieselbe.[546] Cusanus nimmt dagegen beides zusammen und be-

---

[541] Auch Euler 1995, 265, verweist u. a. auf „nominalistische Einflüsse" als Motiv für den signifikanten Unterschied zwischen dem Cusanischem Erkenntnisskeptizismus und Lulls Erkenntnisoptimismus.

[542] Hösle in Raimundus Lullus: Die neue Logik. Logica nova, Hamburg 1985, XXXII.

[543] Treffend hält Platzeck, Erhard-Wolfram: Observaciones del P. Antonio Raimundo Pascual sobre lulistas alemanes. A. El lulismo en las obras del Cardenal Nicolás Krebs de Cusa: II. Doctrinas teológicas y filosóficas de Raimundo Lulio en las obras de Nicolás de Cusa, in: Revista Española de Teología 2 (1942) 257-324, 318, für Cusanus fest, wenn er dessen indirekte Methode von der Lulls abhebt: „ [...] parece que el autor querría solamente inclinarnos a sus magnificas *Conjecturas*, que convergen todas en Cristo."

[544] S. *De docta ignorantia* I 21, h I, 44 Z.1-9.

[545] S. ebd. II 3, h I, 72 Z.9-13. Dies ist die zweite und letzte explizite Erwähnung der *theologia circularis* in *De docta ignorantia*.

[546] S. *De concordantia et contrarietate*, ROL I, op. 234, 379 (diese Stelle von Cusanus kopiert im Codex Cusanus 83, fol. 95ʳ): „[...] facimus scientiam necessariam subal-

gründet erst mit Jesus nicht nur die Lehre von der Schöpfung, wie bereits dargelegt wurde, sondern damit auch die von der Dreieinigkeit Gottes.[547] So bleibt zwar für Cusanus, daß der Glaube für die Einsicht vorausgesetzt wird, doch im Vergleich zu Lull gewissermaßen auf den Kopf gestellt. Die bei Cusanus unter der Voraussetzung des Glaubens an die Menschwerdung in Jesus erreichte Einsicht, der *intellectus fidei*, führt gerade dazu, den Glauben vorauszusetzen. Alle Vernunftbewegungen konvergieren im Glauben, in der Bekehrung zu Christus. Somit wird der Glaube im *intelligere* gerade nicht verlassen, sondern erst als Glaube, als immer schon vorausgesetzte Ermöglichung, ans Ziel aller Vernunft zu kommen, in letzter Konsequenz verwirklicht. Aus dieser reflexiven Struktur des Verhältnisses von Glaube und Vernunft geht unverkennbar hervor, daß der Glaube bei Cusanus nie im Schauen in dem Sinne aufgehen wird, daß er dort aufhört. Vielmehr muß man hinsichtlich der Schau gerade erwarten, daß in ihr – mirum

ternatam, cum incarnatio sit a contingentia facta." Vgl. *De infinita et ordinata potestate,* ROL I, op. 223, 247; *Ars mystica theologiae et philosophiae,* op. 154, ROL V, 339; *Disputatio Raymundi christiani cum Homer saraceni,* MOG IV, 443. Allerdings ist schwer einzusehen, warum trotz der Unterscheidung von *actio intrinseca* und *actio extrinseca* (s. etwa *Disputatio Raymundi christiani cum Homer saraceni,* MOG IV, 455) die Beweise für die Menschwerdung schwächer sein sollen als die für die Trinität, denn die *causa unissima* fordert den *effectus unissimus*, wie Lull wiederholt behauptet, doch daß Gott diese Ursache ist, ist für Lull sogar selbstverständlich, s. *Supplicatio Raimundi,* ROL VI, op. 162, 244.

[547] In der Schrift *Idiota de sapientia* nimmt Cusanus ausdrücklich die Lullsche *theologia circularis* mittels *dignitates* auf sein Verständnis der Voraussetzung im Sinne der belehrten Unwissenheit zurück, verwirft sie also nicht, sondern rechtfertigt sie erst. Gott ist als absolute *praecisio* noch jenseits des Widerspruchsprinzipes zu suchen, jenseits aller positiven oder negativen Aussagen (s. ebd. II N.32 Z.1-24, h ²V, 65). Vielmehr ist er die in jeglichem Endlichen, irgendwie Bestimmten vorausgesetzte *absoluta praesuppositio omnium* (ebd. N.30 Z.10, h ²V, 61). Lulls Kunst geht von den göttlichen Grundwürden aus, die dem Menschen in diesem Leben nicht in ihrer höchsten Klarheit und Genauigkeit zugänglich sind. Seine Form einer *theologia circularis* wird deshalb zunächst zurückgestellt (s. ebd. N.36 Z.4-9, h ²V, 68) und in der Weise neu gefaßt, daß auch unsere endliche Vernunft sich in den Inhalten und Beweismethoden wiederfinden kann, s. ebd. N.36 Z.9f., h ²V, 68: „Sed haec [sc. attributa], de quibus nunc sermo, experimur in nostro communi sermone coincidere." Dabei werden die Grundwürden auf die in jeglicher Erkenntnis vorausgesetzten Bestimmungen Genauigkeit und Maximalität zurückgenommen und so erst begründet (s. ebd. N.39 Z.3-15, h ²V, 71f. und N.40 Z.7 - 41 Z.10, h ²V, 73f.). Ihre Absolutheit und Göttlichkeit werden gerade dadurch für die endliche Vernunft unmittelbar gegenwärtig, daß sie von jeglichem endlichen Sinngehalt entleert werden. Auf diese Weise rechtfertigt Cusanus die *theologia circularis*. Eine eigene Art zirkulärer Theologie unter der Vorgabe der *coincidentia oppositorum* skizziert er in *De theologicis complementis* N.2 Z.70-85 und N.14, h X/2a, 11-13 und 80-83; s. auch *De docta ignorantia* I 21, h I, 44 Z.1-9.

dictu – der Glaube gesehen wird, die Gotteserkenntnis sich als reflexive, genauer „konversive", bekehrende Selbsterkenntnis vollzieht.[548]

2. Die theologischen Tugenden

a) Die theologischen Tugenden in *De docta ignorantia*

Cusanus entwirft in *De docta ignorantia* III eine Tugendlehre, die zwar sehr knapp und äußerst spekulativ ausfällt, seine Intention aber doch klar und deutlich zum Ausdruck bringt. In ihr ist zugleich die Lehre von der Kirche angelegt, die in *De docta ignorantia* III 12 entfaltet wird. Ebenso wie im Vorausgegangenen wird er versuchen, traditionelles theologisches Lehrgut möglichst umfassend aufzugreifen, um es dann im Sinne seiner neuen Methode zu verwandeln. Dies geschieht vor allem mit der Lehre von den drei theologischen Tugenden Glaube, Hoffnung und Liebe. Sie stehen nicht nur an der Spitze christlicher Ethik, sondern konnten im Mittelalter sogar das gesamte theologische Wissen sowie dessen Bestimmung zum Ausdruck bringen. Man denke hier nur an Augustins Werk *De fide, spe et caritate* und an Thomas' *Compendium theologiae*. Auch für Cusanus wird sich im Glaubensbegriff die gesamte Denkbewegung von *De docta ignorantia* verdichten, so daß von daher zu erwarten ist, daß er die drei theologischen Tugenden in spezifischem Sinne umdenkt. Dies soll dargestellt und durch eine Gegenüberstellung mit Thomas verdeutlicht werden. Dabei kristallisiert sich heraus, wie sich der Gedankengang von *De docta ignorantia* immer weiter auf den Glauben Christi zuspitzt.

Cusanus kommt hauptsächlich an zwei Stellen in *De docta ignorantia* III auf Tugenden zu sprechen. Beide Male geht es um die Erfüllung der letzten Bestimmung des Menschen, die Vereinigung mit Christus. In *De docta ignorantia* III 6 hat Cusanus festgehalten, daß jeder Mensch nur dann am Heilswirken des Kreuzestodes Jesu Anteil bekommen kann, wenn er mit Christus derart vereint ist, daß er selbst schon Christus geworden ist. Diese Vereinigung geschieht durch die *fides formata*.[549] Von den Tugenden werden *constantia* und *fortitudo*, also zwei Beispiele natürlicher Tugenden, genannt, die für den Überstieg über das Vergängliche und die zeitlichen Begierden besonders maßgebend sind. An übernatürlichen Tugenden erwähnt Cusanus die Liebe und die Demut, die also auch als theologische Tugend aufzufassen ist und

---

[548] S. unten Zweiter Hauptteil.D.III.2.b.
[549] S. *De docta ignorantia* III 6, h I, 138 Z.12-14.

in ihrer Bedeutung nicht mit der Demut in der Thomasischen Bedeutung als Form der Mäßigung, einer natürlichen Tugend, in eins gesetzt werden darf. Die Tugenden führen von der Anhänglichkeit an das Vergängliche zur Vereinigung mit dem Unvergänglichen. Deshalb werden sie selbst von Cusanus als unsterblich bezeichnet.[550] Durch sie vollzieht man das Kreuz Jesu nach, indem man die zeitlichen Begierden und das Verhaftetsein an das Irdische von sich stößt. So ahmt man Jesus Christus selbst nach und wird ihm gleich, denn Christus hat nicht nur alle Tugenden in höchstem Maße erfüllt, sondern kann selbst die Tugend genannt werden.[551] So entscheidet die Realisierung der Tugenden im Menschen über Leben und Tod, über die Zugehörigkeit zu Christus, wie Kapitel III 9 darlegt. Wenn der Mensch nun durch die *fides caritate formata* Christus anhängt, vollbringt er dadurch gewissermaßen alle anderen Tugenden, da der Glaube bei Cusanus einen spezifischen Sinn und Inhalt hat, nämlich Glaube an die Wirklichkeit der Menschwerdung. So sind die Tugenden im Glauben an Jesus Christus schon enthalten, da sie von ihm auch erfüllt worden sind. Im Glauben beginnt das Leben in der Wahrheit. Die *veritas humanae naturae* nimmt hier ihren Anfang. Der Glaube vollbringt gerade die Loslösung vom Vergänglichen und läßt im Menschen schon das Ewige und Unvergängliche beginnen, mit dem er sich im Glauben vereint. Der Glaubende verwandelt sich in das Geglaubte durch nichts anderes als das Glauben selbst, so wie die irdische Nahrung in den eigenen Leib verwandelt wird, wenn sie gegessen wird. Diese geistige Nahrungsaufnahme ist die Bekehrung zur Wahrheit, wie Cusanus den Glauben auch bezeichnet.

In Kapitel III 6 faßt die *fides formata* alle anderen Tugenden in der Weise zusammen, daß sie die höchste Vereinigung mit Christus herbeiführt. Die anderen Tugenden werden also durch den Glauben vollbracht. In Kapitel III 9 werden zwar von den theologischen Tugenden Glaube und Liebe genannt, doch sind sie streng genommen nicht zu trennen, sondern die Liebe gehört schon zum Glauben, zur *conversio ad veritatem*:

„Conversio vero spiritus nostri est, quando secundum omnes suas potentias intellectuales ad ipsam purissimam aeternam veritatem se convertit per fi-

---

[550] S. ebd., h I, 138 Z.28.
[551] S. *De docta ignorantia* III 9, h I, 148 Z.15f. So ist Christus zum Beispiel die Liebe bzw. die Liebe und auch der Glaube (s. ebd. III 9, h I, 148 Z.25 bzw. III 12, h I, 159 Z.20). Daß dies für Cusanus nicht nur metaphorische Rede ist, soll gezeigt werden. S. unten Erster Hauptteil D.II.3 und Dritter Hauptteil D.V.

dem, cui omnia postponit, et ipsam talem veritatem solam amandam eligit atque amat."[552]

Wenn Cusanus den Glauben als Beginn und die Liebe als Fortführung und Realisierung des Glaubenslebens darstellt[553], so sind beide doch im Grunde nicht getrennt.[554] Cusanus spricht gewissermaßen immer von der *fides caritate formata*. Mit diesem Sprachgebrauch kann er auch das Moment der Vereinigung schon im Glauben betonen. Muß man nicht sogar sagen, daß der Glaube, von Cusanus manchmal mit dem Fachterminus *fides formata* bezeichnet, auch Hoffnung und Liebe in sich faßt?[555] Dies ergibt sich zumindest aus *De docta ignorantia* III 11. Wie könnte er auch etwa in der Weise von Thomas differenzieren, da er die Unterscheidung von *intellectus* und *voluntas* gar nicht vornimmt? Von diesem Punkt aus kann leicht erahnt werden, wie tief der Glaubensbegriff in den Cusanischen Grundgedanken hineinführt.

Die Tatsache, daß im Glauben alle Tugenden schon enthalten sind, kann mit äußeren und inneren Argumenten belegt werden. Soll Jesus Christus als die Wahrheit der maximale Glaube sein, so muß sich dies gerade dann erweisen lassen, wenn er alle Tugenden in sich fassen soll. Die natürlichen Tugenden sind nicht nur in höchster Weise auch in den theologischen realisiert, sondern werden in ihrer endlichen Ausprägung vom Glaubenden sogar zurückgelassen, da sie sich nur auf Vergängliches beziehen. Der Glaubende realisiert zum Beispiel *constantia* und *fortitudo*, wie aus den Taten der Heiligen leicht entnommen werden kann.[556] Doch inwieweit kann es Glauben ohne Hoffnung oder Liebe geben? Vervollkommnen Hoffnung und Liebe den Glauben, oder sind sie nur Ausdruck des Glaubens?

Zunächst ist festzustellen, daß Cusanus von den drei theologischen Tugenden meistens nur zwei erwähnt, nämlich Glaube und Liebe, und die Hoffnung oft wegläßt. Im Gegensatz zu den anderen beiden Tugenden wird sie nur in *De docta ignorantia* III 11 behandelt, ansonsten wird sie nur noch zweimal mit ihnen zusammen erwähnt.[557] Wenn es darum geht, die Vereinigung mit Christus zu denken, scheinen

---

[552] *De docta ignorantia* III 9, h I, 148 Z.18-21.
[553] S. ebd., h I, 148 Z.21-27.
[554] So ist es nicht verwunderlich, wenn Backes bei Cusanus eine Beschreibung des Weges vom Glauben zur Hoffnung und zur Liebe vermißt, s. ders.: Die Gnadenlehre bei Nikolaus Cusanus, eine Skizze, in: Trierer Theologische Zeitschrift 73 (1964) 211-220, 217.
[555] Vgl. Offermann 1991, 180, für den der Glaube bei Cusanus die Hoffnung impliziert und ohne die Bewährung in Hoffnung und Liebe nicht Glaube sein kann.
[556] S. *De docta ignorantia* III 11, h I, 156 Z.4-10.
[557] S. ebd. III 8, h I, 143 Z.28f. und ebd. III 12, h I, 161 Z.13f.

Glaube und Liebe auszureichen. Nur sie werden mit Christus identifiziert, denn Hoffnung besagt ja immer, daß etwas noch nicht erreicht ist und ein Ziel noch aussteht. So ist sie ungeeignet, eine schon erreichte Vereinigung mit Christus auszudrücken. Zudem macht Cusanus ganz deutlich, daß die Hoffnung im Glauben schon inbegriffen ist, wenn er den Zusammenhang zwischen den drei Tugenden darstellt. Die Hoffnung wohnt schon in einem großen Glauben, die Liebe erst in einem maximalen Glauben. Die im Glauben implizierte Gewißheit bezieht sich nämlich auch auf die Verheißungen Jesu. Werden sie im Glauben als wahr angenommen, so werden sie eo ipso auch erhofft. Nur so wird auch Christus selbst geglaubt, das heißt ihm Vertrauen geschenkt. Einen Glauben ohne Hoffnung schließt Cusanus implizit aus.[558]

Demgegenüber kommt die Liebe fast nur im Zusammenhang mit dem Glauben zur Sprache, so daß beide anscheinend nicht getrennt werden können. Cusanus meint dabei immer die *fides caritate formata*, auch wenn er nur den Glauben nennt. Er ist also schon mit der Liebe wirkmächtig und lebendig, sie fügt ihm nichts Neues hinzu, vielmehr wird durch die Nennung der Liebe etwas im Glauben verdeutlicht. Cusanus begründet dies aus seinem Verständnis des maximalen Glaubens heraus. Allerdings hält er schon für den einfachen Glauben fest, daß er mit Jesus vereint.[559] Diese Kraft des Glaubens läßt sich steigern, wobei das Höchstmaß allein von Jesus selbst, dem maximalen Menschen, erreicht wird. Dabei ist es auch einem anderen Menschen möglich, die *fides maxima* zu besitzen, allerdings nur der Möglichkeit nach. Auch die vollkommene Ausschöpfung der individuellen Möglichkeiten führt noch nicht zu dem Glauben, der Jesus als allein maximalem Menschen vorbehalten ist.[560] Alles Wissen ist darin als Glaubensgut vereint,[561] zuhöchst im Faktum der Menschwerdung Gottes. An dieser Fülle des Wissens nimmt jeder Glaubende Anteil. Mit Jesus wird *principium, medium* und *finis* der Schöpfung auch für die endliche Vernunft erfaßbar, wenn auch nicht so wie für die unendliche Vernunft selbst. Ein Mensch erreicht nie die Maximalität der endlichen Vernunft, also seines eigenen Wesens, wie sie allein in Jesus erschienen

---

[558] S. ebd. III 11, h I, 155 Z.25-29.
[559] S. ebd. III 11, 154 Z.10-13 und 155 Z.5-9 hinsichtlich einer *magna fides* sowie ebd. III 12, h I, 158 Z.13-18.
[560] S. ebd. III 12, h I, 158 Z.6-10.
[561] S. ebd. III 11, h I, 155 Z.1.

ist, weil sie mit ihm identisch ist. Jedoch kann jeder Mensch das eigene Vermögen zu glauben vollkommen ausschöpfen.[562] Der in diesem Sinne maximale Glaube schließt auch die Liebe mit ein, sonst wäre er nicht maximal.[563] Jesus wird nämlich als das Leben geglaubt. Dieses ist aber in sich der Liebe wert und kann also nicht nicht geliebt werden, wird es einmal als solches angenommen. So ist der Glaube auch lebendig, da mit der Quelle allen Lebens verbunden. Das Verhältnis von Glaube und Liebe im geformten Glauben bestimmt Cusanus folgendermaßen:

„Caritas autem est forma fidei, ei dans esse verum, immo est signum constantissimae fidei."[564]

Was ist damit ausgesagt? Rezipiert Cusanus hier nur die Schullehre über die *fides formata* etwa in ihrer Thomasischen Formulierung?[565] Zunächst ist festzuhalten, daß Cusanus einen ungeformten Glauben an die Menschwerdung gar nicht zu kennen scheint, denn nicht nur der maximale Glaube ist notwendigerweise mit der Liebe verbunden.[566] Ein ungeformter Glaube, also ein Glaube ohne Liebe, wird in *De docta ignorantia* nie erwähnt. Vielmehr gilt, daß, wenn überhaupt Christus als das ewige Leben geglaubt wird, daraus die Liebe entspringt.[567] Die Vereinigung mit Christus geschieht schon durch den Glauben. In ihm erhält der Glaubende gleichsam einen neuen Träger und hat so an der Menschwerdung Gottes unmittelbar Anteil.[568] Im

---

[562] S. ebd., h I, 155 Z.4f.: „[...] necesse est, ut quisque, quantum in se est, actu maxime credat."

[563] S. ebd., h I, 155 Z.14-16 und Z.19f.

[564] *De docta ignorantia* III 11, h I, 155 Z.21f.

[565] Vgl. Backes 1964, 216.

[566] S. *De docta ignorantia* III 11, h I, 155 Z.20f.: „Non est enim viva fides, sed mortua et penitus non fides, absque caritate." Inwieweit ein schwächerer Glaube an die Menschwerdung ohne Liebe bleiben könnte oder eher eine schwächere Liebe nach sich ziehen würde, läßt Cusanus dahingestellt. Allerdings ist ein schwächerer Glaube, der gewissermaßen noch zweifelt, auch für Cusanus kein Glaube, da hier die Überredungen zu einer Seite noch greifen und die *firma assensio* fehlt (s. ebd., h I, 154 Z.25f.). Die Forderung eines maximalen Glaubens im Sinne eines *maxime credere* scheint zudem eher dazu zu dienen, zum Glauben aufzurufen (s. ebd., h I, 155 Z.5). Außerdem weist diese Formulierung darauf hin, daß hier der Glaube schon mit der Liebe zusammengedacht wird, eben im Sinne des Selbstvertrauens der Vernunft, ihr Ziel erreichen zu können. Thomas hält den Sinngehalt von Glauben auch bei einem ungeformten Glauben fest (s. STh II-II 4, 4), der vom Dämonenglauben zu unterscheiden ist. Dieser ist für ihn keine eingegossene Tugend mehr (s. ebd. q.5, a.2 ad 2; vgl. Alfaro 1963, 507).

[567] S. *De docta ignorantia* III 11, h I, 155 Z.16-18.

[568] S. ebd., h I, 155 Z.12f.: „[...] quasi in ipso per unionem - salvo numero suo - ut in vita sua suppositatus."

Glauben weiß er sie in sich vollzogen, so daß der Glaube schon die vereinigende Kraft der Liebe mit sich bringt. Die Liebe als Vereinigung mit Gott im Willen ist für Cusanus einerseits hauptsächlich das Zeichen für einen beständigen Glauben, andererseits gibt sie dem Glauben das wahre Sein. Das bedeutet nun nicht, daß es einen ungeformten Glauben gibt, der erst durch das Hinzukommen der Liebe zu einer wirksamen Tugend wird, weil er dann mit Gott als letztem Ziel verbindet und so seine Bestimmung einlöst. Vielmehr will Cusanus mit diesem Ausdruck der theologischen Tradition sagen, daß gar kein Glaube vorliegt, so die Liebe fehlt. Wenn Jesus nämlich als letztes Ziel des Menschen geglaubt und nicht als das eigene Leben erfaßt wird, sondern das menschliche Streben darüber hinweggeht, wird er auch nicht als dieses Ziel geglaubt, vielmehr eher verkannt.[569]

Welche Bestimmung hat nun der so gefaßte Glaube bei Cusanus? Die Bestimmung des Menschen für das christliche Wissen ist, *ad imaginem Dei*, nach dem Bilde Gottes geschaffen zu sein. Bild Gottes ist der Mensch, sofern er das dreifaltige göttliche Wesen ausdrückt. Die Trinität hat Cusanus aber hauptsächlich in Anhalt an Gottes Schöpfersein entwickelt. Das vollkommene Bild Gottes, der maximale Mensch Jesus, ist aber die Vereinigung von Schöpfer und Geschöpf und somit die vollkommene Äußerung der göttlichen Macht und der Ausdruck des trinitarischen Wesens Gottes. Insofern ist er als die Vervollkommnung des Universums auch Ziel von allem, auch der göttlichen Schöpfermacht. Gerade der Glaube zeigt diese Bestimmung unter schöpferischem Gesichtspunkt. Im Glauben kommt die *potentia* der endlichen Vernunft zu ihrer maximalen Entfaltung.[570] Die Möglichkeit des Glaubens liegt also im Wesen der Vernunft. Diese muß erstens nicht erst durch die Gnade auf diese „übernatürliche" Erhöhung hin vorgeformt werden. Vielmehr kommt zweitens die Wirkmacht der endlichen Vernunft gerade im Glauben zu ihrer größten Verwirklichung, die sie allerdings Jesus selbst verdankt, wie sich vor allem in den Kapiteln III 2-10 gezeigt hat.[571] Im Glauben vollzieht der Mensch in sich die *maxima operatio* Gottes nach. Der Glaube ist sozusagen deren spiegelverkehrte Gegenbewegung. Deshalb ist er direkt auf Christus gerichtet und hat als Inhalt allein die Menschwerdung[572],

---

[569] S. auch *De docta ignorantia* III 9, h I, 148 Z.18-27. Im Glauben wird Christus als die Wahrheit erwählt, die zu lieben ist.

[570] S. ebd., h I, 155 Z.10f.: „Vide, quanta est potentia tui intellectualis spiritus in virtute Christi, si sibi super omnia adhaereat [...]."

[571] S. ebd., h I, 155 Z.10f. die Formulierung *in virtute Christi*.

[572] S. die Zusammenfassung der Botschaft des Johannesevangeliums ebd., h I, 152 Z.10-16.

in der alles andere zusammengefaßt ist. Der Glaube führt gerade in die Vereinigung mit Jesus, in die hypostatische Union selbst hinein und nicht weiter. In Jesus wird die Seligkeit gefunden.[573] Er ist das Ziel und die Vervollkommnung von allem. Analog läßt der Mensch im Glauben alles Endliche hinter sich und strebt der *perfectio completa naturae*[574] zu. Sie zu erreichen heißt, in ein Ebenbild Christi verwandelt zu werden.[575] Im Glauben vollzieht der Mensch die schöpferische Bestimmung seines Bildseins. Auch insofern können Hoffnung und Liebe nicht als zwei dem Wesen nach vom Glauben getrennte Tugenden aufgefaßt werden, sondern müssen schon als im Glauben mitinbegriffen verstanden werden.

b) Abgrenzung gegen Thomas

Zu Beginn der Interpretation von *De docta ignorantia* wurde eine Parallelität in der Anlage zur *Summa Theologiae* von Thomas festgestellt. Beide sind in drei Teile gegliedert und münden in die Christologie und Lehre von der Kirche beziehungsweise der Sakramente. Bemerkenswert ist aber, daß Cusanus das zweite Buch der Schöpfungslehre widmet, während Thomas hier die praktische Theologie und Morallehre abhandelt. Die Cusanische Morallehre entfaltet sich fast ausschließlich aus seiner Glaubenslehre. Der Glaube ist die Zentraltugend, in der andere Tugenden wie Gerechtigkeit und Wahrhaftigkeit entweder miteingeschlossen sind[576] oder wie Hoffnung und Liebe gewissermaßen mit ihm zusammenfallen. Im Glauben vereint sich der Mensch mit Jesus Christus in der Art, daß er ganz in Jesus aufgeht, je nach Grad des Glaubens und der Ablösung von der vergänglichen Welt. Aus den vielen Gläubigen konstituiert sich als ihre Vereinigung in Christus die Kirche, wie Cusanus in Kapitel III 12 ausführt. Diese Einheit gründet im Heiligen Geist, in dem auch die Wahrheit des Glaubens subsistiert.[577] Der Glaube ist also erst in der *unio unionum* zu seiner letzten Bestimmung gekommen.

---

[573] So bestimmt Cusanus die Schau Gottes als die *visio Jesu*, s. ebd., h I, 153 Z.8 - 154 Z.9. Diese Jesusmystik wird er in *De visione Dei* breiter ausführen.

[574] S. ebd., h I, 156 Z.16f.

[575] S. ebd., h I, 156 Z.18f.

[576] So muß die Stelle ebd. III 9, h I, 148 Z.7-17, verstanden werden. Da Christus die *virtus* selbst ist und er im Glauben erfaßt wird, so werden auch alle anderen Tugenden mit ihm erreicht. Deren Hauptmerkmal ist zudem, den Menschen vom Vergänglichen zu lösen und mit dem Unvergänglichen zu verbinden. Dies leistet aber in ausgezeichneter Weise der Glaube.

[577] S. ebd. III 12, h I, 158 Z.24-26.

Thomas stellt dagegen die theologischen Tugenden und insbesondere den Glauben unter einen anderen Leitgedanken. Alle drei sind göttliche Gnadengeschenke, mit denen der Mensch seinen Weg zur Glückseligkeit in Gott vollenden kann. Dabei werden seine natürlichen Fähigkeiten durch diese Gnadengaben in ihrer Eigentätigkeit nicht gemindert, sondern bestärkt und vervollkommnet, gemäß dem Thomasischen Grundsatz, die Gnade zerstöre die Natur nicht, sondern setze sie voraus und vervollkommne sie[578]. Die Natur wird für den Weg zum übernatürlichen Ziel ausgerüstet. Dies denkt Thomas so, daß die Gnade in der Tiefendimension der *essentia animae* des Menschen selbst wirkt, sie wie eine Formursache mit einer neuen Qualität versieht und aus der Gnade wie aus einer Wurzel die eingegossenen Tugenden emporwachsen.[579] Alle Tugenden, auch die theologischen, beziehen sich direkt auf die beiden Seelenvermögen Vernunft und Wille.[580] Die theologischen Tugenden Glaube, Hoffnung und Liebe erhöhen die natürlichen Kräfte des Menschen, die er in seinen intellektuellen Tugenden wie Wissenschaft und Einsicht und seinen moralischen wie Gerechtigkeit und Tapferkeit ausübt. Der Glaube vervollkommnet zum Beispiel die geistigen Kräfte des Menschen. Die theologischen Tugenden werden aber ihrerseits nochmals durch die Gaben des Heiligen Geistes abgeschlossen.[581] Sie erfüllen die *potentia oboedientialis* des Menschen, reichen aber selbst bei Jesus nicht bis zur Schau des göttlichen Wesens.[582]

Die gesamte Lehre von den theologischen Tugenden ist durch das Gnadenwirken Gottes geprägt, wobei Thomas immer wieder die Eigenständigkeit der Gnade hervorhebt. So ist die heiligmachende Gnade, *gratia gratum faciens*, nicht mit den gnadenhaft eingegossenen Tugenden identisch, denn diese können als übernatürliche erst dann hervorgehen, wenn die menschliche Natur in sich gewandelt und erhöht wird. Nicht die eingegossenen Tugenden als solche führen zur Teilhabe an der göttlichen Natur, sondern die ihnen zugrunde liegende Gnade. So zu denken setzt aber voraus, der menschlichen Natur eine Abgeschlossenheit in sich zuzuschreiben, eine *definitio* und eine natürliche Vollkommenheit zuzuerkennen. Diese möchte Thomas auch gewahrt wissen, wie aus seiner bekannten Verhältnisbestimmung von Natur und Gnade hervorgeht. Nur so kann auch die

---

[578] S. u. a. STh I 2, 1 ad 1.
[579] S. STh I-II 110, 3 und 4.
[580] S. z. B. hinsichtlich der theologischen Tugenden STh I-II 62, 3.
[581] S. ebd. q.68, a.1.
[582] S. STh III 11, 1 c.

Gnade als ungeschuldetes *superadditum* gedacht werden, obwohl der Mensch von Natur aus nach Gott strebt, ihn aber doch nicht ohne dessen Hilfe erreichen kann.

Demgegenüber entwirft Cusanus die theologischen Tugenden und insbesondere den Glauben in verwandelter Weise. Auch für ihn sind sie Gaben Gottes und entspringen letztlich aus Jesus selbst, der die absolute Tugend ist. Sie stammen jedoch nicht aus einem Gnadenwirken, das eine in sich geschlossene Natur verwandelt. Vielmehr führen sie die nicht maximale endliche Natur, die immer einem Mehr-und-Weniger verhaftet ist, zu ihrer Vollendung, die allein Gott selbst ist, das heißt das mit Gott geeinte *maximum contractum*. Was bei Cusanus als Natur zu bezeichnen ist, ist unmittelbar auf Gott hin angelegt. Wenn bei ihm der Glaube das Vernunftvermögen vollendet, so ist, Thomasisch gesprochen, die Gnade die Verwirklichung dieses Vermögens und nicht dessen Wurzel. Die Gnade entspräche der Natur auf einer Ebene.[583] Da aber Cusanus für die Vernunftnatur keinen geschlossenen Begriff hat, sondern diesen gerade auf eine suchende Vernunft hin geöffnet hat, kann man sie doch nicht auf eine gemeinsame Ebene stellen. Vielmehr ist die Vernunftnatur als nichtmaximale nichts anderes als die Suche nach diesem Maximum. Das Maximum gehört nicht in den Bereich des *maius* und *minus*, sondern ist von diesem geschieden. Erst Jesus, der maximale Mensch, ist im eigentlichen Sinne ein Mensch. Die Wesenheiten der Dinge sind nach Cusanus nicht nur unbekannt, sondern es gibt sie gar nicht in endlicher Verwirklichung. Sie finden sich als wahre nur in Christus, dem göttlichem Wort, genauer der *necessitas complexionis*.[584] Erst in ihm sind sie in ihrer Maximalität und Wahrheit da. Die *perfectio completa naturae* der endlichen Vernunft, die im Glauben erreicht wird, ist eine Vervollkommnung, die die Natur nicht erhöht, sondern erst zur Natur macht, sie zu einer *natura completa* abschließt.[585] Immer wieder betont Cusanus, daß der Mensch in der Inkarnation in seiner eigenen Natur Gott erreicht. Die Grenzen der Natur dehnen sich also bis zum Maximum aus. Aber das Maximum darf dennoch als Grenze nicht in einer gleichen Seinsebene mit dem von ihm Abgeschlossenen gedacht werden. Insofern braucht Cusanus nicht so zu denken, daß die Gnade in der Tiefe der *essentia* wirkt und das Wesen selbst neu formt, wenn er

---

[583] Gerade dieses *congruere* oder *convenire* möchte Thomas mit seiner Determination ausschließen (s. STh I-II 110, 3 c. und ad 2).

[584] S. *De docta ignorantia* II 7, h I, 84 Z.4-6.

[585] Diese beiden Ausdrücke folgen unmittelbar aufeinander, s. ebd. III 11, h I, 156 Z.16-18.

Natur und Gnade scheiden möchte. Es ist immer eine göttliche Gnadentat, wenn etwas zu seiner Maximalität und damit erst zu seiner
Wahrheit kommt. Im Maximumgedanken liegt die Cusanische Gnadenlehre verborgen, deren explizite Darstellung man darüber hinaus
in seinen spekulativen Werken vergeblich suchen wird. Dadurch, daß
Endliches und Unendliches bei ihm unmittelbar aufeinander bezogen
sind, ist die Gnade schon mit der Herrlichkeit verbunden. Letztlich
gibt es keinen wesentlichen Unterschied zwischen Maximalität und
Vervollkommnung, Gnade und Herrlichkeit.[586] Deshalb kann Cusanus
das unendliche Ziel der endlichen Vernunft schon im Glauben allein
verwirklicht sehen, auch wenn dieser immer weiter steigerbar zu sein
scheint.

Cusanus hat seine Trinitätslehre unter einen schöpferischen
Aspekt gestellt, der durch die unmittelbare Verbindung mit der
Menschwerdung als *operatio maxima* noch betont wurde. Die Fülle
dieser Sammlung und Vereinigung Gottes mit allem Geschaffenen
wird in der *unio unionum* besiegelt. Hier erst kommt das ganze Wesen
Gottes zum Vorschein, wenn der Begriff von Jesus abgeschlossen ist.
Die Vereinigung der Trinität mit der Kirche als der Gemeinschaft der
Glaubenden in der hypostatischen Union bildet den Abschluß des
Gedankens von *De docta ignorantia*. Aus dieser großen Zusammenfaltung erhält letztlich auch der Glaube seine Zielbestimmung. Als *complicatio intellectus* gehört er in die Vereinigungsbewegung des Vielheitlichen mit Gott, wie sie im Gottmenschen stattfindet. Insofern nimmt
der Glaube teil an der *maxima operatio*. Wie sich aus den folgenden
Abschnitten über den Glauben, den Jesus hat und der er selbst ist,
noch genauer ergeben wird, entspringt der Glaube nicht nur direkt
aus der Inkarnation, also nicht im Sinne eines daran geknüpften, aber
doch in sich unabhängigen Gnadengeschehens, sondern er ist die
Aufstiegsbewegung, korrespondierend zum Abstieg Gottes in die
Welt. Dabei realisiert der Glaube die trinitarische Bestimmung des
Menschen als Bild Gottes in der Form dieser Rückführung, als *complicatio*. Insoweit zeichnet Cusanus auch schon in *De docta ignorantia* die
Bildbestimmung des menschlichen Geistes unter schöpferischem
Aspekt. Dies ist entscheidend, da damit die Suche nach dem Neuarti-
gen sowie das manchmal unsystematisch Erscheinende dieses Werkes
schon in jenes Programm von *venationes sapientiae* gehört, in dem die

---

[586] Hiermit stimmt die Beobachtung von Backes überein, daß Cusanus das Licht der
Herrlichkeit nicht eigens erwähne und insbesondere auch „das gnadenhaft Neue
des Glorienlichtes nicht besonders hervorgehoben" werde (s. ders. 1964, 220).

Cusanische Vernunft ihrer schöpferischen Bestimmung nach-
kommt.[587]

Thomas hat demgegenüber den Menschen als Bild unter eine
praktische Bestimmung gestellt, worauf kurz eingegangen werden
soll.[588] Für das Bildsein des Menschen hält Thomas grundlegend fest:

„[...] *imago* enim dicitur ex eo quod agitur ad imitationem alterius."[589]

Das Bildsein präzisiert Thomas dann primär hinsichtlich der Akte
der Vernunftseele, durch die er die göttliche Trinität in den Hervor-
gängen des Wortes und der Liebe nachahmt und repräsentiert.[590] Die
dem Menschen aber in eigentlichem Sinne zuzuschreibenden Akte,
actus humani, sind allein die moralischen. Sie führt Thomas dann
auch im zweiten Teil der *Summa Theologiae* aus. In seinen moralischen
Handlungen und Werken ist der Mensch Prinzip. Er ahmt in den
Vollzügen von Erkennen und Wollen Gott als Prinzip von allem nach
und folgt so seiner Bestimmung als Bild Gottes. Dabei hat er aber
„nur" den ein für allemal von Jesus Christus gebauten Weg zu beschreiten. Er muß nichts Neues hervorbringen, nicht Schöpfer sein,
um Gott als Schöpfer nachzufolgen. Er ist vielmehr in tieferem Sinne
Bild Gottes, wenn er die moralischen Handlungen vollzieht und sein
Leben auf Gott hinordnet.[591] Mit diesen Werken ahmt er nämlich
Gottes trinitarisches Wesen nach. Programmatisch stellt Thomas dem
zweiten Teil der Summe das Leitwort voran:

„[...] restat ut consideremus de eius imagine, idest de homine, secundum
quod et ipse est suorum operum principium, quasi liberum arbitrium habens
et suorum operum potestatem."[592]

Von hier aus betrachtet ist es kein Zufall, wenn ethische Betrach-
tungen bei Cusanus in seinen theoretischen Schriften nur sehr wenig
Raum einnehmen. Der Mensch ist nicht im Praktischen, sondern im
Produktiven Bild Gottes, und zwar bis in dessen trinitarisches Wesen

---

[587] Hier könnte weiter überlegt werden, ob Cusanus der Vernunft der spitzfindigen
Spekulationen in der *via moderna* in den Feldern seiner *venationes sapientiae* einerseits ihre Freiheit läßt, sie aber andererseits im Sinne der *docta ignorantia* direkt an
die Weisheit Gottes zurückbindet.
[588] S. hierzu besonders Shin 1993.
[589] STh I 93, 1 c.
[590] S. ebd. q.93, a.7 c.
[591] Insofern ist die Aufgabe des Weisen das Ordnen des Wissens, nicht Neues zu entdecken, vgl. Scg I 1.
[592] STh I-II prol.

hinein. Mit den mathematischen Spekulationen beispielsweise in *De docta ignorantia* I imitiert die Cusanische Vernunftseele den dreifaltigen Gott und wird ihrer Bestimmung gerecht. Zuhöchst vollbringt sie diese aber, wenn sie ihre Überlegungen bis zum Gedanken der Menschwerdung Gottes vorantreibt. Dann erkennt die endliche Vernunft, daß sie immer schon gerade auf dem Glauben an das *maximum contractum individuale* gründet. Diese Einsicht in die eigene Voraussetzung erstreckt sich auf alle Erkenntnis und faßt sie in sich. So führt sie die endliche Vernunft zu ihrer eigenen Maximalität und schließt sie im Glauben ab, denn von ihm gilt:

„Fides igitur est in se complicans omne intelligibile.“[593]

Gegenüber Thomas ist also Cusanus in seiner Lehre von den theologischen Tugenden prinzipiell in dem Punkt abzuheben, daß er Gott und Mensch, Urbild und Abbild, unter schöpferischem Aspekt betrachtet, nicht aber wie Thomas das Bildsein des Menschen im Praktischen faßt. Auswirkungen hat dies auf die Unterscheidung oder auch Nichtunterscheidung der Tugenden. Darüber hinaus begreift Cusanus das Gnadenwirken Gottes in völlig anderer Weise. Alle Gnade geht nicht nur von Jesus Christus aus, sondern letztlich aus der Inkarnation als solcher hervor. Das Leben Jesu ist dann die Entfaltung der zeitlosen Wahrheit der hypostatischen Union in der Zeit. Erst mit dem Endgericht, in dem die Zeitlichkeit endgültig überwunden wird, ist der Begriff von Jesus, konkret die *veritas unionis hypostaticae* vollständig. Insofern in und durch Jesus alles Endliche zu der ihm möglichen Maximalität geführt wird, kann man zwar hier von einem Gnadenwirken reden, und auch bei Cusanus geht alle Gnade von Jesus Christus aus. Jedoch wird dieses Gnadengeschehen nicht als Erhöhungsgeschehen erkenntlich. Es ist nichts anderes als das Schöpfungswerk, keine Erhöhung desselben, sondern dessen Abschluß, die Manifestation der *unio unionum*. Insofern verwandelt Cusanus die gesamte Theologie, die er in *De docta ignorantia*, wie sie in den Glaubensartikeln zusammengefaßt ist, aufnimmt. Er wendet sich ihr sogar in der Weise zu, daß er in seinen Spekulationen die schöpferische Bestimmung des Menschen als Bild Gottes einholt. Das wird dann offensichtlich, wenn der Glaube, den Christus selbst besitzt, in seiner Vernünftigkeit darzustellen ist. Mit dieser Lehraussage bezieht Cusanus eine ganz eigenwillige Position in der Theologie des Spätmittelal-

---

[593] *De docta ignorantia* III 11, h I, 152 Z.3f.

ters. Für ihn muß sie aber zentral sein, sonst hätte er sie nicht immer wieder neu vorgebracht.

3. Der Glaube Christi

a) Die systematische Bedeutung des Glaubens Christi in *De docta ignorantia*

Cusanus kommt in der Entwicklung seiner Gedanken bis zu der Aussage, daß Jesus selbst glaube. Dieses Glauben muß in seiner Bedeutung klar herausgearbeitet werden, weil sich hier die Gnadenkonzeption von Cusanus dem Verständnis am besten erschließt. Das Werk *De docta ignorantia* kommt mit dem Glauben Christi in seinem Durchgang durch das Glaubensbekenntnis an sein Ende, nämlich zur Entfaltung der Lehre vom Geist und der Kirche.

Dem Glauben Christi entspringt die Kirche. Die Kirche ist hierbei nicht einfach eine Gemeinschaft von Glaubenden, der aufgrund des Glaubens Anteil am göttlichen Leben geschenkt wird, sondern das Glauben selbst ist schon dieses ewige Leben. Dieses wird für die Glaubenden dann völlig erreicht, wenn sie aus diesem vergänglichen Leben geschieden sind, wie Christus mit der Sterblichkeit ihre Zeitlichkeit abgelegt haben und in die triumphierende Kirche eingegangen sind.[594] Wie Jesus kommen sie im Tod zur Wahrheit ihrer menschlichen Natur, das heißt zur Unsterblichkeit,

„ut sit una Christi humanitas in omnibus hominibus, et unus Christi spiritus in omnibus spiritibus; ita ut quodlibet in eo sit, ut sit unus Christus ex omnibus"[595].

Doch wie kann diese Menschheit Christi in anderen Menschen sein, ohne daß diese damit zugleich mit Christus identisch sind? Und dabei sollen sie doch so eng mit Christus geeint sein, daß sie neben dem Geist Christi keine eigene Subsistenz haben, auch wenn ihre Individualität und Verschiedenheit nicht aufgelöst werden. Nun ist

---

[594] Cusanus unterscheidet eine Vereinigung mit Christus in diesem Leben in der Weise des Glaubens und der Liebe von einer Vereinigung im Jenseits in der Anschauung, *comprehensio,* und des Genusses (s. *De docta ignorantia* III 12, h I, 158 Z.13-16). Daß aber mit der Schau der Glaube nicht aufhört, sondern allein zu seinem Höchstmaß gesteigert wird, bezeugt gerade der glaubende Jesus, der auch für Cusanus *comprehensor* ist. Insofern gibt nicht der Unterschied von *fides* und *comprehensio* die qualitative Unterscheidung der Glaubenden von den Seligen ab, sondern die Trennung vom Vergänglichen, die auch das Erscheinen der Herrlichkeit Gottes ermöglicht.

[595] Ebd. III 12, h I, 159 Z.2-4.

Jesus in seiner Menschennatur schon mit jedem Menschen ähnlich geworden, da er als maximaler Mensch alle Geschöpfe in sich faßt.[596] So richtet er auch alles in sich, indem er prüft, inwieweit es mit seiner Maximalität übereinstimmt. Diese drückt sich derart aus, daß er die gesamte Fülle der menschlichen Natur in sich faßt, also ihm als einzigem von vornherein eine *natura completa* zuzuschreiben ist. Wenn ein Mensch aber an ihn glaubt und die selbst gesuchte Erfüllung in Jesus als in einem Menschen erreicht sieht, nimmt er eben diese Erfüllung nicht nur als erhoffte und noch ausstehende in sich auf, sondern sie ist ihm schon gegenwärtig, zwar in steigerbarer Weise, aber doch präsent. Sie ist ihm nicht allein als die in seiner Natur angelegte Möglichkeit gegenwärtig, sondern als wirkliche. Insofern nimmt der Mensch durch den Glauben an der Maximalität Jesu Anteil. Diese Hinwendung zu Jesus, das heißt die Bekehrung im Glauben an die Menschwerdung, läßt nicht nur alles Vergängliche und Geschaffene hinter sich und führt zu dessen Grund zurück. Sie bringt auch das Streben und Suchen der endlichen Vernunft zum einzigen Fixpunkt, den es nach Cusanus je finden kann. Damit wird aber dieses Suchen zu seinem Abschluß gebracht, da es beim *finis omnis intellectionis* anlangt. Insofern aber in der Vernunft alles, was ein Mensch ist, in höchster Form enthalten ist, kommt auch seine endliche Natur zu ihrem Abschluß. Das bedeutet aber nichts anderes, als daß der Mensch die Inkarnation in sich nachvollzieht, denn die Menschwerdung ist nach Cusanus nichts anderes, als daß die endliche Vernunft mit ihrem unendlichen Ziel, der unendlichen Vernunft geeint ist. Für uns heißt dies, daß wir im Glauben christusförmig werden. Diese Seite des Verhältnisses in der Vereinigung mit Jesus reflektiert Cusanus als den Glauben an Jesus, an die Menschwerdung. An sich bedeutet dies jedoch auch, daß Jesus selbst diese Vereinigung mit sich als Gottes Sohn nochmals in sich faßt, wie er ja alles Endliche, wenn auch in erhöhter Form, in sich birgt. Diese Seite der Vereinigung muß Cusanus ebenfalls ausführen. Sie geht logisch der anderen voraus, wie ja die ganze Schöpfung in Jesus gründet. Cusanus stellt sie als den Glauben Christi dar. Er ergibt sich also notwendig aus Cusanus' Verständnis der Inkarnation und seinem Naturbegriff.

Christus ist Objekt und Subjekt des Glaubens.[597] Die Intention ist nicht, hier Jesus einen Glaubenshabitus zuzuschreiben.[598] Insofern unterscheidet sich die Cusanische Problemstellung völlig von der

---

[596] S. ebd. III 9, h I, 146 Z.8-10.
[597] Vgl. Lentzen-Deis 1991, 71.
[598] Vgl. Haubst 1956, 275.

durch Petrus Lombardus aufgeworfenen Frage nach einem Glauben Christi. Vielmehr ist davon auszugehen, daß in Jesus alles zusammengefaßt ist. Der Glaube ist aber nach Cusanus die *complicatio* alles Vernünftigen in eine Einheit.[599] Diese Einheit ist Jesus als die *incarnata ratio omnium rationum*[600], die Fülle der Schöpfung noch vor aller Trennung, aus der alles hervorgeht und in die alles mündet. Die Rückbewegung des Geschaffenen vollzieht sich in der Bewegung der endlichen Vernunft zu Gott. Der Menschwerdung als *descensus* entspricht der Glaube als *ascensus*.[601] Sie sieht sich in Jesus an ihrem Ziel. Diese Erkenntnis ist der Glaube, der die Vernunftbewegung selbst abschließt. Sie ist aber in Jesus schon vollzogen. Er stellt die an ihre Ziel gelangte Vernunft dar. Insofern glaubt Jesus, weil er sich auch als endliche Vernunft an seinem Ziel weiß. Maximum und Minimum fallen nach Cusanus zusammen. So gilt denn auch für den Glauben des maximalen Menschen:

„Ita quidem et in fide, quae simpliciter maxima in esse et posse; non potest in viatore esse, qui non sit et comprehensor simul, qualis Iesus fuit."[602]

Der schlechthin maximale Glaube kann also nur in demjenigen Menschen sein, der Wanderer und Schauender ist. Diesen Glauben soll der Mensch in höchstmöglicher Weise in sich verwirklichen,[603] so wird er in den Glauben Christi selbst aufgenommen, denn dieser umgreift als Maximum jeglichen Glauben:

„Intra maximum autem omnia includuntur, quoniam ipsum omnia ambit. Hinc in fide Christi Iesu omnis vera fides et in caritate Christi omnis caritas vera includitur, gradibus tamen distinctis semper remanentibus."[604]

So ist der Glaubende von Jesus nicht mehr unterschieden, vielmehr ist er ihm je ähnlicher, desto mehr er sich in Jesus an seinem Ziel weiß, also glaubt. Aus den derart mit Jesus Geeinten entsteht die Kirche, die *congregatio multorum in uno*[605], in der nur noch Jesus wahrge-

---

[599] So gilt auch vom maximalen Glauben Christi, s. *De docta ignorantia* III 11, h I, 154 Z.28 - 155 Z.1: „[...] ut omnia complectatur credibilia in eo, qui est veritas."
[600] Ebd., h I, 154 Z.7f.
[601] Vgl. ebd., h I, 152 Z.1f.: „Omnem enim ascendere volentem ad doctrinam credere necesse est hiis, sine quibus ascendere nequit." Vgl. auch ebd., h I, 153 Z.21 und bes. 156 Z.13-15.
[602] Ebd., h I, 154 Z.21-23. Vgl. *De docta ignorantia* III 12, h I, 157 Z.20-22 und ebd. III 12, h I, 158 Z.1f.
[603] S. ebd. III 11, h I, 154 Z.23-27.
[604] S. ebd. III 12, h I, 158 Z.3-6.
[605] Ebd., h I, 158 Z.19.

nommen wird. Dabei kann kein Mensch den gleichen Glauben wie ein anderer haben, vor allem nicht den maximalen Glauben, den Jesus selbst hat:

„[...] non potest quisquam, etiam si actu – quantum in se – fidem maximam habeat Christi, attingere ad ipsam maximam Christi fidem, per quam comprehendat Christum Deum et hominem."[606]

Wer diesen Glauben besitzt, hat auch die Schau Gottes, denn er erkennt mit seiner Vernunft, wie in Jesus die endliche Vernunft mit Gott vereint ist. Er schaut das Geheimnis der Menschwerdung und sieht die hypostatische Union. Diesen höchsten Glauben kann nur der besitzen, der selbst der Gegenstand dieses Glaubens ist. Da aber dieser maximale Glaube schon die *comprehensio* bildet, ist er nichts anderes als die Vereinigung der endlichen Vernunft mit Gott selbst, also die hypostatische Union selbst. Die *fides maxima Christi* ist nichts anderes als die *maxima natura humana*, nur in der Weise gefaßt, wie sie sich selbst einsichtig ist, als Geist oder Erkenntnis. Wenn, anders ausgedrückt, für Cusanus der Mensch zuhöchst seine Vernunft ist, so ist der Gottmensch die mit Gott vereinte endliche Vernunft, eben Glaube. Daher muß es von diesem Punkt her nicht mehr verwundern, wenn Cusanus Jesus mit der Liebe und vor allem dem Glauben gleichsetzt. Hier werden nicht Tugenden hypostasiert, sondern die Cusanischen Tugenden in ihrer Wahrheit dargestellt. Die *veritas fidei nostrae* subsistiert im Geist Christi, die Einheit der beiden Naturen in Christus existiert aber im Heiligen Geist, der absoluten Union.[607] Es macht ja auch nur Sinn, von Jesus als Objekt und Subjekt des Glaubens zu sprechen, sofern auch gesagt wird, wie beides in ihm geeint ist. Diese Einheit ist die hypostatische Union. Die als Einheit reflektierte hypostatische Union ist aber der Glaube Christi. Er ist nicht mehr von seinem Gegenstand zu unterscheiden. Deshalb ist er Schau der Wahrheit und die Wahrheit selbst:

„Nulla autem perfectior fides quam ipsamet veritas, quae Iesus est."[608]

Erst dieses Verständnis des Glaubens erlaubt es auch der endlichen Vernunft, Anteil an der Menschwerdung zu haben, indem sie in diese aufgenommen wird. Kein Mensch kann mit Jesus identisch werden, aber jeder kann in dessen Einheit mit Gott hinein aufsteigen, so daß

---

[606] Ebd., h I, 158 Z.7-10.
[607] S. ebd., h I, 158 Z.24f. und ebd., h I, 162 Z.21-23.
[608] *De docta ignorantia* III 11, h I, 152 Z.8f.

für den Menschen letztlich kein Unterschied mehr zu Gott wahrgenommen werden kann. Im Glauben an das Faktum der Menschwerdung nimmt er somit nicht etwas ihm Fremdes auf, sondern kommt
als endliche Vernunft an sein unendliches Ziel. [609] So verwandelt er
nicht die Speise in sich, sondern wird in die geistige Speise selbst verwandelt.[610] Er wird Jesus gleich, da er in dessen Wissen von seiner
Einheit mit Gott hineingenommen wird. Dies steht hinter dem Begriff
der Christusförmigkeit. Es ist streng genommen eine Jesusförmigkeit,
das heißt Gleichförmigkeit mit der hypostatischen Union.[611] Mit dem
Glauben wird die hypostatische Union im Gläubigen nachgebildet.
Dann wird Jesus als das Ziel aller Vernunft erkannt und angenommen, alles endliche Erkennen aber von ihm hergeleitet, dem einzigen
endlichen Maximum. In dieser Weise ist der Glaube der Beginn der
Herrlichkeit,[612] denn im Glauben teilt sich Gottes Gnade mit, die nach
dem Tod als Herrlichkeit ansichtig wird. Diese Gnade fließt allein aus
Jesus, dem maximalen Glauben und Ziel allen Vernunftstrebens. Sie
wirkt aber in den Grenzen der Natur, eben der endlichen Vernunft,
und zwar als diese Grenze, nämlich als das Maximum. Das Maximum
kann aber immer nur Gottes Gabe sein. Wenn Cusanus den Glauben
als Erfüllung des Vernunftstrebens denkt, denkt er zwar ein Gnadengeschehen. Das qualitativ Neue an der Gnade verbirgt sich ihm jedoch in die Maximalität der Natur. So kann er die Gnade von der

---

[609] Vgl. hierzu *De circuli quadratura* Z.129-131 und 141-143, h X/2a, 93: „Sufficit autem
omni creaturae, quod in sua specie deum modo, quo potest, attingat. Tunc enim
quiescit, quando extra speciem suam eum nec quaerit nec esse apprehendit. [...] Sic
quietatur omnis intellectus, si modo, quo suae speciei conceditur, se senserit ad aequalitatem infinitatis elevari divina praecisione semper inaccessa remanente." Dieser Grundgedanke wird besonders in der mathematiktheoretischen Reflexion über
das Problem der Kreisquadratur bei Cusanus plastisch.

[610] S. ebd. III 12, h I, 160 Z.29 - 161 Z.3.

[611] S. ebd. III *Epistola auctoris*, h I, 164 Z.5f.: „[...] in Iesum hic transformatur propter
inhabitantem Christi spiritum in eo, qui est finis intellectualium desideriorum [...]."

[612] Cusanus spricht zwar von einem Wachstum im Glauben und von einer Verwandlung
durch das Licht der Herrlichkeit, scheint aber den Glauben allein diesem Leben
zuzusprechen, während die Herrlichkeit den Seligen vorbehalten ist. Jedoch sind
Gnade und Herrlichkeit keine unterschiedenen Ebenen, sondern liegen auf einer
einzigen und verhalten sich wie Bewegung und Ruhepunkt. Das Licht der Herrlichkeit ist zwar die Vervollkommnung des Glaubens und die Verwandlung der strei-
tenden in die triumphierende Kirche, doch diese Vervollkommnung findet schon
in Jesus statt, so daß sie anders als die Verwirklichung der endlichen Vernunft in Jesus nicht nochmals über sich hinausführt. Entsprechend kann die Lehre von der
triumphierenden Kirche, Kapitel III 12, aus der vom Glauben in Kapitel III 11 her-
ausgelesen werden, wie Cusanus behauptet (s. ebd. III 12, h I, 157 Z.15f.). Der
Glaube der Menschen ist eingeschlossen im Glauben Jesu, der schon Schau in der
Herrlichkeit ist. Daß Cusanus in den Kapiteln III 11 und 12 dennoch bemüht ist,
seinen Gedanken an eine Statuslehre zu knüpfen, ist allerdings offensichtlich (vgl.
auch ebd. III 6, h I, 137 Z.10-13).

Natur aus als deren Vollkommenheit denken. Aber das göttliche, ungeschuldet freie Geben ist nicht bestimmend für ihn. Vielmehr sucht Cusanus danach, wie alles, auch das Endliche, in Gott eins ist. Von Gott als Maximum, der auch das Eine sein muß, ging das Werk im ersten Buch aus. Mit Gott, in dem alles vereint ist, schließt es. Diese absolute Vereinigung ist der Heilige Geist. Das Zentrum der Einheit aber ist Jesus:

„[...] ut quilibet beatorum, servata veritate sui proprii esse, sit in Christo Iesu Christus, et per ipsum in Deo Deus, et quod Deus eo absoluto maximo remanente sit in Christo Iesu ipse Iesus, et in omnibus omnia per ipsum."[613]

b) Abgrenzung von der theologischen Tradition

Die in der Frühscholastik noch umstrittene Frage, inwieweit Jesus Christus ein Glaube zuzuschreiben sei,[614] hat in der Hochscholastik ihren Abschluß gefunden. Thomas etwa lehnt die noch von Petrus Lombardus behauptete Position[615] ab, Jesus habe zwar nicht die Tugend Glaube, wohl aber den Glaubensakt gehabt. Da für Thomas der Glaube ein Wissen von etwas ist, das man nicht völlig erkennt, kann Christus, der die vollkommene Schau des Wesens Gottes hatte, kein Glaube zugeschrieben werden.[616] Der Glaube trägt nämlich im Vergleich zur Schau einen Mangel in sich. Allerdings besaß Christus die Geistesgaben, die den Glauben vervollkommnen.[617] Dies erscheint merkwürdig. Ist nicht mit der seligen Anschauung etwa die Gabe der Einsicht oder der Weisheit überflüssig, da schon in höherer Weise mitinbegriffen? Was hebt Thomas hervor, wenn er Christus die *cognitio patriae*, aber auch die *cognitio viae* zuschreibt?[618] Gleichzeitig muß nochmals gesehen werden, wie Cusanus Jesus als *viator* und *comprehensor* versteht. So kann verdeutlicht werden, was mit dem Verhältnis von Natur und Gnade geschieht, wenn Cusanus eine *fides Christi* denkt.

Thomas stellt fest, daß in Jesus Christus vier Arten von Wissen zu finden sind. Zuoberst steht erstens das göttliche Wissen, die *scientia divina*, die dem Sohn Gottes als göttliches Wort eigen ist. Neben die-

---

[613] Ebd. III 12, h I, 161 Z.16-20.

[614] S. hierzu Landgraf, Artur Michael: Dogmengeschichte der Frühscholastik II. Die Lehre von Christus, Bd. 2, Regensburg 1954, 120-131.

[615] S. Petrus Lombardus: Sent. III d.26, cap. 4, Bd. 2, 161 Z.12-19; Thomas: Sent. III d.13, q.1, a.2

[616] S. STh III 7, 3.

[617] S. ebd. q.7, a.5.

[618] S. ebd. q.7, a.5 ad 3; s. auch ebd. q.15, a.10.

sem ungeschaffenen Wissen kommt Jesus aber auch ein geschaffenes Wissen zu, die Schau des göttlichen Wesens, die er mit den Seligen teilt, sowie eine *scientia infusa* und eine *scientia acquisita*. Diese drei Formen des Wissen vervollkommnen das Vernunftvermögen der Seele Jesu hinsichtlich der Herrlichkeit, der Gnade und der Natur. Das erworbene Wissen bezieht sich auf den *intellectus agens* und liegt auf der Ebene der Natur, speziell der menschlichen Natur, wie sie als solche auch in der Begnadung erhalten bleibt.[619] Das eingegossene Wissen vervollkommnet aber den *intellectus possibilis*, und zwar sowohl hinsichtlich dessen, was er von Natur aus erkennen kann, also das Wissen der menschlichen Wissenschaften, als auch bezüglich dessen, was er von der Offenbarung, das heißt der Wissenschaft Gottes und der Seligen, aufnehmen kann.[620] Das Wissen des *lumen gratiae*, das Glaubenswissen findet sich also durchaus in Jesus, allerdings in höherer Weise als bei jedem anderen Menschen. Gewissermaßen hat Jesus das vollkommene gnadenhafte Wissen. Dieses ist aber nochmals klar von der Anschauung des Wesens Gottes zu unterscheiden, dem Wissen der Herrlichkeit. Die Erfüllung der *potentia oboedientialis* reicht sogar bei Jesus Christus nicht über die Gaben des Heiligen Geistes hinaus und bleibt diesseits der Schau des göttlichen Wesens.[621] So trennt Thomas einerseits auf der Ebene der Herrlichkeit das Wissen Gottes von sich selbst von der Schau, andererseits die Ebene der Gnade von der der Herrlichkeit und die der Natur von der der Gnade. Die Vollkommenheit in einer Ebene fordert nicht eine andere Ebene ein. Alles ist wohlgeordnet in Jesus in höchster Weise vorhanden. Es gibt aber keine Übergänge von unten nach oben, nur die Auswirkungen von oben nach unten. Aus der Gnade der Vereinigung fließt ja auch die geschaffene, persönliche Gnade Christi, ohne daß beide identisch sind. Ebenso liegt das geschaffene Wissen der Seele Christi auf einer anderen Ebene als die Gott eigene komprehensive Schau selbst.[622] Nur wenn diese Ordnung und Hierarchie gewahrt bleibt, löscht die göttliche Natur die menschliche nicht aus und macht sie nicht überflüssig, sondern vervollkommnet sie.[623] Es gibt auch keinen Übergang ins Göttliche, Ungeschaffene, wenn in der menschlichen, geschaffenen Natur Christi etwas bis zur Vollkommenheit auf dieser

---

[619] S. ebd. q.9, a.4 c.

[620] S. ebd. q.11, a.1 c.

[621] S. ebd. q.11, a.1 c. Dies steht in deutlichem Gegensatz zu *De docta ignorantia* III 3, h I, 132 Z.5-7, denn bei Cusanus ist erst Gott, das Maximum, die Erfüllung der *potentia* der endlichen Vernunft.

[622] S. STh III 10, 1 c. und ad 2.

[623] S. ebd. q.9, a.1 ad 1 und ad 2.

Ebene gesteigert wird. Derart konkretisiert Jesus Christus den Grundsatz *gratia non destruit naturam, sed supponit et perficit eam*.

Denkt Cusanus auch einen Unterschied von geschaffenem und ungeschaffenem Wissen in Jesus? Vor einer Antwort ist zu bemerken, daß Cusanus keine Stufung des Wissens in Jesus lehrt, zumindest nicht nach *De docta ignorantia*.[624] Er erklärt nur, daß Christus den größten Glauben hatte, der als größter auch der kleinste ist, das heißt schon Erkenntnis. Diese Erkenntnis unterscheidet sich aber nicht vom Wissen Gottes von sich, sondern ist damit identisch. Auch diese von Thomas behauptete Trennung wird für Cusanus hinfällig. In der Maximalität Jesu sind geschaffene Gnade und Herrlichkeit im Göttlichen selbst zusammengezogen.[625]

Die Schau, *comprehensio*, bezeichnet Cusanus als die nächsthöhere Gattung zum Glauben.[626] Sie ist nun aber nicht auf das Wesen Gottes als solches gerichtet, sondern genauer auf die hypostatische Union.[627] Hier erst äußert sich ja Gottes Wesen, seine Maximalität, in der *operatio maxima*. Christo- beziehungsweise Jesuzentrik und produktives Verständnis des trinitarischen Wesens Gottes entsprechen sich bis in den Cusanischen Begriff des Glaubens als nachbildende Schau der hypostatischen Union. Dieser Glaube ist in vollkommener Weise allein Jesus vorbehalten. Wer ihn hat, ist Jesus. Der so mit Christus vereinigende Glaube fällt auch mit ihm zusammen. Wenn Cusanus keine Wissensstufen in Jesus unterscheidet, denkt er sicher keine Vermischung des Geschaffenen mit dem Ungeschaffenen.[628] Wohl aber ist

---

[624] Zum Wissen Jesu Christi bei Cusanus s. Haubst 1956, 261-268; das Fehlen der *scientia infusa* konstatiert auch Reinhardt 1986, 212f.

[625] S. *De docta ignorantia* III 4, h I, 132 Z.5-7. S. die Formulierung im Brief an Johannes von Segovia, h VII, 99 Z.4-6: „Unde infinita gratia [...] ita est gratia quod natura [sc. divina]."

[626] S. *De docta ignorantia* III 12, h I, 157 Z.20-25. Auch dies ist auffällig, gilt doch für Thomas, daß die Schau Gottes und der Glaube in eine Gattung fallen, weshalb man in gewisser Weise noch sagen kann, daß im Gegensatz zur Hoffnung in der Seligkeit etwas vom Glauben erhalten bleibt. Beide fallen unter die Gattung *cognitio* (s. STh I-II 67, 5). Streng interpretiert würde auch hieraus für Cusanus folgen, daß der maximale Glaube Christi schon das göttliche Wissen des Wortes wäre, das heißt kein Unterschied zwischen seinem Wissen im Licht der Herrlichkeit und dem göttlichen Wissen gemacht würde. An dieser Stelle greift die Sequenz *natura-gratia-gloria* nicht mehr. Die maximale Gnade, der maximale Glaube ist Schau, also Herrlichkeit. Dies bestätigt die oben aufgestellte Behauptung, Gnade und Herrlichkeit lägen auf einer Ebene.

[627] S. *De docta ignorantia* III 12, h I, 158 Z.7-10: „[...] non potest quisquam [...] attingere ad ipsam maximam Christi fidem, per quam comprehendat Christum Deum et hominem."

[628] S. zur hypostatischen Union ebd. III 2, h I, 125 Z.6-9: „[...] ubi contractum non subsisteret - cum sit maximum - nisi in ipsa absoluta maximitate, nihil illi adiciens, cum sit maximitas absoluta, neque in eius naturam transiens, cum sit contractum."

die Maximalität der menschlichen Natur mit dem göttlichen Wort identisch.[629] Nur insofern gilt auch die von Cusanus behauptete Idiomenkommunikation im Sinne einer Koinzidenz.[630] Cusanus spricht ja nicht davon, daß die Prädikate der menschlichen Natur auch der Gottheit zugesprochen werden können, sondern daß sie mit den göttlichen zusammenfallen. Ihre Maximalität ist das göttliche Wort selbst. Hier zeigt sich, daß es bei Cusanus keine eigene Stufe der Gnade gibt. Die sozusagen gnadenhaft erhöhte Natur Jesu mündet mit ihren Eigenschaften in den göttlichen Träger selbst. Dabei fallen Schöpfer und Geschöpf nicht zusammen, und es gibt auch keine Vermischung, doch die Gnade als das für die Herrlichkeit, die Ähnlichkeit mit Gott Disponierende entfällt gewissermaßen. Die Natur wird von Cusanus direkt auf Gott, die Herrlichkeit bezogen. Dafür ist das Faktum des Fehlens einer *scientia infusa* und die Behauptung eines Glaubens bei Christus ein entscheidender Beleg. Die Natur führt in ihrer Maximalität direkt in die göttlichen Natur, ohne jedoch in diese überzugehen. Hier wird ein Unterschied behauptet, der unvermittelt ist. Gerade weil die Natur für Cusanus unabgeschlossen ist, kann sie dafür, die Gnade als eigenen Bereich zu denken, keine Basis abgeben.[631]

III. DIE BELEHRTE UNWISSENHEIT ALS GLAUBE

Die Geschlossenheit des Werkes *De docta ignorantia* ist erst dann begriffen, wenn gesehen wird, wie der Inhalt vollständig in der ihm gemäßen Ordnung entfaltet worden ist und wie auch die Methode hiermit übereinstimmt. Die inhaltliche Seite führt Cusanus in der Darstellung des trinitarischen Wesens Gottes aus, wie es sich im *maximum absolutum et contractum* nicht nur äußert, sondern selbst zu seiner eigenen Maximalität kommt. Im Begriff von Jesus wird die *maxima operatio* Gottes gedacht und, insofern dieser erst mit Jesus als Richter erreicht ist, auch ausgeführt. Erst in der Vereinigung Gottes mit der

---

[629] S. ebd. III 3, h I, 132 Z.5-7: „Maximus [sc. intellectus] autem, cum sit terminus potentiae omnis intellectualis naturae in actu existens pleniter, nequaquam existere potest, quin ita sit intellectus, quod et sit Deus, qui est omnia in omnibus."

[630] S. ebd. III 7, h I, 140 Z.7-10: „Et ob hoc communicatio idiomatum admittitur, ut humana coincidant divinis, quoniam humanitas illa inseparabilis a divinitate propter supremam unionem, quasi per divinitatem induta et assumpta, seorsum personaliter subsistere nequit."

[631] Cusanus thematisiert in Kapitel III 12 die Gnade explizit nur hinsichtlich des Wachstums im Glauben und in der Liebe sowie des Wachstums bis zur Herrlichkeit, wie es als gesamtes im Glauben Jesu schon auf höhere Weise zusammengenommen ist.

Kirche in der hypostatischen Union wird Gott alles in allem sowie jede Vielheit in dessen absolute Einheit aufgenommen und darin bewahrt. Diese höchste Vereinigung, die *unio omnium unionum*, ist der Heilige Geist. Jegliches Mehr-und-Weniger wird in ihr aufgehoben, denn die Seligen können zwar noch als einzelne Individuen unterschieden werden, doch letztlich gibt es in der triumphierenden Kirche nur noch Jesus Christus. Kann in der Welt ohne Jesus kein Individuum einem anderen auch nur in einem Punkt ganz gleich sein, so sind in Jesus alle trotz ihrer Verschiedenheit als Individuen einander völlig gleich. Die Vereinigung der Kirche der Seligen fällt mit der der beiden Naturen in Jesus zusammen. In seiner Person kommt auch die Welt als individuelle, nicht allein das *universum* als *maximum contractum*, zu seiner höchsten Vollendung, so daß nur noch das Licht der Herrlichkeit leuchtet,

„ut sit ecclesia in aeterna quiete, adeo perfecta, quod perfectior esse non possit, in tam inexpressibili transfomatione luminis gloriae, ut in omnibus non appareat nisi Deus"[632].

Hieraus ist ersichtlich, wie Cusanus mit dem Schlußkapitel von *De docta ignorantia* sowohl Gott als *maximum absolutum* bis zu den Grenzen seiner Maximalität fortbestimmt hat, die ja doch nur wieder in ihm selbst liegen können, als auch den Ausgangspunkt seiner Betrachtungen eingeholt hat. Einerseits ging er nämlich von der Welt des Endlichen aus, dem eine schlechthinige Absolutheit fehlt. Für die Wahrheit des endlichen Erkennens und folglich die Methode des Cusanischen Denkens selbst heißt dies, daß es sich nur als *comparativa inquisitio* entwickeln kann, wie Cusanus in seinem Eingangskapitel I 1 festhält. Andererseits wird aber auch das Denken mit der Vereinigung von Unendlichem und Endlichem in Jesus fortbestimmt. Wie in Kapitel III 1 angezeigt, fehlt in der Welt ohne Jesus als *maximum contractum individuale* sogar jeglicher Ansatzpunkt für eine *inquisitio comparativa*, die auf Allgemeinheit Anspruch erheben könnte. Diese führt aber, wenn sie auf ihre Grundlage reflektiert, nicht nur in die Christologie als inhaltliches Feld, sondern, wie anhand des Glaubens Christi dargelegt wurde, in den Glauben als ihren eigenen Ursprung und ihre Wahrheit. Schon die *comparativa inquisitio* kommt nur durch den Glauben an Jesus in Gang, auch wenn ihr selbst diese Voraussetzung des Glaubens noch nicht einsichtig sein mag. Diese Einsicht wird ja nicht in einer einfachen Reflexion gewonnen, sondern in einer Re-

---

[632] Ebd. III 12, h I, 162 Z.26-28.

flexion, die Konversion ist, Bekehrung zu Jesus im Glauben. Rundet sich so das Werk und kehrt mit seinem Ende auch in den eigenen Grund und Anfang zurück, so muß sowohl im Anfang das Ende und im Ende der Anfang aufgezeigt werden können. Konkret wirft das die Frage auf, wie die Methode der belehrten Unwissenheit mit dem Glauben verbunden ist. Erst wenn dieses Verhältnis geklärt ist, kann auch der Streit beigelegt werden, wo Cusanus rein philosophisch und wo er als Theologe denke oder ob er alles in philosophische Spekulation auflöse, ob er sich aus dem Skeptizismus in den Fideismus flüchte oder es bei einer nicht aufgelösten Spannung von belehrter Unwissenheit und Offenbarungsglauben bewenden lasse.

Vorliegende Arbeit versucht zu zeigen, daß eine eigenständige Philosophie sowie ein entsprechendes philosophisches Denken und eine ausdrücklich davon abtrennbare Theologie bei Cusanus im Grunde gar nicht ausgemacht werden können. Sie sind allenfalls Hilfsbegriffe, um Cusanus von außen her verständlich zu machen. Letztlich steht ein Denken dahinter, das sich noch an einer Thomasisch gefaßten Verhältnisbestimmung von Natur und Gnade orientiert. Die Natur ist bei Cusanus jedoch nicht in sich abgeschlossen, sondern erst in Jesus erhält sie ihre Vervollständigung. Die Gnade ist die *completio naturae*, eine Gabe zu etwas, das ohne sie gar nicht sein kann, so wie auch die Schöpfung aus der Menschwerdung hervorgeht und nicht losgelöst davon besteht. Insofern ist sie kein *superadditum* mehr. Cusanus vermischt dabei Natur und Gnade nicht, vor allem denkt er keine fließenden Grenzen. Das hätte seine Christologie in einen Gegensatz zum Dogma gebracht. Er entwirft aber die Gnade als die Maximalität der Natur von einer Natur aus, die ohne diese Maximalität gerade nicht eigentlich gedacht werden kann, von der es nur eine Unwissenheit gibt. Die rechte Einsicht in diese Unwissenheit gerade hinsichtlich des Endlichen, die belehrte Unwissenheit, führt aber nicht nur an das Gnadenlicht, den Glauben heran, sondern ist schon Glaube, insofern sie das Moment der Belehrung hat. Sie kann sich nur in ihrer Abständigkeit von der absoluten Wahrheit erkennen, insofern sie diese irgendwie in sich trägt. Die Natur ist quasi immer schon begnadet. Um diese Grundkonstellation einsichtig zu machen, schrieb Cusanus sein Werk *De docta ignorantia*. In jeglichem auf Erkenntnis hin strebenden Denken schon den Glauben zu entdecken und Gott, konkret Jesus, in allem Denken wahrzunehmen, dazu soll der denkerische Nachvollzug dieses Buches führen, damit Jesus immer größer in der Vernunft und als Ziel allen Erkenntnisstrebens erreicht werde.[633] Das

---

[633] S. ebd. III *Epistola auctoris*, h, I, 163 Z.19-21.

ist aber nichts anderes als die belehrte Unwissenheit in vollständiger Weise zu erfüllen.[634] Dies intendiert Cusanus, wenn er in *De docta ignorantia* III 11 den Glauben mit der belehrten Unwissenheit verbindet.

Als autoritatives Beispiel für die Kraft des Glaubens referiert Cusanus die Christusvision von Paulus aus dem zweiten Korintherbrief. Dabei wird schon der Glaube als die Schau Gottes bezeichnet:

> „[...] cessant persuasiones et accedit fides; per quam in simplicitate rapimur, ut supra omnem rationem et intelligentiam in tertio caelo simplicissimae intellectualitatis ipsum in corpore incorporaliter, quia in spiritu, et in mundo non mundialiter, sed caelestialiter contemplemur incomprehensibiliter [...].“[635]

Deutlich zeigen die kontradiktorischen Wendungen, wie hier Gott im Sinne der *coincidentia oppositorum* erreicht wird. Dabei unterscheidet Cusanus die *contemplatio* von der *comprehensio.* Ist diese Gottesschau nur auf Gott als solchen bezogen, so wird sie sogleich mit der Christusvision identifiziert, an der die Elemente der *docta ignorantia* nun explizit hervorgehoben werden:

> „Et haec est illa docta ignorantia, per quam ipse beatissimus Paulus ascendens vidit se Christum, quem aliquando solum scivit, tunc ignorare, quando ad ipsum altius elevabatur.“[636]

Aus der Gedankenabfolge ergibt sich, daß diese Christusvision der Glaube ist. Das scheinbare Wissen von Paulus wird zur Unwissenheit, zum *ignorare*, je mehr es seinem Erkenntnisgegenstand entspricht. Es läutert sich zur belehrten Unwissenheit. Die endlichen Begriffe werden durch die Erhöhung in den dritten Himmel, in die Unendlichkeit Gottes, in sich klar erkannt, nämlich auf einer höheren Stufe. Dann erscheinen sie aber in ihrer Abständigkeit von der absoluten Wahrheit und geben ihre Unangemessenheit preis. Je mehr sie sich aber so in sich auflösen, desto weniger setzen sie sich der göttlichen Unendlichkeit entgegen. Diese kann dann ein Denken, das so alles Nichtgöttliche läßt, erfüllen. Der Leerraum der Unwissenheit wird zum Ort der höchsten Offenbarung Gottes. In der Belehrung aber, die die Unwissenheit in sich erfährt, spricht Gott, hierin sieht sich

---

[634] S. ebd. I 1, h I, 6 Z.17-24: „[...] profecto, cum appetitus in nobis frustra non sit, desideramus scire nos ignorare. Hoc si ad plenum assequi poterimus, d o c t a m ignorantiam assequemur. [...] In quem finem de ipsa docta ignorantia pauca quaedam scribendi labores assumpsi.“

[635] Ebd. III 11, h I, 152 Z.28 - 153 Z.3.

[636] Ebd. III 11, h I, 153 Z.4-7.

Cusanus mit Augustinus einig, auf den er unter anderem die *docta ignorantia* zurückführt.[637] Diese Belehrung über die eigene Unwissenheit kann aber nur durch eine Gegenwart des Unendlichen selbst erreicht werden. Hier wird nochmals die Nähe des Cusanischen Denkens zur Mystik offensichtlich. Cusanus' mystische Theologie ist eine rationale Mystik, in der die Gegenwart Gottes im sich selbst einsichtigen Denken, der belehrten Unwissenheit gefunden wird. Sie ist das Offenbarwerden Gottes in Jesus Christus. In ausgezeichneter Weise denkt Cusanus, daß jegliche Gegenwart Gottes, alle Offenbarung allein in Jesus geschieht:

„Iesus enim in saecula benedictus, finis omnis intellectionis, quia veritas, et omnis sensus, quia vita, omnis denique esse finis, quia entitas, ac omnis creaturae perfectio, quia Deus et homo, ibi ut terminus omnis vocis incomprehensibiliter auditur."[638]

Für alle Stufen des Seins, Erkennen, Sinnlichkeit, Leben und bloßes Sein, ist er das Ziel. Gerade als dieses wird er gehört und in ihm auch Gott, denn jedes Geschöpf ist ein Zeichen des göttlichen Wortes selbst, das in Jesus auch Gott selbst erreicht. Die kosmologische Christologie hängt also aufs engste mit der Cusanischen Erkenntnis- und Zeichenlehre zusammen. Diese ergibt sich aus der Christologie, konkret der Inkarnationslehre. Jedes Wort ist direkt auf das Unendliche bezogen und verweist zuerst auf Jesus als die *ratio incarnata rationum*. Von dort gewinnt es erst seine Bedeutung, und diese beinhaltet in Wahrheit nichts anderes, als auf Jesus selbst zu verweisen, indem sie in sich selbst nichts anderes als Ungenauigkeit ist. Als solche wird sie aber für die endliche Vernunft nur von Jesus her erkennbar, in dem alles in seiner Natur die Maximalität erreicht. Die belehrte Unwissenheit, selbst ihr erster Grundsatz, es gebe vom Endlichen zum Unendlichen kein Verhältnis, ist nur von Gottmenschen Jesus her denkbar.[639]

---

[637] S. *Apologia doctae ignorantiae*, h II, 13 Z.11-19, insb. die Nennung des Heiligen Geistes im Augustinuszitat: „Quae, ut ita dicatur, d o c t a i g n o r a n t i a per spiritum, qui adiuvat infirmitatem nostram, in nobis est."

[638] *De docta ignorantia* III 11, h I, 153 Z.26-30.

[639] Dies behauptet auch Offermann 1991, 167. Hierzu ist *Sermo* XXII N.32 Z.1-10, h XVI, 351 aufschlußreich: „Notandum hic, quo modo incarnatio Christi fuit necessaria nobis ad salutem. Deus creavit omnia propter se ipsum, et non maxime et perfectissime, nisi universa ad ipsum; sed nec ipsa ad ipsum uniri potuerunt, cum <<finiti ad infinitum nulla sit proportio>>. Sunt igitur omnia in fine, in Deo, per Christum. Nam nisi Deus assumpsisset humanam naturam, cum illa sit in se ut medium alias complicans, totum universum nec perfectum, immo nec esset." In Christus ist alles Endliche in der Weise mit dem Unendlichen vereint, daß es in seiner Vollkommenheit in der maximalen menschlichen Natur Christi zusammengefaßt

Ebenso hängt die Erkenntnisregel des Werkes, daß es im Bereich des Mehr-und-Weniger des Endlichen kein Maximum gebe, von demjenigen Endlichen ab, das allein ein Maß für die Unterscheidung von mehr und weniger sein kann.

Mit der belehrten Unwissenheit werden wir nicht nur, wie Cusanus betont, auf dem immer gleichen Fundament zum Felsen Christus geführt.[640] Die sich selbst einsichtige Vernunft der *docta ignorantia* sieht sich in ihrem Weg schon in Jesus selbst wieder, der der Weg zu sich als der Wahrheit ist. Jesus ist im Weg der *docta ignorantia* so gegenwärtig, wie der Punkt in der ihn ausfaltenden Linie. Der Vernunft erscheint der Glaube etwas anderes zu ihr zu sein, dem Glauben ist sie aber nichts anderes zu sich, da er ihre Wahrheit ist. Das heißt nichts anderes, als daß diese endliche Vernunft selbst schon an sich Glaube ist, nämlich geeint mit dem einzigen Fixpunkt des Endlichen, Jesus Christus. Die Vernunft ist dann auch für sich Glaube, wenn sie auf sich reflektiert. Dies ist allein in der *conversio per fidem* möglich, der Hinwendung zu Jesus Christus als Ziel von allem.

---

ist. Erst so haben die Welt und der erkenntnistheoretische Grundsatz von *De docta ignorantia* ein Fundament.

[640] S. *De docta ignorantia* III 11, h I, 153 Z.8f.: „Ducimur igitur nos Christifideles in docta ignorantia ad montem, qui Christus est [...]."

Zweiter Hauptteil: Der Glaube in späteren Werken

A. Vorbemerkungen zur Auswahl der Werke

Cusanus hat sich, abgesehen vom Predigtwerk, in *De docta ignorantia* am ausführlichsten in einem Werk zum Glauben geäußert, doch es gibt aus seiner späteren Schaffensperiode einige Schriften, die explizit und in systematischem Zusammenhang den Glauben thematisieren. Unter ihnen verdienen vor allem die beiden Schriften *De pace fidei* (1453) und *De visione dei* (1453) besondere Beachtung. Der Glaube wird auch in *De possest* (1460) Gegenstand einiger längerer Überlegungen. Dazu gibt es kleinere Werke wie *De filiatione dei* (1445) und *De dato patris luminum* (1445/6), mit denen einige Akzente des Cusanischen Glaubensbegriffes verdeutlicht werden können.

De pace fidei belegt erneut wie *De docta ignorantia*, daß für Cusanus die Erkenntnisbereiche von Vernunft und Glaube nicht geschieden sind. Er verwendet bei diesem Religionsgespräch zwar eine etwas andere Methode, doch weist er nach, wie eine Erkenntnis der beiden Hauptmysterien Trinität und Menschwerdung jedem endlichen Vernunftwesen schon bei seiner Erschaffung mitgegeben wird. Auch hier denkt Cusanus nicht vom göttlichen Gnadenhandeln aus, sondern vom Streben der endlichen Vernunft, Gott in sich, wenn auch im Überstieg über ihre Begriffe, zu finden. Cusanus behandelt in *De pace fidei* zudem die Rolle des Glaubens bei der Rechtfertigung und Erlösung und betont die Rolle der menschlichen Freiheit im Glaubensakt. Daß dies kein Fideismus ist, sondern seine Wurzeln in Cusanus' produktivem Verständnis der Abbildnatur des Menschen hat, kann die mystische Schrift *De visione dei* belegen. In ihr werden in philosophischer Meditation die Hauptpunkte des christlichen Glaubensbekenntnisses entwickelt, wie sie eine Leiter für den Aufstieg zur Schau Gottes schon in diesem Leben bieten. Der zentrale Gedanke ist, daß die Sehnsucht der endlichen Vernunftnatur allein im Gottmenschen Jesus Christus gestillt werden kann. Er überbrückt den Gegensatz von endlichem Geschöpf und unendlichem Schöpfer. Die Freiheit im Glauben kann mit dieser Schrift weiter geklärt werden. Auch sie hat einen produktiven Grundzug, nämlich jenseits des Widerspruchsprin-

zipes mit den eigenen Erfindungen der Vernunft nach Gott zu suchen, geleitet vom Gottmenschen als erstrebtem Ziel. Dieser letzte
Punkt soll anhand der anderen oben genannten Werke weiter ausgeführt werden. Man kann nämlich sehen, daß das Cusanische Glaubensverständnis sich auch dort auswirkt, wo er kaum oder gar nicht
darauf zu sprechen kommt. Dies liegt daran, daß die Gnade der Natur
bei Cusanus immer schon immanent ist. Sie kann zwar, wie *De dato
patris luminum* belegt, als solche hervorgehoben werden, doch nicht
im Sinne einer Erhöhung, sondern einer Vervollkommnung der Anlagen der Natur. Insofern erklärt sich, warum Cusanus keine eigene
systematische Gnadenlehre entwickelt hat. Alles hängt an Gottes Wirken, doch Cusanus unterscheidet dieses nicht mehr in sich, etwa in
ein Schaffen und ein Erneuern. Alles wird unter den einen Blick auf
die göttliche schöpferische Trinität gestellt, in die hinein die Schöpfung schon als solche und nicht erst als erhöhte zurückgenommen
wird. So entschwindet die Gnade als ein göttliches Geben an schon
Gegebenem aus dem Blickfeld des Cusanischen Denkens, ohne daß er
sie irgendwie leugnen würde. Die Glaubensinhalte bekommen bei
ihm einen neuen Gehalt, so daß jegliche Erkenntnisbewegung der
endlichen Vernunft in den beiden Hauptmysterien Trinität und Inkarnation gegründet ist. Der Glaubensakt selbst wird zu einer der
hypostatischen Union entsprechenden Vereinigung mit Gott. Zugleich wird er als Selbstvertrauen der endlichen Vernunft zu einer
ihrer vornehmsten Äußerungen, in der sie ihre produktive Bestimmung erfüllt, den schöpferischen Gott nachzuahmen.

B. Der Glaube in *De pace fidei*

I. ALLGEMEINE EINFÜHRUNG

1. Der Aufbau von De pace fidei

Cusanus hatte bereits in *De docta ignorantia* von 1440 zum Glauben der
Heiden sowie der Juden und Muslime Stellung bezogen. Dabei war
für ihn klar, daß Gottes Dreieinigkeit schon vom heidnischen Philosophen Pythagoras verehrt worden war, auch wenn bei den Völkern
nicht alle die reine Einheit der Gottheit gewahrt hatten, sondern, sich

an deren Entäußerungen haltend, der Idolatrie und ihren vielheitlichen Gottesbildern verfallen waren. Für die Weisen war aber die Einheit Gottes und seine Dreifaltigkeit immer bekannt und einsichtig gewesen. Ebenso hätten auch alle, die die Auferstehung der Menschen glaubten, die Mittlerschaft Jesu Christi akzeptieren müssen, denn wie die Juden und Muslime nicht an Jesus Christus zu glauben und doch die Auferstehung der Menschen zu lehren ist ein Widerspruch in sich selbst.

Diese Eckpositionen übernahm Cusanus für seinen utopischen Dialog *De pace fidei*, den er noch im Jahr 1453 unter dem Eindruck des Falles von Konstantinopel schrieb. Die Argumentationsweise hat sich aber etwas gewandelt. Waren für *De docta ignorantia* Argumente mittels der *regula doctae ignorantiae* und Maximumsüberlegungen ausschlaggebend, so baut Cusanus diese spätere Schrift auf dem sogenannten Präsuppositionsprinzip auf. Zwar hat auch die Interpretation von *De docta ignorantia* gezeigt, daß und wie Cusanus Jesus Christus als implizite Voraussetzung der *regula doctae ignorantiae* denkt. Die Inkarnation begründet letztlich jegliches Sein und Erkennen. Cusanus argumentiert nun jedoch nicht ausdrücklich in dieser Art, wenn auch letztlich *De docta ignorantia* und *De pace fidei* in diesem Punkt übereinstimmen, wie insbesondere die Ausführungen zu den anderen Religionen demonstrieren. Die in *De docta ignorantia* III 1 getroffene Feststellung, daß ohne die Erkenntnis eines *maximum contractum individuale* unter den Völkern kein Wettbewerb um den Besitz der Wahrheit stattfinden und deshalb Selbstbescheidung sowie Einheit und Friede unter ihnen herrschen könne, greift Cusanus in *De pace fidei* wieder auf, und zwar so, wie er sie am Ende von *De docta ignorantia* zurückgelassen hatte. Gott ist Mensch geworden, es gibt ein Maximum in der Welt, so daß jener vermeintliche Relativismus nur als Zwischenstadium aufgefaßt werden kann. Entsprechend „intolerant" und unnachsichtig, weil der offensichtlichen Wahrheit verpflichtet, äußert sich Cusanus gegenüber den Juden und Muslimen, die die Menschwerdung leugnen.

Auch der in *De pace fidei* in Aussicht gestellte Friede kann nur auf einem rationalen Fundament stehen, nämlich der allgemeinen Einsicht in die *religio una in rituum varietate*[641], wie die berühmte Formulie-

---

[641] *De pace fidei* 1 N.6, h VII, 7 Z.10f. Zur Bedeutungsbreite des Begriffs *religio* bei Cusanus s. Feil, Ernst: Religio. Die Geschichte eines neuzeitlichen Grundbegriffs vom Frühchristentum bis zur Reformation [= Forschungen zur Kirchen- und Dogmengeschichte 36], Göttingen 1986, 138-159. In *De pace fidei* ist in erster Linie die auf dem christlichen Glauben gründende Gottesverehrung gemeint. S. hierzu Decker, Bruno: Nikolaus von Cues und der Friede unter den Religionen, in: Koch, Josef (Hrsg.): Humanismus, Mystik und Kunst in der Welt des Mittelalters [= Studien und

rung von Cusanus lautet. Sie nimmt das Ergebnis des Dialoges voraus, der ja in den Glaubensäußerungen von Weisen verschiedenster religiöser Gruppierungen nachweist, daß sie explizit oder implizit nichts anderes als das Christentum lehren, dieses also bewußt oder unbewußt immer voraussetzen. Die Fülle der Wahrheit kann also nur im Christentum gefunden werden. Hiervon kann man sich mit rein vernünftigen Argumenten überzeugen. Dazu muß man sich aber über alle Vielheit der Welt und der menschlichen Meinungen erheben und „utopisch" allein im Reich der reinen Vernunft, dem Reich Gottes und der Völkerengel, die ja reine Intelligenzen sind, seine Gedanken ordnen lassen. Dort leitet die Wahrheit selbst, das göttliche Wort, die Untersuchung, die wie ein sokratisches Gespräch geführt wird.

Im Laufe des Dialoges treten 17 Weise auf wie etwa ein Grieche, ein Italiener, ein Araber usw., die verschiedene Vernunftpositionen repräsentativ vertreten, die man heute vielleicht in philosophische und religiöse Lehren unterscheiden würde, die von Cusanus aber gemischt und in einem Kontext vorgeführt werden. Der Dialog arbeitet dabei wie schon *De docta ignorantia* sukzessive das Glaubensbekenntnis in seinen wichtigsten Punkten durch. Entsprechend der Inhalte treten die markanten Lehrpositionen der Völker oder Weisen auf, sei es als Kronzeugen wie der Grieche für die Suche nach der Wahrheit, sei es als besänftigte Gegner wie der Jude bei der Trinitätsfrage oder der Perser bei der Christologie.

So gliedert sich das Werk *De pace fidei* in drei große Abschnitte, denen ein Prolog vorangeht. In ihm werden die Rahmenhandlung und die Leitfrage vorgestellt (Kapitel 1-3). Im ersten Abschnitt (Kapitel 4-10) wird die Gotteslehre – Gott als die von allen erstrebte Weisheit und der Schöpfer sowie sein trinitarisches Wesen – entwickelt. Dabei führt das göttliche Wort selbst, das allein über das Innere Gottes und seine Einheit verläßliche Kunde geben kann, das Gespräch. Mit der Christologie (Kapitel 11-15) öffnet sich die Einheit Gottes für die Vielheit der Welt und vermittelt diese mit sich. Aus diesem Grund kann die Gesprächsführung Petrus übergeben werden, woraus schon ersichtlich wird, daß für Cusanus Gott den Menschen und ihrem endlichen Denken allein mit und in der Menschwerdung Jesu Christi

Texte zur Geistesgeschichte des Mittelalters 3], Leiden/Köln 1953, 94-121, bes. 110-112; vgl. Seidlmayer, Michael: „Una religio in rituum veritate". Zur Religionsauffassung des Nikolaus von Cues, in: Archiv für Kulturgeschichte 36 (1954) 145-207, 165. Ein Literaturüberblick zu *De pace fidei* findet sich bei Heinemann, Wolfgang: Einheit in Verschiedenheit. Das Konzept eines intellektuellen Religionenfriedens in der Schrift „De pace fidei" des Nikolaus von Kues [=Religionswissenschaftliche Studien 10], Altenberge 1987, 100-127.

zugänglich ist. Bleibt hier das Gespräch noch im einheitlich christlichen Bereich und entwickelt die Lehre des rechten Glaubens an die Inkarnation Gottes, so weitet es sich im dritten Teil für die Verschiedenheiten unter den Völkern als solchen (Kapitel 16-19). Entsprechend leitet der Völkerapostel Paulus die Diskussion über den rechtfertigenden Glauben und die Frage nach der Verbindlichkeit bestimmter Sakramente und Riten. Über den Glauben bindet sich die Vielheit der endlichen Welt wieder an die göttliche Einheit zurück und vollzieht eine Art *reditus*. Die im Dialog erbrachte Eintracht der Religionen im Reich der Vernunft[642] endet in der *religio una in rituum varietate*. In ihr sind unendliche Einheit und endliche Vielheit vollständig vermittelt, soweit dies in dieser Welt möglich ist. Der dritte Teil von *De pace fidei* entspricht also dem pneumatologischen und ekklesiologischen Teil des Glaubensbekenntnisses und demonstriert, wie gerade in der Vielheit der Riten der eine Glaube an den einen Gott zu seiner größten Fülle kommen kann, ohne daß damit die Einheit zerstört wird.

Der Dialog setzt mit der Bestimmung der Philosophie als Liebe zur Weisheit ein und beginnt so, sukzessive und ohne eigentliche Einschnitte im methodischen Vorgehen das christliche Glaubensbekenntnis zu entfalten. Der dabei vollzogene Abstieg von Gott in seiner Einheit zur Vielheit der Welt bedeutet zugleich den Aufstieg der endlichen Vernunft zu Gott, da sie immer weiter in ihre eigene Wahrheit vorstößt, nämlich Glaube an Gott zu sein, wie er sich in Jesus Christus offenbart. So ist einem Cusanischen Programm gemäß der *descensus* zugleich ein *ascensus*, ohne daß beide damit schlechthin identisch wären. Vielmehr bleibt ja die Vielheit etwa in den Unterschieden bezüglich mancher Riten und Frömmigkeitsformen sowie vorläufig auch hinsichtlich der 'kleinen Sakramente' gerade in dem einen Glauben gewahrt. Daß die reflexive Selbstentfaltung der endlichen Vernunft zu einem Durchgang durch das Glaubensbekenntnis und zu einem Gang in den Glauben an Jesus Christus als letzten Grund wird, macht die Eigentümlichkeit der religionstheoretischen Schrift des Cusanus aus. Wie schon in *De docta ignorantia* kann die Vernunft auf ihrer Suche nach der Wahrheit gar nicht anders, als diese im spezifisch christlichen Glaubensgut zu entdecken, ohne dabei durch Unterscheidungen wie der von natürlichem Wissen und Offenbarungswissen eingeschränkt zu werden. Damit bestätigt sich in der Schrift *De pace fidei*, was auch schon für *De docta ignorantia* festgehalten worden

---

[642] S. *De pace fidei* 19 N.68, h VII, 62 Z.19f.: „Conclusa est igitur in caelo rationis concordia religionum modo quo praemittitur."

war, daß für Cusanus endliche Vernunft und Glaube inhaltlich nicht geschieden sind und der Glaube allein die sich selbst durchsichtig gewordene Vernunft ist.[643]

Darin hebt sich der Cusanische Gedanke von den meisten religionstheoretischen Schriften des Mittelalters ab, die ihm in ihren Grundanliegen und ihrer Vorgehensweise vertraut waren.[644] Hier seien nur kurz die Grundgedanken von Thomas und Lull umrissen, um das Profil von Cusanus besser zeichnen zu können. Wenn Thomas die Bedeutung der Offenbarung als solcher in den Vordergrund stellt, so führt dies, wie schon bei der Interpretation von *De docta ignorantia* beobachtet, zu einem starken Kontrast zu Cusanus. Demgegenüber steht Lull in eigentümlicher Nähe zu Cusanus, da er die „Beweisbarkeit" und damit allgemeine Kommunikabilität aller Glaubensartikel, die auch Cusanus vertritt, lehrte.[645]

2. Thomas' religionstheoretische Position

Thomas hat konsequent den Unterschied von natürlichem, durch menschliches Nachdenken erreichbarem Wissen und übernatürlichem Wissen, das allein Gott und die Seligen haben, das aber den Gläubigen durch die göttliche gnadenhafte Offenbarung zugänglich ist, vertreten. Diesen beiden Wissensformen entsprechen zwei Formen von Vernunft. Das natürliche Wissen ist dem *lumen naturale* zugänglich, das in allen Menschen kraft ihres Wesens, ihrer von Gott gegebenen Natur vorhanden ist und in den Philosophen – Aristoteles ist als der Philosoph par excellence eine Art Buch gewordene *ratio naturalis* – zu höchster Vollkommenheit gebracht worden ist. Das *lumen gloriae*, das in besonderer Weise Gott und davon nochmals unterschieden den von ihm erleuchteten Seligen zugänglich ist, beginnt in

---

[643] S. *De pace fidei* 3 N.8, h VII, 10 Z.4-6.: „Quae [sc. veritas] cum sit una, et non possit non capi per omnem liberum intellectum, perducetur omnis religionum diversitas in unam fidem orthodoxam."

[644] Zu den Cusanus bekannnten religionstheoretischen Schriften des Mittelalters s. h VII, XXXVI-XL; h VIII, XV-XVIII, vgl. Euler 1995, 173f. In diesem Zusammenhang verdient die Tatsache Beachtung, daß Cusanus über das religionstheoretische Programm Lulls (etwa durch die beiden wichtigen Religionsgespräche *Liber Tartari et Christiani* und *Liber de quinque sapientibus* im Codex Cusanus 86, vgl. Euler 1995, 252-255) und auch des heiligen Thomas (in *Cribratio Alkorani* erwähnt er lobend *De rationibus fidei contra Saracenos, Graecos et Armenos ad Cantorem Antiochiae*, s. *Cribratio Alkorani*, prol. N.4 Z.6, h VIII, 7; außerdem besaß er im Codex Cusanus 74 eine Abschrift der *Summa contra gentiles*) informiert war.

[645] Zum Verhältnis von Lullus und Cusanus hinsichtlich des Religionsvergleiches s. bes. Euler 1995, v. a. 247-299.

der noch nicht vollendeten Welt anfanghaft im *lumen gratiae*, zu dem Thomas auch das *lumen divinae revelationis* oder *lumen fidei* rechnet. Im folgenden sei besonders auf das natürliche und das Glaubenslicht geachtet. Ihnen entsprechen bestimmte Erkenntnisbereiche und Erkenntnisinhalte, wobei das natürliche Wissen selbstverständlich auch dem höheren Vernunftvermögen des Glaubens zugänglich ist. Die natürliche Einsicht umfaßt außer dem Dasein Gottes und seiner Einheit mit gewissen Einschränkungen auch die Schöpfung, Hinordnung und Rückführung der Welt zu Gott.[646] Dagegen übersteigen die Trinitätslehre und auch die Christologie das natürliche Licht und sind dem geoffenbarten Glauben vorbehalten. Dieser Unterschied ist für Thomas fundamental und prägt seine Gedanken bis in den Aufbau seiner Werke.

Nur aus dem natürlichen Wissen läßt sich ein für uns einsichtiges demonstratives Wissen in Form allgemeiner, auch Ungläubigen einsehbarer und zwingender Syllogismen entwickeln.[647] Für das Offenbarungswissen gilt dagegen, daß es das natürliche Licht übersteigt und so für uns nicht mit notwendigen Beweisen dargestellt werden kann, sondern allein auf der göttlichen Autorität ruht, wie sie sich in der Heiligen Schrift ausgesprochen hat. Dieses Wissen muß sich also notwendigerweise auf Autoritätsargumente stützen[648], die demgemäß kein Zeichen seiner Schwäche sind, sondern vielmehr die Würde des Gegenstandes bezeugen. Dabei können allerdings alle Einwände dagegen, sofern sie die Notwendigkeit einer Gegenposition behaupten, zum Beispiel die Ewigkeit der Welt, überhaupt oder doch zumindest hinsichtlich dieser Notwendigkeit aufgelöst werden. Thomas stellt sich trotz der entschiedenen Trennung der natürlichen von der übernatürlichen Erkenntnis gegen jegliche Lehre einer doppelten Wahrheit. Für das Offenbarungswissen lassen sich zudem außer den Autoritätsargumenten und den die Autorität bestätigenden Wundern noch einige Wahrscheinlichkeitsargumente vorbringen, die dessen innere Plausibilität erkennbar machen, allerdings keine Notwendigkeit für sich beanspruchen und deshalb von Thomas als *persuasiones* eingeschätzt werden.

---

[646] S. Scg I 3 und 9.

[647] S. Scg I 3: „Quaedam vero sunt ad quae etiam ratio naturalis pertingere potest, sicut est Deum esse, Deum esse unum, et alia hujusmodi; quae etiam philosophi demonstrative de Deo probaverunt, ducti naturalis lumine rationis."

[648] S. STh I 1, 8 ad 2: „Auctoritatibus autem canonicae Scripturae utitur [scil. sacra doctrina] proprie, ex necessitate argumentando."

Diese Struktur, die von Thomas *duplex modus veritatis*[649] genannt wird, überträgt sich für ihn auch auf die prinzipielle Möglichkeit, sich mit Andersgläubigen über den Glauben zu verständigen oder etwa zu missionieren.[650] Für diejenigen Gegenstände, die das natürliche Licht betreffen und in denen es eine Übereinstimmung von beweisbarer Wahrheit und Glaubensaussagen gibt, kann man sich auf das natürliche, philosophische Wissen berufen und der Stringenz der rationalen Argumente vertrauen. Diese Methode ist bei denen anzuwenden, die die Gültigkeit der christlichen Offenbarung, das heißt insbesondere der Heiligen Schrift, insgesamt leugnen, also bei den Heiden und den von Thomas als *infideles* bezeichneten Muslimen.[651] Die Erkenntnisse, auf die man sich so einigen kann, umfassen die sogenannten *praeambula* zu den Glaubensartikeln.[652] Ansonsten können hinsichtlich der spezifischen Glaubensgeheimnisse des christlichen Wissens Gegeneinwände nur aufgelöst werden. Anders kann man aber mit denjenigen verfahren, die entweder die gesamte Schrift anerkennen wie manche Häretikergruppen oder zumindest einen Teil wie etwa die Juden das Alte Testament oder die Manichäer das Neue Testament.[653] Hier kann man sich außer auf das natürliche Licht zugleich auch auf die höher zu bewertenden Autoritätsaussagen der Schrift berufen. Die dabei auf übernatürlichen Prinzipien, eben Sätzen der Heiligen Schrift beziehungsweise des Glaubensbekenntnisses aufbauenden Schlüsse kommen in der Notwendigkeit ihrer Schlußfolgerungen mit den auf natürlichen Prinzipien ruhenden Syllogismen überein. Dies macht ja gerade den Wissenschaftscharakter der Theologie nach Thomas aus und garantiert, daß Fragen zur heilsrelevanten Wahrheit sicher geklärt und endgültig entschieden werden können.[654]

Keineswegs darf der Christ versuchen, den Ungläubigen Gegenstände, die per se den Glauben, also das Denken mit Willenszustimmung, einfordern, als in diesem Leben wißbare darzustellen, etwa

---

[649] S. Scg I 3.

[650] S. Thomas von Aquin: De rationibus fidei. Kommentierte lat.-dt. Textausgabe von Ludwig Hagemann und Reinhold Glei [= Corpus Islamo-Christianum. Series latina 2], Altenberge 1987, 31-37, sowie die dort genannte Literatur.

[651] S. Scg I 2. Deshalb ist die *Summa contra gentiles* in zwei Hauptteile gegliedert, die sich auch methodisch unterscheiden, Scg I-III untersucht das natürliche Wissen, wie es mit dem Glaubenswissen übereinstimmt, Scg IV stellt das Glaubenswissen dar, wie es nicht im Widerspruch zum natürlichen Wissen steht, sondern vielmehr eine eigene Plausibilität für sich beanspruchen kann.

[652] Die *praeambula fidei* finden sich zwar auch im Glaubensbekenntnis und können demnach geglaubt und gewußt werden, doch nicht beides zugleich von derselben Person (s. STh I 2, 2 ad 1 und II-II 1, 5, bes. ad 3).

[653] S. Scg I 2 und Quodl. IV q.9, a.3.

[654] S. STh I 1, 2 und II-II 1, 5 ad 2.

indem man nach notwendigen Vernunftargumenten für sie sucht.[655]
Dies lehnt Thomas aus mehreren Gründen entschieden ab. Zunächst
muß man sehen, daß ein solches Unternehmen unter seinen Prämissen sowieso unmöglich ist, da der Bereich des natürlichen Lichtes
begrenzt ist und vermeintliche Vernunftgründe für Glaubensgeheimnisse über den Status von *persuasiones* nicht hinauskommen. Zweitens
ist ein solcher Plan in doppelter Weise schädlich. Einerseits muß den
Ungläubigen der christliche Glaube überhaupt lächerlich vorkommen, wenn die von Christen als *rationes necessariae* vorgebrachten Argumente in sich brüchig sind.[656] Andererseits ginge nach Thomas
gerade das im Glauben heilswichtige *meritum fidei* verloren, wenn man
auch allein mit Hilfe der Vernunft, eben durch notwendige Schlußfolgerungen, und ohne vertrauensvolle Unterwerfung unter Gottes
offenbarendes Handeln zu denselben Erkenntnissen wie im Glauben
gelangen könnte.[657] Daraus wird schon ersichtlich, wie eng die Erlösungslehre mit erkenntnistheoretischen Überlegungen verbunden ist.
Keinem Ungläubigen soll der Schritt in den Glauben zu leicht gemacht werden. Auch wenn er keinesfalls ein blinder Sprung ist, so
führt doch gerade kein kontinuierlicher Weg von der natürlichen
Vernunft zum Glauben. Nur durch die freie, allein durch die Gnade
Gottes mögliche Unterwerfung und Hinwendung des Willens zu Gott
im Sinne von *timor filialis* und *humiliatio* kann der Glaube auch rettend
sein.[658]

Von diesem Programm heben sich sowohl Lull als auch Cusanus
deutlich ab, auch wenn sie Thomas' Werk zur Kenntnis nehmen und
davon beeindruckt sind. Zu Cusanus ist vorläufig zu sagen, daß für
ihn, wie schon gesehen, die Unterscheidung von *lumen naturale* und
lumen fidei nicht systembildend sein kann, da er gerade diese Unterscheidung zu überwinden sucht. So fallen für ihn die Aussagen des
Glaubensbekenntnisses nicht in zwei Wissensbereiche, in denen ein
allgemein zugängliches philosophisches Wissen von einem spezifisch
theologischen, auf Offenbarung beruhenden getrennt wird. Vielmehr
sind beide in eigentümlicher Weise miteinander verknüpft. Dies wird
Cusanus wie in *De docta ignorantia* auch in *De pace fidei* dadurch angehen, daß er die strikten Glaubensgeheimnisse wie die Trinität und die
Inkarnation eng mit der allgemeinen Gotteslehre und der Lehre von
der Schöpfung verbindet, die ja auch bei Thomas zum philosophisch

---

[655] So lautet auch das Programm in *De rationibus fidei* cap. 2, N.956.
[656] S. Scg II 38 und STh I 46, 2 c.
[657] S. u. a. STh II-II 2, 9 c. und ad 2 sowie III 7, 3 ad 2.
[658] S. STh I-II 113, 3f.

zugänglichen Wissensbereich gehören. Dabei ist aber darauf zu achten, daß Cusanus nicht einfach vormals Getrenntes vermischt, sondern durch sein neuartiges Verständnis der endlichen Vernunft
überhaupt einen eigenständigen Weg einschlägt, der das Glaubenswissen nicht auf die Stufe eines rein natürlichen herabzieht. Vielmehr
wird bei ihm die Natur selbst in ganz eigener Weise bestimmt. Methodisch geht er dabei nicht mehr mit *rationes necessariae* vor, die in Form
von Syllogismen bestimmte Erkenntnisse darstellen, sondern entwik-
kelt mit seinem Praesuppositionsprinzip ein Verfahren, das sich auf
alle Glaubensgegenstände erstreckt. Der Dialog *De pace fidei* entwickelt
sich ohne Bruch und zerfällt trotz dreier Abschnitte nicht in zwei
auch methodisch geschiedene Teile wie etwa die *Summa contra gentiles*.
Hierauf ist bei der Interpretation besonders zu achten. Überhaupt
verdeutlicht die Werkgattung Dialog, daß Cusanus das christliche
Wissen als allgemein kommunikabel ansieht, wird es doch im Gespräch nicht nur gelehrt, sondern von den Dialogpartnern auch zu-
stimmend in ihrer eigenen Lehre entdeckt oder angenommen.

3. Lulls religionstheoretische Position

Wie oben schon erörtert, vertritt Lull die Position, alle christlichen
Glaubensaussagen seien mit notwendigen Vernunftgründen beweisbar und damit auch im interreligiösen Dialog vermittelbar. Dazu entwickelt er mit der Lehre von den Grundwürden Gottes, den *dignitates*,
eine neue Methode, um das Wissen von Gott und der Offenbarung
nicht auf eine rein natürliche Ebene herunterzuziehen, auch wenn er
dabei einen rein philosophischen Weg einschlagen will[659]. Seine Beweismethode der *demonstratio per aequiparantiam* und *per hypothesim*
dient dazu, nicht nur die Einwände gegen das christliche Wissen aufzulösen und auch gegenteilige Lehren anderer Religionen zu widerlegen, sondern sie soll auch zu einer positiven Einsicht führen. In den
dabei getroffenen Grundannahmen sieht Lull den Glauben am Werk.
Dieser richtet sich aber nicht auf den sich offenbarenden Gott, sondern auf die Vernunft, die in ihrem Erkenntnisstreben bestärkt
wird.[660] So wird dem Andersgläubigen nicht einfach sein Glaube ge-

---

[659] S. die Formulierung *Disputatio secundum Ordinem Philosophiae et Viam naturalium
rationum* im *Liber de quinque sapientibus*, MOG II, 126.
[660] So akzeptieren z. B. Christ und Muslim die gleichen Grundwürden, doch der Christ
kann mit ihnen seine Vernunft weiter entfalten, s. *Disputatio Raymundi christiani cum
Homer saraceni*, MOG IV, 453: „[...] et in isto passu potes cognoscere, per quem modum intellectus Christianorum excedat intellectum Saracenorum in considerando

nommen, sondern der Weg in den christlichen Glauben erleichtert. Auch der Ungläubige kann die christlichen Glaubenswahrheiten vernünftig einsehen und muß sich nicht allein mittels eines durch göttliche Gnade ermöglichten Willensbeschlusses der göttlichen Offenbarung anvertrauen.[661] Aus diesem Grund spielen Autoritätszitate sowohl aus der Schrift als auch aus Werken kirchlicher Schriftsteller in den religionsvergleichenden Werken Lulls keine Rolle und finden sich auch kaum in seinen anderen Werken.[662] Der Schritt zum christlichen Glauben soll für den Ungläubigen gerade kein Glaubenswechsel sein, in dem man sich einer neuen Autorität zu unterwerfen hat. Vielmehr wird ein unbegründeter und brüchiger Glaube zugunsten eines notwendig erkennbaren Glaubenswissens aufgegeben. Das *meritum fidei* sieht Lull dabei nicht in Gefahr, es sei sogar gerade im Einsehen als höherem Akt größer als im bloßen Glauben.[663]

Diese Grundansichten, die sich im Laufe der theologischen Entwicklung Lulls und der Ausarbeitung seiner Methode herauskristallisiert haben, prägen auch seine religionstheoretischen oder religionsvergleichenden Schriften. Im ersten Werk dieser Art, dem *Liber de gentili et tribus sapientibus* (1272-1274), tragen abwechselnd drei Weise erst das natürliche, philosophische Wissen von Gott vor, in dem sie ja übereinstimmen. Die dabei eingeschlagene Methode, auf die sich alle verständigt haben, wird auch dann beibehalten, wenn sie nacheinander ihr jeweiliges Glaubens- beziehungsweise Offenbarungswissen vorstellen und mittels derselben Methode nicht nur dessen Vernünftigkeit, sondern auch Überlegenheit über die anderen Religionen beweisen wollen. Das Gespräch endet mit einer gewissen Offenheit, da verschwiegen wird, welcher der drei Religionen sich der sichtlich von den Beweisgängen beeindruckte Heide anschließen wird. Allerdings wird deutlich, daß die Argumentation des Christen am meisten mit der geforderten Methode übereinstimmt und das Christentum somit als die rationalere Glaubenslehre zu gelten hat.

---

sublimitatem Divinarum Rationum, ad quam intellectus non potest ascendere cum falsa Lege [...]."

[661] S. die Rede des Sarezenen im *Liber de quinque sapientibus*, MOG II, 127: „[...] esset satis grave et difficile cuicunque dimittere unam fidem propter alteram minus notam, et novam supponere vel credere, et non scire: veruntamen leve quid est, dimittere fidem, quae est sub credulitate, propter aliam, quae posset demonstrari per probationes seu necessarias demonstrationes: quare precor te ex parte tui Dei, quem diligis, ut mihi des necessariam doctrinam de tua Fide, si eam scis; nam si de ipsa ero certificatus per necessarias rationes, statim volo fieri Christianus [...]."

[662] Vgl. Euler 1995, 99 Anm. 256; vgl. den Ausschluß der Autoritäten für den Gang des Gespräches im *Liber de quinque sapientibus*, MOG II, 128.

[663] S. ebd., MOG II, 127.

Im *Liber de quinque sapientibus* (1294), der sich explizit auf die *Ars inventiva* und die *Tabula generalis* beruft, einigen sich erst Vertreter verschiedener christlicher Bekenntnisse auf eine einheitliche christliche Lehre, wobei sich die der Lateiner, das heißt des nachmaligen römisch-katholischen Bekenntnisses, behauptet. Im vierten Teil des Buches soll sich dann ein Sarazene, der an seinem muslimischen Gauben aufgrund der Philosophie irre geworden ist, vom Glauben des Lateiners überzeugen lassen. Dabei werden die Glaubensartikel nicht nur durch die oben genannten beiden Beweismethoden – die *demonstratio per aequiparantiam* wird eigens erwähnt – positiv bewiesen, sondern auch mögliche Einwände widerlegt. Der Christ hält dies für ausreichend, den Glauben anzunehmen, allerdings wird nicht erwähnt, ob der Sarazene daraufhin den Glauben angenommen habe. Hieran wird deutlich, daß der Glaubensakt bei Lull nicht einfach mit der auch einem Ungläubigen möglichen Einsicht in die Glaubenswahrheiten zusammenfällt, auch wenn durch den Schritt in den Glauben keine klarere Erkenntnis gefunden wird.[664]

Im Vergleich zu Cusanus muß zunächst gesagt werden, daß sich beide abgesehen von Einzelaussagen darin treffen, daß sie alle Glaubensaussagen für allgemein kommunikabel halten und im Gegensatz zu Thomas auch die Überzeugung teilen, etwa die Trinitätslehre den Nichtchristen positiv lehren zu können, ohne sich auf die Autorität der Heiligen Schrift berufen zu müssen. Cusanus unterscheidet sich allerdings erstens in der Methode, die er nicht von Lull übernimmt, und zweitens im Glaubensverständnis. Letzteres wird daran ersichtlich, daß er in *De pace fidei* nicht den christlichen Glauben im eigentlichen Sinne positiv vorlegt, wenn auch mit zwingenden Argumenten versehen, sondern diesen in den Lehren der Weisen und ihren Religionen als schon mehr oder weniger deutlich vorhanden nachweist. So muß er auch nicht mehr von den Andersgläubigen fordern, ihrem Glauben zu entsagen, sondern kann sie vielmehr darin bestärken, diesen tiefer zu durchdringen. So werden sie von sich aus in ihren Lehren den christlichen Glauben entdecken. Dies leistet seine neuartige Präsuppositionsmethode, die an die Stelle Lulls notwendiger Vernunftgründe tritt. Wenn Lull mit seiner neuen *ars* über die Aristoteles verpflichtete Syllogistik hinauskommen will, so kann sich die

---

[664] S. ebd., MOG II, 127: „Postea dabimus tibi tales positiones de Fide Catholica, quod nec tu nec ullus alius per quascunque rationes poteris ipsas destruere; et istud debebit tibi sufficere ad consolationem tui animi: et sic tuus intellectus per haec erit illuminatus de Fide Catholica, Fide remanente integra, et retinente suum meritum, postquam intellectus est illuminatus et certificatus de ipsa [...]."

suchende Vernunft bei Cusanus nicht einmal mehr an Lulls Prinzipien, wie sie hauptsächlich in der Lehre von den *dignitates* formuliert werden, halten.[665] Bezeichnender Weise reagiert er auf den theoretischen Versuch seines Zeitgenossen Johannes von Segovia zurückhaltend, auch für die Trinitätslehre *rationes necessariae* in Form von Syllogismen zu finden und sie so den Muslimen zu vermitteln.[666] Obwohl er überzeugt ist, daß es nicht schwer sei, Juden und Türken auch das Trinitätsgeheimnis nahezubringen, vermeidet er doch den Fachausdruck *rationes necessariae*, der sich sowohl im Werk des Johannes von Segovia als auch bei Richard von St. Viktor findet, den Cusanus in einem Brief an Johannes von Segovia erwähnt, in dem er auch auf Lull anspielt.[667] Dies ist wohl so zu verstehen, daß Cusanus zwar einer anderen Methode folgt, aber im Grundanliegen mit Johannes, aber auch mit Lull, übereinzustimmen glaubt. Deshalb soll im folgenden erst die Methode von *De pace fidei* genauer betrachtet werden. Für das Glaubensverständnis ist hervorzuheben, daß die suchende Vernunft als wahrhaft suchende, die sich über die Verstandesprinzipien hinwegsetzt, letztlich vom Glauben ungeschieden ist.

II. DIE ENTWICKLUNG DER GLAUBENSARTIKEL

1. Das Präsuppositionsprinzip

Für die Interpretation von *De pace fidei* ist es unerläßlich, auf die von Cusanus gewählte Methode und Argumentationsweise zu achten, um mitzuverfolgen, wie er mit den dabei verhandelten Glaubensartikeln umgeht und in welches Verhältnis er sie zur endlichen Vernunft setzt. Dies kann hier an der Verwendung des sogenannten „Präsuppositionsprinzips"[668] abgelesen werden, das sonst in keiner anderen Schrift eine solch ausgedehnte Anwendung findet. Die Be-

---

[665] S. die Abgrenzung gegenüber der *theologia circularis* oben Erster Hauptteil.D.II.1.d.

[666] S. Haubst, Rudolf: Johannes von Segovia im Gespräch mit Nikolaus von Kues und Jean Germain über die göttliche Dreieinigkeit und ihre Verkündigung vor den Mohammedanern, in: Münchener Theologische Zeitschrift 2 (1951) 115-129, 117-119. Haubst versucht allerdings auch in diesem Punkt, Cusanus in die Nähe von Thomas zu rücken.

[667] S. h VII, 97 Z.22 - 98 Z.5.

[668] Siehe hierzu Haubst 1991, 54-64; Kremer, Klaus: Nicolaus Cusanus: „Jede Frage über Gott setzt das Gefragte voraus" (*Omnis quaestio de deo praesupponit quaesitum*), in: Piaia, Gregorio (Hrsg.): Concordia discors. Studi su Niccolò Cusano e l'umanesimo europeo offerti a Giovanni Santinello [= Medioevo e Umanesimo 84], Padua 1993, 145-180.

weismethode, in Fragen oder zugestandenen Aussagen das darin Vorausgesetzte explizit zu machen, hat Cusanus aber schon in einigen Schriften vor *De pace fidei* entwickelt, von denen vor allem *De coniecturis* (zwischen 1440 und 1444) und *Idiota de sapientia* (1450) in Betracht zu ziehen sind. Ihre Verwendung der Präsuppositionsmethode soll kurz skizziert werden, um sie später in *De pace fidei* klarer fassen zu können.

a) Das Präsuppositionsprinzip in den Werken vor *De pace fidei*

In *De coniecturis* betrachtet Cusanus die göttliche Einheit, die jeglicher Vielheit und Gegensätzlichkeit vorausliegt. Sie geht aber allem Endlichen in der Art voraus, daß sie alles konstituiert. Dies gilt ebenfalls für unsere Erkenntnis von ihr, die immer auch erst durch sie möglich ist. Wir erkennen in ihrem Licht, wie sich Cusanus ausdrückt. Dies trifft auch dann zu, wenn wir noch nicht erkennen, sondern erst noch nach Erkenntnis streben, indem wir Fragen stellen. Für alle vier von Aristoteles überlieferten Grundfragen – nach Existenz, Wesen, Ursache und Ziel – läßt sich behaupten, daß sie, angewendet auf Gott, diesen immer schon in der Weise voraussetzen, daß er die höchste Erfüllung dessen ist, was in jeder der vier Fragen im Grunde erfragt wird.[669] Damit wird die Theologie zu einer klaren und einfachen Wissenschaft, da ihre Fragen immer schon Antworten sind. Allerdings schränkt Cusanus dieses Ergebnis ein, denn Gott liegt nochmals vor einseitigen Bejahungen, etwa daß er die *entitas* sei und alle Sinngehalte auf ihn zurückgeführt werden müssen. Vielmehr läßt Gott in seiner Unendlichkeit alle logischen Kombinationsmöglichkeiten von Bejahung und Verneinung hinter sich.[670] So entrückt er wieder in das Wissen der *docta ignorantia*. Der Präsuppositionsgedanke ist damit ebenfalls einerseits in den besonders im Neuplatonismus entfalteten Gedanken eingebunden, aller Vielheit gehe konstitutiv die Einheit voraus, und bildet andererseits nur ein Zwischenglied für die prinzipiellere Überlegung, daß Gott jenseits unserer positiven oder negativen

---

[669] S. *De coniecturis* I 5 N.19 Z.5-9, h III, 25: „Omnis mens inquisitiva atque investigativa non nisi in eius [sc. unitatis absolutae] lumine inquirit, nullaque esse potest quaestio, quae eam non supponat. Quaestio 'an sit' nonne entitatem, 'quid sit' quidditatem, 'quare' causam, 'propter quid' finem praesupponit? Id igitur, quod in omni dubio supponitur, certissimum esse necesse est." Diese Denkfigur wird u. a. in *De venatione sapientiae* bezogen auf das *posse fieri* und in *De apice theoriae* bezogen auf das *posse ipsum* weitergeführt, s. *De apice theoriae* N.13 Z.4-6, h XII, 126: „Nam cum posse ipsum omnis quaestio de 'potest' praesupponat, nulla dubitatio moveri de ipso potest; nulla enim ad ipsum posse pertinget."

[670] S. *De coniecturis* I 5 N.21 Z.9-14, h III, 27f.

Behauptungen steht. Er wird dabei in *De coniecturis* in bezug auf unser Wissen von Gottes Wesen eingesetzt.

Die Präsuppositionsüberlegungen in der späteren Schrift *Idiota de sapientia* stehen in einem ähnlichen Zusammenhang, sind aber radikaler. Der Ausgangspunkt im zweiten Buch von *Idiota de sapientia* ist der auf die Grundüberlegungen von *De docta ignorantia* zurückgehende Gedanke, Gott sei die in dieser Welt nicht erreichbare *absoluta praecisio*[671]. Danach werden verschiedene Konzepte entwickelt, wie überhaupt ein Begriff von Gott gefaßt werden kann. Dieser ist in absoluter Genauigkeit allein im göttlichen Wort als der göttlichen Kunst gegeben. Für unser Denken gibt es verschiedene mehr oder weniger zutreffende Begriffe. Unter anderem kann man erkennen, wie Gott in allem, auch schon in unseren Fragen und der Suche nach einem adäquaten Begriff, immer vorausgesetzt wird. Cusanus wiederholt dabei einige der oben genannten Fragen und steigert sich zu der Formulierung:

„Nam Deus est ipsa absoluta praesuppositio omnium, quae qualitercumque praesupponuntur, sicut in omni effectu praesupponitur causa."[672]

Auch hier ist der Präsuppositionsgedanke auf das Wissen von Gott bezogen und findet in diesem Rahmen wiederum eine Einschränkung beziehungsweise Erweiterung. Er wird nämlich mit dem Koinzidenzgedanken verbunden, denn wenn nach Gott gefragt wird, fällt die Frage mit deren Antwort zusammen.[673] Man kann also nicht fragen, ohne immer schon zu antworten. Jedoch ist dieser Zugang zu Gott ebenfalls noch mangelhaft. Über der positiven Methode einer affirmativen Theologie steht die der Negation aller logischen Möglichkeiten, positive und negative Aussagen über Gott zu machen.[674]

---

[671] *Idiota de sapientia* II N.29 Z.2, h ²V, 59.

[672] Ebd. N.30 Z.10-12, h ²V, 61.

[673] S. ebd. N.31 Z.1-3, h ²V, 62: „Si id, quod in omni quaestione praesupponitur, est in theologicis ad quaestionem responsio, tunc nulla est de Deo propria quaestio, quando in ea coincidit responsio."

[674] S. ebd. N.32 Z.14-24, h ²V, 65. Die über die Koinzidenz von negativer und affirmativer Theologie gefundene Stufe der Theologie, die die Bezeichnungskraft der menschlichen Worte für Gott zwar negiert, aber auch benutzt, um sich - soweit möglich - in die Gegenwart Gottes zu bringen, wird in *Idiota de sapientia* als *theologia sermocinalis* (s. ebd. N.33 Z.1f. und 9, h ²V, 66) bezeichnet. In dieser Funktion fällt sie aber mit der mystischen Theologie im Cusanischen Verständnis zusammen.

b) Das Präsuppositionsprinzip in *De pace fidei*

Während in den beiden eben diskutierten Werken der Präsuppositionsgedanke nur verhältnismäßig kurz die Gedankenführung beherrscht, ist er für *De pace fidei* von grundlegender Bedeutung. Er hat hier eine der *regula doctae ignorantiae* in *De docta ignorantia* vergleichbare Funktion. Somit erstreckt er sich in einer jetzt genauer zu fassenden Weise auf alle verhandelten Themen.

Das entscheidende Anliegen von Cusanus ist, in allen Gottesverehrungen der Völker, sofern sie irgendwie vernünftig sind und nicht in einem Widerspruch zu sich selbst stehen, den einen Glauben des lateinischen, das heißt nachmalig römisch-katholischen, Bekenntnisses aufzuspüren und nachzuweisen. Die hierzu grundlegende Methode wird durch den Präsuppositionsgedanken geprägt. Seine Bestimmung wurzelt darin, daß Cusanus beim Schritt in den Glauben weder wie Thomas einen Übergang vom Unglauben oder dem philosophischen Wissen der natürlichen Vernunft in den übernatürlichen Glauben noch wie Lull einen Übergang von einem angreifbaren und brüchigen Glauben in einen vernünftig bewiesenen Glauben denkt, sondern eine Selbsterkenntnis der endlichen Vernunft. Deshalb kann er das Anliegen Lulls, das sich in der schon erwähnten Formulierung *non dimittere unam fidem propter alteram* ausdrückt, teilen. Darüber hinaus muß ein „Ungläubiger" nicht einmal seinen Glauben verlassen, sondern ihn nur in seiner Wahrheit, das heißt vor allem mit seinen unausgesprochenen Voraussetzungen, sehen lernen, um Christ zu werden. Dies wird programmatisch zu Beginn des Dialogs festgehalten:

„<<Oramus tamen nunc instrui, quo modo haec per nos religionis unitas possit introduci. Nam aliam fidem ab ea, quam natio quaelibet etiam sanguine hactenus defendit, nostra persuasione difficulter acceptabit.>> Respondit VERBUM: <<Non aliam fidem, sed eandem unicam undique praesupponi reperietis.>>"[675]

Der einzige Ausgangspunkt für den Nachweis der Voraussetzungen ist dabei die suchende Vernunft selbst. Hierin stimmt *De pace fidei* mit *De docta ignorantia* völlig überein. Das Glaubensbekenntnis wird anhand des *amor sapientiae* der Vernunft entwickelt. Schon hieran zeigt sich der reflexive Grundzug des Gedankenganges in *De pace fidei*, denn nicht nur wird der Hauptteil des Dialoges mit der Erinnerung an die

---

[675] *De pace fidei* 4 N.10, h VII, 11 Z.7-12; vgl. die Aussage in *Sermo* CXXVI von 1453, Christus vereine die wahre Gottesverehrung von Juden und Muslimen, z. B. ebd. N.7 Z.1-5 und 47-50, h XVIII/1, 22f.

Bestimmung der Philosophie als Liebe zur Weisheit eröffnet, sondern sie wird auch auf alle Menschen übertragen.[676] Als *interioris hominis ultimum desiderium*[677] bestimmt die göttliche Wahrheit jeden Menschen in seinem Innersten. Mit einer ähnlichen, auf den Anfang der Aristotelischen Metaphysik anspielenden Grundaussage setzt auch *De docta ignorantia* ein. In *De pace fidei* wird der Gedankengang in der Art weitergeführt, daß die im natürlichen Verlangen des Vernunftwesens Mensch vorausgesetzten Bedingungen entfaltet werden. Sie gehen diesem Verlangen konstitutiv voraus und sind damit nicht nur gedacht, sondern für Cusanus real.

Obwohl Cusanus an diesen einen Grundgedanken der Liebe zur Weisheit das gesamte Credo knüpft, fällt auf, daß er nur an zwei Knotenpunkten die Voraussetzungen herausarbeitet. Einerseits wird das Ziel der suchenden Vernunft vorausgesetzt, also die Existenz der ewigen göttlichen Weisheit. Hieran schließen sich die Glaubensartikel von Gott dem Schöpfer und das Bekenntnis zu seinem trinitarischen Wesen an. Andererseits wird das Erreichen des Zieles, mithin das Ziel als erreichtes, also der menschgewordene Gottessohn, vorausgesetzt. Dies wird zur Christologie weiterentfaltet und führt in die Darstellung der Lebensgeschichte Jesu und die Lehre vom Glauben.[678] Hieran wird aber schon deutlich, welchen Status er diesen beiden Eckdaten des Glaubens zuerkennt. Keineswegs benötigt er den Präsuppositionsgedanken für die Trinität oder die Jungfrauengeburt, also für besondere Glaubensgeheimnisse. Dagegen wird die Existenz Gottes als schöpferische Weisheit im ersten Präsuppositionsgedanken erschlossen, also ein Satz eines rein natürlichen[679] Wissens. Daß aber, wie später gezeigt werden wird, auch die Behauptung der Menschwerdung denselben Status hat, mag mehr verblüffen. Jedoch leuchtet dies sofort ein, wenn Cusanus von der die Weisheit suchenden Vernunft ausgeht, einer Suche, die allein in Jesus Christus ihr Ziel finden kann

---

[676] S. *De pace fidei* 4 N.10, h VII, 11 Z.12-14 und ebd. 6 N.16, h VII, 15 Z.4-8.

[677] Ebd. 2 N.7, h VII, 9 Z.4f.

[678] S. v. a. als aussagekräftigste Formulierungen ebd. 5 N.15, h VII, 14 Z.24-26 und 13 N.44, h VII, 41 Z.22-24. *Praesupponere* und verwandte Wörter werden nahezu 20 Mal in *De pace fidei* verwendet, aber immer konzentriert auf diese beiden Eckdaten der Existenz der göttlichen Wahrheit und der menschgewordenen Wahrheit. Nur hinsichtlich des Todes und der Auferstehung Jesu Christi spricht Cusanus ebenfalls von *praesupponere*, obwohl diese notwendige Entfaltungen der Menschwerdung sind und insofern mit der Menschwerdung als solcher zusammenfallen, wie später noch erläutert werden wird.

[679] Dies wird noch aus der auf Aristoteles anspielenden Formulierung *omnes homines natura appetere sapientiam* (ebd. 6 N.16, h VII, 15 Z.7f.) ersichtlich.

und die nur unter der Prämisse der Absurdität dazu bestimmt sein könnte, ins Leere zu laufen.

Der inhaltlichen Seite, zu der das Präsuppositionsprinzip führt, entspricht auf der Erkenntnisebene das eine Bekenntnis, der eine Glaube, der in einer Form der Gottesverehrung ausgedrückt wird, unbeschadet der Existenz verschiedener Riten.[680] Der Glaube fordert die Verehrung des einen Gottes, der auch Mensch geworden ist.[681] Im christlichen Glaubensbekenntnis entfaltet sich die suchende Vernunft, das *connatum desiderium* wird zur *religio connata*.[682] Mehr noch als bei Tertullian gilt für Cusanus das Wort von der *anima naturaliter christiana*[683].

Im Vergleich zu *De docta ignorantia* kann festgehalten werden, daß *De pace fidei* sowohl im Ausgangspunkt – dem Streben der endlichen Vernunft nach der Wahrheit – als auch in der Durchführung – dem Gang durch das Credo auf einer immer gleichbleibenden methodischen Grundlage – durchaus ähnlich gebaut ist. In vielen Einzelaussagen, insbesondere auch was die Möglichkeit anbelangt, die christlichen Glaubensinhalte an Nichtchristen zu vermitteln, kommen sie sogar überein. Die allerdings „negative" Methode der *regula doctae ignorantiae* steht der des Präsuppositionsprinzips gegenüber. Dieser Gegensatz ist vor allem dadurch motiviert, daß Cusanus ja angesichts der Verständigung mit den anderen Religionen nicht zuerst den verborgenen Gott in den Vordergrund stellen, sondern die positiven

---

[680] S. ebd. 6 N.16, h VII, 15 Z.16f.; vgl. ebd. 19 N.68, h VII, 62 Z.14f.

[681] S. u. a. ebd. 13 N.43, h VII, 40 Z.23 - 41 Z.3. Das Fazit bei Heinemann 1987, 181, „daß alle Religionen unendlich von der ewigen Wahrheit abweichen und sie nur mutmaßlich, mehr oder weniger präzise im Denken und Tun zum Ausdruck bringen", gilt nicht für das in *De pace fidei* skizzierte Christentum. Die von ihm angeführten Belege, insb. *De coniecturis* II 15 N.148 Z.1-11, h III, 148, können auch anders interpretiert werden.

[682] S. *De pace fidei* 13 N.45, h VII, 42 Z.8-10. Der Ausdruck *connata religio* fällt schon in *Idiota de mente* 15 N.159 Z.6, h ²V, 217, allerdings auf die Unsterblichkeit des menschlichen Geistes bezogen, die für den Menschen so gewiß ist wie das Wissen, eine menschliche Natur zu haben. Eine ähnliche Formulierung findet sich bereits in *De coniecturis* II 15 N.147 Z.5-7, h III, 148: „[...] omnibus hominibus inest [...] a natura specifica religio quaedam altiorem immortalem finem promittens varie, ut habes in universo, a huius inhabitatoribus participata [...]." Die Unsterblichkeit des Menschen wird nach *De docta ignorantia* erst durch Christi Auferstehung ermöglicht. In *De pace fidei* wird aber das gesamte christliche Glaubensbekenntnis zum Inhalt der *connata religio*, nicht nur die auch von anderen mittelalterlichen Autoren als allgemeine philosophische Einsichten akzeptierten Aussagen; vgl. Feil 1986, 158. S. auch Cusanus' Bekenntnis als Dialogpartner in der Schrift *De genesi* N.158, h IV, 114 Z.6-17, in dem er gesteht, an den christlichen Glaubensinhalten nicht deshalb festzuhalten, weil er Christ oder sonst gebunden sei, sondern weil anderes anzunehmen die Vernunft verbiete (*aliud sentire ratio vetat*).

[683] S. Tertullian: *Apologeticum* 17 N.6, CChr. SL 1, 117 Z.27.

Lehren derselben aufgreifen und in diesen den rechten Glauben
aufweisen will. Auch hierin zeigt sich ganz deutlich der Unterschied
zu den religionstheoretischen Positionen von Thomas und Lull, denn
für beide ist ein wesentliches Element des „Dialoges" mit dem Nichtchristen, dessen Irrglaube zu zerstören. So oder so muß der bisherige
Glaube aufgegeben werden, wenn man Christ werden will. Gerade
diesen „Glaubenswechsel" erspart Cusanus den nichtchristlichen Re-
ligionsvertretern, wie oben schon erwähnt worden ist. Insofern ist
auch die Regel aus *De docta ignorantia* nicht passend für dieses Vorgehen, obwohl sie dort ebenfalls zur vollen Entwicklung der christlichen
Lehre führt. Hier müßten in einem ersten Schritt die bisherigen Erkenntnisse verneint und die Unwissenheit eingestanden werden.[684]

2. Der Aufweis der Trinität

Da für diese Interpretation nur die für den Glaubensbegriff relevan-
ten Punkte angesprochen werden sollen, wird im folgenden der zudem kurze Teil zum Nachweis der Existenz Gottes und seines Schöp-
fertums übergangen und das Augenmerk gleich auf die wichtige Frage nach der Trinität gerichtet.[685] Die Cusanische Trinitätslehre in
ihrer Relevanz für seine Lehre vom Glauben soll hier stärker beachtet
werden als bei der Untersuchung von *De docta ignorantia*. Die Cusanische Position wird wieder mit der einiger markanter anderer Theologen kontrastiert. Zunächst soll aber die Trinitätslehre von *De pace fidei*
vorgestellt werden.

a) Die allgemeine Einsehbarkeit des Trinitätsgeheimnisses

Wie schon in *De docta ignorantia* erwähnt, ist für Cusanus die Trinitätslehre eine Einsicht, die mit der von der Einfachheit Gottes einhergeht
und somit Züge einer „natürlichen" Einsicht besitzt. Nun ist im Mittelalter eine endliche Natur primär als geschaffene, das heißt als *creatura*, und damit in ihrer Beziehung zum Schöpfer zu verstehen. Auch
das „Natürliche" am Cusanischen Denken ist, wie bereits geschildert,

---

[684] So beginnt zum Beispiel der *Dialogus de deo abscondito* zwischen einem Heiden und
einem Christen.
[685] S. hierzu Decker 1953, 101-104; Fries, Heinrich: De Pace fidei - Versöhnung im
Glauben. Ein Vermächtnis des Nikolaus von Kues, in: ders. und Valeske, Ulrich
(Hrsg.): Versöhnung. Gestalten - Zeiten - Modelle. Festschrift für Manfred Hörhammer, Frankfurt 1975, 77-100; Kremer, Klaus: Die Hinführung (manuductio) von
Polytheisten zum Einen, von Juden und Muslimen zum Dreieinen Gott, in: MFCG
16 (1984) 126-159.

mit seinem Schöpfungsverständnis verbunden, das ja wiederum stark christologisch geprägt ist. Von daher ist einsichtig, daß Cusanus, wenn er die Trinität vor allem in bezug auf die Schöpfung versteht, Gott nicht auf eine niedere Ebene herabzieht. Es soll nun genauer erforscht werden, was hinter der Eigenart der Cusanischen Trinitätslehre steckt und wie diese mit dem Glaubensbegriff verbunden ist.

In seinem Brief an Johannes von Segovia von 1453 nimmt Cusanus auf *De pace fidei* Bezug und schreibt über die Möglichkeit, das christliche Trinitätsgeheimnis zu vermitteln:

> „Possunt et plures aliae [sc. rationes] formari, quae ostenderent sufficienter fidem Trinitatis ad summam notitiam unius Dei accedere, in quo non potest natura summe perfecta videri uti in principio nisi correlationes divinae admittantur. Expertus sum tam apud Iudaeos quam ipsos Teucros non esse difficile persuadere trinitatem in unitate substantiae."[686]

Hier wird nicht nur die allgemeine Kommunikabilität und Einsichtigkeit der christlichen Trinitätslehre selbst gegen ihre vehementesten Gegner behauptet, sondern überhaupt ein eigentümlicher Zug an ihrer Cusanischen Version offensichtlich. Das Glaubenswissen von der Dreifaltigkeit Gottes kommt zur Erkenntnis Gottes als Einheit hinzu (*accedere*), sofern nur auf seine Vollkommenheit geachtet wird. Zwar ist vom Kontext her klar, daß den Juden und Muslimen, die den Glauben an den einen Gott teilen und nur dessen trinitarisches Wesen leugnen, vor allem gezeigt werden muß, daß diese Lehre die Einheit Gottes nicht verletzt. Aus dem Zitat wird jedoch ebenfalls deutlich, daß sich nicht die Lehre von der Einheit Gottes über sich hinaus erweitern läßt, sondern daß die von seiner Dreiheit auf diese zurückgeführt werden kann und sich mit dieser trifft. Wie dies zu denken ist, dafür gibt Cusanus selbst einen Hinweis, wenn er auf die Korrelativenlehre Lulls verweist. Allerdings greift er sie in *De pace fidei* in eigener Weise auf. Ein Hauptmerkmal seiner Rezeption ist, daß er Lulls Unterscheidung von *actio intrinseca* und *extrinseca* nicht übernimmt. Dies hängt aufs engste damit zusammen, daß für Cusanus die Trinitätslehre wie auch die Lehre von der Einheit Gottes zu jener Theologie gehört, die er affirmative Theologie nennt und deren Adäquatheit er immer wieder mit Blick auf die Einsetzung von Bezeichnungen aus dem Geschaffenen in Frage stellt. Dabei stehen aber nicht nur die Bezeichnungen, sondern auch die von ihnen gemeinten Denkinhalte immer in Verbindung zur Schöpfung, wie schon in *De docta ignorantia*

---

[686] *Epistula ad Ioannem de Segobia*, h VII, 97 Z.25 - 98 Z.5; s. hierzu mit zahlreichen weiteren Stellenangaben Euler 1995, 185-188.

gesehen worden ist. Gerade dieser Sachverhalt, die Abhängigkeit der Namengebung vom Ausgang beim Geschaffenen, ist für uns der Einstieg in die Trinitätslehre, wie Cusanus auch in *De pace fidei* betont.[687] In einem zweiten Schritt zieht er ähnlich wie in *De docta ignorantia* Schöpfung und Trinität zusammen.

Zunächst entwickelt er seinen bevorzugten Ternar *unitas-aequalitas-connexio*. Wie im Universum als Prinzipiiertem Vielheit, Verschiedenheit und Trennung erkennbar sind, so müssen sich logisch dazu vorgängig im Prinzip, also Gott, Einheit, Gleichheit und Verbindung finden. Diese können aber wegen ihrer Ewigkeit auch nicht mehrere sein. An diesen Gedanken schließt sich der der Zusammenfassung von allem in Gott an. Wenn schon im Entfalteten eine solche trinitarische Struktur zu finden ist, dann erst recht in ihrem zusammenfassenden Prinzip. Deshalb muß gerade das einfachste Prinzip von allem trinitarisch sein, sofern es überhaupt als Prinzip, spezifisch gesagt Schöpfer, gedacht werden soll.[688]

Daß damit nicht eine bloße Zuschreibung, Attribution, gemeint ist, macht Cusanus mit dem nächsten Kapitel deutlich, wenn er dem Einwand des Chaldäers begegnet, der sich unter diesem für Cusanus so zentralen Gedanken zunächst nur eine Dreieinigkeit *in virtute*[689] denken kann, was die Gefahr eines bloßen Modalismus in sich birgt. Cusanus führt den Gedankengang aber sogleich dahingehend weiter, daß diese angelegte Dreieinigkeit im Sinne einer Fähigkeit oder Wirksamkeit doch in Wirklichkeit Gottes Wesen ausmacht. Somit kann die Dreiheit nicht nur in bezug auf das Geschaffene gefunden werden, sondern auch dann, wenn man Gott für sich selbst betrachtet; in *De docta ignorantia* wurde hierbei auf die reine Möglichkeit der Schöpfung verwiesen. Dieser Gedankenschritt entspricht analog dem Nachweis in der Thomasischen Trinitätslehre, daß die wirklich verschiedenen Relationen nicht wieder dem göttlichen Wesen äußerlich bleiben, sondern auch subsistierende Realität haben, weil sie mit diesem identisch sind. Cusanus vollzieht diesen Schritt, indem er die Trinität produktiv auffaßt und anhand der göttlichen Allmacht entwickelt. Die *virtus* kann als *virtus absoluta* mit Gottes Realität identifiziert werden.

---

[687] S. *De pace fidei* 7 N.21, h VII, 20 Z.9-12: „Deus, ut creator, est trinus et unus; ut infinitus, nec trinus nec unus nec quicquam eorum quae dici possunt. Nam nomina quae Deo attribuuntur, sumuntur a creaturis, cum ipse sit in se ineffabilis et super omne quod nominari aut dici posset."
[688] S. ebd., 20 Z.12 - 21 Z.14; vgl. bes. *Cribratio Alkorani* II 3 N.94 Z.6-10, h VIII, 78. S. hierzu die spitze Bemerkung bei Gilson, Etienne: Les métamorphoses de la cité de Dieu, Louvain 1952, 168.
[689] S. *De pace fidei* 8 N.22, h VII, 21 Z.19.

Aus diesem Grund spricht Cusanus betont von der Allmacht Gottes. Der Ternar *unitas-aequalitas-connexio* wird dann unmittelbar produktiv gesehen, wenn der Aspekt der Macht in diesen drei hervorgehoben wird.[690] Die Produktivität ist Gottes Wesen. Mit vermutlich auch hier auf Lull zurückgehender Terminologie spricht Cusanus von *fecundissima essentiae simplicitas* und *fecunditas*[691], die er beide mit Gott selbst gleichsetzt. Ohne diese Fruchtbarkeit Gottes, die in ihm als Dreieinigkeit lebendig ist, könnte weder die Schöpfung sein noch Gott selbst, ist von ihm doch immer die Maximalität eingefordert. So kommt Cusanus in *De pace fidei* zu dem unzweideutigen Ergebnis:

„Unde cum essentia divina sit omnipotens, est simplicissima et trina. Sine enim trinitate non foret principium simplicissimum, fortissimum et omnipotens."[692]

Cusanus kann sich das schöpferische Prinzip der Welt nur trinitarisch denken. Dies ist für ihn eine zwingende Einsicht, auch wenn sie nicht in Form von Syllogismen entwickelt wird und immer unter dem Vorbehalt der Verborgenheit des ersten Prinzips steht.[693] Ihr können seiner Auffassung nach sowohl die Philosophen als auch die Juden und Muslime beistimmen, letztere um so leichter, als es in ihrer Offenbarungsschrift, dem Koran, zudem Formulierungen gibt, die für Cusanus nur trinitarisch recht gedeutet werden können.[694]

Hieran zeigt sich deutlich, daß für Cusanus in *De pace fidei* das Trinitätsgeheimnis zu jenem Inhalt gehört, den die angeborene Religion jedem vernünftigen Menschen unmittelbar ins Herz legt. Es wird dabei nicht im eigentlichen Sinne mittels des Präsuppositionsprinzips aufgewiesen, sondern folgt gewissermaßen analytisch aus der Voraussetzung eines einfachen schöpferischen Prinzips, die alle Weisen teilen. Insofern ist die Trinität kein Glaubensgeheimnis in dem Sinne, daß hier die göttliche Offenbarung als ein besonderer Akt gefordert wäre. Gott hat sich mit der Schöpfung schon eindeutig als trinitarischer mitgeteilt, auch wenn unsere Begriffe, wie die ständig neuen

---

[690] S. ebd., 22 Z.1 - 23 Z.5; Cusanus spricht jetzt von *potentia unitatis, potentia aequalitatis* und *potentia connexionis.* Zudem identifiziert er *unitas* mit *entitas,* die er wiederum als konstitutives Prinzip (s. ebd. das Verb *essentiare*) alles Seienden versteht.

[691] S. ebd. 8 N.24, h VII, 25 Z.8f. und 9 N.26, h VII, 26 Z.14 und passim.

[692] Ebd. 8 N.23, h VII, 24 Z.17-19.

[693] S. ebd. 9 N.26, h VII, 28 Z.2-4: „[...] modo quo veritas trinitatis supra explicatur, ab omnibus de necessitate amplectetur."

[694] Zu Trinitätsauffassungen bei Platonikern, Aristotelikern, Juden und Muslimen s. auch *Tu quis es <De principio>* N.14 Z.1-8, h X/2b, 16f. und *Cribratio Alkorani* II 11 N.113 Z.14f., h VIII, 91.

Anläufe von Cusanus zeigen, immer zurückbleiben. Für die Cusanische Trinitätslehre genügt dies einmalige erste Geben Gottes. Ein eigenständiges Gnadenwirken wird hier nicht gedacht. Insofern jedoch Jesus Christus Prinzip auch der Schöpfung ist, kann man sagen, das Trinitätsgeheimnis sei ebenfalls durch ihn geoffenbart. Allerdings wird dies in *De pace fidei* im Gegensatz zu *De docta ignorantia* nicht mehr explizit. Macht sich in dieser Akzentverschiebung schon der Gedanke der Produktivität des menschlichen Geistes als Gottes Abbild geltend, in der in der Rückführung aller Erkenntnis auf Gott nochmals durch die Betonung der „Eigenleistung" des geschaffenen Geistes der Aspekt des göttlichen Gnadenhandelns zurücktritt?

Wie sehr der Aspekt des göttlichen Gebens bei der Cusanischen Trinitätslehre zurückgenommen wird, wird besonders daran deutlich, wie Cusanus die Vorgabe der Offenbarung in *De pace fidei* behandelt. Diese reduziert sich für ihn auf die Überlieferung der Bezeichnungen der göttlichen Personen als Vater, Sohn und Heiliger Geist. Dabei zeigt sich die Eigentümlichkeit, daß Cusanus seinen eigenen, aus der Tradition Augustins und der Schule von Chartres übernommenen Ternar für treffender erachtet als die Bezeichnungen aus der theologischen Tradition und auch der Heiligen Schrift:

„Nominant aliqui unitatem Patrem, aequalitatem Filium, et nexum Spiritum Sanctum; quia illi termini etsi non sint proprii, tamen convenienter significant trinitatem. Nam de Patre Filius, et ab unitate et aequalitate Filii amor seu Spiritus."[695]

Die Benennungsrichtung scheint unklar zu sein, doch ist so zu lesen, daß die Bezeichnungen der Schrift den philosophischen des bisherigen Gedankenganges, die primär sind, zugeordnet werden. So wird auch an einer Parallelstelle in *De docta ignorantia* gedacht.[696] Damit soll nicht gesagt werden, Cusanus kritisiere an dieser Stelle die Redeweise der Heiligen Schrift, doch zieht er die eigene, rational

---

[695] *De pace fidei* 8 N.24, h VII, 25 Z.1-4. S. die Übersetzung in Nikolaus von Kues: Über den Frieden im Glauben. De pace fidei, übers. v. Mohler, Ludwig [= Schriften des Nikolaus von Kues 8], Leipzig 1943, 112: „Einige nennen die Einheit Vater, die Gleichheit Sohn und die Vereinigung den Heiligen Geist, weil diese Ausdrücke, wenn sie auch nicht im eigentlichen Sinne zu nehmen sind, die Dreifaltigkeit doch passend kennzeichnen." Vgl. Fries 1975, 83.

[696] S. *De docta ignorantia* I 9, h I, 18 Z.26 - 19 Z.12, bes. 19 Z.9f.: „[...] Pater dicta est unitas [...]." Vgl. ebd. I 24, h I, 50 Z.24 - 51 Z.13 und III 3, h I, 128 Z.8f., und Haubst 1991, 279f. S. weiter *Sermo* XXII N.21 Z.1, h XVI, 346: „Voluerunt nostri <Unitatem> dici Patrem [...]." Ebenso *Sermo* XXIII N.17 Z.11-15, h XVI, 368, bes. Z.12f.: „Et aequalitas recte dici potest <<Filius >> unitatis [...]." Mit einer anderen Aussageabsicht anders *Idiota de sapientia* I N.22 Z.5-15, h ²V, 45-47.

gefundene vor, was in jedem Fall sehr erstaunlich ist.[697] Auch wenn Cusanus mit den *aliqui* zunächst an die Schule von Chartres denken mag und im Hintergrund die den göttlichen Personen zugeordneten Appropriationen stehen, so zwingt ihn die Argumentation zu einer Umkehrung des traditionellen Gedankenganges. Dies hängt von seinen Grundüberzeugungen hinsichtlich der Namengebung ab. Der affirmativen Theologie muß er letztlich immer die negative vorziehen. Hieran kann selbst die göttliche Namengebung durch die Offenbarung nichts ändern, wie im folgenden Abschnitt im Unterschied zu Thomas gezeigt werden wird. Im Punkt der geeigneten Bezeichnungen der Trinität überläßt er die Offenbarung sich selbst, da alle Namen vom Geschöpflichen her genommen sind. An die geoffenbarte Vorgabe treten wie hier die auch in verschiedenen späteren Schriften gesuchten neuen Bezeichnungen und Ternare. In der Spätschrift *De non aliud* läßt Cusanus zwar die Bezeichnungen der Schrift unangetastet, doch gibt er eindeutig seinem eigenen neuen Begriff *non aliud* den Vorzug. Die *convenientia* der Schrift, die etwa für die erste göttliche Person die Bezeichnung „Vater" gebraucht, enthält dann fast nichts mehr von Angemessenheit in sich, sondern scheint angesichts des inhaltlich viel genaueren Cusanischen Kunstwortes zur bloßen Gewohnheit geworden zu sein.[698]

---

[697] S. hierzu Biechler, James E., und Bond, H. Lawrence: Nicholas of Cusa on Interreligious Harmony. Text, Concordance and Translation of *De pace fidei* [= Texts and Studies on Religion 55], Lewiston/Queenston/Lampeter 1990, 226 Anm. 33: „Although Nicholas of Cusa would be the last to imply any disapproval of the Christan usage, sanctified by the New Testament, which names the Divine Persons of the Trinity, Father, Son, and Holy Spirit, the language of this section of *De pace fidei* suggests more than a little discomfort with the traditional language of the doctrine."

[698] S. *De non aliud* 5, h XIII, 13 Z.1-17: „Trinitatis secretum, Dei utique dono fide receptum, quamvis omnem sensum longe exsuperet atque antecedat, hoc medio, quo in praesentia Deum indagamus, non aliter nec praecisius quam superius audisti, declarari potest. Sed qui Patrem et Filium et Spiritum sanctum Trinitatem nominant, minus praecise quidem appropinquant, congrue tamen nominibus illis utuntur propter scripturarum convenientiam. - Qui vero unitatem, aequalitatem et nexum Trinitatem nuncupant propius accederent, si termini illi sacris in litteris reperirentur inserti; sunt enim hii, in quibus 'non aliud' clare relucescit [...]. Sic itaque patet in non aliud et non aliud atque non aliud, licet minime usitatum sit, unitrinum principium clarissime revelari supra omnem tamen nostram apprehensionem atque capacitatem." Die Kritik am Ternar *unitas-aequalitas-nexus* führt nicht etwa zurück zu den biblischen Bezeichnungen, sondern weiter in die Cusanischen Begriffserfindungen, hier dem *non aliud*, die unserem Geist eine deutlichere Offenbarung schenken.

b) Abgrenzung gegenüber der Tradition

aa) Der Unterschied zu Thomas

Augustinus dürfte der erste gewesen sein, der den Ternar *unitas-aequalitas-connexio/concordia* für die Trinität verwandt hat. Dabei setzt er aber nicht wie die Schule von Chartres die drei Personen mit diesen abstrakten Begriffen gleich, sondern behandelt sie mehr wie Zuordnungen:

„In patre unitas, in filio aequalitas, in spiritu sancto unitatis aequalitatis concordia: et tria haec unum omnia propter patrem, aequalia omnia propter filium, connexa omnia propter spiritum sanctum."[699]

Da sich im Geschaffenen in vielheitlicher Form das göttliche Prinzip nur dunkel widerspiegelt, bilden nicht die von Augustinus gesuchten und ausgedeuteten Analogien der Trinität in der Schöpfung den Ausgangspunkt für seine Trinitätslehre, sondern die Schrift, wie schon am Aufbau von *De trinitate* ersichtlich ist. Seine Einsicht, daß die Werke der Trinität gemeinsam sind,[700] verhindert für ihn, daß man über die Begrenztheit des sich am Sinnlichen orientierenden menschlichen Geistes hinaus allein im Ausgang von der Schöpfung auf ein trinitarisches Wesen Gottes schließen könnte.

Gerade hinsichtlich des von Cusanus bevorzugten Ternars *unitas-aequalitas-connexio* geschieht nicht nur zu Augustinus, sondern auch zu Thomas eine bedeutsame Verschiebung des Denkens. Thomas behandelt diesen Ternar im Zusammenhang mit den göttlichen Wesensbezeichnungen, die den einzelnen Personen in besonderer Weise zugesprochen werden. Cusanus kannte die entsprechende Stelle *Summa Theologiae* I 39, 8, da er sie schon sehr früh, vermutlich um 1428, exzerpierte.[701] Jedoch steht er in bezug auf die an dieser Stelle verhandelte Problematik, die für sein Glaubensverständnis sehr relevant ist, in scharfem Kontrast zu Thomas.

Zunächst ist daran zu erinnern, daß für die von Thomas gedachte natürliche Vernunft die Unterscheidung von drei göttlichen Personen nicht im Ausgang vom Geschaffenen möglich ist. Die Werke sind der Trinität gemeinsam und erlauben keinen notwendigen Schluß auf die Dreifaltigkeit Gottes, sondern nur den Rückschluß auf Gottes Wesen

---

[699] *De doctrina christiana* I 5, 5 Z.15-18, CChr. SL 32, 9.
[700] S. *De trinitate* I 5, 8 Z.5-7, CChr. SL 50, 36.
[701] S. Haubst, Rudolf: Die Thomas- und Proklos-Exzerpte des „Nicolaus Treverensis" in Codicillus Straßburg 84, in: MFCG 1 (1961) 17-51, bes. 23f.

in der Weise eines Rückschrittes vom Verursachten auf die Ursache.
Hierin folgt Thomas Augustinus. Gerade der Blick auf Gottes Schöpfermacht, *virtus creativa*, ist für ihn kein ausreichendes Fundament für
die Eröffnung dieses Glaubensgeheimnisses.[702] Er hält es daher angesichts der Würde und Bestimmung des Glaubens für unangebracht
und unmöglich, hierfür nach notwendigen Vernunftgründen zu suchen, und weist zum Beispiel die Argumente von Richard von St. Viktor zurück. Die Kenntnis der Trinität verdankt sich zunächst der Offenbarung durch Jesus Christus.[703] Dabei ist sie den Menschen durchaus notwendig, einerseits für ein rechtes Verständnis der Schöpfertätigkeit Gottes – keine Bedürftigkeit oder Notwendigkeit trieb ihn dazu
–, andererseits und prinzipieller, um die Erlösung durch die Menschwerdung und die Gabe des Heiligen Geistes recht zu verstehen.[704] So
löst Thomas in einem ersten Schritt die Trinität vom Schöpfungsgedanken, verbindet aber in einem zweiten Schritt wieder beide, um
nun ihr Hauptgewicht in den Konsequenzen für die Erlösungslehre,
vor allem für die Christologie und die daran anschließende Gnadenlehre zu sehen. Also nur im Sinne der *reparatio* und der damit verbundenen Vervollkommnung der Schöpfung wird die Trinität als
solche konstitutiv auf die Schöpfung bezogen. Sie wird demnach nicht
in erster Linie unter dem Gesichtspunkt des Hervorbringens verstanden wie bei Cusanus.

Hieraus folgt, daß, wenn für Thomas die drei göttlichen Personen
außerhalb desjenigen Wissensbereiches liegen, der mit der natürlichen Vernunft irgendwie erforscht werden kann, auch die Erkenntnisse, die in einem positiven Sinne auf das göttliche Wesen zielen,
keinen Aufschluß über dessen trinitarisches Inneres geben.[705] Erst im
nachhinein lassen sich die Wesensbezeichnungen den drei Personen
beilegen. Dies gilt auch für den Ternar *unitas-aequalitas-connexio*. Er
zeichnet sich auch für Thomas aus, da in ihm besonders die Einheit
Gottes betrachtet wird. Allerdings wendet sich Thomas dagegen, diese
Bezeichnungen so zu verstehen, daß sie bei Gott wirkliche Relationen
ausdrücken. Dies liegt daran, daß sie für ihn sowohl eine Relation als
auch das Wesen Gottes bezeichnen. Insofern eignen sie sich – beson-

---

[702] S. STh I 32, 1 c.
[703] S. *Ad Hebraeos* cap. XI, lect. 2 N.577 und STh II-II 2, 8 ad 3.
[704] S. STh I 32, 1 ad 3: „Alio modo, et principalius, ad recte sentiendum de salute
generis humani, quae perficitur per Filium incarnatum, et per donum Spiritus
Sancti."
[705] S. STh I 39, 7 c.: „[...] ex creaturis, ex quibus cognitionem accipimus, possumus per
certitudinem devenire in cognitionem essentialium attributorum; non autem in
cognitionem personalium proprietatum [...]."

ders die *aequalitas* –, um die wichtige Aufgabe zu erfüllen, die verschiedenen Personen untereinander zu betrachten und so klarer zu sehen. Jedoch können es für Thomas keine Bezeichnungen realer verschiedener Beziehungen sein wie die drei Notionen *paternitas*, *filiatio* und *processio*, sondern sie meinen nur gedachte Relationen.[706] Demgegenüber faßt sie Cusanus als Begriffe wirklicher Relationen auf. Er zeigt, wie sich die göttlichen Hervorgänge in ihnen finden und wie ihnen eine Realität in Gott zukommt. Dies kann er aber nur, indem er den Bezug zum Geschaffenen herstellt, was insbesondere daraus ersichtlich wird, daß er *unitas* sogleich als *entitas* denkt.[707] Noch deutlicher wird hieran, wie Cusanus die Einsicht in das trinitarische Wesen Gottes als eine Einsicht der endlichen Vernunft begreift und wie er dabei die Trinität selbst in einem produktiven Sinn denkt.

Gegenüber dem im Cusanischen Denken für das endliche Erkennen, das vergleichend und messend vorgeht, primären Ternar kann Thomas darüber hinaus sogar die Redeweise der Schrift als völlig zutreffend nachweisen. Die Bezeichnungen der drei Personen mit Vater, Sohn und Geist sind nicht nur für uns, da in ihrer Weise des Bezeichnens vom Endlichen her genommen, sondern auch an sich bezüglich ihrer Sinngehalte völlig zutreffend. Eine über die Schrift hinausgehende Begrifflichkeit ist also nur bezüglich bestimmter Probleme angebracht. So rechtfertigt Thomas, daß der Name Vater nicht nur der eigentümliche Name der ersten göttlichen Person ist, sondern sein voller Sinngehalt auch allein in der göttlichen Person des Vater verwirklicht wird; Analoges gilt für den Sohn.[708] Thomas verteidigt nicht nur den Sprachgebrauch der Schrift, sondern macht in den Bezeichnungen gerade der jeglichem endlichen Begreifen entzogenen Trinität eine besondere Entsprechung mit der menschlichen Sprachregel ausfindig. So trifft die Bezeichnung Vater zuerst auf die Person des Vaters in Beziehung auf den Sohn zu und nicht auf Gott als Schöpfer.[709] Für Cusanus gilt aber, daß die Bezeichnung Vater er-

---

[706] S. STh I 28, 4 ad 4 und 42, 1 ad 4; zu einer sehr konkreten Anwendung von *aequalitas* in der Christologie s. STh III 58, 3.

[707] S. *De pace fidei* 8 N.22f., h VII, 23 Z.5 - 24 Z.10.

[708] S. STh I 33, 3 c.: „[...] perfecta ratio paternitatis et filiationis invenitur in Deo Patre et Deo Filio: quia Patris et Filii una est natura et gloria." Vgl. ebd. I 33, 2 ad 3. Das spricht gegen Kremer 1984, 144, der Cusanus' Vorbehalte gegen die biblischen Bezeichnungen in Einklang mit einer allgemeinen philosophischen und theologischen Tradition sieht.

[709] S. STh I 33, 3 c.: „Sic igitur patet quod per prius paternitas dicitur in divinis secundum quod importatur respectus Personae ad Personam, quam secundum quod importatur respectus Dei ad creaturam." Für den Geist ist allerdings kein spezifischer Name im Geschaffenen vorgezeichnet (s. STh I 27, 4 ad 3 und 36, 1), wodurch verständlicher wird, daß den Philosophen die Dreieinigkeit Gottes am stärksten hin-

stens in ihrem Sinngehalt nicht ganz die göttliche Person trifft und daß sie zweitens nicht nur aus dem Geschöpflichen genommen ist, wie Thomas gleichfalls zugestehen würde[710], sondern auch nur in bezug auf die Schöpfung einen Sinngehalt hat, was Thomas gerade bestreiten würde.

Thomas stellt also seine Behandlung der Trinitätslehre unter die Vorgabe der göttlichen Offenbarung und versucht doch zugleich dem geschaffenen vernünftigen Geschöpf ganz entgegenzukommen. Da er dessen Bestimmung in Jesus Christus vollkommen erreicht sieht, hat die Trinitätslehre für den Weg zu Gott ihre besondere Bedeutung in der Christologie. Dort finden die langen Ausführungen ihre Konkretion, wenn die hypostatische Union und die Lebensgeschichte Jesu dargestellt werden. In seiner menschlichen Natur wird zugleich das Geschaffene direkt mit dem immanenten Wesen der Trinität zusammengeführt. Die Gottessohnschaft und die Erhöhung zur Rechten des Vaters können nur in Verbindung mit der Trinitätslehre richtig gedacht werden und werden doch von jedem Glaubenden ersehnt. Hierauf bezieht sich das Wissen von der Trinität in prinzipiellerem Sinn, nicht auf das vollkommene Wissen von der Schöpfung. Hierzu dient die Trinitätslehre nur in eingeschränktem Sinne, da sie zeigt, wie Gott nur wegen seiner Güte, *amor suae bonitatis*[711], und nicht aus Notwendigkeit die Welt erschafft. Diese Güte wird aber in Jesus Christus in der Schöpfung sinnlich manifest. Mit der Trinitätslehre geht es Thomas also nicht in erster Linie um eine bessere Erkenntnis der Schöpfung als solcher, sondern um die in ihr und vor allem in der Erlösung deutlich werdende Güte Gottes. So wird auch mit dem göttlichen Wort vor allem die Beziehung zum Vater ausgedrückt und erst in einem weiteren Sinn die zum Geschaffenen, insofern ja im Wort alles erkannt und gewirkt wird.[712] Insofern umgeht Thomas in doppelter Weise den Gedanken der göttlichen *fecunditas*. Weder treibt sie zur Schöpfung oder läßt sich von dieser her zurückpostulieren, noch ist in der göttlichen trinitarischen Lebendigkeit zunächst ein Bezug zum Geschaffenen intendiert. Gerade dies sind aber die Hauptcharakteri-

---

sichtlich der dritten göttlichen Person verborgen blieb (s. STh I 32, 1 ad 1). Vgl. bei Cusanus *De venatione sapientiae* 25 N.73 Z.24-28, h XII, 71 und bes. *De beryllo* N.42 Z.11-18, h ²XI/1, 48f., wo er diesen Umstand allerdings nicht auf die Unerkennbarkeit der Trinität, sondern darauf zurückführt, daß die Philosophen vor der *coincidentia oppositorum* zögerten, s. ebd. N.40 Z.1-10, h ²XI/1, 46.

[710] S. STh I 33, 2 ad 4.
[711] STh I 32, 1 ad 3.
[712] S. ebd. q.34, a.3 ad 1 und 4.

stika der Cusanischen Trinitätslehre, wie eine Gegenüberstellung zu Lull verdeutlichen kann.

bb) Der Unterschied zu Lull

Cusanus hat bei seinen umfangreichen Studien der Philosophie und Theologie Lulls besonders auch dessen spätere und reifere Arbeiten kennengelernt und schon früh exzerpiert.[713] Im folgenden soll die Trinitätslehre Lulls vor allem dieser späteren Arbeiten betrachtet werden, wobei insbesondere die von Cusanus selbst zur Kenntnis genommenen Schriften herangezogen werden. Cusanus und Lull heben sich vor allem in dem Punkt voneinander ab, daß Cusanus vor die scholastische Unterscheidung von *operatio ad intra* und *operatio ad extra* zurückgeht. Demgegenüber hält Lull an ihr fest und trennt damit zunächst die Gottes- und Trinitätslehre von der Schöpfungslehre und der Christologie.[714] Für beide ergibt sich daraus ein unterschiedlicher wissenschaftlicher Status, denn während die Trinität mit notwendigen Gründen aufgewiesen werden kann, sind die Schöpfung und die Menschwerdung nur bedingt notwendig.[715] Auch wenn es dem in sich aktiven Wesen Gottes zuhöchst entspricht, sich in der Schöpfung zu entäußern, so ist dies doch ein kontingenter Akt. Demgegenüber gilt eine wesenhafte Notwendigkeit hinsichtlich der Trinität, was wenig verwunderlich anmutet und auch von Thomas zugestanden werden würde. Aber diese Einsicht ist auch uns Menschen und sogar schon in diesem Leben mit der Lullschen Methode zugänglich.[716] Um diese zu verstehen, muß man auf die *operatio ad intra* achten.

Lull gibt von Gott Definitionen an, die Grundlage für seine Syllogismen sind. Dazu bedient er sich der mit Gott identischen Grundwürden, *dignitates*, beziehungsweise Prinzipien. Dazu zählen etwa Ein-

---

[713] S. Lohr, Charles H.: Ramón Lull und Nikolaus von Kues, in: Theologie und Philosophie 56 (1981) 218-231.

[714] S. etwa *Liber de quinque sapientibus*, MOG II, 174: „[...] opera extrinseca sunt accidentalia per creationem, et opera intrinseca sunt substantialia et aeterna, hoc est, per Trinitatem Dei." Für den Beweis der Inkarnation greift Lull auf beide Tätigkeiten zurück (s. z. B. *Disputatio Raymundi christiani cum Homer saraceni*, MOG IV, 455).

[715] S. *De infinita et ordinata potestate* (Cusanus bekannt) ROL I, op. 223, 247 mit einer Randbemerkung von unbekannter Hand, die den Lullschen Gedanken genau erfaßt: „Sicut Deus libere et contingenter creavit mundum, sic etiam potuisset non creare nec incarnari per consequens, sed posito mundo divinae dignitates exigunt a Deo, ut Deus sese cum illis compellit, ut incarneretur propter magna bona, quae fert incarnatio." Vgl. oben Erster Hauptteil D.II.1.d.

[716] S. *Liber de forma Dei* (Cusanus bekannt) N.6 Z.807, ROL VIII, op. 179, 68: *Concluditur ergo, quod Deus non potest esse nisi trinus*. S. auch Canals Vidal, Francisco: La demonstración de la Trinidad en Ramón Llull, in: Estudios Lullianos 25 (1981-1983) 5-23.

heit, Tätigkeit oder Güte, Größe, Ewigkeit usw. Sie sind göttliche Wesenseigenschaften, die nicht nur einen auf Gott zutreffenden Sinngehalt haben, sondern auch mit ihm selbst und untereinander identifiziert werden können. Nur so sind sie eine geeignete Grundlage der
Lullschen Kunst.[717] Diesen Grundwürden schreibt Lull innere Tätigkeiten zu, insbesondere wenn von ihnen angenommen wird, daß sie
in Gott in maximaler Verwirklichung vorliegen. So kommt er zu den
Korrelativen, auf denen seine stichhaltigsten Trinitätsbeweise beru-
hen. In seiner Autobiographie trägt er diese Lehre vor, um Muslime
vom christlichen Trinitätsglauben zu überzeugen:

> „[...] aduerto iam, quod uos omnes Saraceni [...] non intelligitis, in praedictis
> et aliis huiusmodi diuinis dignitatibus actus proprios esse intrinsecos et ae-
> ternos, sine quibus dignitates ipsae fuissent otiosae, etiam ab aeterno. ACTUS
> uero bonitatis dico bonificatiuum, bonificabile, bonificare [...]."[718]

Aus diesen innerlichen Akten der einzelnen mit Gott identischen
Grundwürden ergibt sich für Lull das trinitarische Wesen Gottes. Keineswegs muß er diese hierzu auf die Schöpfung zurückbeziehen, sondern dies will er gerade vermeiden. Erst in einem zweiten Schritt ist es
dann erlaubt, von den im Geschaffenen vorfindlichen trinitarischen
Strukturen wie vom Abbild auf das Urbild zurückzuschließen.[719] In
diesem Punkt unterscheidet er sich von Cusanus, der, wie dargestellt,
die Trinität unmittelbar in bezug auf die Schöpfung sieht. Dies zeigt
sich sogar in Formulierungen aus seiner späteren Schaffensperiode,
in denen er offensichtlich Lullsche Gedanken aufnimmt. In *De pace
fidei* greift Cusanus seinen Ternar *unitas-aequalitas-connexio* als göttliche Fruchtbarkeit, *fecunditas*, auf. Diese findet er etwa in den von

---

[717] S. *Ars mystica theologiae et philosophiae*, ROL V, op. 154, 291 (vgl. Colomer 1961, 134):
„[...] Deus est definitus per suas proprietates et non per causas neque etiam per effectus." Vgl. die Notiz von Cusanus in Codex Cusanus 85, fol. 55ᵛ (zitiert nach
Haubst, Rudolf: Das Bild des Einen und Dreieinen Gottes in der Welt nach Nikolaus von Kues [= Trierer Theologische Studien 4], Trier 1952, 341): „Dignitates Dei
sunt id, per quod Deus est id, quod est, sine quibus Deus non esset Deus [...]." Deshalb wird der Muslim kritisiert, da er nicht alle Grundwürden für gleichwesentlich
hält (s. *Disputatio Raymundi christiani cum Homer saraceni*, MOG IV, 442).
[718] *Vita coetanea* cap. 6, ROL VIII, op. 189, 290 Z.395-400; vgl. u. a. *Ars mystica theologiae et
philosophiae*, ROL V, op. 154, 292 (vgl. Colomer 1961, 134): „Sequitur ergo necessa-
rie, quod in ipsa agentia sunt tria correlativa in superlativo permanentia et aeque
existentia, scilicet operalissimans unissimans, operalissimatum unissimatum, opera-
lissimare unissimare ab utroque processum. Et ista tria divinas personas quas inqui-
rimus, appellamus, ex quibus divina trinitas est constituta." Vgl. Haubst 1952, 60-83;
zur Entwicklung der Korrelativenlehre s. Gayà Estelrich, Jordi: La teoría luliana de
los correlativos. Historia de su formación conceptual, Palma de Mallorca 1979.
[719] S. hierzu Euler 1995, 75f.

Augustinus hervorgehobenen Ternaren ausgedrückt.[720] Allerdings zieht er dort einen Schluß auf das trinitarische Wesen des Schöpfergottes, noch bevor darauf geachtet wird, wie sich das Urbild im Abbild ausdrückt wird. Die trinitarisch zu denkende göttliche Fruchtbarkeit und innere Aktivität ist vielmehr geradezu identisch mit dem innergöttlichen Prinzip des Erschaffens.[721]

3. Die Christologie von De pace fidei

Die Christologie, wohl der strittigste Punkt in der religiösen Auseinandersetzung mit den Juden und Muslimen, bildet nach der Trinität den zweiten Teil des Gespräches. Mit ihm wird der Schritt von der trinitarischen Einheit Gottes zur Vielheit der Welt getan. Einheit und Vielheit werden im Ausgang von der Einheit miteinander vermittelt, und es wird gezeigt, wie die Einheit in der Vielheit gegenwärtig ist. Der dritte Hauptteil klärt dann die Vermittlung von seiten der geschöpflichen Vielheit und deren Gegenwart in der göttlichen Einheit durch den Glauben. Insofern wird im zweiten Teil nicht nur das Glaubensbekenntnis weiter entfaltet, sondern die Suche nach der

---

[720] S. *De pace fidei* 8 N.24, h VII, 25 Z.8 - 25 Z.2. Vgl. *Sermo* XXXVIII N.13 Z.1-33, h XVII/1, 111-113. Lohr weist darauf hin, daß Cusanus nach 1440 den Ternar aus der Schule von Chartres als „Funktion der Korrelativenlehre Lulls verstanden hat" (ders.: Nicolai de Cusa Opera omnia, Vol. XVI/4 und Vol. XVII/1 (Rezension), in: MFCG 17 (1986) 260-263, 262f.).

[721] So ist m. E. auch die *Adnotatio de essentia amoris* (Codex Cusanus 107, fol. 21ʳ; ediert von Biechler, James E.: Three Manuscripts on Islam from the Library of Nicholas of Cusa, in: Manuscripta 27 (1983) 91-100, 100) zu interpretieren. Zunächst schließt Cusanus von der *fecunditas* im Geschaffenen auf eine solche im Schöpfer. Doch im letzten Satz, einer rhetorischen Frage, nimmt er eben diese *fecunditas* auf die Möglichkeit einer Schöpfung überhaupt zurück, s. ebd.: „Quomodo debemus deum purissimum intellectum privare arte a se genita et spiritu seu unionis motu utriusque sine quibus nec coelum nec terra nec omnia quae in eis sunt in esse pervenire potuerunt?" Noch deutlicher wird dies in der kleinen Schrift *Responsio de intellectu evangelii Johannis*, in der er den Johannes-Prolog auslegt, wenn er die innertrinitarische Zeugung direkt aus der Macht Gottes herleitet, die keine bloße Appropriation für den Vater mehr ist. Vielmehr geht aus der absoluten schöpferischen Macht auch der absolute Grund von allem hervor, s. ebd., Codex Cusanus 220, fol. 125ʳ Z.30-36: „Sic itaque absoluta rerum ratio est patris filius quia nihil nisi a patre et omnia quae et pater habet, oportet enim absolutam rationem adaequari potentiae creativae cum nihil sine ratione in esse prodire possit. Sic omnipotentia creativa perfectissime relucet in absoluta ratione, nam cum sine ratione nihil esse possit et absoluta ratio sit omnium creabilium adaequatissima, perfectissima atque sufficientissima ratio, manifestum est omnipotentiam creativam in perfectissima sui relucentia absolutam generare rationem omnium creabilium complicativam." Vater und Sohn werden vor aller Schöpfung und doch in bezug auf sie gedacht, ausgehend von der Macht Gottes.

einen wahren Religion kommt zu ihrer eigentlichen Grundlage. Zugleich wird der Einstieg des Dialoges mit der Bestimmung des Menschen, ein Philosoph im Sinne eines Liebhabers der Weisheit zu sein, fortgesetzt, wenn nun die Liebe und das Streben zur Weisheit ihr Fundament erhalten. Hier wird zum zweiten Mal vom Präsuppositionsprinzip Gebrauch gemacht und die eine Religion als *religio connata* inhaltlich abgeschlossen.

a) Jesus Christus als Erfüllung des endlichen Strebens

Zunächst erklärt Cusanus, wie die hypostatische Union überhaupt zu denken ist (Kapitel 11-12), was hier zurückgestellt wird. Für die Wirklichkeit der Menschwerdung geht er vom Glaubensgut verschiedener Religionen aus, die eine Auferstehung von den Toten kennen. Cusanus argumentiert so, daß eine allgemeine Auferstehung nur unter der Voraussetzung der Menschwerdung Gottes möglich ist, denn allein Gott ist unsterblich. Andererseits will jedes Wesen und insbesondere jeder Mensch die Erfüllung in der eigenen Natur erreichen.[722] So ist für die Erfüllung dieser Sehnsucht gefordert, daß der Mensch als Mensch Gott erreicht. Genau so denkt sich aber Cusanus die Inkarnation:

„[...] ipse est salvator et mediator omnium in quo natura humana, quae et una et per quam omnes homines homines sunt, unitur divinae et immortali naturae, ut sic omnes homines eiusdem naturae assequantur resurrectionem a mortuis."[723]

Insofern ist klar, daß im Auferstehungsglauben für Cusanus die Menschwerdung immer schon impliziert ist. Eine andere Möglichkeit läßt sich für ihn nicht denken, da er die Auferstehung als Schau Gottes in der Weise versteht, daß diese für ihn eine Vereinigung von göttlicher und menschlicher Natur ist. Cusanus formuliert diese Grundüberlegung gerne vom Gedanken der Maximalität her. Die Erfüllung des menschlichen Strebens ist die Vollendung der menschlichen Natur. Diese ist aber erst darin geleistet, daß eine nicht überbietbare Steigerung, also ein Maximum erreicht wird. Ein solches Maximum kann aber nur Gott selbst sein. Die Gnade, mit der die menschliche

---

[722] S. *De pace fidei* 13 N.44, h VII, 41 Z.12-14: „Non appetunt homines beatitudinem, quae est ipsa aeterna vita, in alia quam propria natura; homo non vult esse nisi homo, non angelus aut alia natura [...]." S. allgemein zur Christologie in *De pace fidei* Haubst, Rudolf: Die Wege der christologischen manuductio, in: MFCG 16 (1984) 164-182.

[723] Ebd. 13 N.43, h VII, 40 Z.19-22.

Natur Jesu Christi zu Gott erhoben wird, ist so groß, daß sie schon
nicht mehr die an einer Natur wirkende Gnade ist, sondern selbst
Natur, nämlich Gott.[724] Das Markante an diesem Gedanken ist, daß im
Naturbegriff eine Verwiesenheit auf Gott ausgedrückt wird, die nicht
etwa in den Grenzen der Natur in dem Sinne erfüllt werden könnte,
daß nur auf Geschaffenes ausgegriffen wird. Vielmehr reichen die
Grenzen der geschaffenen Natur geradezu bis zu Gott. So denkt sich
Cusanus die Menschwerdung vor allem als eine Vereinigung von
Schöpfer und Geschöpf.[725] Zugleich ist die letzte Vollendung des
menschlichen Strebens beziehungsweise die *visio beatifica*, auch wenn
sie für alle nur in einem einzigen Gottmenschen wirklich werden muß
und nach Cusanus auch nur kann, allein als hypostatische Union, also
als Vereinigung von Geschaffenem und Ungeschaffenem, erfüllt.[726]

Cusanus führt die Menschwerdung über den Glauben an die Auferstehung ein. Grundlegender ist aber, daß dieser Glaube schon mit
dem menschlichen Streben nach der Wahrheit gegeben ist. Dieses ist
aber angeboren und damit auch die daraus entspringende Religion,
die auch die ganze Christologie umfaßt.[727] Wenn nun Gott den Menschen mit diesem Streben schafft, selbst aber dessen Ziel ist und dieses nur in der Menschwerdung gefunden wird, dann ist mit der
Schöpfung des Menschen, soll dessen Bestimmung nicht ins Leere
laufen, auch die Menschwerdung gegeben. Gott als Schöpfer würde
sich andernfalls selbst widersprechen.[728] Insofern nimmt Cusanus auch
in *De pace fidei* Schöpfung und Menschwerdung zusammen, wenngleich er hier im Gegensatz zu *De docta ignorantia* keine weiteren kosmologischen Konsequenzen zieht.

---

[724] S. ebd.12 N.38, h VII, 37 Z.1-8. Erst in Jesus Christus ist die menschliche Natur
vollkommen und damit wahrhaft menschliche Natur (s. ebd. 11 N.31, h VII, 32
Z.19f.; 14 N.46, h VII, 43 Z.7f. und 44 Z.1-3).

[725] So auch in *De pace fidei* 11 N.30, h VII, 31 Z.11f.

[726] Auch hier ist ein klarer Unterschied zu Thomas erkennbar, der zwar das *desiderium
naturale* über den Bereich des Endlichen und Vergänglichen auf Gott hinausreichen läßt, aber seine Erfüllung im Sinne eines Genießens mit etwas Geschaffenem,
wenn auch der Schau des göttlichen Wesens, bewenden läßt (s. STh I-II 3, 1). Keineswegs ist hierfür unbedingt die Menschwerdung gefordert.

[727] S. *De pace fidei* 13 N.45, h VII, 42 Z.6-10: „[...] omnium spes est aliquando consequi
posse felicitatem, [...] haec spes omnibus communis est ex connato desiderio, ad
quam sequitur religio, quae pariformiter omnibus consequenter connata existit
[...].“

[728] Am markantesten wird dieser Gedankengang, der auch in der Christologie von *De
visione dei* vorausgesetzt ist, in *Sermo* CCXI von 1455 ausgedrückt, s. *ebd.* N.5 Z.23-28,
h XIX/1, 42: „Et hunc [sc. Jesum Christum] in lumine naturae, in quo omnium defectum videmus in eius comparatione, omnes sapientes praevidisse futurum potuerunt tamquam plenitudinem divitiarum et thesaurum desiderabilium.“

Für den Glaubensbegriff ergibt sich hieraus, daß Cusanus nicht nur die Trinität, sondern auch die Menschwerdung für allgemein kommunikabel hält. Allein ihre raumzeitliche Konkretion kann nicht aufgeschlossen werden. Hier hat man äußeren Zeugnissen zu folgen, zum Beispiel daß die Christen und die Muslime den Messias in Jesus Christus schon gekommen sehen. Aber auch sonst ist das Inkarnationsgeheimnis, wenn auch schwerer einsehbar als die Trinität, nichts, was völlig außerhalb der endlichen Vernunft läge. Um es einzusehen, ist für den Menschen kein übernatürlicher, geschenkter Glaube und Unterwerfung unter die göttliche Offenbarung nötig, sondern allein die Selbstbesinnung der Vernunft. Sie muß nur ihrer Bestimmung als *desiderium naturale* trauen und wird dann in sich selbst die immer schon für ihre eigene Wirklichkeit – soll nicht alles ein unsinniges oder gar widersinniges Schauspiel sein – vorausgesetzte Menschwerdung auffinden. Auch in *De pace fidei* gibt es keine zwei Erkenntnisbereiche von natürlicher Vernunft und Offenbarung. Vielmehr gilt eine inhaltliche Übereinstimmung von endlicher Vernunft und Glaube, gegründet in dem einen Schöpfungswerk Gottes, das erst von der Menschwerdung her vernünftig und damit, wie man ergänzen müßte, möglich wird.

b) Vergleich mit der Christologie von *De docta ignorantia*

Bis auf das Fehlen der kosmologischen Konsequenzen der Menschwerdung und explizterer Äußerungen zur Bedeutung der angenommenen Menschennatur für das ganze Schöpfungswerk stimmt *De pace fidei* in den christologischen Hauptpunkten mit *De docta ignorantia* überein. Noch strikter als dort ist der Bezug der Menschwerdung zum Sündenfall ausgeblendet. Dieser wird gar nicht mehr erwähnt, geschweige denn für die Argumentation vorausgesetzt. Zwar wird im Prolog eine Art Urzustand beschrieben, doch hat der ihm folgende Zustand der Verfinsterung der Erkenntnis Gottes unter den Völkern nichts mit einer radikalen Abkehr von Gott zu tun, sondern scheint allein in der mit der Schöpfung mitgegebenen Vielheitlichkeit der Welt und der Vielzahl der menschlichen Völker sowie in der Natur des Menschen als eines körperlichen und vernunftbegabten Wesens begründet zu sein, das sich auf das Sinnliche ausrichten kann. So oder so ist aber die Menschwerdung die einzige Möglichkeit für den Menschen, das ewige Ziel erreichen zu können. Mehr noch als in *De docta ignorantia* wird der Aspekt beiseite gelassen, daß Jesus Christus den Menschen das Heil verdient. Sein Leben und Sterben kommt hauptsächlich wie in *De docta ignorantia* unter dem Gesichtspunkt zur Sprache, daß erst mit Tod und Auferstehung, wenn die Sterblichkeit der Menschennatur abgelegt ist, das Werk der Menschwerdung vollendet ist. Cusanus erörtert dies in *De pace fidei* nicht mit dem Begriff der *veritas hypostaticae unionis*, sondern mit dem des Reiches Gottes, das durch Jesus nicht nur verkündet, sondern auch geöffnet und betreten wird.[729] Sein Leiden betrachtet Cusanus vor allem dahingehend, wie Jesus hier für seine Botschaft Zeugnis ablegt, nicht wie er dadurch für alle Verdienste erwirbt.[730]

Auch hinsichtlich der Methode zeichnet die beiden Werke eine Parallelität aus. Wie in *De docta ignorantia* die *regula doctae ignorantiae* und die Schöpfung auf der Menschwerdung als Prinzip allen endlichen Erkennens und Seins ruhen, so steht das Streben nach der göttlichen Weisheit, auf das alle Religionen zurückgehen und das sich mit den Präsuppositionsüberlegungen auf seine eigenen Grundlagen besinnt, ebenfalls auf der Menschwerdung, in der allein es eingelöst wird. Ist ohne das *maximum absolutum et contractum* die Schöpfung als solche unmöglich, so ist auch ohne die *religio connata*, wie sie sich in den Kernpunkten der Trinitäts- und Inkarnationslehre darstellt, keine andere Religion möglich. Beide Male gelingt die vernünftige Darstellung des gesamten Glaubensbekenntnisses nur dadurch, daß beide Lehren von der Schöpfung her erklärt werden und der Aspekt eines freien, nochmaligen Gebens Gottes dabei zurückgestellt wird. Dieser kommt nicht im Sinne eines Denkens, das auf die Angemessenheit blickt, zum Tragen, sondern verbirgt sich in den Maximalitätsüberlegungen, in denen Geschöpf und Schöpfer unmittelbar aufeinander bezogen werden.

4. Der Glaube in De pace fidei

Nach der Christologie, die sich bis zur Lehre vom ewigen Leben als dem Reich Gottes ausweitet, kommt es mit Kapitel 16 zu einem erneuten Einschnitt im Dialog. Waren die bisherigen Inhalte nur Entfal-

---

[729] S. *De pace fidei* 14 N.49, h VII, 46 Z.2 - 47 Z.3.
[730] Nur nebenbei erwähnt Cusanus eine Erlösung (s. *redemptio pro multis* ebd. 14 N.48, h VII, 45 Z.10) und ein verdienstliches Leben (ebd., 45 Z.15 und 18). Die *defectus omnium hominum*, die Jesus Christus wieder hinwegnimmt, sind einerseits als *ignorantia*, die mit der Hinkehrung zum Sinnlichen und Endlichen einhergeht, und andererseits als die Begrenztheit der Verwirklichung der Bestimmung des Menschen in einem Individuum, das nicht zugleich Gott ist, zu verstehen, nicht jedoch als Sünde. Allerdings sieht er in der Rechtfertigung durch Jesus Christus auch eine Abwaschung der Sünden gegeben (s. ebd. 17 N.61, h VII, 57 Z.1-3).

tungen der einen angeborenen Religion und in der Einheit des einen rechten Glaubens zusammengefaßt, so wendet sich Cusanus nun endgültig der Vielheit zu. Diese Vielheit wird als Vielfalt der Riten und Gebräuche aufgenommen. Dabei soll die Verschiedenheit in den Religionen, die im Kern gar keine sein kann, doch als solche geachtet werden. Dies ist nur möglich, wenn sie zu keiner Gegensätzlichkeit führt und infolgedessen Frieden und Einheit nicht stört. Cusanus stellt also die nun folgende Lehre vom Glauben und den Sakramenten unter die primäre Frage nach der Vermittlung von Einheit und Vielheit. Hat dies die Schöpfungslehre und die Christologie schon in einem objektiven Sinne durch eine Bewegung von der Einheit zur Vielheit geleistet, indem die Glaubensartikel in ihrer Verankerung in der endlichen Vernunft dargestellt wurden, dann wird nun der Glaube als Glaubensakt zum Thema. Dadurch soll die Vielheit in sich selbst zur Einheit zurückgeführt werden. Entsprechend dieser inhaltlichen Entwicklung wechselt die Gesprächsführung zum Heidenapostel Paulus und seiner Lehre vom rechtfertigenden Glauben.[731]

a) Glaube und Rechtfertigung

Wenn Cusanus Paulus das Gespräch mit einem Verweis auf die Erlösung durch den Glauben, nicht durch die Werke beginnen läßt, so ist doch die Leitfrage die, wie die Verschiedenheit der Riten in der einen Religion ohne Zwietracht aufgehoben werden kann. Den Riten kommt dabei die Rolle der Werke zu. Ihre Verschiedenheit und Veränderlichkeit hinsichtlich der Rechtfertigung, also der Vereinigung mit Gott, werden so als sekundär angesehen.

---

[731] Zum Thema Glaube in *De pace fidei* hat sich am ausführlichsten Biechler 1990, XXXVI-XLVIII, geäußert. Er sammelt alle Aussagen und ordnet sie unter drei Gruppen, die jeweils einen Aspekt des Cusanischen Glaubensbegriffs hervorheben, nämlich inhaltlicher Glaube, Vertrauen und Gehorsam. Er weist außerdem darauf hin, daß Cusanus nicht auf übliche scholastische Unterscheidungen eingeht, etwa die von eingegossenem und erworbenem Glauben (s. ebd., XLVI). Der Cusanische Glaube übersteige vielmehr ein Glaubensbekenntnis (s. ebd., XLV) und könne gerade deshalb alle Völker vereinen, da er immer schon da ist (ebd., XLIV): „This is the 'model' discovery for the discourses with other representatives that are to follow: the discovery of the largeness and effectiveness of faith already possessed, that the problem is not the lack of faith or the rightness or wrongness of a faith but the lack of illumination, faith needing understanding." Diese Feststellung trifft sich mit der hier vorgelegten Interpretation, daß Vernunft und Glaube inhaltlich gar nicht geschieden sind und der Glaube in jedem Vernunftakt gegenwärtig ist.

„Quo admisso non turbabunt varietates illae rituum. Nam ut signa sensibilia veritatis fidei sunt instituta et recepta. Signa autem mutationem capiunt, non signatum."[732]

Während also die Riten, konkret etwa manche Sakramente, nur die Rolle äußerlicher, veränderlicher Zeichen spielen, betrifft der Glaube das Wesentliche. Dieser unveränderliche Kern der Sache wird durch die Kontingenz der Zeichen nicht berührt. Der Glaube hat sich gerade über das sinnlich Wahrnehmbare zu erheben. Er gehört zum Bereich der menschlichen Vernunft, so daß sich auch an dieser Stelle zeigt, wie sehr Cusanus in *De pace fidei* den Menschen als dessen Vernunft auffaßt. Für das Heil genügt der Glaube.

Mit Rückgriff auf zahlreiche biblische Formulierungen vor allem aus dem Buch Genesis und aus dem Galaterbrief, die allerdings nicht als Autoritätszitate eingebracht werden, wird die Voraussetzung dafür begründet, daß allein der Glaube rechtfertige. Der Glaube ist dabei ein Vertrauen in die Verheißung Gottes, in Jesus Christus das Ziel aller Sehnsüchte zu finden. Diese Verheißung entspringt Gottes Freigebigkeit und Gnade.[733] Hier kommt Cusanus explizit auf die Gnade zu sprechen, sicherlich durch den biblischen Sprachgebrauch angeregt. Die Gnade ist eine ungeschuldete Gabe, die allein in der Verfügungsgewalt Gottes steht.[734] Konkret bedeutet sie das ewige Leben als die Erfüllung des Strebens der endlichen Vernunft. Dieses wird in Jesus Christus erreicht, in dem die menschliche Natur unsterblich wird.

Die Menschwerdung selbst ist eine ungeschuldete Tat Gottes und Zeichen seiner Freigebigkeit, selbst wenn sie mit der Schöpfung schon eingefordert ist. Mehr noch bezieht sich das Gnadenmoment aber wohl darauf, daß nicht alle gerettet werden, sondern allein jene, die Gott retten will und die sich auch retten lassen. Cusanus lehrt keine Apokatastasis aller und denkt durchaus eine Vorherbestimmung und Erwählung, wie schon bei der Darstellung von *De docta ignorantia* gesehen werden konnte, doch er legt bei solchen Überlegungen den Akzent auf den engen Zusammenhang von Glaube und Erlösung. Gegenüber einer einseitigen Betonung des Wirkens Gottes hebt er die Rolle des Glaubens hervor.[735] Der Glaube an die Verheißung Gottes,

---

[732] *De pace fidei* 16 N.55, h VII, 51 Z.16 - 52 Z.2.

[733] S. ebd. 16 N.55, h VII, 52 Z.4-6: Si Deus promitteret aliqua ex mera sua liberalitate et gratia, nonne ei qui potens est dare omnia et verax est credendum est?"

[734] S. ebd. 16 N.55, h VII, 52 Z.13f.

[735] S. ebd. 16 N.56, h VII, 52 Z.18 - 53 Z.3. Vgl. Otto, Klaus: Rechtfertigung aus Glauben als Religionsgrenzen übersteigende Kraft, in: MFCG 16 (1984) 333-342.

konkret die Menschwerdung, erfüllt die von Gott gegebene Bedingung für die Rechtfertigung. Zugleich ist diese göttliche Bedingung aber auf ihr Erfülltwerden durch den menschlichen Glauben rückbezogen, wäre doch ohne den Glauben sowohl das Eintreffen der Verheißung als auch diese selbst nicht gerecht, das heißt vernunftwidrig:

„Fides igitur in Abraham tantum fecit, quod adimpletio repromissionis iusta fuit, quae alias nec iusta fuisset nec adimpleta."[736]

Ohne das Wirken Gottes in der Rechtfertigung einzuschränken, betont Cusanus doch in ausgezeichneter Weise die besondere Rolle des menschlichen Glaubensaktes, der ganz aus der Freiheit des Menschen hervorgeht und in die Freiheit eines jeden Menschen gestellt ist. Dies ist für Cusanus ohne Widerspruch zur Souveränität Gottes denkbar, da Gott die Erfüllung der Verheißung, das Reich Gottes, schon immer mit der Menschwerdung als Bedingung der Schöpfung gegeben hat. Eben dadurch steht es in der Macht eines jeden Vernunftgeschöpfes, dieses Gottesreich auch zu erreichen – indem es auf Gott[737] und so auf die eigene Vernunftnatur vertraut und auch vertrauen darf[738]:

„Quae quidem veritas intellectum pascens non est nisi Verbum ipsum [...] et quod humanam naturam induit, ut quilibet homo secundum electionem liberi arbitrii in sua humana natura, in homine illo qui et Verbum, immortale veritatis pabulum se assequi posse non dubitaret."[739]

Wer an der Möglichkeit zur Verwirklichung seiner eigenen Vernunftnatur zweifelt, beraubt sich selbst dieser Möglichkeit, denn diese ist in logischem Sinne immer schon gegeben.[740] Die Betonung der menschlichen Freiheit bei der Rechtfertigung, auf die man immer wieder im Cusanischen Werk stößt, ist aufs engste mit seiner Christologie verbunden. Sie wird einsichtig, wenn man sich vergegenwärtigt, daß für Cusanus der Glaube eben die Reflexion der Vernunft auf ihre

---

[736] *De pace fidei* 16 N.56, h VII, 53 Z.1-3; *tantum* hat hier die Bedeutung von „so viel" und ist nicht einschränkend gebraucht, vgl. die Übersetzungen von Biechler 1990, 53, und Hopkins, Jasper: Nicholas of Cusa's De Pace Fidei and Cribratio Alkorani. Translation and Analysis, Minneapolis 1990, 64.

[737] S. *De pace fidei* 16 N.55, h VII, 52 Z.16f.: „In hoc igitur iustificatur, quia ex hoc solo assequetur repromissionem, quia credit Deo et expectat ut fiat verbum Dei."

[738] Vgl. Boeder 1980, 329.

[739] *De pace fidei* 2 N.7, h VII, 9 Z.6-11.

[740] Vgl. ebd. 2 N.7, h VII, 8 Z.7f. und 9 Z.1f.: Jesus selbst bezeuge mit seinem Blut die Wahrheit, daß der Mensch aufnahmefähig sei für das ewige Leben, das in seinen freien Willen gegeben sei.

eigene Wahrheit ist. Diese Selbstbesinnung ist der Vernunft gerade durch die Menschwerdung in ihre eigene Hand gelegt. Wer sie verweigert, stellt sich gegen seine eigene Natur und richtet sich selbst. Gerade indem man nicht auf sich vertraut, vertraut man nicht auf Gott. Zwar gründet dieser freie Glaube nochmals in Gott, doch nicht hinsichtlich des Momentes der Freiheit. Die Freiheit zu glauben liegt in der Vernunftnatur selbst. Entsprechend läßt Cusanus im Ungewissen, inwieweit hier der Glaube als ein Gnadengeschenk zu verstehen ist.[741] Vielmehr denkt er hier unmittelbar das göttliche und menschliche Wirken zusammen, da sich Gott immer schon in der Schöpfung und so für die endliche Vernunft geoffenbart hat. Deren Selbsterkenntnis muß zur Erkenntnis Gottes werden, in der Endliches und Unendliches zugleich gesehen, das heißt die Menschwerdung nachvollzogen wird. Sie steht prinzipiell in der Macht eines jeden Menschen und wird nur durch deren Schwäche in ihrer Entfaltung gehindert.[742] Nirgends hebt Cusanus eine Übernatürlichkeit des Glaubens hervor, sondern betont dagegen immer wieder, wie sehr das Heil in die Hand der menschlichen Freiheit gegeben ist. Dies ist mitzuhören, wenn Cusanus den Tartaren pointiert von einer Rechtfertigung *sola fide* sprechen läßt, die Cusanus allerdings auch an vielen anderen Stellen vorträgt.

Das findet auch eine zusätzliche Bestätigung in der weiteren Ausdeutung der Formulierung, der Glaube allein rechtfertige und führe zum Heil. Ein solcher Glaube bringt auch gemäß den göttlichen Geboten Werke hervor. Dieser werktätige Glaube ist nun aber in *De pace fidei* nicht in dem Sinne als *fides formata* zu verstehen, daß er mit der Liebe als höchster theologischer Tugend seine Zielausrichtung erfährt. Dieses Moment ist im Cusanischen Glaubensbegriff immer schon gegeben. Vielmehr tritt die Liebe als äußere Gestalt des Glaubens auf, insofern sie die Erfüllung und Zusammenfassung des göttlichen Gesetzes ist. Sie ist allgemein als doppeltes Liebesgebot bekannt, da es den Status eines natürlichen Gesetzes hat und allen Menschen kraft ihrer Vernunftnatur einsichtig und angemessen ist.[743] Mit der Verständigung über den rechtfertigenden Glauben und seine leben-

---

[741] Vgl. Biechler 1990, XLVI.

[742] S. *De pace fidei* 1 N.4, h VII, 5 Z.14-16: „Ex quo factum est, quod pauci ex omnibus tantum otii habent, ut propria utentes arbitrii libertate ad sui notitiam pergere queant."

[743] S. ebd. 16 N.59, h VII, 55 Z.10-15. Vgl. STh I-II 100, 3 ad 1 und 11 c. Hier scheint ein mittelalterlicher Konsens zu bestehen. Auf die Räte, die nach der Lehre einiger erst mit der Offenbarung des Neuen Testamentes hinzukommen, aber nicht allgemein verbindlich sind, kommt Cusanus folgerichtig nicht zu sprechen, wohl aber in *Sermo* CCXCIII in Montoliveto von 1463 (s. ebd. N.28f., CT IV/3, 21f.).

dige Äußerung in Werken der Liebe kommt die Einigung der verschiedenen Religionen zu ihrer äußersten Konkretisierung. Ab hier wird endgültig der Schritt zur Vielheit getan, in dem sich die eine Religion für die Vielheit der Riten öffnet.

b) Die Bedeutung der Sakramente in *De pace fidei*

Cusanus hält in *De pace fidei* fest, daß sich in Jesus Christus die Fülle aller Gnade findet und die Erlösung eine Tat der Gnade ist. Dennoch bestimmt er weder den Glauben noch die Sakramente als Gnadengeschenke. In anderen Werken hat sich Cusanus indessen in traditionellerer Weise zu den Sakramenten geäußert, auch wenn sie außer in den Predigten nie zu einem herausgehobenen Gegenstand für ihn geworden sind.[744] Die Sakramente werden in *De pace fidei* vielmehr als Zwischenglieder zwischen dem Glauben, auf den sich alle Völker einigen können, und den verschiedenen kontingenten Riten, die nur noch von einzelnen geteilt werden, behandelt. Cusanus geht weniger auf ihre heilsmittlerische Bedeutung ein, sondern stellt sie in erster Linie als unerläßliche äußere Zeichen des Glaubensaktes dar, die von Christus eben hierzu eingesetzt worden sind.[745] So definiert er die Taufe als sinnenhaftes „Bekenntnis des Glaubens"[746], mit dem dieser gezeigt und auch die Sünde abgewaschen wird. Ebenso macht die Eucharistie den Glauben anschaulich, daß die Menschen wie in einer Speisung das Heil von Gott bekommen. Die Sakramente werden also nur unter dem Aspekt betrachtet, daß sie sinnliche Zeichen eines nicht sinnlich wahrnehmbaren Geschehens sind. Der Aspekt, daß sie auch die durch sie bezeichnete Gnade enthalten und verursachen, kommt dabei nicht zur Geltung. Daran ändert auch nichts, daß in *De pace fidei* sehr wohl die Möglichkeit der Transsubstantiationslehre erörtert wird, denn Anteil am göttlichen Leben, an der Gnade gewinnt man allein schon im Glauben. Inwieweit der wirkliche Empfang der Sakramente darüber hinaus etwas beiträgt, wird folgerichtig nicht

---

[744] Vgl. Seidlmayer 1954, 173-190, der eine Diskrepanz zwischen Cusanus' Äußerungen als religiösem Denker und Kirchenpolitiker feststellt (s. ebd., 192).

[745] S. zur Taufe *De pace fidei* 17 N.62, h VII, 57 Z.13-16: „Fides est necessitatis in adultis, qui sine sacramento salvari possunt, quando assequi non poterunt. Ubi vero assequi possent, non possunt dici fideles, qui se tales esse per regenerationis sacramentum ostendere nolunt." Analoges gilt von der Eucharistie, jedoch nicht mehr im selben Maße von den anderen Sakramenten.

[746] S. ebd. 17 N.61, h VII, 57 Z.5 und 18 N.63, h VII, 58 Z.13 - 59 Z.5; vgl. Decker 1953, 109f. und 120. Daß diese Auffassung nicht auf die Taufe von Kindern, die keinen eigentlichen Glaubensakt vollziehen können, übertragen werden kann, wird nicht eigens zum Problem. Die Kindertaufe erscheint als eine Art Ersatz für die Beschneidung.

erörtert. Cusanus behandelt also die Sakramente des neuen Bundes wie etwa Thomas die des alten, für den diese noch keine Instrumente der Gnade waren.[747] Das Bußsakrament erwähnt er nicht, was daran liegen dürfte, daß er Sünde in erster Linie als Verstoß gegen die Vernunft und Unkenntnis zu deuten scheint.[748] Bezüglich der anderen Sakramente kann Cusanus keine rationale Herleitung mehr geben. Er verweist entweder auf das Naturgesetz wie beim Sakrament der Ehe oder auf eine allgemeine Verbreitung wie für das Priestertum. Der innere Gehalt, etwa gar die bleibende Gnadenprägung des sakramentalen Charakters, läßt sich so allerdings gar nicht mehr erschließen.

C. Der Glaube in *De visione dei*

I. ALLGEMEINE EINFÜHRUNG UND AUFBAU DES WERKES

Die Schrift *De visione dei* verfaßte Cusanus 1453 für die Mönche des Tegernseer Benediktinerklosters. Heute wird sie zu den bedeutendsten lateinischsprachigen mystischen Schriften des Mittelalters gezählt.[749] Für die vorliegende Untersuchung ist sie unter verschiedenen

---

[747] Allerdings vertritt Cusanus auch die Auffassung von den Sakramenten als Instrumentalursachen der Gnadenmitteilung, wie u. a. ein früher Brief an die Böhmen bezeugt (*Epistola* II, p II, 6'): Consideramus etiam omne sacramentum signum esse alicuius signati ac causam alicuius effectus gratiae.

[748] S. Seidlmayer 1954, 178-182.

[749] S. die Einführung in Bohenstädt 1942; des weiteren Senger, Hans Gerhard: Mystik als Theorie bei Nikolaus von Kues, in: Koslowski, Peter (Hrsg.): Gnosis und Mystik in der Geschichte der Philosophie, Zürich/München 1988, 111-134; Beierwaltes, Werner: Visio facialis - Sehen ins Angesicht. Zur Coincidenz des endlichen und unendlichen Blicks bei Cusanus [= Sitzungsberichte der Bayerischen Akademie der Wissenschaften. Philosophisch-Historische Klasse (1988) 1. Abh.], München 1988; Schmidt, Margot: Nikolaus von Kues im Gespräch mit den Tegernseer Mönchen über Wesen und Sinn der Mystik, in: MFCG 18 (1989) 25-49; Haas, Alois Maria: Deum mistice videre ... in caligine coincidencie. Zum Verhältnis Nikolaus' von Kues zur Mystik [= Vorträge der Aeneas-Silvius-Stiftung an der Universität Basel 24], Frankfurt 1989; L. Dupré 1996. Die mit *De visione dei* verbundene Debatte um die Frage nach dem Vorrang des Willens oder der Vernunft bei und in der Gotteserkenntnis, die u. a. in einem Briefwechsel von Cusanus mit den Tegernseer Mönchen Bernhard von Waging und Kaspar Aindorffer sowie den Einwänden des Kartäusers Vinzenz von Aggsbach dokumentiert ist (s. Vansteenberghe, Edmond: Autour de la „Docte Ignorance". Une controverse sur la Théologie mystique au XVe siècle [= BGPhMA 14/2-4], Münster 1915), soll hier nur soweit nötig miteinbezogen werden (s. hierzu die genannte Literatur). Cusanus hat sich eindeutig für eine ra-

Gesichtspunkten bedeutsam. Zunächst bietet sie zahlreiche Äußerungen zu Glaube und Offenbarung, deren innere Systematik wie auch Zusammenhang mit anderen Schriften noch genauer zu betrachten ist. Des weiteren ist gerade an dieser allgemein als mystisch eingeschätzten Schrift genauer zu prüfen, wie sich bei Cusanus mystische Erkenntnis und Glaube verbinden. Aus *De docta ignorantia* sind hierfür nur einige, wenn auch grundlegende Hinweise gezogen geworden. Sie werden aber in *De visione dei* weitergedacht, vor allem unter der Frage nach der Stellung des Widerspruchsprinzips hinsichtlich der Gotteserkenntnis. Wenn das Ziel der mittelalterlichen Mystik eine Einung mit Gott ist, zu der man dadurch gelangen kann, daß man einen bestimmten, dem Mystiker bis zu einem gewissen Grad selbst erreichbaren Weg beschreitet, so ist bei der Interpretation von *De visione dei* einerseits darauf zu achten, was Cusanus als Weg zur höchsten Erkenntnis festlegt. Andererseits präsentiert gerade diese Schrift einige Überlegungen zur Rolle der menschlichen Freiheit bei der Vereinigung mit Gott. Diese beiden Fragen münden nun hier in Jesus Christus als Zentralinhalt des christlichen Glaubens und in komplizierte Überlegungen zur Freiheit und Gnadenhaftigkeit desselben. So werden auch einige der bisher festgehaltenen Ergebnisse zur Einsehbarkeit der christlichen Glaubensgeheimnisse sowie zur engen Verbindung des Cusanischen Glaubensverständnisses mit seiner Inkarnationslehre weiter bestätigt oder differenziert werden.

De visione dei gliedert sich in 25 Kapitel, denen eine kurze Widmung an die Tegernseer Mönche vorangeht, in der das Ziel des Werkes und auch eine Gebrauchserklärung des mitgesandten Christusbildes gegeben wird. Es soll eine praktische Anleitung und Einführung in die mystische Theologie sein, die über die menschlichen Erkenntniskräfte Sinnlichkeit, Verstand und Vernunft hinaus in den Bereich Gottes selbst führt und die verheißene selige Anschauung, das Ziel des Menschen, schon in diesem Leben im Sinne einer mystischen Erfahrung vorverkosten will.[750] Die drei ersten Kapitel geben vorab einige Erklärungen, bis die eigentliche Betrachtung des Bildes und die Einfüh-

---

tionale Mystik ausgesprochen, die beides vereint (s. den Brief vom 22.9.1452 in Vansteenberghe 1915, 111-113, und *De apice theoriae* von 1463/4). *De visione dei* wird mit Kapitelzahl, Abschnittsnummer, Zeilenzahl und Seitenzahl nach Hopkins 1985 zitiert.

[750] Vgl. Stock, Alex: Die Rolle der „icona Dei" in der Spekulation „De visione Dei", in: MFCG 18 (1989) 50-62. Er hebt hervor, daß sich Cusanus' Verwendung eines Bildes „charakteristisch von anderen Weisen des religiösen Bildgebrauchs" unterscheidet, da er das Bild weder als Kult- oder Gnadenbild noch als Andachtsbild für das Mitleiden oder als Mittel der Belehrung einsetze (s. ebd., 60).

rung in die mystische Theologie mit Kapitel 4 in Form eines meditativen Zwiegespräches mit Gott beginnt. In den folgenden Kapiteln wird das Sehen Gottes begrifflich bestimmt und zugleich eingeübt. Dies geschieht in einer Art Spiralbewegung, die zentrale Sachverhalte immer wieder neu in vertiefter Form aufgreift. Auch hierbei entwickelt Cusanus in vereinfacht gesagt zwei Durchgängen die zentralen christlichen Glaubensinhalte: einmal die Absolutheit und Unendlichkeit Gottes und sein Schöpfersein (Kapitel 4-12), dann seine Absolutheit in Vorbereitung auf die Trinität (Kapitel 13-16), die Trinität (Kapitel 17 und 18), die Christologie und die Lehre vom Glauben (Kapitel 19-25). So schließt die Betrachtung des Christusbildes mit der nun vollzogenen inneren Schau Jesu Christi im Glauben. Dabei muß die zweite Bewegung, die das Sehen Gottes bis zum Sehen Jesu Christi weiterentwickelt, als eine Vertiefung und Fundierung der ersten erkannt werden, da sie von dort nicht nur zentrale Gedanken aufgreift und weiterführt, sondern erst in ihrem Kern, in ihren christologischen Voraussetzungen, offenlegt und so konkretisiert.[751] Das ist von sich her klar, wenn man weiß, daß Cusanus die mystische Schau als einen Weg in das Innere Gottes hinein denkt, der die Selbstentäußerung Gottes in der Menschwerdung nachvollzieht. Es geschieht hier eine Art Sohnwerdung, die wiederum den Mystiker als Vernunftgeschöpf über die Menschheit Jesu und die Trinität in die Schau der Einfachheit Gottes führt. Der Mystiker bildet in sich, genauer in seiner Vernunft, nochmals die Menschwerdung nach. Der Beginn sind die äußeren Pole Unendliches und Endliches, das Zentrum und Ziel ist Jesus Christus. Hier läßt sich erahnen, daß Cusanus in den Hauptlinien von *De visione dei* einen Durchgang durch das Glaubensbekenntnis vornimmt, das ja mit dem Bekenntnis zum absoluten Gott beginnt und mit der Kirche und der Auferstehung der endlichen Menschen zum ewigen Leben endet. So kann die Schrift keineswegs in einen philosophischen und einen explizit christlichen Teil zerfallen.[752]

Auch für *De visione dei* ist entscheidend, daß Gott für Cusanus wesentlich als unendlicher bestimmt ist. Schon in den drei ersten Kapitel wird aus der göttlichen *summitas*[753] die Unangemessenheit aller endlichen Begriffe und die Voraussetzung der allein Gott zukommenden

---

[751] Beierwaltes spricht berechtigt von einer „*christologischen* Engführung" (ders. 1988, 15) und erkennt ebenfalls eine kreisende Gedankenbewegung. Demgegenüber trennen Senger 1988, 129, und Haas 1989, 99, zu sehr die Kapitel 19-25 als „Glaubenswissen" von der vorausgehenden Gedankenbewegung.

[752] Das ist der einzige Punkt, der in der sonst gelungenen Darstellung von Haas 1989 zu wenig berücksichtigt wird.

[753] *De visione dei* 1 N.6 Z.5, 118.

absoluten Weise des Erkennens gefolgert (Kapitel 1). Daraus ergibt
sich die Vollkommenheit Gottes, die sich für uns so denken läßt, daß
Gott alle endlichen Bestimmungen und Erkenntnisweisen in unver-
gleichlicher Weise umfaßt (Kapitel 2).[754] Sie sind aber wegen der absoluten Einheit des Wesens Gottes in ihm auch eins. Statt die Spanne
auszustehen, daß die Bezeichnungen, die die Menschen Gott beilegen, verschiedene Sinngehalte haben und diese auch in Gott nicht
verlieren, ohne daß dadurch Gottes Wesen zur Vielheit würde, müssen diese für Cusanus aufgrund der direkten Konfrontation der Unendlichkeit Gottes mit dem Denken der endlichen Vernunft in eine
unbegreifliche Identität aufgehen (Kapitel 3). Der Hinweis auf die
zirkuläre Theologie markiert den ersten Schritt hin zur Cusanischen
Form der mystischen Theologie. Dabei fallen nun nicht nur die auf
Gott übertragenen Sinngehalte von Sehen, Hören, Fühlen, Einsehen
usw. in eins, sondern neben Gegenteiligem auch Kontradiktorisches.
Dies ist am deutlichsten schon im Begriff Gottes als *infinitus* zu sehen,
meint dieser doch *finis sine fine*[755], also die Behauptung eines Wider-
spruches. So kann man Gott nicht nur über den Zusammenfall der
Gegensätze, sondern sogar erst jenseits desselben finden:

„Et repperi locum, in quo revelate reperieris, cinctum contradictoriorum
coincidentia. Et iste est murus paradisi in quo habitas, cuius portam custodit
spiritus altissimus rationis, qui nisi vincatur, non patebit ingressus."[756]

Für die mystische Theologie, die gerade in diesem Leben schon
vorverkostend in das Paradies führen möchte, kommt es also wesentlich darauf an, jenseits des Bereiches des Widerspruchsprinzipes zu
gelangen. Die Schwierigkeit ist aber, daß dies von einer endlichen
Vernunft versucht wird, die immer noch von ihm bestimmt ist, auch
wenn sie den Zusammenfall der Gegensätze zu denken vermag. Gegenüber *De docta ignorantia* ist Cusanus in späteren Werken zu dem

---

[754] Cusanus gebraucht hier den sonst nicht vorkommenden Ausdruck *contractio contractionum* für Gott (s. ebd. 2 N.8 Z.14, 120; vgl. *essentia essentiarum* ebd. 9 N.36
Z.10f., 156). Sie ist nicht mit der *contractio unibilis* aus *De docta ignorantia* identisch,
sondern muß mit dem Komplikationsgedanken verbunden werden.

[755] Ebd. 13 N.54 Z.7-9, 180: „Tu, domine, quia es finis omnia finiens, ideo es finis cuius
non est finis; et sic finis sine fine seu infinitus." Vgl. Vansteenberghe 1915, 116: „[...]
dicit enim infinitas contradictoriorum coincidenciam, scilicet finem sine fine [...]."

[756] *De visione dei* 9 N.39 Z.7-10, 160. Die Mauer ist bei Cusanus in erster Linie durch den
Gegensatz von endlich und unendlich gegeben und nicht durch den Sündenfall. S.
hierzu Haubst, Rudolf: Die erkenntnistheoretische und mystische Bedeutung der
„Mauer der Koinzidenz", in: MFCG 18 (1989) 167-191, bes. 168-175.

Gedanken gelangt, daß Gott nicht schon mit dem Zusammenfall der Gegensätze erreicht wird, sondern noch einmal dahinter liegt.[757]

Zunächst ist aber entscheidend, daß Gott mittels des Zusammenfalls der Gegensätze gesucht wird. Dies ist ein Spezifikum der Cusanischen Mystik, denn die Einung mit Gott wird nicht dadurch erstrebt, daß allein alles Vielheitliche durch einen reduktiven Weg abgelegt wird.[758] Zwar folgt Cusanus der Tradition, die den Weg zu Gott durch einen sukzessiven Überstieg über die verschiedenen Erkenntnisvermögen und ihre spezifischen Erkenntnisbereiche beschreibt.[759] Jedoch bleibt er nicht dabei stehen, daß der Mensch einfach alles hinter sich läßt und Gott dadurch gefunden wird, daß die Seele alles Vielheitliche von sich streift und auch Gott abspricht. Dieser reduktive, der negativen Theologie verwandte Weg ist in den Augen von Cusanus ungenügend, da man so nur zu einem Nichts gelangt und Gott allein verborgen bleibt und nicht offenbar wird.[760] Erst die mystische Theologie des Zusammenfalls der Gegensätze führt zum unverborgenen Gott, da sie anders als die negative Theologie nicht im unvordenklichen Nichts endet und doch Gott nicht wie die affirmative Theologie unter endliche Bestimmungen stellt. Die Welt des Vielheitlichen wird dementsprechend nicht einfach zurückgelassen, sondern nur der endliche Begriff derselben. Die die Erkenntnis Gottes kennzeichnende Vereinigung der Gegensätze, wie sie schon mit dem Begriff des Unendli-

---

[757] Schon in *De coniecturis*, vor allem in *De deo abscondito* von 1445 wird deutlich, wie Cusanus über den Zusammenfall der Gegensätze als entscheidendes Prinzip der wahren Gotteserkenntnis hinausdenkt. Von Gott muß nicht nur Gegensätzliches behauptet, sondern auch zugleich wieder verneint werden. Cusanus geht dabei alle Möglichkeiten der Verneinung durch (s. *De deo abscondito* N.10 Z.8 - 13 Z.7, h IV, 8f.; von 1445 *De filiatione dei* 5 N.83 Z.7-17, h IV, 59f.; von 1459 *Tu quis es <De principio>* N.19 Z.14-16, h X/2b, 27 und die dort angegebenen Verweisstellen; vgl. u. a. *De visione dei* 9 N.37 Z.12-20, 158 und 13 N.59 Z.1-7, 186).

[758] Seine eigene Konzeption der mystischen Theologie formuliert Cusanus besonders prägnant in einigen Randbemerkungen zu den Kommentaren von Albertus Magnus zum *Corpus Dionysiacum*. Aus ihnen geht hervor, daß er sich der Eigenart seiner Theologie und Mystik bewußt war, s. CT III/1, 102 Randbemerkung 269 sowie 112 Randbemerkung 589: „Exponit [scil. Albertus] modo suo, ut vitet contradictionem, sed in hoc videtur insufficienter exponere. Nam Dionysius ponit „pariter et simul" etc. quia est solum Deus ultra coincidentiam contradictoriorum. Unde latum et breve, multum et paucum coincidunt in Deo et hoc est mystica theologia." Vgl. den Brief vom 14.9.1453 in Vansteenberghe 1915, 114f., und die *coincidentia oppositorum* als *initium ascensus in mysticam theologiam* in der *Apologia doctae ignorantiae* h II, 6 Z.7-9.

[759] S. Vansteenberghe 1915, 115: „[...] supra racionem et intelligenciam, eciam se ipsum linquendo, se in caliginem inicere [...]." Vgl. *De visione dei* N.1 Z.7-10, 110.

[760] S. Vansteenberghe 1915, 114: „Nam, cum negativa [sc. theologia] auferat et nichil ponat, tunc per illam revelate non videbitur Deus, non enim reperietur Deus esse, sed pocius non esse; et si affirmative queritur, non reperietur nisi imitacionem et velate, et nequaquam revelate."

chen gegeben ist, wird vielmehr in ein rechtes Verständnis der endlichen Schöpfung hineingetragen, so daß diese nun unmittelbar auf ihren unendlichen Schöpfer verweisen kann. So gelangt auch erst das Streben der endlichen Vernunft zu seiner eigentlichen Zielbestimmung, denn keinesfalls könnte es sich mit einem abgeschlossenen Begriff zufrieden geben, da es immer auf ein Maximum, das nicht mehr überbietbar sein darf, ausgeht.[761] Das Moment der Dunkelheit, die sich einstellt, wenn der Bereich des Widerspruchsprinzips verlassen wird, gehört also wesentlich zur Sehnsucht der endlichen Vernunft dazu. Sie ist ja bei Cusanus ein Abbild Gottes gerade im Sinne einer immer neuen Produktivität von Erkenntnissen. Die Doppelbestimmung des Unendlichen als *finis sine fine* kennzeichnet dann auch den Begriff „offenbar", *revelate*, wenn Cusanus bei der mystischen Erkenntnis von einer Offenbarung im Dunkel, ja sogar einer Offenbarung durch die Dunkelheit spricht:

„Haec enim caligo [...] seu ignorantia in quam faciem tuam quaerens subintrat, quando omnem scientiam et conceptum transilit, est infra quam non potest facies tua nisi velate reperiri. Ipsa autem caligo revelat ibi esse faciem supra omnia velamenta."[762]

Hier wird auch schon ausgesprochen, daß die mystische Erkenntnis im Sinne einer belehrten Unwissenheit gedacht wird und im Grunde genommen von ihr gar nicht verschieden ist.[763] Allerdings muß dann ebenfalls gesehen werden können, wie das christliche Glaubensbekenntnis in entscheidender Weise den mystischen Weg prägt. Daß dem so ist, ergibt sich allein schon daraus, daß das Sehen Gottes von Angesicht zu Angesicht ein Sehen in Jesu Angesicht ist beziehungsweise ein von diesem Gesicht Gesehen-Werden, wie Cusanus bereits mit dem der Schrift beigelegten Christusbild andeutet.

Zuvor sei allerdings noch darauf hingewiesen, daß nicht schon der Zusammenfall der Gegensätze Gottes Herrlichkeit im Vollsinne vor die endliche Vernunft treten läßt, sondern daß diese nochmals dahinter liegt. Cusanus drückt dies in dem Bild aus, daß zwar der Zusammenfall der Gegensätze die Paradiesesmauer bildet, daß Gott aber erst jenseits derselben wohnt. Dabei unterscheidet er streng eine Er-

---

[761] *De visione dei* 16 N.72 Z.8-11, 202: „Desiderium enim intellectuale non fertur in id quod potest esse maius et desiderabilius sed in id quod non potest maius esse nec desiderabilius. Omne autem citra infinitum potest esse maius. Finis igitur desiderii est infinitus."

[762] Ebd. 6 N.22 Z.4-8, 138.

[763] S. dann den Ausdruck *docta ignorantia* ebd. 13 N.53 Z.8, 178 und *sacratissima ignorantia* ebd. 16 N.71 Z.12, 200.

kenntnis, die noch im Zusammenfall der Gegensätze gewonnen wird, das heißt in oder auf der Mauer des Paradieses, von einer Erkenntnis, die noch dahinter steigt.[764] Zu dieser höchsten Erkenntnis kann kein endlicher Geist in vollkommener Weise von alleine kommen. Aber es gibt doch einen Menschen, der bis dorthin vorgedrungen ist:

„Video, Ihesu bone, te intra murum paradisi, quoniam intellectus tuus est veritas pariter et imago; et tu es deus pariter et creatura, infinitus pariter et finitus."[765]

Aus dieser Stelle wird sofort ersichtlich, daß sich für Cusanus die mystische Theologie konkret als Jesus-Mystik entwickeln muß. Wie dies im Cusanischen Inkarnationsverständnis begründet und schon im Gedanken des Zusammenfalls der Gegensätze angelegt ist, soll nun untersucht werden. Entscheidend ist dabei, daß die hypostatische Union gerade nicht als eine Koinzidenz von Schöpfer und Geschöpf verstanden wird, nur so kann sie ja den Weg zu Gott über das Widerspruchsprinzip und auch die *coincidentia oppositorum* hinaus erschließen.

II. DIE CHRISTUSMYSTIK IN *DE VISIONE DEI*

Cusanus sucht die Vereinigung der endlichen Vernunft mit dem absoluten Gott jenseits der Welt der Vielheit, die vom Widerspruchsprinzip beherrscht wird. Über alle Gegensätzlichkeit hinaus will er sich zu der Einfachheit der göttlichen Unendlichkeit erheben. Hierzu beschreitet er den oben skizzierten Weg einer sich immer weiter vertiefenden Reflexion auf das Verhältnis von unendlichem Gott und endlichem Geschöpf unter dem Blickwinkel des Zusammenfalls der Gegensätze, jenseits dessen die beglückende Schau Gottes liegt. Diese Reflexion vollzieht sich aber als eine sukzessive Durchdringung der wichtigsten christlichen Glaubensgeheimnisse[766], ausgehend vom Gedanken des Zusammenfalls der Gegensätze.

---

[764] S. u. a. ebd. 10 N.44 Z.6-9, 166; 11 N.47 Z.16-20, 170-172 und 13 N.52 Z.15-17, 178.

[765] Ebd. 20 N.91 Z.1-3, 230.

[766] S. die Formulierung zum Trinitätsgeheimnis ebd. 19 N.84 Z.4-6, 218-220: „[...] video nunc fidem quam revelatione apostolorum tenet catholica ecclesia, quomodo scilicet tu deus amans de te deum generas amabilem, atque quod tu deus genitus amabilis es absolutus mediator."

1. Sein als Sehen Gottes

Ausgangspunkt der Christusmystik ist die Unendlichkeit Gottes, der gegenüber alles andere, Geschaffene wesentlich durch seine Endlichkeit geprägt ist. Endlichkeit und Unendlichkeit verweisen aufeinander. Insofern kann in einer Art Gottesbeweis aus dem Endlichen sogar auf die Existenz des Unendlichen geschlossen werden.[767] Entscheidender ist aber, wie eng Endliches beziehungsweise Unendliches je in sich schon mit dem anderen seiner selbst gekoppelt ist, denn das Endliche kann nicht ohne das Unendliche sein, sondern steht in einem Zusammenhang von Ursache und Wirkung. Es hat sein Sein von Gott her, der deshalb als *forma formarum* oder *forma absoluta* bezeichnet wird, also die erste Ursache für die Existenz eines bestimmten Geschöpfes.[768] Gott schafft aber, indem er erkennt oder das Geschöpf sieht, wie Cusanus, der Tradition folgend, festhält. Alle endlichen Inhalte bis hin zu den individuellen Bestimmtheiten – von Cusanus mit *contractio* bezeichnet – werden dabei von ihm nicht nur hervorgebracht, sondern müssen hierzu auch von ihm umfaßt werden. Er vereint sie alle in sich als einem Individuum. Dies drückt Cusanus ganz am Anfang des Werkes mit der Formulierung *contractio contractionum* aus, während der sonst von ihm bevorzugte Ausdruck *complicatio* den Sinngehalt „in einem Individuum" nicht hervorhebt. Insofern ist das, was in der Vielheit getrennt ist, in Gott eins, auch Gegensätzliches fällt zusammen. Die Reflexion auf diese erste Einsicht führt auch zu einem ersten Fortschritt auf dem Weg der mystischen Schau. In Gott fallen nicht nur Sehen, Hören usw. zusammen, sondern auch Sehen und Gesehen-Werden, also der Gegensatz von Aktiv und Passiv, Ursache und Wirkung, so daß sich das Verständnis des geschaffenen Seins verändert:

„In eo enim quod omnes vides, videris ab omnibus. Aliter enim esse non possunt creaturae, quia visione tua sunt. Quod si te non viderent videntem, a te non caperent esse. Esse creaturae est videre tuum pariter et videri."[769]

Das Sein der Geschöpfe ist nicht nur als eine göttliche Tat zu verstehen, die auch auf Gott zurückverweist, sondern Gott läßt die Geschöpfe gerade durch ihre Rückwendung auf ihn hin entstehen.[770] Das Geschaffenwerden wird so zum Gesehenwerden Gottes durch die

---

[767] S. ebd. 13 N.54 Z.11-15, 180.
[768] S. ebd. 9 N.35 Z.20, 156; hier bezeichnet Cusanus Gott als *formator* statt als *creator*.
[769] Ebd. 10 N.41 Z.9-12, 164.
[770] Vgl. ebd. 11 N.47 Z.15f., 170.

Geschöpfe, denn die Allmacht Gottes, die sein Wesen ausmacht, umgreift Ursache und Wirkung in ihrer Gesamtheit. Erst diese Sicht wird
auch der göttlichen Allmacht gerecht.[771] Jedes endliche Wesen ist
demnach schon als solches eine Weise, Gott zu sehen und zu schauen.
Hier wird leicht faßlich, wie die Cusanische Methode darauf ausgeht,
zu zeigen, wie das rechte Denken von sich selbst eine Hinwendung zu
Gott ist, indem alles in seinem Licht gesehen und im Wissen Gottes
von sich betrachtet wird. Durch diese Art von Reflexion schreitet man
auf der mystischen Suche in Gott hinein zurück. Man gleicht sich als
endliche Vernunft Gottes eigenem Erkennen an.

2. Zeitlichkeit als Rückkehr zu Gott

Das Endliche ist dem Unendlichen gegenüber begrenzt. Diese Begrenztheit manifestiert sich im Endlichen, insofern es sich entgegen-
gesetzt ist und sich selbst begrenzt, nämlich im Sinne der Zeitfolge
Vergangenheit, Gegenwart und Zukunft. So vertieft Cusanus die Gedankenbewegung, wenn er die Problematik der Vereinigung der Zeitlichkeit des Geschaffenen mit Gottes Zeitlosigkeit angeht. Dies ist ein
entscheidendes Problem in der christlichen Schöpfungslehre, aber
auch für den Mystiker, der als in der Zeit Lebender dem nicht der
Zeit unterworfenen Gott begegnen will. Eine Lösung zeichnet sich
wiederum durch den Gedanken des Ineinsfalles der Gegensätze ab.
Hierzu bietet sich sogar ein anschauliches Beispiel im Begriff einer
Uhr, in der die schon von ihr gemessenen Stunden der Vergangenheit wie auch die zukünftigen im Endlichen vereint sind. In analoger
Weise umfaßt der Begriff Gottes von sich und seiner Allmacht alles in
zeitlicher Abfolge zur Existenz Kommende in einem.[772] So wird das
Sein der in der Zeit geschaffenen und zeitlich im Dasein gehaltenen
Dinge als eine Ausfaltung der göttlichen Allmacht erkennbar, die
diese vielheitlich darstellt. Zugleich kann alles Geschaffene in seinem
zeitlichen Hervorgang aus Gott als ein Gang der Dinge in ihn hinein
verstanden werden. Jegliches kommt zwar aus Gott und trennt sich
scheinbar von ihm, setzt sich selbst in die Differenz mit sich, etwa als
Vergangenes und Gegenwärtiges. In Wirklichkeit schreitet es aber so
zugleich in Gott hinein. Damit ist eine zweite Stufe im mystischen
Gedankengang erreicht. Für die endliche Vernunft wird nicht nur das

---

[771] S. ebd. 10 N.40 Z.21-24, 162 sowie 41 Z.7f., 164: „Et si tu, deus, non videres sicut
visibilis es, non esses deus omnipotens.“
[772] S. ebd. 11 N.46 Z.1 - 47 Z.10, 168-170.

Sein von allem Endlichen als ein Sehen Gottes erkennbar, sondern sogar als eine Rückbewegung in Gott hinein.

3. Das Schaffen und Erschaffen-Werden

Den bisherigen Gedanken steigert Cusanus noch, wenn er das Schaffen Gottes als dessen eigenes Erschaffen-Werden denkt, da ja die Geschöpfe in Wahrheit eine Form göttlicher Selbstauslegung sind.[773] Hier kann man schon erahnen, daß die Reflexionsspirale auf Jesus Christus zulaufen wird, von dem Cusanus ja trotz der Problematik der Aussage festhält, er sei Schöpfer und Geschöpf.[774] Auf dieser dritten Reflexionsstufe wird der eigentliche Fundamentalunterschied, der Schöpfer und Geschöpf voneinander zu trennen scheint, in einem ersten Schritt überwunden. Das Geschöpf ist in den Augen Gottes er selbst. Dieses Ergebnis läßt sich in einem zweiten Schritt für die vernünftigen Wesen noch steigern. Ihre Erkenntnisbilder sind dann nämlich nicht allein als Hervorbringungen der endlichen Vernunft zu denken, sondern gewissermaßen Gott selbst, so daß Cusanus zu der unerhört klingenden Formulierung gelangt:

„Ostendis te, deus, quasi creaturam nostram ex infinitae bonitatis tuae humilitate, ut sic nos trahas ad te. [...] Et coincidit in te, deus, creari cum creare. Similitudo [sc. das Vorstellungsbild von Gott] enim quae videtur creari a me, est veritas quae creat me [...]."[775]

Damit wird der Unterschied von Schöpfer und Geschöpf nicht nur in Gott, sondern auch im Geschöpf aufgehoben. Für das Geschöpf wird die Tatsache, daß es Gott immer durch seine Begriffe verendlicht beziehungsweise „schafft", zu einer Tat Gottes, der eben das Geschöpf und auch seine Hervorbringungen erst ins Leben ruft. Diese Stufe der

---

[773] S. ebd. 12 N.50 Z.1-12, 174: „Si videre tuum est creare tuum et non vides aliud a te, sed tu ipse es obiectum tui ipsius [...] quomodo tunc creas res alias a te? Videris enim creare te ipsum, sicut vides te ipsum. [...] Creare enim tuum est esse tuum. Nec est aliud creare pariter et creari quam esse tuum omnibus communicare, ut sis omnia in omnibus et ab omnibus tamen maneas absolutus." In Kapitel 10 N.41 Z.6, 162 war nur erst vom Zusammenfall von *creare* und *loqui* die Rede. Daß Gott alles in allem sein wolle (s. 1 Kor 15,28), hat Cusanus an vielen Stellen in *De docta ignorantia* formuliert und dargelegt, wie diese Vereinigung über die hypostatische Union als Mitte möglich ist (s. *De docta ignorantia* III 4 und 12).

[774] S. oben Erster Hauptteil C.IV.

[775] *De visione dei* 15 N.70 Z.7-11, 198; vgl. ebd. 15 N.68 Z.7, 196: „[...] sic es imago mea et cuiuslibet quod exemplar." So kommt Cusanus auch auf den Einfall, Gott mit der *prima materia formabilis* zu vergleichen (s. ebd. 15 N.67 Z.1-4, 194).

Reflexion nimmt gewissermaßen die Idiomenkommunikation im Gottmenschen vorweg. Sie bedeutet aber noch keine eigentliche Vereinigung von Schöpfer und Geschöpf, sondern hebt nur erst die trennenden Unterschiede auf. Das mystische Ziel wird allein durch und in Jesus Christus erschlossen. Von ihm gilt nicht nur im Bild, sondern in Wirklichkeit, daß er Schöpfer und Geschöpf sowie durch seine Naturen ganz mit Gott und ganz mit dem Menschen als Mitte der geschaffenen Wesen verbunden ist.

Die drei genannten Stufen lassen sich bisher aus dem Reflexionsweg hervorheben. Mit ihnen wird das Bekenntnis zu Gott als Schöpfer aufgenommen und in einer eigenständigen Weise so gedeutet, daß es einen Weg zu Gott in der vielheitlichen Welt bahnt.

4. Die Trinität als Möglichkeitsgrund einer freien Einung

Mit dieser Spitze des Gedankenganges sind aber zugleich schon die ersten Voraussetzungen angesprochen worden, die die unmittelbare Verbindung der mystischen Reflexion mit dem Glaubensgeheimnis der Trinität andeuten, welche dann in Kapitel 17 selbst zum Gegenstand der Betrachtung wird. Schon in Kapitel 14 hat Cusanus dargestellt, wie das Prinzip aller Verschiedenheit in der Welt die göttliche Unendlichkeit sein muß. Mit diesem Gedankengang erschließt er in anderen Schriften in der Regel die Gleichheit als die zweite göttliche Person. In Kapitel 15 gewinnt er aus dem Zusammenfall von Schaffen und Geschaffenwerden in Gott und im Geschöpf einen Vorblick auf die absolute Liebe Gottes. In Gott fallen Lieben und Geliebt-Werden zusammen.[776] Dies wird zunächst in bezug auf die Geschöpfe entwickelt, doch in Kapitel 17 greift er genau diesen Gedanken wieder auf und entfaltet daraus die Trinität Gottes. Wegen Gottes Vollkommenheit gilt in grundlegender Weise, daß er in sich Liebender, Liebenswürdiges und Lieben ist.[777] Diese trinitarische Struktur des göttlichen

---

[776] S. ebd. 15 N.70 Z.10-13, 198: „Et coincidit in te, deus, creari cum creare. Similitudo enim quae videtur creari a me, est veritas quae creat me, ut sic saltem capiam quantum tibi astringi debeam, cum in te amari coincidat cum amare."

[777] S. ebd. 17 N.76 Z.7f., 206: „Tu es igitur amor ille infinitus qui sine amante et amabili et utriusque nexu non potest per me naturalis et perfectus amor videri." Cusanus begründet diesen Ternar sowohl aus der göttlichen Unendlichkeit und Vollkommenheit in sich als auch durch die Übertragung von Vollkommenheiten aus dem geschöpflichen Bereich auf Gottes Einfachheit. Im Hintergrund stehen die Argumentationen von Richard von St. Viktor, vor allem aber, wie an der Terminologie ersichtlich, von Lull. Thomas lehnt den Schluß vom Begriff der Liebe auf das trini-

Wesens ist für Cusanus zusammen mit der hypostatischen Union der Ermöglichungsgrund, daß ein Geschöpf Gott in höchster Weise schaut. Von dort aus wird dann auch deutlich, in welcher Weise der Heilige Geist immer schon in den bisherigen Einsichten vorausgesetzt war, nämlich gerade als das Verbindende in jeglichem Zusammenfall von Gegensätzen, das heißt als das Prinzip desselben.[778] Damit wird ersichtlich, wie der mystische Weg zurück zu Gott für Cusanus erst im trinitarischen Wesen Gottes begründet und ermöglicht ist. Da der Sohn als das unendlich Liebenswürdige Gott ist, hat das Sehen Gottes auch ein bestimmtes Ziel, das nicht wieder von Gott selbst unterschieden ist. Dieses Ziel liegt aber nicht vor der Paradiesesmauer oder auch auf ihr im Bereich der endlichen Vernunft, sondern jenseits derselben, denn die Unterscheidungen der göttlichen Personen lassen sich nicht mehr als Verschiedenheiten in einfachem Sinne verstehen, die je getrennt für sich denkbar wären.[779] Wegen der absoluten Einheit Gottes liegt für Cusanus das Trinitätsgeheimnis jenseits der Paradiesesmauer. Hierhinein sieht die endliche Vernunft, da ja alles Endliche in seiner Wahrheit bis zu dieser Einsicht zurückverfolgt werden soll. Ein Glaubenswissen wird hierfür nicht vorausgesetzt.[780] Es wird bei diesem Sehen nichts mehr erkannt und damit adäquat aussagbar. Darin unterscheiden sich die beiden Glaubensgeheimnisse Trinität und Inkarnation, die für Cusanus allein den Blick in das Innere Gottes, das Paradies, freigeben. Im Nachvollzug der Menschwerdung wird durchaus erkannt.

In Kapitel 18 erklärt Cusanus dann ausdrücklich, daß erst die Trinität eine Vereinigung der endlichen Vernunft mit Gott ermöglicht. Als Gott, der geliebt oder erkannt werden kann, bietet sich Gott Vater selbst im Sohn als ein Gegenstand der Erkenntnis an, die er ja als

---

tarische Wesen Gottes ab, da er für ihn eine Univozität der menschlichen und göttlichen Vernunft implizieren würde (s. STh I 32, 1 ad 2).

[778] S. *De visione dei* 17 N.77 Z.3-7, 206: „Hinc in te amore non est aliud amans et aliud amabile et aliud utriusque nexus, sed idem tu ipse, deus meus. Quia igitur in te coincidit amabile cum amante et amari cum amare, tunc nexus coincidentiae est nexus essentialis."

[779] S. ebd. 17 N.78 Z.15-21, 208-210: „Quando enim video amantem non esse amabilem et nexum non esse nec amantem nec amabilem, non sic video amantem non esse amabilem, quasi amans sit unum et amabilis aliud; sed video distinctionem amantis et amabilis intra murum coincidentiae unitatis et alteritatis esse. Unde distinctio illa, quae est intra murum coincidentiae, ubi distinctum et indistinctum coincidunt, praevenit omnem alteritatem et diversitatem quae intelligi potest."

[780] S. ebd. 19 N.84 Z.4-6, 218-220 (zitiert. oben Anm. 766); der an dieser Stelle genannte Glaube, den die Kirche als Offenbarung überliefert und der doch schon jetzt gesehen wird, meint zunächst die Trinität, im Verlauf des Kapitels dann auch die Inkarnation.

Schöpfer immer selbst hervorbringt und die, sofern nicht trinitarisch gedacht wird, immer nochmals von ihm wegweisen würde:

„Video, domine, te illustrante, naturam rationalem non posse unionem tui assequi, nisi quia amabilis et intelligibilis. Unde natura humana non est unibilis tibi deo amanti, sic enim non es obiectum eius; sed est tibi unibilis ut deo suo amabili, cum amabile sit amantis obiectum."[781]

Erst die Trinität gewährleistet die letzte Seligkeit und auch die mystische Schau, die Gott Vater im Sohn erblickt. Diese Vereinigung vollzieht sich aber im Sinne einer Angleichung an den Sohn als Gott im Sinne eines Erkennbaren, weshalb Cusanus sofort auf den bedeutungsvollen theologischen Gedanken der Sohnwerdung kommen kann. Schau Gottes und Sohnwerdung meinen dasselbe. Die Schau Gottes durch ein endliches Geschöpf muß in ihrer höchsten, vollkommensten Form auch zur vollkommensten Sohnwerdung eines endlichen Vernunftwesens werden, also zur hypostatischen Union.

5. Jesus Christus als Inhalt der Schau

Cusanus geht in *De visione dei* wenig auf die Überlegung ein, inwieweit aus der endlichen Vernunft auf die Tatsächlichkeit der Menschwerdung reflektiert werden kann.[782] Die mystische Schrift soll ja weniger diese theoretische Frage beantworten, als vielmehr schon Gläubigen den Weg zur Vereinigung mit Gott aufzeigen und beschreiten helfen. Jedoch kann man den Gedanken in der Weise rekonstruieren, daß die Inkarnation auch schon für die ersten Koinzidenzüberlegungen konstitutiv ist. Wenn nämlich Cusanus daran festhält, daß die Liebe der Geschöpfe zu Gott auch dessen schöpferisches Lieben ist, dieser aber auch wegen seiner Allmacht in höchster Weise geliebt werden will[783], dann gehört die höchste geschöpfliche Liebe zu Gott, realisiert in seiner eigenen Menschwerdung, zur Äußerung seiner Allmacht. Schon in Kapitel 18, noch bevor er den Namen Jesu nennt, wird die

---

[781] Ebd. 18 N.82 Z.15-19, 214-216. So weist auch Reinhardt darauf hin, daß in *De visione dei* der Sohn als Mitte der Trinität mehr hinsichtlich seiner Schöpfungsmittlerschaft in den Blick kommt (s. ders.: Christus, die „absolute Mitte" als der Mittler zur Gotteskindschaft, in: MFCG 18 (1986) 196-220, 203f.). Dem entspricht hier die Deutung des Sohnes als *obiectum*.

[782] Vgl. Reinhardt 1989, 207.

[783] Dies ist eine Konsequenz aus *De visione dei* 10 N.41 Z.7f., 164: *Et si tu, deus, non videres sicut visibilis es, non esses deus omnipotens.* Dieser Satz weist schon auf die Inkarnation hin, auch wenn dies im Kontext von Kapitel 10 noch nicht entfaltet wird. Vgl. auch ebd. 18 N.83 Z.1-10, 218.

Inkarnation als *perfectissima filiatio*[784] genannt. Sie ist aber nicht nur die höchste Weise der Schau Gottes, sondern zugleich konstitutiv für alle anderen Sohnwerdungen, insofern diese in ihr zusammengefaßt werden. Darauf macht auch das Bild aufmerksam, daß die vollkommenste Sohnwerdung im Wort Gottes wie die Kunst im Lehrer sei, in den Menschen aber wie die Kunst in den Schülern. Nicht nur das Bedingungsverhältnis wird damit verdeutlicht, sondern ebensosehr die Cusanus eigentümliche Unterscheidung einer doppelten Sohnschaft Jesu. Dies ist ein Resultat seines Gedankens, daß auch die endliche Vernunft schon aus ihren Begriffen durch die Steigerung ins Maximum zu einer – wenn auch schwachen – Einsicht in das Wesen der Menschwerdung gelangen kann.[785]

Auch in *De visione dei* bedeutet die Menschwerdung eine Art Umkehrung der Schöpfung. In Kapitel 19 klärt Cusanus nicht nur die Frage, welche der drei göttlichen Personen die höchste Vereinigung eines Geschaffenen mit Gott vollzieht, sondern er stellt nochmals heraus, wie die Menschwerdung die Zusammenfassung, *complicatio*, von allem ist, als Gegenstück zur Entfaltung, *explicatio*, in der Schöpfung. Cusanus nimmt dabei das Wirken der drei göttlichen Personen beim Schöpfungsakt auseinander: Der Vater ist der Ursprung, der Sohn aber als göttliche Vernunft und Urbild das vermittelnde Medium und der Geist der Akt der Entfaltung. Diese Unterscheidungen entnimmt er den Wesenseigenschaften der drei göttlichen Personen.[786] Insofern aber der Sohn die Mitte bei der Schöpfung ist, wird er sie auch bei der Rückführung der Geschöpfe sein. Diese ist aber nicht schon mit der auch im Schöpfungsakt gegebenen allgemeinen Ausrichtung alles Endlichen auf den unendlichen Gott gegeben, sondern in gewisser Weise erst und hierfür grundlegend mit der Menschwerdung. In ihr wird auch die endliche Welt als endliche und nicht nur im Sinne der ewigen Ideen Gottes vom Endlichen mit der göttlichen Einheit selbst vereint. Als individuierte gelangt die Schöpfung, im Menschen zusammengefaßt, zur unmittelbaren Einheit mit Gott. Da Cusanus auch das Moment des Individuellen in Gott aufgehoben

---

[784] S. ebd. 18 N.83 Z.7, 218.

[785] S. oben Erster Hauptteil C.III-IV. Vgl. auch den Brief an Johannes von Segovia von 1453, v. a. h VII, 98 Z.18 - 99 Z.15.

[786] S. *De visione dei* 19 N.85 Z.1f. und 9f., 220: „Et unio tui et tui conceptus est actus et operatio exsurgens, in qua est omnium actus et explicatio. [...] Explicantur igitur in te deo spriritu sancto, sicut concipiuntur in te deo filio." S. dann weiter ebd. N.86 Z.3-5, 222: „Mediante enim ratione et sapientia tu deus pater omnia operaris. Et spiritus seu motus ponit conceptum rationis in effectu [...]."

sehen möchte, kommt es in der ersten Formulierung der hypostatischen Union zur allerdings nestorianisch klingenden Aussage:

„Et video Ihesum benedictum hominis filium filio tuo unitum altissime et quod filius hominis non potuit tibi deo patri uniri, nisi mediante filio tuo mediatore absoluto."[787]

Der Gedanke, daß in der hypostatischen Union gleichsam ein Mensch mit Gott vereint sei und nicht eine menschliche Natur, zieht sich weiter, wenn Cusanus von einer zweifachen Sohnschaft Jesu spricht, einer göttlichen, absoluten, und einer endlichen, menschlichen. Allerdings weiß er, daß diese Auffassung die Sache nicht adäquat trifft und auch nicht treffen darf. Erst wenn der „angenommene Mensch" keinen eigenen endlichen Selbststand mehr hat, ist die unmittelbare Einheit mit Gott erfüllt. Eine Trennung ist so undenkbar. Erst dann schlägt die Einfaltung von allem in Gott hinein in eine neue, qualitativ höhere Form um, die Annahme durch eine göttliche Person.[788] Die so aufgefaßte hypostatische Union ist eine unmittelbare Verbindung des Geschaffenen mit Gott und insofern eine höchste Vereinigung. So wird sie nicht nur Ziel, sondern konstitutives Urbild jeglicher Vereinigung mit Gott, also die eigentliche *unio* mit Gott beziehungsweise *visio dei*. Cusanus unterscheidet sie von der Einheit der drei Personen in Gott, doch betont er zugleich, daß sie nicht steigerbar ist. Er will den Unterschied von Schöpfer und Geschöpf wahren und doch eine Vereinigung denken, die das Unendliche mit dem Endlichen distanzlos vermittelt. Dies ist die Bestimmung des Gottmenschen Jesus.[789] Er steht nochmals über der für Cusanus so entscheidenden Verhältnislosigkeit von Endlichem und Unendlichem. Er vermittelt beide, ohne selbst eine Mitte zwischen ihnen zu sein.

Daher kann die hypostatische Union nicht als eine Zusammensetzung verstanden werden, da diese weder das Problem der innigsten Vereinigung mit Gott löste, noch überhaupt möglich wäre, da hierfür ein Verhältnis angegeben werden müßte. Auch kann sie keine mittlere Natur im Sinne einer Mischung von Gott und dem Geschaffenem sein. Auch dies zielte gegen die Erhabenheit und Einheit der göttli-

---

[787] Ebd. 19 N.86 Z.8-11, 222.

[788] S. ebd. 19 N.87 Z.7-10, 224: „Subsistit igitur humana filiatio tua in divina, non solum complicite sed ut attractum in attrahente et unitum in uniente et substantiatum in substantiante. Non est igitur possibilis separatio filii hominis a filio dei in te, Ihesu."

[789] S. ebd. 20 N.91 Z.2-5, 230: „[...] tu es deus pariter et creatura, infinitus pariter et finitus. [...] Es enim copulatio divinae creatricis naturae et humanae create naturae."

chen Natur. Selbst der naheliegende Gedanke, daß es sich bei der hypostatischen Union um eine Koinzidenz eines bis ins Maximale gesteigerten Endlichen und dem Unendlichen handle, muß verworfen werden, da das Endliche durch keine Steigerung ins Unendliche überführt werden kann. Es gibt hier keinen kontinuierlichen Übergang.[790] Nur die unmittelbare Vereinigung des Endlichen mit dem Unendlichen im Sinne der Annahme eines Geschaffenen, dem im Sohn erst ein Selbststand gegeben wird, löst für das Cusanische Denken das Problem der Vermittlung des Endlichen mit dem Unendlichen, in dem beide als solche zwar unterschieden bleiben, doch ohne angebbare Trennung. In theologischen Kategorien ausgedrückt denkt Cusanus, daß die persönliche Gnade Jesu nicht mehr steigerbar und eine höhere endliche Gnade aber ebensowenig möglich ist. Auch hierin hebt er sich von der Tradition ab. So vertritt etwa Thomas, daß eine größere geschaffene Gnade als die der Person Jesu möglich ist, auch wenn deren Ziel, die hypostatische Union, nicht überboten werden kann.[791] Für Cusanus kommt beides miteinander überein. Nur wenn für die endliche Vernunft kein Unterschied des Endlichen vom Unendlichen in Jesus Christus mehr erkennbar ist, auch wenn er durchaus noch weiterbesteht, ist für sie auch in ihrer Endlichkeit die Vereinigung mit dem unendlichen Gott verwirklicht, ohne daß beide in ihrem Wesen angegriffen wären. Im Endlichen erreicht sie unmittelbar den unendlichen Gott. In Jesus Christus, der Vereinigung der endlichen Vernunft mit der göttlichen[792], ist dies exemplarisch gewährleistet. Insofern führt erst Jesus auch die endliche Vernunft als erkennende in das Paradies hinein, noch jenseits des Zusammenfalls der Gegensätze.[793] So ist für die endliche Vernunft auch völlig einsichtig, wie Jesus der Weg zu sich selbst als der Erlösung und höchsten Befriedigung der endlichen Vernunft in der Schau Gottes ist.[794] Selbst

---

[790] S. hierzu ebd. 23 N.100 Z.7-13, 246; vgl. Haubst 1956, 123-127, gegen Bond, H. Lawrence: Nicholas of Cusa and the reconstruction of theology: The centrality of Christology in the coincidence of opposites, in: Shriver, George H.: Contemporary reflections on the medieval Christian tradition. Essays in honor of Ray C. Petry, New York 1974, 81-94, 89, der Jesus Christus als Koinzidenz von Schöpfer und Geschöpf versteht. Dem widerspricht auch nicht, wenn Cusanus im Brief an Johannes von Segovia (h VII, 99 Z.4-6) schreibt: „Unde infinita gratia, quae est adeo plena quod est absolute maxima quia maior esse nequit, ita est gratia quod natura." Die Steigerung der geschaffenen Gnade im Menschen bis ins Maximum führt nur in einer Art Sprung zur ungeschaffenen Gnade, die die göttliche Person selbst ist. Möglicherweise bezeichnet der Ausdruck *infinita gratia* auch schon die ungeschaffene Gnade.
[791] S. STh III 7, 12 ad 2.
[792] S. *De visione dei* 20 N.90 Z.1-4, 228.
[793] S. ebd. 20 N.91 Z.1, 230.
[794] S. ebd. 20 N.91 Z.18-20, 230.

wenn sie diesen Weg nie von sich aus eröffnen kann, so vermag sie –
ist er erst eröffnet – den ersten Schritt auf ihn zu setzen, indem sie
ihn als solchen aufzuspüren in der Lage ist, nämlich in der oben dargestellten Weise, die Glaubensgeheimnisse durchzureflektieren.

Auch diese Gedankenabfolge in *De visione dei* bezieht sich auf eine
primär kosmologische Deutung der Menschwerdung. Immer wieder
wird Jesus Christus als *finis universi*[795] und *perfectio et plenitudo omnium*[796]
bezeichnet (auch als *complementum omnis mentalis pulchritudinis*[797], *homo
perfectissimus*[798], *complementum*[799] der Schöpfung). In diesem Sinne wird
durch ihn auch allen anderen Menschen der Weg in Gottes Unendlichkeit eröffnet. Zum einen überwindet Jesus die Sterblichkeit der
menschlichen Natur, indem er den Tod auf sich nimmt. An dieser
Unsterblichkeit, die noch keine Glückseligkeit besagen will, haben
alle Menschen schon allein aufgrund der Tatsache Anteil, daß sie
Menschen sind und eben die gleiche menschliche Natur mit dem
Gottessohn gemeinsam haben. Über die Unsterblichkeit hinaus ist
zugleich jeder Mensch schon dank seiner menschlichen Natur, die er
mit dem Gottessohn teilt, auch mit Gott verbunden. Wegen dieser
gemeinsamen Menschennatur ist Jesus Mittler zwischen Gott und
Mensch. Für den neuen Adam, der manche Menschen wie sich selbst
in die Nähe Gottes führt, ist zum anderen allerdings auch eine geistige Gleichheit zwischen diesem Menschen und Jesus erforderlich. Dies
ist der Punkt, wo die Bedeutung des Glaubens an Jesus Christus für
die Erlösung einsetzt. Er führt über die Gleichheit der menschlichen
Natur mit Jesu Natur hinaus zur Gleichheit der Vernunft beziehungsweise des Geistes in der Form einer Nachbildung der hypostatischen
Union.

III. DER GLAUBE IN *DE VISIONE DEI*

1. Glauben als mystisches Sehen

Die Schrift *De visione dei* stellt, zusammenfassend gesagt, das Konzept
einer mystischen Vereinigungsbewegung vor, die in einer sukzessiv
sich vertiefenden Reflexion bis zu einer unmittelbaren Einheit mit

---

[795] Ebd. 21 N.92 Z.3, 232.
[796] Ebd. 20 N.91 Z.17, 230.
[797] Ebd. 22 N.95 Z.3f., 236.
[798] Ebd. 22 N.99 Z.2, 244.
[799] S. ebd. 25 N.112 Z.2, 264.

dem absoluten und unendlichen Gott leiten will. Gesucht wird eine
Schau Gottes, in der Subjekt und Objekt der Schau nicht mehr voneinander trennbar sind. Die Grundüberlegung ist, daß Gott nur über
und letztlich jenseits des Zusammenfalls der Gegensätze erreichbar
ist, da für ihn die Kategorien des vielheitlich strukturierten Endlichen
und die durch sie provozierten Gegensätzlichkeiten nicht gelten.
Während sich nun schon auf der Grundlage des Schöpfungsgedan-
kens erste Schritte zu Aussagen machen lassen, in denen Subjekt und
Objekt, Schöpfer und Geschöpf kaum mehr geschieden werden können, so eröffnen dann die Überlegungen zur Trinität die in Gott
grundgelegte Möglichkeit sowohl dieser ersten Annäherungen als
auch einer vollkommenen Schau. Jedoch gibt erst die mit der
Menschwerdung von Gott her gegebene Wirklichkeit einer Vereinigung des Unendlichem mit dem Endlichen in Überwindung des Widerspruchsprinzips und jenseits des Zusammenfalls der Gegensätze
für die Menschen einen Weg frei, diese Wirklichkeit, also die
Menschwerdung, in sich selbst nachzuvollziehen. Auf diesen christologischen Punkt spitzt sich das Werk allmählich zu. Mystische Schau
ist für Cusanus unweigerlich Jesus-Mystik.[800] Sie ist unter dem Haupt-
gesichtspunkt des Zusammenfalls der Gegensätze zu verstehen, vor
allem des Endlichen mit dem Unendlichen, denn noch für den Seligen in der Schau gilt Cusanus zufolge:

„De felice verificantur contradictoria, sicut de te, Ihesu, cum tibi in rationali
natura et uno spiritu sit unitus. [...] Videt omnis spiritus felix invisibilem
deum, et unitur in te, Ihesu, inaccessibili et immortali deo. Et sic finitum in
te unitur infinito et inunibili [...].“[801]

Also ist sowohl der Glückselige als auch der Gottmensch dadurch
gekennzeichnet, daß er den Bereich des Widerspruchsprinzipes verlassen hat und wie Jesus unmittelbar mit Gott vereint ist.[802] Dies geschieht durch das Wissen um beziehungsweise den Glauben an die

---

[800] S. etwa ebd. 21 N.94 Z.12-15, 236: „Nullus sapientum huius mundi felicitatem veram
capere potest, quando te ignorat. Nemo felicem videre potest, nisi tecum, Ihesu, intra paradisum.“
[801] Ebd. 21 N.94 Z.15-19, 236.
[802] Vgl. ähnlich zur Schau Gottes als Sohnwerdung Beierwaltes 1988, 27f.
(Hervorhebung im Zitat): „Des Menschen Sehen seiner *selbst* im Sehen *Gottes* (gen.
obj.) ist ein >dialektischer< Vorgang, in dem Endliches und Absolutes - trotz blei-
bender Inkommensurabilität - [...] als je eigene und ganze eng ineinander ver-
schränkt oder differenzlos miteinander geeint sind. Der Mensch ist in Gott Gott,
weil dieser in ihm er selbst - Mensch *und* Gott - ist. 'Visio facialis' ist also derjenige
>Zustand< des Menschen, in dem die ihn als einen endlichen bestimmende Diffe-
renz in die göttliche Coincidenz aufgehoben ist [...].“

Menschwerdung Gottes. Im Glauben begibt sich die endliche Vernunft in das Jenseits zum Zusammenfall der Gegensätze und wird so zur Schau Gottes.[803]

Cusanus beschreibt in Kapitel 24 die Aufstiegsbewegung bis zur Nachbildung der Menschwerdung in der menschlichen Vernunft in der Weise eines fortschreitenden Wachstums der Seelenkräfte. Das erst nur als Möglichkeit Angelegte wird durch äußere Einflüsse angeregt und zu einer wirklichen Tätigkeit gebracht. Ziel ist dabei die vollkommene Tätigkeit. Cusanus nennt das mineralische, elementare Vermögen, dann das sinnliche, imaginative, rationale und schließlich das vernünftige. Damit will er nicht etwa allein erklären, warum das menschliche Vernunftvermögen für seine Tätigkeit doch stets auf sinnliche Eindrücke angewiesen bleibt, wie immer man das noch differenzieren müßte. Es geht ihm in erster Linie darum, zu zeigen, wie Jesus Christus beziehungsweise das Wissen von der Menschwerdung Gottes Nahrung für die endliche Vernunft ist und diese zu ihrem unendlichen Ziel führt. Die Auflistung der Seelenvermögen legt dar, daß zum einen ein äußerer Einfluß den Schritt von der Möglichkeit zur Wirklichkeit anregt und daß zum anderen die tätige Verwirklichung des Vermögens in der Weise einer Angleichung an den äußeren Einfluß geschieht. Schon bei der Bildung der Minerale unter der Wirkung der Gestirne gibt es neben Salz und Steinen auch das Gold, das den unvergänglichen Sternen am ähnlichsten ist und deren Einfluß am vollkommensten in sich selbst umgesetzt hat. Auch für die Vernunft gilt analog, sofern man beachtet, daß hier das Moment des Äußerlichen im Vergleich zu körperlichen oder sinnlichen Vorgängen viel reduzierter ist, daß es einen äußeren Einfluß und eine entsprechende Angleichung gibt. Hier deutet Cusanus eine Illuminationstheorie an, nach der jeder weiterführende Akt der Vernunft unter dem Einfluß Gottes steht, das heißt genauer des Wortes Gottes als unendlicher Vernunft.[804] Dies erschließt so noch nicht die spezifische Rolle des christlichen Glaubens, denn Gott treibt die endliche Vernunft mit den verschiedensten Vorgaben zur Tätigkeit an.[805] Bei jeder

---

[803] Daß der Glaube die Schau Gottes in seiner Herrlichkeit vorwegnimmt, hält auch Reinhardt für die „äußerste Möglichkeit" des Glaubens bei Cusanus (s. ders. 1989, 219) und verweist für diesen Zusammenhang auf Lull.

[804] S. *De visione dei* 24 N.108 Z.1f., 258: „Pascitur autem intellectus per verbum vitae - sub cuius influentia constituitur, sicut motores orbium."

[805] S. ebd. 25 N.113 Z.1-4, 266: „Habeo igitur dono tuo, deus meus, totum hunc visibilem mundum et omnem scripturam et omnes administratorios spiritus in adiutorium, ut proficiam in cognitione tui. Omnia me excitant ut ad te convertar." Natürliche und übernatürliche Stimuli werden hier in eine aufsteigende Reihe gestellt.

Erkenntnishandlung muß die Vernunft einen Glauben an sich selbst
im Sinne eines Selbstvertrauens annehmen. Es steht ihr immer frei,
den Erkenntnisgegenstand wie eine Speise aufzunehmen und zu ver-
werten oder nicht zu beachten. Auch in diesem Zusammenhang
bringt Cusanus den Glauben mit dem Schüler-Lehrer-Beispiel ein:
Der Schüler kann nur Fortschritte machen, wenn er den Worten des
Lehrers Vertrauen schenkt. Bemerkenswert ist, daß dieses Bild ohne
besondere Modifikation auf die Situation Mensch-Gott übertragen
wird, als wäre das Gott entgegenzubringende Vertrauen ebenfalls in
die Verfügungsgewalt des Menschen gelegt. Dies muß unter der Fragestellung des Verhältnisses von Freiheit, Gnade und Glaube nochmals aufgegriffen werden. Zu einem auch inhaltlich spezifizierten
Glauben gelangt Cusanus, wenn er den Einfluß des göttlichen Wortes
als Belehrung näher faßt:

> „Oportet autem omnem intellectum per fidem verbo dei se subicere, et at-
> tentissime internam illam summi magistri doctrinam audire; et audiendo
> quid in eo loquatur dominus, perficietur. [...] Duo tantum docuisti, Christe
> salvator: fidem et dilectionem."[806]

Den Glauben bestimmt er näher als ein Hinzutreten zu Gottes
Wort oder als *credere deo*, die Liebe als eine Vereinigung mit ihm.[807]
Letztlich kommen beide überein, da ja die Tätigkeit der Vernunft mit
der Nahrungsaufnahme verglichen wird. Die göttliche Botschaft wird
aufgenommen und dadurch die Vernunft in das Aufgenommene
gewandelt, mit ihm vereint.

Doch wo bleibt die inhaltliche Bestimmung des Glaubens? Das Vertrauen in Gott, dessen Lohn die Erfüllung des Vernunftstrebens ist,
richtet sich auf nichts anderes als eben darauf, von Gott vervollkommnet zu werden. Diese Vervollkommnung hat sich aber als Schau
Gottes im Sinne einer hypostatischen Union erwiesen. Insofern ist der
Glaubensinhalt nichts anderes als das Faktum der Menschwerdung,
wie es die Vereinigung der endlichen Vernunft in ihrer endlichen,
menschlichen Natur mit dem unendlichen Gott garantiert. Aufzu-
bringen ist allein der Glaube, daß in Jesus Gegensätzliches vereint ist,
nämlich der Schöpfer Geschöpf ist,[808] und damit die Loslösung von
der Welt, wie sie unter das Gesetz des Widerspruchs gestellt ist. Inso-

---

Dabei könnten die natürlichen anhand anderer Cusanischer Schriften noch weiter
ausgeführt werden.

[806] Ebd. 24 N.108 Z.15 - 109 Z.1, 258-260.

[807] S. ebd. 24 N.109 Z.2 und 12, 260.

[808] S. ebd. 21 N.92 Z.5f., 232.

fern wird die Welt überwunden. Die christliche Entsagung von der
Welt heißt für Cusanus, auf den Begriff gebracht, sich von der Welt
der Differenzen und Gegensätze zu lösen, also mit der Vernunft die
Endlichkeit der vom Widerspruchsprinzip strukturierten Welt zu verlassen. Darin vollzieht sich für ihn auch die Umkehr des Sünders,
nämlich die richtige Hierarchie der Erkenntnisvermögen wiederher-
zustellen und sein Endziel nicht mehr im Vergänglichen und Endlichen, sondern im unendlichen Gott zu suchen.[809] Die Umkehr ist in
das Vermögen der Vernunft gestellt, die Gegensätzliches vereinen
kann. Der erste Schritt ihres Selbstvertrauens, mit dem sie die rationale Welt verläßt und sich auf den Weg zu ihrer unendlichen Erfüllung
begibt, ist der gleiche wie der ihres Glaubens an die Menschwerdung,
nur daß ihr in diesem ihre vorausgesetzte Erfüllung schon vor Augen
gestellt ist. Sich selbst zu vertrauen und Jesus als Wirklichkeit anzunehmen verweisen aufeinander. Insofern ist als Vervollkommnung
von allem der Glaube an Jesus Christus im Grunde in jedem Akt der
Vernunft gegenwärtig, sofern diese die sichere Ebene des Verstandes
verläßt und sich in das Dunkel eines Nichtwissens begibt. Die Offenbarung, die sie dort erfährt, wenn sie auf ungeahnte Erkenntnisse
stößt, ist die ihres gerade wegen der Menschwerdung Gottes gerecht-
fertigten Selbstvertrauens. Das Gesicht, das im Dunkel des Nichtwissens geschaut wird, ist das Antlitz Jesu.[810] Er ist das verwirklichte
Selbstvertrauen der Vernunft, das seine Wirklichkeit eben nicht in
sich als nur Endlichem besitzen kann, sondern auf dem unendlichen
Gott ruht, in ihm subsistiert.

2. Die Freiheit des Glaubens

Wie nur wenige Theologen des Mittelalters betont Cusanus die
menschliche Freiheit. Sie findet ihre Erfüllung in einer uneinge-
schränkten Ausrichtung des Vernunftwesens auf Gott, also in der
Liebe zu ihm. Die Wahlfreiheit ist nur ein Aspekt. Die Betonung der
Freiheit drückt sich etwa darin aus, daß Cusanus Gott selbst als die
Freiheit bezeichnet, auf dessen Schöpferwillen die Freiheit aller endlichen Wesen zurückgeht.[811] Der letzte ontologische Grund der Freiheit der endlichen Wesen reicht aber für ihn sogar in das trinitarische

---

[809] S. ebd. 5 N.15 Z.1 - 16 Z.10, 130-132.
[810] S. ebd. 6 N.22 Z.7f., 138 und 21 N.93 Z.1f. und 12f., 232-234.
[811] S. ebd. 8 N.30 Z.8f., 148: „[...] ob concessam nobis libertatem quia filii tui sumus,
qui es ipsa libertas [...]." Vgl. ebd. 18 N.81 Z.12f., 216: „Sed tam nobilis es, deus
meus, ut velis in libertate esse rationalium animarum te diligere vel non."

Wesen Gottes hinein. Die Unterscheidung von Liebendem und Liebenswürdigem in Gott, also die von Vater und Sohn, bildet nämlich den Ermöglichungsgrund dafür, daß nicht jedes Geschöpf, das aus dem Lieben Gottes hervorgeht, auch sogleich nur dieses Lieben als liebenswert ansehen muß. Das wäre bei einer reinen Identität beider für Cusanus notwendig der Fall. Die Geschöpfe können nun aber auch anderes als den sie liebenden Gott für ihre Liebe auswählen, nämlich ein Liebenswürdiges. Gottes Trinität ermöglicht also eine Wahlfreiheit.[812] Dieser Gedanke belegt, wie eng mit dem Geschaffenen gekoppelt Cusanus auch in *De visione dei* die Trinität versteht, obwohl sein bevorzugter Ternar *unitas-aequalitas-connexio* in *De visione dei* nicht vorkommt. Zugleich muß man in dieser Grundlegung der Freiheit in der Trinität sehen, wie wahrhafte Freiheit, die sich Gott als Liebenswürdigem zuwendet, im Grunde gerade auf einen Zusammenfall von Gegensätzlichem zielen muß beziehungsweise noch darüber hinaus reicht. Ohne daß dies bei Cusanus näher ausgeführt wäre, bewegt sich die Cusanische Theologie mit ihrer neuartigen Methode und ihrem Bruch mit scholastischen Denktraditionen in einem Raum, den sie sich durch ihre eigenständige Auslegung des Trinitätsgeheimnisses eröffnet hat und den sie darauf zurückführt. Dadurch ist sie geradezu aufgefordert, immer neu Koinzidenzen in die Theologie einzuführen.

So ist leicht verständlich, daß die endliche Freiheit einen schöpferischen Aspekt in sich birgt und bei Cusanus sogar zu einem Bild der göttlichen Allmacht wird.[813] Nach *De visione dei* erschafft sie im Vernunftwesen größere oder geringere Ähnlichkeit zu Gott und führt ihm dessen Gnade zu, je nachdem sie Tugenden wie Güte, Gerechtigkeit, Barmherzigkeit und auch Liebe wählt. Cusanus kennt zwar auch den Gedanken, daß Gottes Wirken dem guten Willen des Menschen immer vorausgeht und das Gute im Menschen nicht von diesem selbst begonnen werden kann, er sich also nicht die ungeschuldete Gnade verdienen kann. Weiterhin betont er, daß der Schritt über die Paradiesesmauer in keiner endlichen Macht liegt. Die vorausgehende Güte Gottes wird jedoch nicht mehr eigentlich von Gottes allgemei-

---

[812] S. ebd. 18 N.82 Z.5-9, 216: „Quis igitur negare potest te deum trinum, quando videt quod neque tu nobilis neque naturalis et perfectus deus esses, nec spiritus liberi arbitrii esset, nec ipse ad tui fruitionem et felicitatem suam pertingere posset, si non fores trinus et unus?“

[813] S. ebd. 4 N.12 Z.9-12, 126: „Et haec vis, quam a te habeo, in qua virtutis omnipotentiae tuae vivam imaginem teneo, est libera voluntas, per quam possum aut ampliare aut restringere capacitatem gratiae tuae [...].“

nem Wirken unterschieden, wie es die Welt schafft und erhält.[814] Immer wieder hebt Cusanus hervor, wie Gottes Güte sich demjenigen mitteilen muß, das dafür aufnahmefähig ist.[815] Ohne zu differenzieren spricht er davon, daß das Geschöpf das göttliche Gnadenhandeln einschränken und auch vermehren kann. Dies trifft in das Problemfeld, inwieweit sich das Geschöpf aus eigener Kraft für die göttliche Gnade zu disponieren vermag.[816] Die Aufnahmefähigkeit für die Gnade liegt ganz im Vermögen des endlichen Vernunftwesen. Ihm ist alles Nötige gegeben, nämlich das Universum und es selbst. Darin hat sich Gott schon gegeben[817], im endlichen Universum und dem auf das Unendliche sich richtenden Vernunftstreben hat die endliche Vernunft nicht nur Material für ihre Annäherung an Gott, ihre Jagd nach der Weisheit, sondern auch einen Weg, der ihr anzeigt, daß ihr Streben im Sinne des *desiderium naturale* nicht grundlos ist. Wenn sie dann Gott sucht und allein im Gottmenschen finden kann, so bestätigt sich für sie das berühmte Wort aus *De visione dei*, das Cusanus Gott in den Mund legt. Es ist die einzige Äußerung Gottes in diesem Werk:

„Sis tu tuus et ego ero tuus."[818]

Wie aus der bisherigen Interpretation klar geworden ist, findet die endliche Vernunft erst in Jesus Christus zu ihrem Ziel und ihrer Wahrheit. Bis zu dieser Einsicht kann sie sich in eigener Kraft erheben, sofern sie nur das Wagnis unternimmt, immer wieder den Schritt in das Dunkel des Zusammenfalls der Gegensätze zu tun. Wählt sie so sich selbst, nämlich ihre Suche nach Erkenntnis über das Endliche

---

[814] S. bes. ebd. 5 N.16 Z.8-10, 132: „[...] et antequam te respiciat, tu paterno affectu in eum oculos misericordiae inicis. Nec est aliud tuum misereri quam tuum videre." Das Sehen Gottes wurde aber schon als Schaffen gedeutet.

[815] S. ebd. 4 N.11 Z.1-3, 124 und 7 N.27 Z.5-7, 146; vgl. Haas 1989, 34.

[816] Cusanus entwickelt keine mit einer scholastischen Darstellung vergleichbare Gnadenlehre, steht in diesem Punkt aber Duns Scotus nahe, s. *De visione dei* 4 N.12 Z.9-12, 126.

[817] S. ebd. 7 N.26 Z.7-14, 144: Nemo igitur te capiet nisi tu te dones ei. [...] Et quomodo dabis tu te mihi, si non pariter dederis mihi caelum et terram et omnia quae in eis sunt? Immo quomodo dabis tu te mihi, si etiam me ipsum non dederis mihi?"

[818] Ebd. 7 N.26 Z.15f., 146. S. hierzu Kremer, Klaus: Gottes Vorsehung und die menschliche Freiheit („Sis tu tuus, et Ego ero tuus"), in: MFCG 18 (1989) 227-252. Cusanus stellt hier ein Wort aus Cassiodors *De anima* (CChr. SL 96, 574 Z.21f.: *Tunc ero meus, si fuero tuus.*) auf den Kopf (vgl. Beierwaltes, Werner: Identität und Differenz [= Philosophische Abhandlungen 49], Frankfurt 1980, 167 Anm. 91). Es ist zudem in *De visione dei* das einzige direkte „Gotteswort", denn Cusanus zitiert keine einzige Bibelstelle, sondern bringt nur Anspielungen oder Umformulierungen, vgl. Führer, Markus L.: The Consolation of Contemplation in Cusanus' *De visione dei*, in: Medioevo 20 (1994) 205-231, 226.

hinaus, so findet sie in der Tat Gott, denn Gott ist ihr immer schon
vorausgegangen, insofern er die Welt und das endliche Vernunftwesen auf den Menschensohn hin geschaffen hat. Dieser ist ganz
Mensch, ganz er selbst und als solcher auch ganz Gott, also die eigentliche Erfüllung der oben genannten göttlichen Aufforderung. Keineswegs kann sich etwas Endliches von selbst zu Maximalität und Unendlichkeit erheben, doch es kann den Weg dorthin zumindest selbst
beschreiten, weil sich Gott der endlichen Natur schon mitgeteilt hat
und immer mitteilt. So expliziert Cusanus das *esse sui ipsius* derart, daß
hierin erstens die rechte Ordnung von Sinnlichkeit und Vernunftvermögen wiederhergestellt wird und zweitens die immer von Gott
eingegebene Weisung zur Ausrichtung auf das unendliche Ziel gehört
wird.[819] Das göttliche Wort, das über die Grenzen der Vernunft hinaus
den Weg sichert, muß keine spezifisch übernatürliche Offenbarung
sein. Es genügt das Vertrauen in das eigentümliche Wissen der belehrten Unwissenheit. Dieses gipfelt allerdings in der Offenbarung
des Vaters in Jesus Christus. Wenn Cusanus das Vernunftstreben mit
der Schatzsuche auf dem Acker vergleicht, kann er also vom „Acker
der Glaubenden" sprechen, doch dieser ist kein anderer als der
„eigene Acker" der endlichen Vernunft. Da die endliche Vernunft bei
Cusanus direkt auf das Unendliche bezogen ist, ihr selbst aber als
intellectus keine eigene Grenze, da kein eigenes Prinzip, gesetzt und
sie nicht durch eine klar umschriebene Natur festgelegt ist, gibt es
nur einen einzigen, bis zu Gott reichenden Bereich, in dem sie sich
ausrichtet. Dieser kann durch ihre eigenen Koinzidenz-Überlegungen
gefüllt sein oder auch durch göttliche Offenbarungsworte. Wie die
Schrift *De visione dei* beweist, sind es gerade nicht die Worte der Heiligen Schrift, die die entscheidenden Weisungen erteilen, sondern das
von Gott bestätigte Selbstvertrauen der endlichen Vernunft, das allerdings wieder in die Offenbarungswahrheiten mündet und – wie gesehen – für seine Erfüllung auch darin münden muß. Nur weil Gott und
die spezifischen Offenbarungsinhalte direkt auf das endliche Vernunftstreben hin gedacht werden, kann Cusanus im Gegenzug die
schöpferische Freiheit der Vernunft so stark hervorheben[820].

Wenn man erst einmal bis zu dieser Einsicht gelangt ist, entdeckt
man, daß die Worte der Heiligen Schrift leichter und schneller zum
Ziel führen, da in ihnen alle Weisheit enthalten ist, denn sie nennen

---

[819] S. *De visione dei* 7 N.28 Z.3-7, 146: „Quando igitur sensus servit rationi, sum mei
ipsius. Sed non habet ratio unde dirigatur nisi per te, domine, qui es verbum et ratio rationum. Unde, nunc video, si audiero verbum tuum, quod in me loqui non
cessat et continue lucet in ratione, ero mei ipsius [...] et tu eris meus [...]."
[820] Vgl. Senger 1988, 130.

sogleich das Ziel, den Gottmenschen. So zählt Cusanus als Hilfen für die Gotteserkenntnis, die ja nichts anderes als die Vereinigung mit Gott ist, neben der sichtbaren Welt die Schrift, die Offenbarungen von Engeln und als Spitze von allem Jesus auf.[821] Darüber hinaus nennt er Gaben des Heiligen Geistes wie die Gabe der Prophetie oder der Wissenschaft.[822] Aber diese bilden zusammen mit den aus der endlichen Vernunft selbst gebildeten Erkenntnissen einen einzigen breiten Weg der Vereinigung mit Gott. Dieser bleibt auch dann einer, wenn die genannten Hilfen unterschiedlich eingeschätzt und gewertet werden müssen, wobei Jesus Christus selbstverständlich alle übertrifft. Im Gegensatz zu den Weisen der Welt, die einem Denken folgen, das sich noch nicht vom Widerspruchsprinzip gelöst hat, haben die Glaubenden die entscheidende Hilfe angenommen, wenn sie an Jesus Christus glauben. Sie akzeptieren in ihrem Denken die Einheit von Schöpfer und Geschöpf, wie sie das Ziel der ganzen Schöpfung ist, nämlich als Einheit von *attrahens* und *attractum*.[823] Damit bindet Cusanus sein mystisches Wissen wieder an die alltägliche Glaubenspraxis zurück. Wer die Menschwerdung als Vereinigung von Endlichem und Unendlichem denkend vergegenwärtigt, vollzieht – mehr oder weniger reflexiv durchdrungen – den Kern der Cusanischen Mystik nach. Wie schon in der Schrift *Idiota de sapientia* betont Cusanus die Leichtigkeit des beseligenden Wissens.

Zusammenfassend kann festgehalten werden, daß in *De visione dei* der Inhalt des christlichen Bekenntnisses, kondensiert in den beiden Hauptdogmen Trinität und Inkarnation, gerade die einzige Möglichkeit einer Schau Gottes beschreibt. Sie sind in den Denkschritten der Vernunft, sobald sie sich als *intellectus* in Koinzidenzen über das Widerspruchsprinzip erhebt, als Grundlage vorausgesetzt. Als solche Voraussetzungen können sie auch ohne spezielle, gnadenhafte Offenbarungen ausgemacht werden, nämlich die Trinität als Ermöglichungsgrund einer freien Schau Gottes und die Menschwerdung als ihre exemplarische Verwirklichung. Werden sie so ins Licht der endlichen Vernunft gehoben, bewegt sich diese immer weiter in ein Wissen hinein, das auf eine Schau Gottes hinzielt. Die Vernunft wird christusförmig. Mit dem Wissen um die Wirklichkeit der Vereinigung von Schöpfer und Geschöpf jenseits des Widerspruchsprinzips vollzieht die endliche Vernunft die höchste ihr mögliche Weise, über den Zu-

---

[821] S. *De visione dei* 25 N.113 Z.4-8, 266.
[822] S. ebd. 25 N.110 Z.13-15, 262.
[823] S. ebd. 21 N.92 Z.6, 232.

sammenfall der Gegensätze hinaus zu denken – und erblickt dieses Denken erstens in ihrer eigenen Natur, nämlich der menschlichen Natur Jesu, auch als verwirklicht und bildet es zweitens in sich selbst durch diese Gedanken nach. Dementsprechend tritt der Glaube auch nicht als eine übernatürliche Vervollkommnung der Vernunft auf, sondern als eine immanente. Der Bereich der Vernunft umfaßt anfanghaft das Glaubenswissen, das dann im Gegenzug das Vernunftstreben auf die Menschwerdung als Ziel von allem hinlenkt. Dieser Aspekt wird in *De visione dei* herausgestellt. Die Offenbarung bietet eine Hilfe an, mit der Gott die eigenständigen Überlegungen der Vernunft, die eben auf dieses Offenbarungswissen hinlaufen und sich mit ihm decken, unterstützt. Cusanus betont in *De visione dei* das Moment der Freiheit bei dieser Bewegung, die sich in den Koinzidenzüberlegungen und dem bildlichen Vergegenwärtigen ausdrückt. Was die Vernunft jedoch mit vielen Überlegungen mühsam selbst ausmacht, legt ihr Gott in den einfachen Worten des Evangeliums von der Menschwerdung vor, das wegen der göttlichen Wahrhaftigkeit zuverlässig ist.

D. Der Glaube in anderen Werken

Die für die Glaubenslehre von *De visione dei* wichtigen Elemente lassen sich durch weitere Werke belegen und um zusätzliche Akzente bereichern. Auch wenn Cusanus keine in sich abgeschlossene Theologie des Glaubens ausgearbeitet hat, gibt es doch Grundgedanken, an denen er in den verschiedensten Anläufen seiner Überlegungen festhält. Die Grundmerkmale des Glaubens wie die Nachbildung der Inkarnation in der endlichen Vernunft, das Selbstvertrauen der Vernunft als Glaube an die Menschwerdung im Sinne einer der Vernunft immer schon gegebenen Möglichkeit und das Moment der Produktivität im Glaubensakt (zum Beispiel Entwicklung der Glaubensartikel als Annäherung an Gott) lassen sich unter anderer Terminologie mit folgenden Schriften weiter belegen: *De filiatione dei* von 1445, *De dato patris luminum* von 1445/6 und *De possest* von 1460. Das Cusanische Denken entfaltet sich in verschiedenen „Jagden" oder Würfen. Sie sind immer durch eine spezifische Besonderheit ausgezeichnet. So kommt es aber oft genug vor, daß Cusanus theologische Themen behandelt, ohne explizit in christologische Diskussionen einzusteigen, obwohl man dies erwarten müßte. Wenn mit der bisherigen Interpretation die zentrale Bedeutung des Glaubens an Jesus Christus für Cusanus herausgestellt worden ist, so muß sich dies auch dann halten lassen, wenn Cusanus etwa in *De filiatione dei* vom Gottessohnwerden des Menschen handelt und dabei nur im letzten Satz Jesus Christus erwähnt. Die folgenden Ausführungen sollen nicht nur die bisherigen Thesen stützen, sondern auch belegen, daß Cusanus selbst dann in der oben skizzierten Weise denkt, wenn er gar nicht oder kaum auf den Glauben zu sprechen kommt. Dieses Phänomen wird sogar mit Blick auf das produktive Verständnis des Bildseins des Menschen seine Rechtfertigung erhalten. Anders formuliert besteht die Aufgabe nun darin, darzulegen, wie die eigentümliche Cusanische Theologie immer schon seine Philosophie durchdrungen hat.

I. NACHBILDUNG DER INKARNATION ALS VOLLENDUNG DER ENDLICHEN VERNUNFT

Für Cusanus wird die Inkarnation Gottes zum Zentrum seines Denkens, weil in Jesus Christus – in Cusanus' Verständnis – die endliche Vernunft mit ihrer unendlichen Wahrheit, Gott, unmittelbar und in vollkommenster Weise vereint ist. Jesus Christus ist die Erfüllung der „philo-sophischen" Natur der Vernunft, die immer nach der Wahrheit strebt und sie zu erjagen sucht. In letztgültiger Weise hat sie sie in Jesus Christus erreicht. Endliche und unendliche Vernunft sind vereint. Mit der Menschwerdung ist die endliche Vernunft in die innertrinitarische Sohnwerdung des Wortes hineingenommen. Immer wieder stellt Cusanus heraus, daß die Vernunft nicht eher ruhen kann, als bis sie zur Erkenntnis Gottes selbst kommt. Gott als erkennbare Wahrheit ist aber das Wort oder die von Gott gedachte Kunst, also der Sohn Gottes. Wenn ein endlicher Geist immer mehr die Wahrheit erfaßt und sich mit ihr in der Weise einer Angleichung vereint, so vereint er sich mit dem Sohn Gottes, was nichts anderes heißt, als daß er in dessen Sohnwerdung hineingenommen wird. In der Schrift *De filiatione dei* behandelt Cusanus unter dem Leitwort *filiatio dei*, das er anhand von Joh 1,12 prägt, was es bedeutet, ein Sohn Gottes zu werden, das heißt die Wahrheit zu erkennen.[824]

---

[824] Vgl. die Identifikationsreihe des ersten Kapitels von *De filiatione dei*, die *filiatio dei*, *deificatio*, *theosis*, *notitia dei et verbi*, *visio intuitiva*, *ultima intellectus perfectio* und *appre-*

Filiatio meint nur das „Sohn-Gottes-Werden" in bezug auf den Vater, nicht daß Gott ein Sohn der Menschen wird. Es geht also um den Aufstieg zu Gott, nicht um den Abstieg und das Erscheinen Gottes in der Welt wie in *De dato patris luminum.* Cusanus unterscheidet dann, der Tradition folgend, die Sohnwerdung der Natur nach von der Adoptivsohnschaft.[825] Die Menschen können nur die Adoptivsohnschaft erreichen, die wiederum durch *participatio* mit der innertrinitarischen Sohnschaft verbunden ist, da sie von Gott geschaffen, aber nicht gezeugt sind. Wohl können sie nach der theologischen Tradition durch die Gnade zu Adoptivsöhnen Gottes werden, also durch Erhöhung ihrer menschlichen Natur den Status von Söhnen erhalten und so in die selige Anschauung gelangen. Cusanus hat in den schon behandelten Schriften immer wieder nestorianisch klingende Formulierungen für die hypostatische Union gebraucht, um die Erhöhung einer menschlichen Natur zur Vereinigung mit dem göttlichen Wort als den maximalen Fall und damit als die exemplarische Erfüllung der Sohnschaft Gottes einer endlichen Natur zu denken. Auf den ersten Blick ist hiervon in *De filiatione dei* nicht die Rede. Scheinbar unverbunden wird im Abschlußwort die Sohnschaft in Jesus Christus erfleht.[826] Wie oben erwähnt, wird die Vereinigung mit Gott eher in der Erkenntnis des göttlichen Wissens, der göttlichen Kunst, gesehen und die Gottessohnschaft des Menschen ohne Bezug zur Menschwerdung Gottes dargestellt. Jene erlaubt eine Angleichung an Gott. Hierfür spielt auch in der Tradition die Menschwerdung als Erlösungstat, die den in Sünde Gefallenen die Gnade Gottes schenkt, zunächst keine Rolle.[827]

Demgegenüber stellt aber Cusanus die Angleichung der endlichen Vernunft an die göttliche Wahrheit mit Formulierungen dar, die genau auf sein Verständnis der hypostatischen Union hinzielen. Zu-

---

hensio veritatis umfaßt (s. *De filiatione dei* 1 N.52f., h IV, 39f.). Im dritten Kapitel kommt noch *facialis visio* hinzu (s. ebd. 3 N.62 Z.8, h IV, 46f.).

[825] S. ebd. 1 N.54 Z.22-26, h IV, 42: „Non igitur erit filiatio multorum sine modo, qui quidem modus adoptionis participatio forte dici poterit. Sed ipsa unigeniti filiatio sine modo in identitate naturae patris exsistens est ipsa superabsoluta filiatio, in qua et per quam omnes adoptionis filii filiationem adipiscentur." Der biblische Hintergrund für die Adoptivsohnschaft ist v. a. Röm 8,23, Gal 4,5 und Eph 1,5.

[826] S. *De filiatione dei* 6 N.90 Z.4f., h IV, 64: „[...] „ut hinc translati filiationem dei adipiscamur in filio unigenito Iesu Christo semper benedicto."

[827] Thomas etwa unterscheidet eine auch der Natur nach mögliche Adoptivsohnschaft, d. h. Ähnlichkeit mit der natürlichen Sohnschaft des Wortes Gottes hinsichtlich der Erkenntnis, *intellectualitas*, von ihrer vollkommenen Verwirklichung durch eine Sohnschaft in Gnade und Liebe (s. STh III 23, 3 c. und ad 3), die für ihn konkret erst über Jesus Christus vermittelt wird. Die Vervollkommnung der Erkenntnis durch den Glauben, selbst ein Gnadengeschenk, trägt also nur einen Teil dazu bei.

nächst weist er darauf hin, daß ein Vernunftwesen nicht seine Natur aufgeben muß, um ein Sohn Gottes zu werden, sondern daß nur eine Veränderung der Seinsweise eintritt.[828] Entsprechend hat er von der Menschwerdung Gottes festgehalten, daß in ihr Gott in der menschlichen Natur erreicht wird. Auch in *De filiatione dei* gelangt die endliche Vernunft zur Sohnschaft und vereinigt sich mit der göttlichen Wahrheit, indem sie sich immer mehr von der Welt unter endlichen Gesichtspunkten löst und mit dieser Reinigung ihre Vernünftigkeit mehrt. Die Vernunft lebt dann nur von ihrem eigenen, rein geistigen Leben, und die Wahrheit ist nichts anderes mehr zu ihr.[829] Cusanus bezeichnet diese Einheit von Erkennendem, Erkanntem und Erkennen als *unitas essentiae*[830]. Damit deutet er nicht nur auf die trinitarische Struktur der endlichen Vernunft, sondern sagt zugleich, daß bei der Sohnwerdung der Mensch in das trinitarische Leben Gottes hineingenommen wird, denn das Erkannte ist der Sohn als die ewige Wahrheit. Die Sohnwerdung überwindet gerade die Kluft von unendlichem Schöpfer und endlichem Geschöpf. Allerdings ist der Ausdruck *unitas essentiae* mehr als gewagt. An anderen Stellen weiß Cusanus die Adoptivsohnschaft deutlicher von der natürlichen Sohnschaft abzugrenzen. Negativ formuliert heißt also Sohnwerdung nichts anderes als das Ablegen jeglicher Andersheit zu Gott, das heißt der Andersheit, die das Endliche prägt, aber auch der Andersheit, die das endliche, verstandesmäßige Denken vor allem durch das Widerspruchsprinzip gefangen hält.[831] Die Sohnwerdung überwindet die Welt der Gegensätze. Auch hierin stimmt sie mit der Inkarnation überein, wie diese etwa in *De visione dei* entwickelt worden ist.

Durch die Überwindung der Verschiedenheit und damit auch der Vielheit, wird alles in der Vernunft eines. Von hier aus gibt Cusanus folgendermaßen eine positive Konkretion der Sohnwerdung:

„Filiatio igitur est ablatio omnis alteritatis et diversitatis et resolutio omnium in unum, quae est et transfusio unius in omnia. Et haec theosis ipsa. Nam, cum deus sit unum, in quo omnia uniter, qui est et transfusio unius in omnia, ut omnia id sint quod sunt, et in intellectuali intuitione coincidit esse unum

---

[828] S. *De filiatione dei* 2 N.56 Z.1-3, h IV, 42: „Non arbitror nos fieri sic filios dei, quod aliquid aliud tunc simus quam modo. Sed modo alio id tunc erimus, quod nunc suo modo sumus." Vgl. die Bestimmung der Sohnwerdung als Wechselbeziehung von Selbst- und Gotteserkenntnis ebd. 6 N.86 Z.5-9, h IV, 62.

[829] Vgl. ebd. 3 N.69 Z.1-12, h IV, 50f.

[830] S. ebd. 3 N.69 Z.17, h IV, 51.

[831] S. ebd. 3 N.71 Z.2-7, h IV, 52; vgl. 5 N.83 Z.7-17 und 6 N.84 Z.12-17, h IV, 59f.

in quo omnia et esse omnia in quo unum, tunc recte deificamur, quando ad hoc exaltamur, ut in uno simus ipsum in quo omnia et in omnibus unum."[832]

Mit diesem Syllogismus will Cusanus begründen, daß die Sohnwerdung, jetzt als *intellectualis intuitio* gedacht, zugleich eine Gottwerdung ist. Den Mittelterminus bildet die Vereinigung von allem in einem und einem in allem, die sowohl für Gott als auch für die Vernunft in ihrer höchsten Vervollkommnung gilt.[833] Dabei kann man die Formulierung *ut in uno simus ipsum* eigentlich als eine Vereinigung mit Gott in einem Träger auslegen, also identisch oder äquivalent mit der hypostatischen Union. Auch in *De docta ignorantia* ist Jesus die Mitte, in der Gott alles in allem ist und die Seligen mit Gott vereint sind.[834] Als diese Vereinigung ist Jesus die triumphierende Kirche, die Vereinigung der Söhne Gottes zu einer Person oder, abstrakter ausgedrückt, die Vereinigung der endlichen und unendlichen vernünftigen Individuen in einem Individuum.

Die Deutung der Sohnwerdung mittels neuplatonisch inspirierter Einheitsüberlegungen zieht allerdings ein Gnadengeschehen auf den Bereich des Geschaffenen zurück. Erstens ist hier mit der Ausgießung Gottes sicher das Wirken Gottes im Akt der Schöpfung und der Erhaltung der Welt gemeint und nicht etwa das Ausgießen des Heiligen Geistes in die Herzen der Gläubigen.[835] Zweitens gibt Cusanus in drei Kapiteln Anweisungen, wie diese Art der Sohnwerdung erstrebt werden kann, in denen er ebenfalls nicht auf ein Gnadengeschehen zu sprechen kommt. Vielmehr greift er im vierten Kapitel von *De filiatione dei* auf Zahlenspekulation zurück oder baut im fünften Kapitel seine Gedanken auf dem Begriff der Kraft der Vernunft auf. Außerdem scheint die Sohnwerdung zu ihren Möglichkeiten zu gehören, wie im nächsten Abschnitt dargestellt werden wird. Vor allem aber läßt obige Deutung der Sohnwerdung keine gnadenhafte Erhöhung, die über den Bereich der endlichen Vernunft hinausreichte, erkennbar werden. Zwar ist klar, daß die Sohnwerdung nicht allein aus ihrer eige-

---

[832] Ebd. 3 N.70 Z.1-7, h IV, 51f.

[833] Vgl. *De docta ignorantia* III 3, h I, 128 Z.1-8 und III 4, h I, 131 Z.5-13. S. oben Erster Hauptteil C.IV.2.d und C.VIII.

[834] S. ebd. III 12, h I, 161 Z.16-20: „[...] ut quilibet beatorum, servata veritate sui proprii esse, sit in Christo Iesu Christus, et per ipsum in Deo Deus, et quod Deus eo absoluto maximo remanente sit in Christo Iesu ipse Iesus, et in omnibus omnia per ipsum."

[835] Vgl. bes. *De filiatione dei* 4 N.76 Z.1-10, h IV, 56, wo das Ausgießen der göttlichen Lehre von Cusanus zwar als Werk der Trinität dargestellt wird - vom Vater durch den Sohn im Heiligen Geist -, diese Lehre aber gerade in der sinnlich wahrnehmbaren Schöpfung erscheint.

nen Kraft verwirklicht wird, was sich in dem Wort *exaltari* spiegelt. Völlig erreicht werden kann sie letztlich auch erst nach dem Tod.[836] An der Struktur der Verbindung von allem in einem weist jedoch nichts darauf hin, wie hier Gott in einem besonderen Geben am Gegebenen, das heißt gnadenhaft am Geschaffenen, wirkt. Vielmehr wird auch das Ziel, die Gottwerdung, von der in der Schöpfungstat gegebenen Durchdringung von allem mit Gott, die der Obersatz ausdrückt, her erklärt und bestimmt.[837] Auch hier leitet nicht das Proprium der Gnade den Cusanischen Gedanken.

II. GLAUBE ALS SELBSTVERTRAUEN DER VERNUNFT

Cusanus denkt den Glauben nicht mehr als eine gnadenhafte Überhöhung einer natürlichen Vernunft, die zum Glaubensakt keine positive Fähigkeit in sich trägt. Vielmehr bestimmt er den Glauben in dem Sinne um, daß er zu einem Selbstvertrauen der endlichen Vernunft wird, das allerdings – gegen jegliche Gefahr einer natürlichen Religion – nur durch die Existenz des vollkommenen Menschen Jesus Christus, der zugleich Gott war, berechtigt ist. Der Glaube an die Menschwerdung fällt mit dem Vertrauen der Vernunft zusammen, das unendliche Ziel erreichen zu können. In *De filiatione dei* scheint Cusanus zwar zunächst einer traditionellen Glaubenslehre zu folgen, wenn er die Möglichkeit der Sohnwerdung den Glaubenden vorbehält, doch diese Möglichkeit wird nicht durch den Glauben begründet und erst in den Menschen hineingetragen, sondern liegt immer schon in der Macht der endlichen Vernunft.[838] Die Teilhabe an der göttlichen Vernunft, die auf die ewige Seligkeit zielt, wird nicht erst durch eine zu-

---

[836] S. ebd. 4 N.78 Z.8-10, h IV, 57.

[837] Analog greift Cusanus in *De docta ignorantia* III 4, h I, 131 Z.5-13 auf den Gedanken des *quodlibet in quolibet*, der die natürliche Ebene der Schöpfung beschreibt (s. ebd. I 2, h I, 7 Z.8f. und II 5, h I, 76 Z.24f.), zurück, um zu klären, wie die hypostatische Vereinigung keine Vielheit in Gott bringt, und umgeht dabei an dieser Stelle die Bedeutung der *gratia unionis*. Sie wird von ihm nicht eigens gedacht, sondern verschwindet im Maximalitätsgedanken.

[838] S. *De filiatione dei* 1 N.53 Z.1-5, h IV, 40: „Haec est superadmiranda divinae virtutis participatio, ut rationalis noster spiritus in sua vi intellectuali hanc habeat potestatem, quasi semen divinum sit intellectus ipse, cuius virtus in credente in tantum ascendere possit, ut pertingat ad theosim ipsam, ad ultimam scilicet intellectus perfectionem [...].“ Auch in *De dato patris luminum* 5 N.122 Z.4-7, h IV, 87 betont Cusanus, daß die letzte Erfüllung in uns gefunden wird: In hoc enim <<verbo veritatis>> [sc. Jesu Christo] geniti sumus filii lucis, quoniam divitias gloriae regni aeterni in nobis ac intra nos esse revelavit et intellectualem immortalitatem assequi docuit [...].“

sätzliche Gabe in die Vernunft gebracht. Es ist ihre eigene Macht, die nur wie ein Same zum Wachstum angeregt werden muß. Cusanus betont ausdrücklich die Eigenmacht der Vernunft, wenn er hier von ihrem Genügen spricht, das sie schon von Natur aus hat.[839] Es fehlt ihr allein die Kraft, ihre Vermögen zu aktualisieren, sich zu Gott zu erheben. Hierzu bedarf die Vernunft der Stimulation. Dabei kann sie von Geschaffenem angeregt werden oder von Gott eingegossenen Lichtern, wozu etwa das Glaubenslicht gehört. Beiden Arten von Stimuli ist eigen, daß sie nicht die Vernunft über sich selbst hinausführen, sondern nur deren Eigenkraft wecken oder bestärken. Die Möglichkeit ist schon in der Vernunft angelegt, nur wird sie noch nicht wahrgenommen:

„Habet quidem virtus nostra intellectualis lucis divitias ineffabiles in potentia, quas nos habere, cum sint in potentia, ignoramus, quousque per lumen intellectuale in actu existens nobis pandantur, et modus eliciendi in actum ostendatur."[840]

Wenn sie aber wahrgenommen wird, kann sie auch von selbst ergriffen werden.[841] Deshalb hat das Glaubenslicht keinen anderen Inhalt, als die Zuversicht, die Wahrheit erreichen zu können.[842] So kann Cusanus auch erst am Ende der Schrift *De dato patris luminum* auf Jesus Christus, den zentralen Glaubensinhalt, zu sprechen kommen, nachdem er den Glauben schon ausgedeutet hat. Wenn nun Glaube ein durch Gott gewecktes Selbstvertrauen ist, dann muß der Unglaube Selbstzweifel sein:

---

[839] S. *De filiatione dei* 1 N.53 Z.8-10, h IV, 40: „Et haec est sufficientia ipsa, quam ex deo habet virtus nostra intellectualis, quae ponitur per excitationem divini verbi in actu apud credentes."

[840] *De dato patris luminum* 5 N.120 Z.1-4, h IV, 86; vgl. ebd. 5 N.119 Z.8f., h IV, 86: „[Intellectus] per se incedere posse in verbo fidei fortificatus [...]." Diese Formulierung drückt deutlich aus, daß der Glaube nur die Eigenmacht der Vernunft unterstützt (*per se incedere posse, fortificatus*) und dabei selbst nicht als eine der Vernunft äußerliche Ursache auftritt (*in verbo fidei*).

[841] Vgl. ebd. 5 N.120 Z.4-9, h IV, 86: „Sicut in agello pauperis sunt divitiae multae in potentia, quas si sciverit ibi esse et modo debito quaesiverit, reperiet. [...] Sed ratio sibi lumen revelationis praebet, ut sciat illa ibi esse et quod per oviculam lanam [...] eliciat." Aus dem Zusammenhang wird klar, daß *lumen revelationis* hier gerade keine übernatürliche Offenbarung meinen kann, eher eine natürliche, da ganz auf den Bereich der *potentia* der Vernunft eingeschränkt.

[842] S. ebd. 5 N.119 Z.4f., h IV, 85: „Et quia hoc lumine [sc. fidei] ducitur, ut credat se posse attingere veritatem [...]." Wegen der Nähe des Glaubens zur Zuversicht spricht Cusanus auch von *confidere proficere posse* (s. z. B. *De filiatione dei* 2 N.56 Z.12f., h IV, 43).

„Qui enim non credit, nequaquam ascendet, sed se ipsum iudicavit ascendere non posse sibi ipsi viam praecludendo." [843]

Wie in *De docta ignorantia* bestätigt sich auch hier, daß sich jeder
durch den Unglauben selbst zur geistigen Verdammnis verurteilt.
Die Frage stellt sich, ob Cusanus einen Unterschied zwischen einer
natürlichen Erleuchtung durch die Werke der Schöpfung und einer
qualitativ höheren durch ein Gnadenwirken macht. Zunächst ist dies
zu bejahen, da er von den Geschöpfen nur festhält, daß sie das Vernunftvermögen zur Tätigkeit anregen, [844] das heißt, sich der göttlichen
Vernunft zuzuwenden und zu Gott hin aufzubrechen. Die eingegossenen Lichter, vor allem der Glaube, sollen aber zu einer Vervollkommnung und zum Erreichen beitragen. [845] In *De dato patris luminum*
wird nun klar herausgestellt, daß natürliche und eingegossene Erleuchtungen aber auf dieselbe Grundlage in der Vernunft wirken.
Diese wird auch durch die eingegossenen Lichter nicht qualitativ
verändert, denn die endliche Vernunft ist in ihrer *potentia* darauf ausgerichtet, Gott in Jesus Christus zu erreichen. [846] Dies ist der entschei-

---

[843] *De filiatione dei* 1 N.53 Z.10f., h IV, 40f.

[844] S. *De dato patris luminum* 5 N.115 Z.4-6, h IV, 84: „Omnia enim quaecumque creata
sunt, lumina quaedam sunt ad actuandum virtutem intellectualem [...]."

[845] S. ebd. 5 N.119 Z.1-4, h IV, 85: „Sunt et alia lumina, quae [...] ducunt intellectualem
potentiam ad perfectionem, [...] ad apprehensionem veritatis." Vgl. ebd. 1 N.95 Z.1-
4, h IV, 70. Auch Spee hält für die eingegossenen Lichter fest, daß sie „die *potentia*
der Vernunft zur *perfectio*" (ders. 1995, 107) führen. Allerdings spricht gerade dieser
Punkt gegen eine Nähe zu Thomas, da die Übernatürlichkeit der eingegossenen
Gnadenlichter aus dem Blick gerät (gegen dens., 98). Die Möglichkeit der Vernunft
bei Cusanus ist keine Thomasische *potentia oboedientialis* (so legt Spee ebd., 93, mit
Haubst nahe), da sie zwar auch von mit der Schöpfung gegebenen Lichtern angeregt, aber nicht zur Vollendung gebracht werden kann. Sie ist eher mit den Thomasischen Seelenvermögen zu vergleichen. Thomas hält aber gerade hier fest, daß die
Gnade nicht auf die Vermögen, sondern sogar auf das Wesen der Seele selbst wirkt
(s. STh I-II 110, 3 und v. a. 4 c.). Außerdem reicht sie weiter als die Thomasische *potentia oboedientialis*, denn diese findet schon in den Gaben des Hl. Geistes ihre Erfüllung (s. STh III 11, 1 c.) und nicht erst in der Schau des göttlichen Wesens, was bei
Cusanus angelegt ist. Thomas unterscheidet die *perfectio* der geschaffenen Vernunft,
nämlich die Seligkeit, von der Erfüllung, die sie in ihrer Natur findet, s. Scg III 54:
„Aliud igitur oportet esse in substantia intellectuali creata lumen quo divina visione
beatificatur, et aliud quodcumque lumen quo in specie suae naturae completur, et
proportionaliter suam substantiam intelligit." Dagegen betont Cusanus immer wieder, daß die Natur dann erfüllt ist und zur Selbsterkenntnis gelangt, wenn sie Gott
als ewige Wahrheit in der eigenen Natur erreicht. Vgl. Duclow, Donald F.: Mystical
Theology and Intellect in Nicholas of Cusa, in: American Catholic Philosophical
Quaterly 64 (1990) 111-130, 126.

[846] S. *De dato patris luminum* 1 N.94 Z.3f., h IV, 69. Vgl. auch den Mikrokosmosgedanken
in *De coniecturis* II 14 N.143 Z.9-15, h III, 143f.: „Est igitur homo microcosmos aut
humanus quidem mundus. Regio igitur ipsa humanitatis deum atque universum
mundum humanali sua potentia ambit. Potest igitur homo esse humanus deus at-

dende Unterschied zu Thomas. Im Bereich des Geschaffenen wird die vollkommene Aktualität dieser *potentia* noch nicht erlangt.

Eine solche Maximalität ist allein Gott oder dem Gottmenschen vorbehalten. Der Sündenfall Luzifers und Adams bezieht sich gerade darauf, daß sie sich selbst das Vollenden zuschreiben wollten und ohne Gottes Hilfe die höchste Verwirklichung der Vernunft suchten.[847] Zwar streckt sich die endliche Vernunft gerade in ihrer unvollkommenen Verwirklichung bis zur Erkenntnis Gottes aus, doch die Gnade Gottes hat eine Kluft in der endlichen Vernunft zu überbrükken, die für Cusanus schon mit der prinzipiellen Möglichkeit ihrer Erschaffung gegeben ist. Jede individuelle Verwirklichung bedeutet ja eine Zusammenziehung der Möglichkeiten der jeweiligen Art, was zugleich eine Einschränkung und einen Mangel mit sich bringt.[848] Dieser wird von der Gnade ausgeglichen. Der Mangel ist aber nicht in der Natur der endlichen Vernunft gegeben, die ja in ihrem *desiderium naturale* bis nach einer seligen Anschauung im Sinne einer Sohnwerdung ausgreift[849], sondern erwächst aus ihrer jeweiligen individuellen Verwirklichung. Nur Jesus bildet eine Ausnahme, da seine Individualität göttlich ist, eben ein *maximum contractum et absolutum*. Der Glaube gehört also als eine derartige Gnadengabe in eine Bewegung der Vervollkommnung der endlichen Vernunft hinein, doch wird diese dadurch nicht über sich hinaus erhoben, sondern allein in ihren Möglichkeiten bestärkt und diese zur Verwirklichung geweckt. Insofern ist es wenig verwunderlich, daß für Cusanus fundamentale Glaubensgeheimnisse von der Vernunft allein erkannt werden können, gehören sie doch zu deren *potentia.*

Die These, daß der Glaube auch als eingegossenes Licht und Gnadengabe Gottes doch in den Bereich der Natur der Vernunft gehört,

---

que, ut deus, humaniter potest esse humanus angelus, humana bestia [...]. Intra enim humanitatis potentiam omnia suo existunt modo."

[847] S. ebd. N.95 Z.1-12, h IV, 70.

[848] S. ebd. N.94 Z.1-6, h IV, 69: „Quoniam autem non omnis natura data gradum possibilis perfectionis speciei suae actu attingit, sed quaelibet individualis contractio speciei ab ultima perfectione activitatis potentiae - praeterquam in uno domino nostro Iesu Christo - abesse dinoscitur, tunc opus habet intellectus, cuius potentia ambit omne, quod non est creator eius, ad hoc, ut ad apprehensionem actuetur, dono gratiae creantis." Interessanterweise spricht Cusanus gerade hier, wo der Gedanke an eine Erhöhung am naheliegendsten wäre, bei der Wirkung der Gnade nicht von einem *elevare*, das er sonst durchaus gebrauchen kann, sondern parallelisiert sie durch die Wahl des Wortes *actuare* mit den Wirkungen der natürlichen Lichter.

[849] S. *De filiatione dei* 1 N.54 Z.1-4, h IV, 41: „Et cum filiatio ipsa sit ultimum omnis potentiae, non est vis nostra intellectualis citra ipsam theosim exhauribilis neque id ullo gradu attingit, quod est ultima perfectio eius, citra quietem illam filiationis lucis perpetuae ac vitae gaudii sempiterni."

wird noch durch eine eigentümliche Cusanische *coniectura* in *De dato patris luminum* bekräftigt. Cusanus legt die Geschöpfe als Gaben Gottes aus. Da sie aber nach dem Wort des Jakobusbriefes beste Gaben sind, da jedes Geschaffene sehr gut ist, und da Gott selbst der beste ist, kann das Geschöpf als ein gegebener Gott, *deus datus*[850], gedacht werden. Philosophisch folgt dies auch aus der grundsätzlichen Bestimmung des Guten als *diffusivum sui*. So kommt Cusanus schon für alles Geschaffene zu einer Formulierung, die auf die von ihm gerne für die hypostatische Union verwendete Formel *creator et creatura* hinläuft und diese fast schon vorwegnimmt:

„Communicat igitur [sc. optimum] se indiminute. Videtur igitur quod idem ipsum sit deus et creatura, secundum modum datoris deus, secundum modum dati creatura."[851]

Selbst wenn Cusanus diese Ausdrucksweise mit Vorsicht gebraucht, so wird dennoch deutlich, daß für ihn gerade auch in der Schrift *De dato patris luminum,* in der er die Gnade am stärksten zum Gegenstand einer Abhandlung gemacht hat, Gnade und geschaffene Natur und entsprechend auch Glaube und endliche Vernunft in einen einzigen Bereich zusammengehen. In höchster und konstitutiver Weise realisiert dies aber erst Jesus Christus, der zugleich Schöpfer und Geschöpf ist.

In einer gewissen Spannung hierzu scheint die ebenfalls aus dem Jahre 1445 stammende Schrift *De quaerendo deum* zu stehen. In ihr wird in der Deutung des Gottesnamens *deus* beziehungsweise *theos* ein Weg aufgezeigt, wie die Vernunft im Überstieg über sich selbst die endgültige Vereinigung mit Gott im Glorienlicht vorbereitet, indem sie das Gottsuchen einübt. Zunächst scheint die suchende Vernunft keiner zusätzlichen Gnadengabe Gottes zu bedürfen und sich im Ausgang vom Geschaffenen zu den höchsten Erkenntnissen erheben zu können. Wenn nur richtig gesucht wird, kann Gott auch gefunden werden.[852] Die Vernunft bedarf allein, wie auch oben festgehalten, äußerer Anregungen. Diese wecken die *admiratio*, aus der heraus dann die Vernunft Gott als Prinzip, Mitte und Ziel von allem erkennt. Hieran schließen sich Einsichten in die göttliche Allmacht und die Jenseitigkeit Gottes zu allem Endlichen an. Diese scheinen nun alle ohne be-

---

[850] *De dato patris luminum* 2 N.97 Z.8, h IV, 72.

[851] Ebd. 2 N.97 Z.14-17, h IV, 72.

[852] S. *De quaerendo deum* 1 N.31 Z.15-17, h IV, 22: „Hac igitur via, frater mi, stude diligentissima speculatione quaerere deum, quoniam non potest non reperiri, si recte quaeritur, qui ubique est."

sonderes göttliches Wirken selbständig von der Vernunft entwickelt zu
werden, was sich auch darin äußert, daß sie sich zu diesem Zweck
verschiedene Aufstiegswege und -leitern bauen kann. Dabei wird Gott
nicht allein erkannt, vielmehr erkennt er selbst in unserem Erkennen,
so wie etwa die Vernunft das Licht ist, aus dem der darunter stehende
Verstand schöpft.[853] Ohne göttliches Gnadenwirken erscheint damit
die Vernunfteinsicht als unmittelbare Gegenwart Gottes, doch diese
Konzeption nimmt Cusanus zurück beziehungsweise verfeinert sie. Er
unterscheidet nun ein Erreichen der Ruhe in der völligen Erkenntnis
Gottes von einem bloßen Suchen der Vernunft. Ersteres ist allein
durch Gott möglich.[854] Für das Erreichen ist die Gnade Gottes nötig,
das heißt konkret der Glaube an Gott als Geber von allem Besten.[855]
Der Glaube kann nicht verdient werden, sondern ist ein ungeschuldetes Geschenk Gottes. Dagegen scheint das Suchen als ein Aufbruch zu
Gott der Vernunft schon mit ihrer Erschaffung eingepflanzt zu sein[856],
quasi ihrem natürlichen Licht zu entspringen und vom Erreichen
völlig getrennt zu sein. So würde der Glaube zu einer Erhöhung der
Vernunft, wie sie keine Verwirklichung einer Möglichkeitsanlage derselben wäre. Dann stünde Cusanus hier im Widerspruch zu sich selbst,
zumindest was die oben dargestellten Schriften betrifft. Die Gnade,
wie auch immer zu präzisieren, käme in ihrer Eigenstellung zur Geltung. Jedoch sind für Cusanus auch hier Vernunft und Glaube, Natur
und Gnade schon immer zumindest im Ansatz verbunden, denn er
formuliert:

„Iam palam nobis est, quod ad ignotum deum attrahimur per motum luminis
gratiae eius, qui aliter deprehendi nequit, nisi se ipsum ostendat. Et quaeri
vult. Vult et quaerentibus lumen dare, sine quo ipsum quaerere nequeunt.
Vult quaeri, vult et apprehendi, quia vult quaerentibus aperire et se ipsum
manifestare. Quaeritur igitur cum desiderio apprehendendi et tunc quaeritur

---

[853] S. ebd. 2 N.36 Z.1-11, h IV, 25f.
[854] S. ebd. 3 N.38 Z.5-7, h IV, 27: „[...] nostra natura intellectualis non potest ad felicitatem quietis attingere nisi in lumine principii sui intellectualis.“ S. auch ebd. 3 N.39
Z.1-3, h IV, 27: „Iam palam nobis est, quod ad ignotum deum attrahimur per motum luminis gratiae eius, qui aliter deprehendi nequit, nisi se ipsum ostendat.“ Vgl.
ebd. 3 N.41 Z.1-5, h IV, 28.
[855] S. ebd. 3 N.41 Z.9-14, h IV, 29. Cusanus formuliert hier in Anlehnung an Hebr 11,6,
gibt aber keine genauere Ausdeutung. Aus der bisherigen Darstellung ist aber klar,
daß Gott nur in der Inkarnation ein Gebender sein wird, der zum Endziel erhebt.
Auf Jesus Christus kommt Cusanus aber inhaltlich in *De quaerendo deum* nicht weiter
zu sprechen.
[856] S. ebd. 1 N.18 Z.6f., h IV, 14: „[...] homo ad hoc ingressus est hunc mundum, ut
deum quaerat et invento adhaereat et adhaerendo quiescat [...].“ Vgl. ebd. 3 N.43
Z.1f., h IV, 29.

theorice cum cursu ducente currentem ad quietem motus, quando cum maximo desiderio quaeritur."[857]

Noch könnte man versucht sein, einen Bereich des Gnadenwirkens von einem anderen zu scheiden und der Gnade erneut nur ein Erreichen, *deprehendi*, zuzuschreiben, das über die Anlage der Vernunft zur Suche nach Gott hinausführt. Das Licht, das den Menschen erst zur Suche nach Gott befähigt, für die er geschaffen ist, wären die natürlichen Lichter, das heißt alles, was die Vernunft anregt, ihre Anlagen zu verwirklichen. Cusanus verbindet jedoch beides, wenn er die Bestimmung der Vernunft als ein Suchen präzisiert, das auch ein Erreichen miteinschließt. Das *desiderium naturale* der Vernunft nach Erkenntnis, ist zugleich ein *desiderium apprehendendi*. Es wäre für Cusanus absurd anzunehmen, Gott könne den Menschen unter eine Bestimmung gestellt haben, die für ihn unerfüllbar bleibt. Das Suchen ist nur ein Suchen, weil es ein Suchen des Findens ist. Nur als Mensch findet der Mensch Gott, das heißt, sein Ziel ist der Gottmensch, in dessen Menschwerdung er hineingenommen wird. Diese Glaubensmysterien sind für Cusanus schon in den einfach klingenden Formulierungen, der Mensch suche Gott, gegeben. Das Wort *sis tu tuus et ego ero tuus* aus *De visione dei* findet sich damit inhaltlich schon ganz in *De quaerendo deum* wieder, wenn Suchen und Finden zu einem *desiderium apprehendendi* verbunden werden. Das bedeutet, daß im *desiderium naturale* der endlichen Vernunft Natur und Gnade für Cusanus vereint sind.

De quaerendo deum gibt etwa mit der oben zitierten Stelle den Hinweis darauf, warum Cusanus nicht überall, wo er Jagden nach der göttlichen Weisheit unternimmt, auf Jesus Christus als die Erfüllung und den Glauben an diese Erfüllung als notwendige Bestärkung auf dieses Ziel hin zu sprechen kommen muß. Es wird nur das *desiderium maximum* verlangt, das heißt ein völliges Vertrauen der Vernunft, in ihren verschiedensten Verstehensansätzen wirklich Gott auf die Spur

---

[857] Ebd. 3 N.39 Z.1-8, h IV, 27f. Spee 1995, 102, entnimmt dieser Stelle für die Gnadenlichter zwei Funktionen, nämlich den Geist für die Suche zu öffnen und eine maximale Sehnsucht einzugeben, die nur in Gott gestillt werden kann. Hierzu ist zu sagen, daß erstens diese Stelle für die Gnade nichts anderes besagt, als daß sie die Möglichkeit der Vernunft zu ihrer Vollkommenheit führt, was Spee selbst bezüglich des Glaubenslichtes festgestellt hat (s. ders. 1995, 97f.). Zweitens gibt sowohl diese Stelle als auch die Bedeutung des Glaubenslichtes, wie sie oben in Übereinstimmung mit Spee dargestellt wurde, gerade kein hinreichendes Fundament, um die „Gratuität des *donum gratiae*" hervorzuheben (ebd., 102). Spee hält ja selbst als Konklusion seiner Arbeit fest, daß bei Cusanus „in der Schöpfungsordnung die menschliche Natur faktisch immer schon eine begnadete ist" (ebd., 118). Genau dies kommt aber doch zum Ausdruck, wenn Gott mit dem Suchen auch schon das Erreichen-Wollen gibt.

zu kommen. Dieses führt nämlich schon zur Ruhe, die allein Jesus Christus ist. Das *desiderium maximum* kommt in dieser Funktion mit dem Glauben überein. Als maximales ist es für das Cusanische Denken ohnehin nicht in die Macht eines endlichen Wesens gestellt. Ein derartiges Streben äußert sich aber gewiß darin, das Maximitätsprinzip in Anschlag zu bringen. Wie weit dieses reicht, hat die Analyse von *De docta ignorantia* gezeigt. Wenn der Glaube als Vertrauen der Vernunft in die Realisierung ihrer Anlagen so bestimmt ist, muß es wenig verwundern, daß Cusanus ihn so selten in seinen theoretischen Werken thematisiert. Er spricht immer schon von ihm – bis in die Konkretion des Glaubensbekenntnisses hinein –, sofern er nur die schöpferische Eigenmacht der Vernunft sich in ihrem Suchen und Jagen nach Gott ohne Zaudern entfalten läßt. Deshalb soll im nächsten Abschnitt der Spur des Glaubens im produktiven Verständnis der Abbildnatur des Menschen nachgegangen werden.

III. PHILOSOPHISCHES EXPERIMENTIEREN ALS GLAUBENS-VOLLZUG

1. Das produktive Verständnis des Menschen als Bild Gottes

Der Mensch als endliches Vernunftwesen ist auf Gott hin geschaffen. Deshalb strebt er nach Gott. Sein Ziel ist es, Gott, seinen Schöpfer zu schauen und so mit ihm vereint zu sein. Cusanus deutet die Schau so, daß das Vernunftgeschöpf das göttliche Schöpferwissen erkennen wird, das ihn hervorgebracht hat:

> „Quid enim amplius desiderari posset per scire desiderantem, quando causatum suae causae scientiam in se intuetur? Tunc enim suae creationis rationem et artem habet, quae est omnis desiderii sciendi perfectio et complementum [...]."[858]

Der Mensch als Verursachtes möchte die Kluft von Ursache und Wirkung überwinden und mit seiner eigenen Ursache verbunden sein. Cusanus sieht also unter dem Blickwinkel des Geschaffenen die letzte Bestimmung des Geschöpfes darin, die Schöpfung wieder zu ihrem Schöpfer zurückzuführen. Dabei ist die Rückkehr gerade als Umkehrung der Schöpfung zu nehmen und wird von Cusanus auch unter deren Kategorien gedacht. Ziel ist die Erkenntnis Gottes als

---

[858] *De ludo globi* II N.102 Z.5-8, h, IX, 127. Vgl. u. a. *De possest* N.38 Z.1-11, h XI/2, 45f.

Schöpfer. Diese geht nun allerdings für Cusanus, wie schon öfters ausgeführt, mit der göttlichen Trinität zusammen. Die göttliche Kunst als das göttliche Wissen ist aber traditionsgemäß der Sohn, das göttliche Wort. Es wird vom Menschen durch Teilhabe oder Gemeinschaft erreicht.[859] Das Ziel des Menschen ist also auf die gemäß traditioneller Lehre nach außen gehende Tätigkeit Gottes gerichtet, die mit der Schöpfung der Welt völlig Neues hervorbringt. Ebenso steht die Cusanische Deutung der Menschwerdung unter diesem produktiven Gesichtspunkt. Jesus ist primär die Vollendung der Welt und in *De docta ignorantia* sogar der Rückgang der göttlichen Schöpfermacht in sich selbst. Offenbar werden in ihm und durch ihn in erster Linie die göttliche Allmacht[860] sowie – dies ist genau zu beachten – die göttliche Güte im Sinne der Allmacht. Zumindet ist sie so vor allem für das Cusanische Denken gegenwärtig.

Entsprechend begreift sich auch das Vernunftgeschöpf als schöpferisch. Schon oben wurde festgestellt, daß die Sohnwerdung, also die Vereinigung mit dem Gottmenschen, schon im Menschen im Sinne einer *potentia* angelegt ist. Der Glaube und das Glaubenswissen hat ebenfalls nur den Sinn einer Aktualisierung, die zwar nicht in der Macht des Geschöpfes steht, dieses aber auch nicht über sich hinaus erhebt. Immer wieder betont Cusanus, daß ein Wesen sein Ziel in seiner eigenen Natur und nicht außerhalb finden will. Die Bestimmung des Menschen ist, Gott zu suchen, wie *De quaerendo deum* festhält. Cusanus stellt zwar wiederholt heraus, daß Gott in allem gegenwärtig ist, doch ebensogut gilt auch das Gegenteil. Die Gegenwart Gottes als Schöpfer und Erhalter der Welt ist für das Cusanische Denken immer nur im Sinne einer Suche oder dauernden Vergegenwärtigung zu halten. In diesem Sinne zeichnet es sich durch eine konstitutive Ruhelosigkeit aus. Immer neu sucht es die endlichen Begrifflichkeiten zu überwinden. Statt affirmativer oder negativer Theologie unternimmt Cusanus immer neue Anläufe, beides im Sinne der mystischen Theologie zu vereinigen.[861] Genau diese Art zu denken, im Dunkel der Unwissenheit die endlichen Begriffe jenseits aller endlichen Erkenntnisprinzipien wie etwa des Widerspruchsprinzips aufzulösen und in dieser Auflösung die Nähe der allein Gott zukommen-

---

[859] S. *De ludo globi* II N.102 Z.14-16, h, IX, 128: „Ars creativa, quam felix anima assequetur, non est ars illa per essentiam quae deus est, sed illius artis communicatio et participatio."

[860] S. etwa *De dato patris luminum* 4 N.111 Z.29f., h IV, 82: „Sic plane videmus quomodo filius in divinis est ostensio vera patris secundum omnipotentiam absolutam et lumen infinitum."

[861] S. z. B. *De filiatione dei* 3 N.70 Z.1-7, h IV, 51f. und 5 N.83 Z.7-17, h IV, 59f.

den absoluten Präzision zu verkosten, macht aber das Suchen und die produktive Bestimmung des Menschen aus.[862] Entscheidend ist, daß er seiner Vernunft vertraut, wenn sie den scheinbar sicheren Boden der endlichen Verstandeserkenntnisse verläßt. Der Glaube, Gott als das Ziel erreichen zu können, soll dabei alle Erkenntniseinfälle der Vernunft leiten. Da die Vernunft in ihrer Suche jedes Erkennen, das auf der Sicherheit der Unvereinbarkeit von Gegensätzen aufbaut, verläßt und keiner auf Prinzipien aufbauenden Philosophie mehr folgen kann, ist sie auf den Glauben als Richtschnur angewiesen, der ihre Eigentätigkeit in diesem Bereich weckt und auf ihr Ziel hinweist.[863] Gerade in der intellektuellen Suche nach Gott, in der Cusanus immer neuen Begriffseinfällen vertraut, sie bald aber auch wieder hinter sich läßt und ein noch lange nicht abgeschlossenes Jagdrevier von mehreren Regionen und Feldern entwirft[864], kommt die endliche Vernunft ihrer eigenen, gottgewollten Bestimmung nach, Gott zu suchen. Als diese Art Abbild Gottes, als *imago dei viva*[865], ist sie von ihm geschaffen worden.

Wie Gott, sofern er in seiner Unendlichkeit nicht völlig dem Denken der endlichen Vernunft entrückt ist, in erster Linie hinsichtlich seiner Allmacht gedacht wird, auch was Trinität und Inkarnation betrifft, so wird der Mensch als Bild des göttlichen Urbildes im Sinne des Schöpfers begriffen. Gerade in seiner Fähigkeit, etwas hervorzubringen, konkret Erkenntnisse, mathematische Begriffe oder neue Begrifflichkeiten, spiegelt die endliche Vernunft die göttliche Trinität wie-

---

[862] Vgl. die Formulierung in *De beryllo* N.32 Z.6f., h ²XI/1, 35: „Magnum est posse se stabiliter in coniunctione figere oppositorum." S. auch *De circuli quadratura* Z.141-144, h X/2a, 93.

[863] S. *De dato patris luminum* 5 N.119 Z.4-10, h IV, 85f.: „Et quia hoc lumine [sc. fidei] dicitur, ut credat se posse attingere veritatem, quam tamen adiutorio rationis, quae est quasi instrumentum eius, attingere nequit, et sic infirmitatem seu caecitatem, ob quam baculo rationis innitebatur, quodam conatu sibi divinitus indito linquit et per se incedere posse in verbo fidei fortificatus ducitur indubia spe assequendi promissum ex stabili fide, quo amoroso cursu festinanter apprehendit."

[864] S. die Anlage von *De venatione sapientiae* von 1462 (s. ebd. 11 N.30 Z.3-10, h XII, 30).

[865] S. hierzu Bredow, Gerda von: Im Gespräch mit Nikolaus von Kues. Gesammelte Aufsätze 1948-1993, hrsg. von Schnarr, Hermann, Münster 1995, 99-109. Sie findet den ersten Beleg für diese Formulierung in *Sermo* CXVIII von 1452 (s. ebd., 131), allerdings spricht Cusanus schon in den 1450 vollendeten Werken *Idiota de sapientia* (s. ebd. I N.18 Z.2, h ²V, 38) und *Idiota de mente* von *viva imago dei* (s. ebd. 7 N.106 Z.9f., h ²V, 159) bzw. *artis infinitae perfecta et viva imago* (vgl. ebd. 13 N.149 Z.11f., h ²V, 204). Ansonsten verwendet er öfters *viva dei similitudo* (s. etwa *De filiatione dei* 6 N.86 Z.2f. und 5f., h IV, 61f. sowie öfters in *Idiota de mente*). S. dann später *De pace fidei* 8 N.24, h VII, 25 Z.14-16 und besonders *De venatione sapientiae* 17 N.50 Z.4, h XII, 457 (dort im Apparat weitere Verweisstellen); vgl. Watts, Pauline Moffitt: Nicolaus Cusanus. A Fifteenth-Century Vision of Man [= Studies in the History of Christian Thought 30], Leiden 1982, 87-116.

der.[866] Die Tatsache, daß der endliche Geist immer nur nach der Vollkommenheit streben kann und so stets neue Entwürfe gestaltet, zeigt seine Abbildhaftigkeit. Der berühmte Beispiel vom Löffelschnitzer, an dem die Eigenart der menschlichen Kunst demonstriert werden soll, hebt gerade die Fähigkeit des Vervollkommnens hervor, die besonders die Ähnlichkeit mit Gott begründet:

„Tales enim formae cocleares [...] sola humana arte perficiuntur. Unde ars mea est magis perfectoria quam imitatoria figurarum creatarum, et in hoc infinitae arti similior."[867]

Dadurch, daß die endliche Vernunft das sonst in und mit der Schöpfung Gegebene verbessert und vervollkommnet, ahmt sie den Gott nach, der als das Maximum immer ein Bestes hervorbringt. Insofern kann es kaum erstaunen, daß Cusanus nicht nur bestrebt war, die bisherige Theologie zu erneuern oder andere Wissenschaften wie etwa die Mathematik zu vollenden – man denke nur an den Titel der Schrift *De perfectione mathematica* von 1458 –, sondern auch versucht hat, die eigenen Gedankengänge in immer neuen Anläufen zu präzisieren. Besonders in seinen Spätschriften, die um einen möglichst treffenden Gottesnamen ringen, wird dies plastisch. Gerade die Fähigkeit der Vernunft, sich Gott immer ähnlicher zu machen, läßt sie zu jenem Abbild werden, das dessen Unendlichkeit und Vollkommenheit am adäquatesten ausdrücken kann. Es ist ein wesentlicher Punkt bei Cusanus, daß die Unendlichkeit Gottes, die eng mit der Maximalität verbunden ist, sich auf die gesamte Wirklichkeit und insbesondere auf die Vernunftwesen niederschlägt. Das Sein jedes Geschaffenen wird gerade in seinem Verlangen nach Maximalität zu einem Bild der göttlichen produktiven Trinität.[868] Unter dem Gesichtspunkt des ständigen Sich-Vervollkommnens kann Cusanus den

---

[866] S. *Idiota de mente* 13 N.149 Z.14-19, h ²V, 204f.: „Sic mens nostra, etsi in principio creationis non habeat actualem resplendentiam artis creatricis in trinitate et unitate, habet tamen vim illam concreatam, per quam excitata se actualitati divinae artis conformiorem facere potest. Unde in unitate essentiae eius est potentia, sapientia et voluntas." Vgl. *De coniecturis* II 14 N.145, h III, 145f.

[867] *Idiota de mente* 2 N.62 Z.12-14, h ²V, 96. Auf den Akzent des Vervollkommnens weist Watts 1982, 135f., hin. Das Vervollkommnen als der eigentliche Kern der Ebenbildlichkeit qualifiziert das sonst herausgestellte Erwerben von Wissen im Gegensatz zu einem bloßen Besitzen (so etwa bei Bredow 1995, 127f.) genauer. Das Vervollkommnen bringt den Aspekt des Unendlichen klarer zur Geltung.

[868] S. *De pace fidei* 8 N.24, h VII, 25 Z.16 - 26 Z.2; vgl. mit weiteren Parallelstellen Bredow 1995, 61-65.

geschaffenen Geist sogar als vollkommenes Abbild bezeichnen.[869] Hierin hat sich die göttliche Kunst als hervorbringende im Endlichen selbst hervorgebracht, soweit dies möglich ist.[870] Unter diesem Gesichtspunkt ist auch die hohe Würdigung der eigenständigen Erkenntnisarbeit im Gegensatz zum Autoritätsgehorsam, die Cusanus in seinen *Idiota*-Schriften vertritt und selbst praktiziert, zu verstehen.

2. Begriffserfindungen als Glaubenseinsicht

a) Die Trinitätsspekulationen von *De possest*

Wenn man beachtet, daß Cusanus den Abbildcharakter des Menschen vor allem in seiner Vernunft verwirklicht sieht, sofern diese die göttliche Schöpfertätigkeit in ihren geistigen Erfindungen nachahmt, so kann man auch nachvollziehen, daß der Glaube als in Jesus Christus gegründetes Selbstvertrauen der Vernunft letztlich auch in den mehr „philosophischen" Schriften am Werk ist. Sofern jegliche Jagd nach Erkenntnis von dem Verlangen motiviert ist, die letzte Wahrheit auch zu erfassen, wird sie zu einem Zeugnis des Cusanischen Glaubensverständnisses. Sogar wenn er sich in Bereiche begibt, in denen die Vernunft ganz ihre eigene Kraft erproben darf, wird sie letztlich vom Glauben geleitet. Selbst wenn sie sich von jeglicher Autorität löst, bleibt sie durch ihr Erkenntnisbegehren um so enger mit der christlichen Wahrheit verbunden. In ihren eigenen Gedankengängen stößt sie auf die Erkenntnis, die ihr nicht fremd bleiben muß, da sie ihr mit ihrer eigenen Natur gegeben ist, auch wenn sie sie immer erst suchen muß. Dieser Art von Vernunft hat Cusanus etwa in der Figur des *idiota* eine menschliche Gestalt gegeben. Ohne falsche Bescheidenheit kann der Einfältige in der Schrift *Idiota de sapientia* auf seine Ungelehrtheit und sogar seine Unwissenheit hinweisen, von aller Autorität des Bü-

---

[869] S. *Idiota de mente* 13 N.149 Z.3-12, h ²V, 203f.: „[...] potentiam habet [sc. imago] se semper plus et plus sine limitatione inaccessibili exemplari conformandi - in hoc enim infinitatem imaginis modo, quo potest, imitatur, quasi si pictor duas imagines faceret, quarum una mortua videretur actu sibi similior, alia autem minus similis viva, scilicet talis, quae seipsam ex obiecto eius ad motum incitata conformiorem semper facere posset, nemo haesitat secundam perfectiorem quasi artem pictoris magis imitantem - sic omnis mens etiam et nostra, quamvis infra omnes sit creata, a Deo habet, ut modo quo potest sit artis infinitae perfecta et viva imago." Vgl. *De visione dei* 16 N.72f., 200-202, weitere Hinweise bei Hoffmann, Fritz: Die unendliche Sehnsucht des menschlichen Geistes, in: MFCG 18 (1989) 69-85.

[870] S. *Idiota de mente* 13 N.148 Z.8f., h ²V, 203: „Unde mens est creata ab arte creatrice, quasi ars illa seipsam creare vellet [...]." Vgl. den Brief an Nikolaus Albergati N.8f., CT IV/3, 28-30.

cherwissens – ob er auch die Heilige Schrift meint, sei hier dahingestellt – absehen und doch die christliche Weisheit besser als viele andere erfassen und lehren.[871] Die Dialogform, die Cusanus sehr häufig für seine Schriften wählt, zeugt ebenfalls von einem Glaubensverständnis, das innerlich eng mit Suchen, Erarbeiten und eigenständiger Einsicht verbunden ist. Die schon in *De docta ignorantia* von ihm selbst bemerkte Vorliebe für neue und ungewöhnliche Formulierungen und Gedankengänge entspricht genau der Bestimmung des Menschen, die Wahrheit immer wieder präziser zu erfassen zu suchen. Besonders merkwürdig anmutende Einfälle stehen angesichts des bisher Gesagten in einer direkten Verbindung zum Glauben im Cusanischen Verständnis. Dies soll anhand des Trialoges *De possest* von 1460 aufgezeigt werden. Er ist hierfür besonders gut geeignet. Erstens demonstriert er vor allem an den von Cusanus und seinen Gesprächspartnern erfundenen Gottesnamen, wie sich das produktive Abbildverständnis konkretisiert. Zweitens wird inhaltlich am Beispiel des Trinitätsgeheimnisses offensichtlich, daß für die endliche Vernunft die Glaubensinhalte nicht in einen ihr unzugänglichen Bereich gehören. Drittens kommt Cusanus in dieser Schrift ausdrücklich auf den Glauben zu sprechen. Dabei werden nicht nur erneut suchende Vernunft, Glaube und Inkarnation eng miteinander verknüpft, sondern das Glaubensverständnis wird selbst Gegenstand einer Begriffserfindung.

Der Trialog *De possest* hat die Frage nach der Gotteserkenntnis und dem angemessensten Gottesbegriff zum Gegenstand. Deshalb setzt er mit der hierfür nicht nur für das Mittelalter einschlägigen Bibelstelle Röm 1,20 ein. Im Ausgang von der Schöpfung, das heißt von der Grundunterscheidung Möglichkeit, *posse*, und Wirklichkeit, *esse* als *actus*, wird als angemessenster Begriff für das allem zugrunde liegende Prinzip die aus *posse* und *est* zusammengesetzte Formulierung *possest* geprägt. Dies führt der erste Abschnitt des Trialoges (N.3-30) aus. Der Gottesbegriff *possest* sowie weitere Einfälle der Gesprächspartner werden im dritten Abschnitt (N.40-72) hinsichtlich ihrer Erschließungskraft für das Trinitätsgeheimnis ausgedeutet. Schon die Anlage als Trialog weist darauf hin, daß es um die Trinität geht. Der Mittelteil (N.31-39) ist der Frage gewidmet, was der Glaube sei und welche Rolle er für die Erkenntnis spiele. Hier kommt Cusanus auf Jesus Christus

---

[871] S. *Idiota de sapientia* I N.3 Z.9-12, h ²V, 5f.: „Hoc est quod aiebam, scilicet te duci auctoritate et decipi. Scripsit aliquis verbum illud, cui credis. Ego autem tibi dico, quod >>sapientia foris<< clamat >>in plateis<<, et est clamor eius, quoniam ipsa habitat >>in altissimis<<.“ Der Blick auf Gottes Schöpfung genügt dem Einfältigen.

zu sprechen, so daß auch in diesem Werk beide Hauptgeheimnisse des Christentums vorkommen. Klar ergibt sich, daß im Ausgang von den Geschöpfen die Trinität zum Beispiel mittels des Begriffes *possest* erschlossen werden kann.[872] Das rechte Verständnis von der geschaffenen Welt gibt die Dreieinigkeit des göttlichen Prinzips frei. Dies hat Cusanus auch sonst immer wieder vorgetragen. Entscheidend für diese Gedankengänge ist aber, daß für Cusanus die Trinität nicht nur im Ausgang von der Welt als Schöpfung und Ausdruck der göttlichen Allmacht steht, sondern daß sie selbst wesentlich vom Begriff der Allmacht geprägt ist. Der Gottesbegriff *maximum*, wie er etwa in *De docta ignorantia* leitend war, läßt sich in den des *possest* übersetzen und so für Cusanus – auf dem Stand von *De possest* – noch vertiefen. *Possest* ist dem menschlichen Begreifen nach ein für Gott durchaus geeigneter Name. Obwohl es ein Cusanisches Kunstwort ist, das vorher so nicht belegt werden kann, trifft es in den Augen von Cusanus genau das, was Gott selbst in der Heiligen Schrift schon immer von sich geoffenbart hat, daß er nämlich die Wirklichkeit jeder Möglichkeit, *actus omnis potentiae*[873], sei. In diesem Sinne deutet Cusanus auch die zentrale Stelle Ex 3,14, wo Gott seinen Namen als *Ego sum qui sum* offenbart. Wenn nun dieses Schriftwort aus Gottes Mund etwa bei Thomas die Einsehbarkeit Gottes für die natürliche Vernunft verbürgt und gerade auf die Einfachheit seines Wesens hinweist,[874] so belegt es bei Cusanus die Angemessenheit seines eigenen Kunstwortes, das wiederum mit einem Schlag Gottes Dreieinigkeit – produktiv verstanden als *posse, esse* und *nexus* der beiden – ausdrückt.

Dieser erfundene Gottesnamen erlaubt nach dem Bekunden des Kardinals im Trialog einen geistigen Aufstieg, der bis in die mystische Schau führt.[875] Der aus der Denkleistung der endlichen Vernunft hervorgegangene Begriff, mit dem sie die vielheitliche Welt auf ihr einheitliches Prinzip zurückführt, gewährt nicht nur eine Einsicht in das

---

[872] S. die deutliche Formulierung *De possest* N.47 Z.1f., h XI/2, 57: „Intelligo nos consideratione creaturarum habita creatorem unitrinum affirmare [...].“

[873] Ebd. N.14 Z.12, h XI/2, 18.

[874] S. STh I 2, 3 sed contra und 3, 2 c. Thomas führt das Bibelwort an der letztgenannten Stelle gerade dazu an, um hervorzuheben, daß in Gott keine Potentialität zu finden und er als reiner Akt zu denken ist. Dem würde zwar Cusanus ebenfalls zustimmen, dennoch trägt er in seinen Gottesbegriff den Gedanken der Potentialität hinein, nun jedoch als die göttliche Tätigkeit der Allmacht. Damit löst er sich von den durch das Aristotelische Denken gesetzten Begriffsgrenzen. Auch hier öffnet ihm der Gedanke der Koinzidenz den Weg, s. *De possest* N.8 Z.7f., h XI/2, 9: „Hoc facile videt quisque attendens absolutam potentiam coincidere cum actu.“

[875] Ebd. N.15 Z.1-4, h XI/2, 19: „Ducit ergo hoc nomen speculantem super omnem sensum, rationem et intellectum in mysticam visionem, ubi est finis ascensus omnis cognitivae virtutis et revelationis incogniti dei initium.“

„Daß" der Trinität, sondern entrückt den Denkenden auch in die Nähe derselben. Hier wird noch deutlicher als in *De visione dei*, wie eng die Cusanische Mystik mit geistigen Erfindungen und Mut zu Begriffsspekulation und ungewöhnlichen Gedankengängen verbunden ist. Dabei sucht Cusanus keine Liebesvereinigung als rein affektiven Akt, in dem das Denken ganz aufgegeben werden soll. Ebensowenig geht es um eine Nachfolge Christi in der Weise, daß Jesu irdisches Leben in der Betrachtung der Evangelienschilderungen vergegenwärtigt und auf diese Weise aufgenommen und nachgeahmt wird. Vielmehr realisiert sich die Cusanische Mystik im produktiven Nachvollzug der Glaubensgeheimnisse und im Überstieg über die dem Verstandesprinzip unterworfene Welt. War diese in *De visione dei* christologisch ausgerichtet, so in *De possest* trinitätstheologisch. Dabei kommt es wesentlich darauf an, sich nicht auf bestimmte Formulierungen und einzelne Gedankengänge zu fixieren. Sie treffen ohnehin nie völlig genau. Entscheidend ist dagegen, in immer neuen Anläufen der endlichen Vernunft nach Gott zu suchen und diese Welt der Gegensätze hinter sich zu lassen.

In dieser Weise verstehen auch die beiden Gesprächspartner den Kardinal und setzen das Gelernte oder gar Geschaute in eigenen Einfällen um. So kann die kurze lateinische Vorsilbe *IN* nach Ansicht des Diskussionsteilnehmers Johannes das dreieine Prinzip vergegenwärtigen helfen.[876] Im *IN* sind *I* und *N*, Einfachheit und entfaltete Einfachheit, in Einheit verbunden, was sich auch im Lautbestand hörbar wird, sofern auf das Griechische zurückgegriffen wird. Auch bei dieser Deutung wird das Verhältnis von *I* zu *N* wie beim *possest* unter dem Gesichtspunkt der Macht betrachtet.[877] Das Verhältnis Gottes zur Welt läßt sich ebenso am *IN* ablesen wie die Tatsache, daß eine Rede über Gott, das heißt Theologie, nur jenseits aller einseitigen Bejahungen und Verneinungen möglich ist. Die von Johannes zu einem theologischen Hilfsmittel par excellence erhobene Vorsilbe *IN* ist so reich an Bedeutungen, daß sie geradezu nach Gott als Interpreten ruft.[878] Der andere Gesprächsteilnehmer Bernard will diesem Einfall nicht nachstehen und sieht im Buchstaben *E*, der in *posse, esse* und *nexus* vorkommt, ein geeignetes Rätselbild für die trinitätstheologische Speku-

---

[876] S. zum Folgenden ebd. N.54-56, h XI/2, 65-68. Vgl. die Randbemerkung 439 zu Proklos' Parmeniskommentar in CT III/2.2, 110.

[877] S. *De possest* N.54 Z.23-26, h XI/2, 66: „Deinde adverto quomodo est primo I, scilicet principium. Ex quo N, ubi se I primo manifestat. N enim est notitia, nomen seu relatio potentiae ipsius I principii."

[878] S. ebd. N.56 Z.3-6, h XI/2, 67.

lation und mystische Betrachtung. Der Kardinal selbst erinnert an seine mathematischen Bilder aus *De docta ignorantia*.

Die geistigen Erfindungen, die Hervorbringungen der endlichen Vernunft leiten also hier die Gedanken. In ihnen werden Bilder der Trinität gefunden, nicht zuerst und zuhöchst in den seit Augustinus in der lateinischen Tradition hervorgehobenen Geistvollzügen *memoria, intellectus, voluntas* oder *mens, notitia, amor*.[879] Indem sich die endliche Vernunft von ihren eigenen Begriffsschöpfungen zum dreieinen Gott zurückführen läßt, kommt sie ihrer Bestimmung nach, lebendiges Abbild zu sein. Wenn so das Geglaubte mit Argumenten erschlossen wird, die sicher nicht beanspruchen wollen, das Glaubensgeheimnis in einem Begriff erfaßt und völlig einsichtig gemacht zu haben, so ist doch offensichtlich, daß die Cusanischen Handreichungen, Manuduktionen, mehr sind als nur Deutungen einer erst durch einen übernatürlichen göttlichen Gnadenakt geschenkten Erkenntnis.[880] Auch in den auf *De possest* folgenden Spätschriften treibt Cusanus die Suche nach neuen, gewagten, aber passenderen Begrifflichkeiten weiter, sei dies nun das *non aliud*[881] oder das *posse ipsum*[882]. Immer bleibt er aber bei seiner Grundaussage, daß nur Jesus Christus in unüberbietbarer Weise das Trinitätsgeheimnis erschließen kann.

b) Der Glaube in *De possest*

Der Mittelteil von *De possest* führt das Dreiergespräch auf den Glauben, angeregt durch die Frage, wie denn letztlich der unerkennbare Gott erkannt werde. Auf den ersten Blick scheint der Kardinal den ersten Teil des Gespräches, der das *possest* und seine Fruchtbarkeit aus menschlicher Spekulation erbracht hat, zurückzunehmen und nun alles auf die göttliche Selbstoffenbarung zurückzuführen. Hier benutzt er auch das Begriffspaar Natur und Gnade. Von der Natur der endlichen Vernunft aus ist nur eine Schau Gottes in Rätselbildern möglich, die letztlich im Dunkel der Unwissenheit endet. Geschaut wird Gott nur, wenn er sich selbst durch die Gnade zu erkennen gibt, wobei für dieses Gnadenwirken Jesus Christus der alleinige Mittler ist.[883] Dabei scheint die Erkenntniskraft der endlichen Vernunft nun

---

[879] Auf sie geht Cusanus relativ spärlich ein, s. hierzu Haubst 1952, 172-184.
[880] S. etwa *De possest* N.57 Z.12-20, h XI/2, 68f. Vgl. Erster Hauptteil C.IV.2
[881] S. vom Jahre 1462 *De non aliud* 5, h XIII, 13 Z.1-21.
[882] S. vom Jahre 1464 *De apice theoriae* N.28 Z.1-4, h XII, 136.
[883] S. *De possest* N.31 Z.9-13, h XI/2, 36f.: „Est enim deus occultus et absconditus ab oculis omnium sapientum, sed revelat se parvulis seu humilibus, quibus dat gratiam. Est unus ostensor, magister scilicet Iesus Christus. Ille in se ostendit patrem, ut qui eum meruerit videre qui est filius, videat et patrem."

nicht mehr im Sinne einer belehrten Unwissenheit beschnitten zu
sein, so daß die Einsicht in die Unwissenheit einer wahren Belehrung
gleichkäme, sondern die endliche Vernunft scheint von Natur aus für
die Gotteserkenntnis unfähig zu sein und wird mit einem Blindgebo-
renen verglichen. Widerspricht diese Darstellung nicht der bisher
gemachten Feststellung, daß die endliche Vernunft bei Cusanus in
der Anlage ihrer Möglichkeiten sogar auf die Menschwerdung Gottes
als ihre Erfüllung ausgerichtet ist? Rekurriert Cusanus an dieser Stelle
wirklich auf eine Verhältnisbestimmung von Natur und Gnade, Einsicht und Glaube nach der Art von Thomas oder auch Bonaventura?

Cusanus spricht an dieser Stelle in erster Linie in einem Gegen-
satzpaar Natur und Gnade, um hervorzuheben, daß die Vereinigung
der endlichen Vernunft mit Gott nicht aus ihrer eigenen Kraft heraus
erreicht werden kann. Meines Erachtens bricht er aber nicht mit dem
zuvor Gesagten, demzufolge diese schon in ihrer Wesensbestimmtheit
auf die hypostatische Vereinigung mit Gott ausgerichtet ist. Wenn
nämlich der Kardinal die endliche Vernunft mit einem Blindgebore-
nen vergleicht, will er nur sagen, daß das letztliche Erreichen nicht in
die Macht derselben gestellt ist, nicht aber, daß sie nicht danach stre-
be und darauf ausgerichtet sei.[884] Blindheit ist ja traditionell das Beispiel für eine Privation von etwas, das von Natur aus eigentlich dasein
müßte.[885] Allerdings wird das Erreichen erst durch den Glauben verwirklicht, so daß Cusanus in diesem Sinn, das heißt der Verwirklichung des *desiderium naturale*, von einer Erhöhung der Natur sprechen kann und muß.[886] Die Gnade führt hier zur maximalen Verwirklichung dessen, woraufhin die Natur immer schon ausgerichtet ist,
oder, anders gesagt, die eingegossene Kraft füllt ein Gefäß aus, das
immer schon für diese Füllung gebaut ist. Die Erhöhung der Natur
bedeutet demnach keine Wesensumformung und Wesenserhöhung
wie bei Thomas. Dies würde mit dem Cusanischen Grundsatz bre-
chen, daß der Mensch in seiner eigenen Natur Gott erreichen will.
Vielmehr meint die Erhöhung die Erleuchtung in dem von der Ver-

---

[884] S. ebd. N.32 Z.17-20, h XI/2, 39: „Postquam enim homo est desperatus de se ipso,
ita quod se tamquam infirmum et penitus impotentem ad desiderati apprehensionem certus est, convertit se ad amatum suum, indubia fide promissioni Christi in-
haerens [...].“ Die Unfähigkeit bezieht sich, wie auch sonst schon öfters festgestellt,
allein auf das Erreichen, die *apprehensio*.

[885] S. Aristoteles, Metaphysik V, 1022b 27-31.

[886] S. *De possest* N.36 Z.1-5, h XI/2, 44: „Intelligo fidem superare naturam et non esse
deum alia fide visibilem quam fide Christi. Qui cum sit verbum dei omnipotentis et
ars creativa, dum spiritui nostro ipsum per fidem recipienti illabitur, super naturam
elevat in sui consortium spiritum nostrum [...].“

nunft selbst erklommenen Bereich der *docta ignorantia* beziehungsweise der mystischen Schau.[887]

Die Erhöhung geschieht in denen, die glauben. Cusanus faßt dies
in die biblischen Worte, daß Christus in einem wohnt. Das wird derart
präzisiert, daß der Geist Christi den Gläubigen christusförmig macht,
da ja das Erkennen für Cusanus ein Angleichen ist. Die Verbindung
des Glaubens mit dem Geist weist darauf hin, daß der Glaube kein
Aufnehmen oder Geschenkt-Bekommen von Wissen ist, sondern zuerst als Vertrauen zu verstehen ist, in dem der Gläubige sich mit seinem höchsten Ziel verbindet. Die einzige Lehre, die er nämlich von
Jesus Christus empfängt, ist, dessen Verheißung anzunehmen, das
heißt daß das, was ihm seine Kreatürlichkeit noch versagt hat, nun
erfüllt wird oder, anders ausgedrückt, daß die endliche Vernunft das
Ziel ihrer Sehnsucht erreicht.[888] Durch den Glauben wird das *desiderium naturale* bis zu seiner Maximalität geführt und so zu seiner eigenen
Wirklichkeit gebracht, nämlich die Erkenntnis der göttlichen Schöpferkunst, von der es selbst hervorgebracht worden ist, für sich selbst
für möglich zu halten. Die Möglichkeit ist aber nur von Gott in eine
Wirklichkeit überführbar, nämlich durch die Menschwerdung. So
wird das Vertrauen, das immer im *desiderium* steckt und das nun Gott
die Erfüllung der endlichen Sehnsucht zutraut, zu seiner höchsten
Steigerung allein durch Jesus Christus, der erfüllten Möglichkeit,
befähigt sein. Insofern hier die Vernunft die Vereinigung mit Gott
verlangt, gleicht sie Jesus Christus selbst, der diese Vereinigung ist.
Deshalb hat sie auch den Geist Christi.[889]

Durch den Glauben und die Gnade wird die endliche Vernunft als
Ebenbild Gottes vervollständigt, denn wie sie selbst produktiv ist und
als solche die produktiv bestimmte Trinität nachahmt, so wird sie in
ihrer produktiven Bestimmung bestärkt. Wie oben schon erwähnt,
zielt die Erkenntnissehnsucht darauf, in die göttliche Schöpfermacht
und ihre Kunst Einsicht zu bekommen. In der Schau der göttlichen

---

[887] S. ebd. N.15 Z.1-4, h XI/2, 19: „Ducit ergo hoc nomen speculantem super omnem
sensum, rationem et intellectum in mysticam visionem, ubi est finis ascensus omnis
cognitivae virtutis et revelationis incogniti dei initium." Vgl. ebd. N.35 Z.2-12, h
XI/2, 43, bes. Z.4-6.

[888] S. ebd. N.33 Z.9-14, h XI/2, 41: „Illa est suprema unici salvatoris nostri Christi
doctrina, ipsum, qui est verbum dei per quod deus fecit et saecula, omnia adimple-
re quae natura negat in eo, qui ipsum ut verbum dei indubitata fide recipit, ut cre-
dens in ea fide, in qua est Christus, potens sit ad omnia medio verbi in eo per fidem
habitantis."

[889] S. ebd. N.35 Z.3-6, h XI/2, 43: „Arbitror necessarium quod qui videre deum cupit,
ipsum quantum potest desideret. Oportet enim quod posse desiderare ipsius perficiatur, ut sic actu tantum ferveat desiderium quantum desiderare potest."

Allmacht liegt die Glückseligkeit.[890] Erreicht wird sie nur über den Glauben, der von der Möglichkeit zur Wirklichkeit dieser Schau führt. Mit dem Glauben ist sie schon anfanghaft gegeben, auch wenn sie erst nach dem Tod, der Lösung von allen Bindungen an das Endliche, voll verwirklicht wird, es sei denn Gott gewährt eine Entrückung und löst einen Menschen noch in diesem Leben von allem Irdischen. Die Tatsache, daß der Glaube die selige Anschauung schon vorwegnimmt, läßt den Gesprächsteilnehmer Johannes den merkwürdigen, aber dichten Satz sprechen:

„Incidit mihi videre fidem esse videre deum. "[891]

Dieser Satz wird in einer ersten Deutung unter Rückgriff auf Hebr 11,1-3 so ausgelegt, daß das Unsichtbare und Ewige den Gegenstand des Glaubens bildet, dieses aber mit Gott gleichzusetzen ist und also mit dem Geglaubten auch Gott geschaut wird. Der Syllogismus hat aber nur dann keinen Bruch, wenn man sich vor Augen hält, daß bei Cusanus letztlich kein Unterschied von Glaubensgegenstand, *fides quae creditur*, und Glaubensakt, *fides qua creditur*, gemacht wird. Wäre dem so, hätte Johannes keinen außergewöhnlichen Einfall gehabt, doch die Ausdeutung, die der Kardinal dieser Sentenz gibt, deutet auf das Gegenteil. Johannes hat in einfachen Worten die *visio facialis Jesu Christi* formuliert: Wer den Glauben rein, ohne alle Rücksicht auf die Momente, die das Verhaftetsein der endlichen Vernunft an die endliche Welt ausmachen, versteht, den Glauben also, wie er das Vertrauen der endlichen Vernunft ist, als solche den unendlichen Gott zu erreichen, und als dieses Vertrauen sich vom Endlichen her schon mit Gott vereint hat, der schaut den Gottessohn. Wer eine reflexive Einsicht in den eigenen Glauben hat, der sieht in sich schon Christus, eben die Einheit von endlicher und unendlicher Vernunft. In diesem Menschen ist wegen seines Selbstvertrauens, die Wahrheit erreichen zu können, das nur als Vertrauen in Gott, das heißt als Glaube, Wirklichkeit werden kann, Christus gegenwärtig.[892] So wird verständlich, wie die Schau des Glaubens zu einer Schau Christi wird:

---

[890] S. ebd. N.38 Z.5-9, h XI/2, 45f.: „Felicitas enim ultima, quae est visio intellectualis ipsius cunctipotentis, est adimpletio illius desiderii nostri quo omnes scire desideramus. Nisi igitur ad scientiam dei qua mundum creavit pervenerimus, non quietatur spiritus."

[891] Ebd. N.39 Z.1, h XI/2, 47.

[892] Dieser Gedanke kehrt in etwas anderer Formulierung in der kleinen Schrift *De sacramento* wieder, wo die Identität von Glaubensakt und Glaubensgegenstand mit der Gegenwart des ewigen Lebens im Glaubenden verbunden wird, s. ebd. V₁ 112ʳᵃ Z.36-40: „Et hinc illi cui hoc [sc. credere Christum filium Dei] donatum est, vita ae-

„Quando igitur Christianus Christum videre quaerens facialiter linquet omnia quae huius mundi sunt, ut iis subtractis quae non sinebant Christum, qui de hoc mundo non est, sicuti est videri, in eo raptu fidelis in se sine aenigmate Christum videt, quia se a mundo absolutum qui est Christiformis videt. Non ergo nisi fidem videt, quae sibi facta est visibilis per denudationem mundialium et sui ipsius facialem ostensionem."[893]

Die Christusförmigkeit liegt im Glauben, das heißt in der Fähigkeit, Endliches und Unendliches zu verbinden. Der Glaube kann nur durch Jesus Christus gewährt sein und stellt diesen selbst im Gläubigen dar. So wie bisher der Glaube als ein Selbstvertrauen der Vernunft, das nur als Vertrauen in Jesus möglich und wirklich ist, gedeutet worden ist, so stellt nun Cusanus die Christusschau als eine Selbsterkenntnis des Gläubigen dar. Der Gläubige sieht sich selbst als christusförmig beziehungsweise den eigenen Glauben, und dies ist zugleich das Erscheinen des Antlitzes Jesu, die *facialis ostensio*. Der Einfall des Johannes stößt also ins Innerste des Cusanischen Vernunftverständnisses und dokumentiert zugleich, wie die produktive Vernunft in merkwürdigen Gedankengängen – es wird ja quasi der eigene Glaubensakt geschaut – ihr höchstes Ziel erreicht. Die Glaubensschau ist der Anfang der Schau der göttlichen Herrlichkeit – in der endlichen Vernunft, wenn sie nämlich ihre eigene maximale Verwirklichung in Jesus Christus entdeckt.

---

terna donata est, quae est hoc ipsum divinum donum. Habetur etenim vita divina in fide per donum fidei tale, ut sit idem fides et id quod creditur [...]."
[893] Ebd. N.39 Z.7-14, h XI/2, 47.

Dritter Hauptteil: Der Glaube im Predigtwerk

A. Vorbemerkungen und Begründung der Vorgehensweise

Viel umfangreicher als in den bisher besprochenen Werken hat sich Cusanus in seinen Predigten, von denen uns 293 überliefert sind, zu den zentralen Themen dieser Arbeit, das heißt vor allem zu den Fragen der Christologie und der Glaubensauffassung, geäußert. Die wenigen Arbeiten, die auf den Cusanischen Glaubensbegriff eingehen, greifen deshalb auch immer wieder, manchmal sogar hauptsächlich, darauf zurück.[894] Zunächst scheint dies unproblematisch zu sein, will man das Cusanische Denken ergründen, denn er selbst hat sein Predigtwerk durchaus als einen wichtigen Teil seines geistigen Schaffens beurteilt.[895] Außerdem steht das Predigtwort theoretischen Schriften und Abhandlungen nach mittelalterlicher Auffassung an Würde nicht nach. Es ist vielmehr einerseits als Fortsetzung des wissenschaftlichen Studiums zu denken, was sich auch in den hohen geistigen Anforderungen, die oft in den Predigten gestellt werden, niederschlägt, andererseits sogar als Weiterführung des Evangeliums, der „Predigt Jesu", wobei Gott selbst als Subjekt der Predigt angesehen wird, der im und durch den Prediger spricht. Daß dies auch für Cusanus zutrifft, bezeugt er persönlich.[896] Von daher sollte eine breit angelegte Untersu-

---

[894] So bei Dupré 1965/66, Dangelmayr 1968 oder Lentzen-Deis 1991. Die kritische Edition der Predigten ist noch nicht abgeschlossen, bisher (Frühjahr 1998) liegen die Bände h XVI, XVII/1-3, XVIII/1 und XIX/1 vor.

[895] Cusanus hat seine Predigten nicht nur gesammelt, wie Codex Cusanus 220 zeigt, sondern weitergegeben und schließlich ab 1456 z. T. korrigiert erneut aufschreiben lassen, worauf die beiden Handschriften Codex Vaticanus Latinus 1244 (= V_1) und 1245 (= V_2) zurückgehen. Außerdem verweist er in späteren Schriften öfters auf seine Predigten, s. v. a. *De apice theoriae* N.16 Z.1-4, h XII, 130: „Velis [...] cum ista resolutione nostra scripta et alia, quaecumque legis, subintrare et maxime te exercitare in libellis et sermonibus nostris [...]." S. auch *De venatione sapientiae* 25 N.73 Z.27f., h XII, 71: „Alibi multa de hoc, in variis etiam sermonibus, dixi et scripsi, quae sic recapitulasse sufficit." Vgl. h XVI, IX-XIV und XVIII-XXIII, und Lentzen-Deis 1991, 48f.

[896] Vgl. als Beispiel die Verpflichtung der Bischöfe und Universitätsdozenten in Paris zum *legere, disputare* und *praedicare*, s. Davy, Marie-Madelaine: Les sermons universitaires parisiens de 1230-1231. Contribution à l'histoire de la prédication médiévale

chung das Predigtwerk nicht umgehen. Zudem fordern die Predigten schon deshalb zu einer Untersuchung heraus, weil sie Einblick in die Cusanische Denkwerkstatt gewähren. Des weiteren sind sie ein Prüfstein dafür, wie Cusanus seine oft sehr neuartigen Gedanken angesichts des auszulegenden biblischen Textes verfaßt hat.

Allerdings erheben sich sogleich einige Schwierigkeiten. Selbst unter der Annahme, daß Cusanus die gedankliche Strenge seiner theoretischen Schriften, deren Offenheit und Experimentierfreudigkeit bei ihm Programm ist, in den Predigten beibehalten habe, stellen diese als ein Corpus von fast 300 Einzelschriften zunächst ein Konglomerat unterschiedlichster Überlegungen und Gedankengänge dar. Die Materialfülle scheint eo ipso mit einer unüberschaubaren Disparatheit gekoppelt zu sein. Dies hat viele Gründe. Zunächst handelt es sich nicht immer um ausgearbeitete Texte, oft liegen nur Skizzen und Vorüberlegungen vor[897], manchmal gleicht die Predigt einer Zitatensammlung, zum Teil sind Materialsammlungen und Anmerkungen an einen Predigttext angehängt.[898] Überhaupt finden sich am Ende vieler Predigten kleine Notizen und Hinweise.

Darüber hinaus entstehen Predigten zu bestimmten Anlässen. Cusanus hat Predigten an den kirchlichen Festtagen und Heiligenfesten[899] gehalten, also *sermones de tempore* und *sermones de sanctis*, aber auch bei vielen anderen Gelegenheiten. Es gibt thematische Predigten, enger dem biblischen Text folgende Homilien und sogenannte *collationes*, das heißt erbauliche Vorträge.[900] Die von Cusanus überlieferten Werke überspannen mit verschiedenen Lücken den Zeitraum von 1428/30 (s. die Erstlingspredigt *Sermo* I vom 25.12.1430 oder schon 1428) bis zu den letzten Lebensjahren des Kardinals (s. *Sermo* CCXCIII vom 5.6.1463 aus Anlaß der Einkleidung eines Novizen). Die Predigten erfassen also gut 33 Jahre seines Denkens und Schaffens

---

[= Etudes de philosophie médiévale 19], Paris 1931, 23-25, sowie Schneyer, Johann B.: Die Unterweisung der Gemeinde über die Predigt bei scholastischen Predigern. Eine Homiletik aus scholastischen Prothemen [= Veröffentlichungen des Grabmann-Institutes 4], München/Paderborn/Wien 1968, 17-38. Cusanus äußert sich vor allem in drei Predigten, den *Sermones* XLI, CCVII und CCLXXX (277), zur Bedeutung der Predigt und der Stellung des Predigers, z. B. in *Sermo* CCVII N.7 Z.25-28, h XIX/1, 15f.: „Studeamus igitur, dilectissimi, qui pastores sumus gregis dominici, Iesum esse solum qui distribuit verbum vitae, quod nos rudes in hordeaceo pane populo proponimus."

[897] S. z. B. *Sermo* XIV, XV, XXXIX, L, LVI, CXXXII, CXXXIV, CXXXVIII, CXXXIX, CXL.

[898] S. *Sermo* IV, XXI, XLIX.

[899] S. z. B. *Sermo* XL zum hl. Martin, *Sermo* CXV zur hl. Agnes, *Sermo* CCXLVI (243) zum Engelsfest.

[900] S. CT I/7, 14-22.

und reichen in einen Zeitraum, der zehn Jahre vor dem Abschluß von *De docta ignorantia* liegt.

Cusanus hat zudem sehr umfangreiches Quellenmaterial in seine Predigten aufgenommen, das er zum Teil in seinen theoretischen Werken nicht verwendet. Neben liturgischen Texten und Werken von Augustinus, Dionysius, Bonaventura, Albert, Thomas, Lull und Meister Eckhart finden sich auch die für einen Prediger wichtigen Bibelkommentare wie die *Glossa ordinaria*, Werke von Nikolaus von Lyra, Lebensbeschreibungen wie die *Vita Jesu Christi* von Ludolph von Sachsen oder die *Legenda aurea* von Jakob von Voragine. Außerdem hat Cusanus entsprechend der damals üblichen Arbeitsweise auf Predigtsammlungen zurückgegriffen, so auf Bernhard von Clairvaux, Jordan von Quedlinburg oder Aldobrandinus de Tuscanella.[901]

Cusanus hat selbst die Weite seines Schaffens erkannt und 1459 mit der Schrift *De aequalitate* versucht, sowohl den Kernpunkt seiner Auslegung der biblischen Botschaft zu formulieren, als auch seinen eigenen geistigen Werdegang dabei als eine fortschreitende Entwicklung zu deuten, geordnet entsprechend der Zunahme seiner geistlichen Würden.[902] Wie dieser Weg der Vervollkommnung genauer zu fassen ist, wäre eine eigene Untersuchung wert. Deutlich ist zumindest, daß Cusanus im Laufe der Zeit von Predigtentwürfen, die hauptsächlich aus Zitatensammlungen bestehen, wegkommt und eigenständiger formuliert. Dies geht so weit, daß *Sermo* XXII vom 25.12.1440 in vielem der systematischen Anlage von *De docta ignorantia* entspricht. Jedoch muß man dagegen auch sehen, daß zum Beispiel die kurzen Entwürfe *Sermo* CCIX und CCXV aus den Jahren 1455 und 1456 hauptsächlich aus Aldobrandinus-Zitaten bestehen. Eine Entwicklung bezüglich des Cusanischen Glaubensbegriffes kann insoweit ausgemacht werden, daß der Glaube als Selbstvertrauen der Vernunft um 1444 in der Entstehungszeit von *De filiatione dei* auftritt, nachdem Cusanus sowohl die christologischen als auch gnadentheologischen Grundlagen schon durchreflektiert hat. Doch fällt es schwer, die Predigten im Sinne eines kontinuierlichen Entwicklungsganges zu lesen. Dafür taucht zu disparates Material an zu weit auseinander liegenden Zeitpunkten auf. Eher kann man feststellen, daß manche Überlegungen Cusanus zwar zu bestimmten Zeiten faszinieren, er dann aber

---

[901] S. CT I/7, 29-37; h XVI, 469-478.
[902] S. *De aequalitate* V₂ 262vb Z.26-36: „Haec est summa evangelii in variis sermonibus meis infra positis varie explanati secundum datam gratiam: magis obscure, dum inciperem in adolescentia et essem diaconus, clarius, dum ad sacerdotium ascendissem, adhuc, ut videtur, perfectius, quando pontificis officio in mea brixinensi ecclesia praefui et legatione apostolica in germania et alibi usus fui."

plötzlich nicht mehr darauf eingeht und sich Neuem zuwendet. So scheint es auch bei dem in dieser Arbeit zusammengefaßten Grundkonzept des Glaubensbegriffs zu sein, das schon vor 1440 da war, wenn auch noch nicht expliziert.

Welche Gründe Cusanus auch immer zu seiner komplexen und „komplikatorischen" Arbeitsweise bewogen haben – universale Gelehrsamkeit, Zeitmangel, übliche Methode der Predigtvorbereitung –, die Aufgabe des Predigers ist doch eine, nämlich den Glauben bei seinen Zuhörern zu wecken, sie zur Christusförmigkeit zu führen und der Geburt Christi in den Gläubigen den Weg zu bereiten.[903] Dies erreicht er weniger dadurch, wie Cusanus in Sermo CCVII von 1455 festhält, daß er fremde Worte wiedergibt, die auch dem Zuhörer fremd bleiben, als daß er selbst seine eigenen Gedanken entwickelt. Erst eine solche Rede ist lebendig und verschafft sich Gehör, das heißt Verständnis. Sie kann zwar aus menschlichen Einsichten gespeist sein, wichtiger für Cusanus ist aber das Wort, das Jesus spricht.[904] Cusanus bezeichnet es an dieser Stelle als eingegossenes Wissen, um zu betonen, daß es nicht wie etwas Fremdes erworben wird, auch wenn es nicht allein aus der endlichen Vernunft hervorgeht.[905]

Diese Bestimmung der Aufgabe des Predigers soll auch den Leitfaden für die Interpretation der Predigten abgeben. Sie sind darauf hin zu lesen, wie Cusanus eigenständig seine Gedanken entfaltet. Der Blick auf den *proprius intellectus* soll dabei helfen, aus der Disparatheit des Materials ein Grundverständnis von dem zu entwickeln, was für ihn Glaube heißt. Die Gesamtschau, und nicht einige Einzeläußerungen, soll Klarheit verschaffen. Dabei müssen gerade die vielfältigen Zitate aus der theologischen Literatur, die explizit das Verhältnis von Vernunft und Glaube betreffen, primär in den Cusanischen Kontext gestellt werden und dürfen nicht sofort als wirkliche Übereinstim-

---

[903] S. *Sermo* CCLXXX (277), Lentzen-Deis 1991, 226: „Ecce pastor bonus habet in se per fidem pastorem scilicet Christum, et generat in subdito per fidem pastorem scilicet Christum." Diese zeitliche Zeugung Christi im Gläubigen entspricht der zeitlichen Gottesgeburt, die die Fortsetzung der ewigen Geburt des Wortes ist.

[904] S. *Sermo* CCVII N.2 Z.1 - 3 Z.4, h XIX/1, 13f.: „Sic apostolus distinguit praedicatores in eos, qui sensu suo in ecclesia loquuntur, et eos, qui lingua loquuntur. Nam sensu suo loquuntur quinque verba, plus instruunt quam qui decem milia verba loquuntur in lingua [...]. Unde loqui suo sensu est ex intellectu proprio proferre verbum vitae. [...] Et ob hoc viva vox, scilicet quae ex intellecu docentis foris emittitur, docet, quia imprimitur mediante salsa latentis energiae. [...] Arbitror autem in ecclesia vivam vocem non solum illam esse, quae animata est spiritu humanae intelligentiae, sed spiritu divinae sapientiae." Die Übersetzung von *sensu proprio* mit „aus eigener Erfahrung" bei Lentzen-Deis 1991, 47, ist dann richtig, wenn beachtet wird, daß es sich hier um eine geistige Erfahrung handelt, eben eine Einsicht.

[905] S. *Sermo* CCVII N.5 Z.10-19, h XIX/1, 14f.

mungen mit der theologischen Tradition aufgefaßt werden. Daß Cusanus sich mit sehr vielen Theologen und Philosophen einig schien,
spricht weniger für eine wirkliche Eintracht, sondern gibt eher Aufschluß über das Selbstverständnis des Cusanischen Denkens, die
Theologie in neuer Weise zusammenzufassen.

Viele Einzelheiten müssen bei einer summarischen Darstellung
zwangsläufig übergangen werden, insbesondere wird von der literari-
schen Eigenart von Predigten als Gelegenheitstexten für ein je spezi-
elles Publikum, in denen es außer um das Belehren auch um das Bewegen geht, abstrahiert werden müssen. Dem kommen aber die Cusanischen Predigtaufzeichnungen selbst entgegen, da sie in der Tat
gar nicht so stark von einem kontingenten Kontext bestimmt sind, wie
man zunächst annehmen könnte; für die gehaltene Predigt mag das
anders gewesen sein. Dies liegt zum Teil gerade daran, daß sie so
reichhaltig mit theologischer Literatur angereichert sind, zum Teil
daran, daß das Lehren ein wesentliches Moment des Predigens ist und
dieses wiederum im Unterschied zur heutigen Situation, was die
hauptsächlichen Inhalte betrifft, kaum von der theologischen Wissenschaft getrennt ist. Außerdem sind die Cusanischen Entwürfe sehr
spekulativ, so daß damals über ihn geklagt wurde, er predige zu an-
spruchsvoll. Auch die Tatsache, daß Cusanus sich sogar in ausgearbei-
teten Entwürfen vornimmt, auf verschiedene Hörergruppen gezielt
einzugehen, muß nicht bedeuten, daß die überlieferten Aufzeich-
nungen davon geprägt sind und zum Beispiel ein unterschiedliches
Niveau der Argumentation erkennen lassen.[906] So läßt sich der Nach-
teil, daß die *Sermones* hauptsächlich ganz unterschiedlich ausgearbeitete Skizzen und Entwürfe umfassen, zu einem Vorteil für die Interpretation wenden, wenn sie hier vornehmlich als solche theologisch-
philosophische Gedankenfragmente betrachtet werden und nur im
Einzelfall auf ihre literarische Eigenart Bezug genommen wird. Ihre

---

[906] In *Sermo* XXII will Cusanus z. B. in drei unterschiedlichen Teilen über die dreifache
Gottesgeburt die *peritiores*, die *communes* und die *contemplativi* ansprechen, s. ebd.
N.6 Z.2-8, h XVI, 335. Diese Einteilung taucht in abgewandelten Formen immer
wieder auf, s. z. B. *Sermo* II, XL, zu weiteren Stellen s. CT I/7, 18. Koch übersetzt mit
„Gebildete", „einfache Leute" und „beschauliche Seelen" (s. CT I/7, 17) und
scheint bestimmte Hörergruppen zu meinen. Lentzen-Deis stellt einen Zusammenhang mit den drei religiösen Grundeinstellungen aus *De Coniecturis* II 15 her, die
den Seelenkräften Sinnlichkeit, Verstand und Vernunft entsprechen (s. ders. 1991,
135 mit 56-60). Es ist aber gerade an der Durchführung der ersten beiden Teile dieses Predigtentwurfes nicht zu sehen, wie sich das Verständnis der Kundigeren von
dem der Gewöhnlichen unterscheiden soll, denn die im zweiten Teil entfaltete
Christologie steht an spekulativer Kraft der in *De docta ignorantia* in nichts nach. Cusanus geht in diesem Fall auf seine Höreraufteilung gar nicht mehr ein. In der
Durchführung von *Sermo* XL berücksichtigt er sie dagegen.

Eigenständigkeit als literarisches Genus bleibt in der Interpretation aber insofern material gegenwärtig, als Cusanus in ihnen auf Vorgaben wie zum Beispiel das Tagesevangelium reagieren muß, was für eine umfassende Darstellung seines Glaubensbegriffes viele neue Gesichtspunkte erwarten läßt. Eine andere Frage muß auch sein, ob er nach außen seine oft wagemutigen Gedankengänge und neuartigen Begriffsbildungen zurückhält und anders, etwa traditioneller, denkt.

Die Untersuchung der Predigten soll so aufgebaut sein, daß zunächst wie in den beiden anderen Hauptteilen die Argumentationsgänge bezüglich der beiden Hauptmysterien Trinität und Menschwerdung dargestellt werden. An diesen Gegenständen soll sowohl die Problematik einer Unterscheidung von Vernunft und Glaube aufgerissen, als auch die Grundlage dafür erarbeitet werden, um zum Schluß die christologische Bestimmung des Glaubens bei Cusanus behandeln zu können.

B. Die Erkennbarkeit der Glaubensmysterien

I. DIE TRINITÄT

Untersucht man die frühesten Predigten von Cusanus, in denen er sich zum Trinitätsgeheimnis äußert, so könnte man zunächst den Eindruck gewinnen, dessen Offenbarungscharakter und Übernatürlichkeit werde stark herausgestellt. Schon *Sermo* IV zum Dreifaltigkeitsfest 1431 hat explizit die Dreieinigkeit Gottes als Thema, die sich Cusanus mit der Zitation des Glaubensbekenntnisses vorgibt.[907] Überhaupt besteht *Sermo* IV fast nur aus mehr oder weniger wörtlichen Zitaten vor allem aus Hugos von Straßburg *Compendium theologiae veri-*

---

[907] S. *Sermo* IV N.1 Z.1-3, h XVI, 57: „<<Fides autem catholica haec est, ut unum Deum in Trinitate et Trinitatem in unitate veneremur>>. In Symbolo Athanasii." Die Quellenbelege können wie auch im folgenden leicht aus h entnommen werden. In dieser Predigt, die fast ausschließlich aus Zitaten besteht, hat sich Cusanus eine Art Materialsammlung zum Thema Glaube aus verschiedensten theologischen Werken angelegt. Vgl. zur Glaubenskonzeption von *Sermo* IV Senger, Hans Gerhard: Die Philosophie des Nikolaus von Kues vor dem Jahre 1440. Untersuchung zur Entwicklung einer Philosophie in der Frühzeit des Nikolaus (1430-1440) [= BGPhThMA. NF 3], Münster 1971, 82f. und 106-109.

tatis und Wilhelms von Auvergne *De fide et legibus*. Durch den Sündenfall sind sowohl Vernunft als auch Wille der Menschen beeinträchtigt,
so daß erst durch die drei theologischen Tugenden, die aus der göttlichen Gnade hervorgehen, ein Zugang zur Trinität entsteht, wie Cusanus aus Hugo von Straßburg zitiert.[908] Nur an einer Stelle geht er auf
ein ebenfalls Hugo entnommenes Argument für die Trinität ein, das
ein Verständnis aus dem Begriff der göttlichen Allmacht eröffnen will:
In den Geschöpfen findet sich nur ein Widerschein der Trinität im
Sinne einer Spur.[909] Interessant ist allerdings, daß Cusanus wie die
zitierte Vorlage die Schriftbeweise erst nach dem Vernunftgrund vorbringt. Insgesamt scheint er der traditionellen Lehre von der Trinität
als Glaubensgeheimnis zu folgen, das heißt, die Trinität gehört in das
Glaubensbekenntnis, das den Menschen mit dem Glauben als Gnadengeschenk von oben gegeben wird.[910] Deshalb konnten zum Beispiel die griechischen Weisen trotz aller Vorahnungen der Trinität
noch nicht bis zum Personbegriff durchdringen.[911]

Jedoch schon in seiner ersten Predigt hat sich Cusanus weiter vor-
gewagt. Zwar zitiert er den auf Augustinus zurückgehenden Grundsatz
indivisa sunt opera Trinitatis[912], sieht damit aber nicht die Erkenntnismöglichkeit der Trinität aus dem Geschaffenen als abgelehnt an.
Vielmehr verweist er gerade in *Sermo* I darauf, daß auch die Juden
zum Glauben an die Dreieinigkeit Gottes geführt werden können.[913]
Zwar nennt er auch die Schrift *Contra Judaeos* des Nikolaus von Lyra,
die in die *Glossa ordinaria* aufgenommen wurde, doch seine eigenen
Argumentationsgänge gewinnt er aus Lull unter Rückgriff auf die
Korrelativenlehre. Er verarbeitet also das Material seiner umfangreichen Lull-Studien.[914] Auch hier folgen die Schriftzitate dem Aufweis

---

[908] S. ebd. N.1 Z.14-18, h XVI, 57f.: „[...] imago recreationis consistit in trinitate habi-
tuum cum unitate gratiae. Per hos autem tres habitus anima fertur in summam
Trinitatem secundum tria appropriata tribus personis.“

[909] S. ebd. N.29 Z.1 - 30 Z.12, h XVI, 68f.

[910] S. ebd. N.16 Z.1-12, h XVI, 62; an dieser Stelle folgt Cusanus Wilhelm von Auvergne.

[911] S. *Sermo* XIX N.6 Z.1-12, h XVI, 295.

[912] S. *Sermo* I N.12 Z.17f., h XVI, 11, vgl. oben II. Hauptteil B.II.2.b.aa. Cusanus verweist
immer wieder auf diesen Satz, doch oft nicht, um die Erkenntnismöglichkeit hinsichtlich der Trinität einzuschränken, obwohl ihm diese Bedeutung auch bekannt
ist (s. *Sermo* XVI N.11 Z.19-23, h XVI, 266), sondern mehr um ihre Einheit zu betonen (s. *Sermo* XXX N.12 Z.21f., h XVII/1,49; *Sermo* XXXVII N.15 Z.24f., h XVII/1,
86f.).

[913] S. *Sermo* I N.7 Z.27-31, h XVI, 8: „Ego etiam aliquando disputando deprehendi
sapientes Judaeos ad credendum Trinitatem inducibiles. Sed quod Filius in divinis
sit incarnatus, hoc est, in quo sunt indurati nec rationes nec prophetias audire vo-
lunt.“

[914] S. *Sermo* I N.6 Z.1 - 7 Z.5, h XVI, 7: „Hic autem Deus summae vigorositatis nihil
imperfecti, parvi et minuti in sua essentia habens otium necesse est abhorreat. Alias

aus der Vernunft. Auf Lull wird ebenfalls in der zweiten Predigt zurückgegriffen, allerdings wieder ohne Namensnennung und in der
Reihe derjenigen, die mit dem natürlichen Licht nach der Dreieinigkeit Gottes forschten.[915] In *Sermo* III macht er sich erneut Lulls Argumentation zu eigen und betont, wie leicht mit ihr der Glaube an die
Dreieinigkeit sei.[916] Schon in diesen ganz frühen Predigten aus den
Jahren 1430/31 wird also ersichtlich, wie sich für Cusanus im Zuge
der Lull-Rezeption kein Gegensatz zwischen der Trinität, wie sie geglaubt wird und wie sie auch durch vernünftige Überlegungen erkennbar ist, ergibt.

Dieses Faktum bestätigt sich, wenn Cusanus seinen eigenen Ternar
unitas-aequalitas-connexio in den Predigten verwendet. In *De docta ignorantia* hat er damit untersucht, wie die göttliche Einheit nur als Dreieinheit recht erfaßt wird, ohne hierzu auf die Hilfe der Heiligen
Schrift angewiesen zu sein. Auch die drei Predigten *Sermo* XXI, XXII,
XXIII und XXIV aus der Entstehungszeit von *De docta ignorantia* be-
kräftigen dies. In ihnen macht er reichlich Gebrauch von seinem
Ternar. In *Sermo* XXII schließt er positiv von der Verfaßtheit eines
jeden endlichen Wesens auf eine in ihm liegende Dreieinheit, die
allerdings noch endlich ist. In einem zweiten Schritt überträgt er diese Dreieinheit auf Gott als konstitutives unendliches Prinzip alles Endlichen. Auch Gott ist als absolute Einheit trinitarisch. Dies kann im
Ausgang von den Geschöpfen erkannt werden, denn wie alle positiven
Bezeichnungen Gottes aus dem Geschaffenen genommen werden, so
auch die der Dreifaltigkeit. Nicht sie, sondern allein das Wesen der
göttlichen Unendlichkeit bleibt unserer Kenntnis entzogen.[917] Ent-

---

summe otiosus Deus esset, ac si summa felicitas esset in pigritia ac otio, quod est
impossibile. Et quoniam hoc sic est, quod apud divinam essentiam impossibile est
otium reperiri, consequens est eam summae activitatis exsistere. In omni autem
actione perfecta tria correlativa necessario reperiuntur, quoniam nihil in se ipsum
agit, sed in agibile distinctum ab eo, et tertium surgit ex agente et agibili, quod est
agere. Erunt haec correlativa in essentia divina tres personae, quare Deum trinum
vocamus. [...] Huius immensae, ineffabilis ac inconceptibilis divinae Trinitatis humanus intellectus per has suprascriptas rationes firmam fidem apprehendit ac in-
dubitatam et auctoritatibus eorum, qui divino spriritu locuti sunt, se iuvat." Hervorzuheben ist, daß Cusanus eigenständig mit den Lullschen Termini formuliert und
nicht einfach zitiert.

[915] S. *Sermo* II N.4 Z.1-7, h XVI, 22: „Et per rationes quidam investigaverunt Trinitatem [...]. Necesse est enim, quod in illa essentia divina, summa, perfectissima, sit
summa intellegentia; quare: intellegens, intellegibile et intellegere, amans, amabile
et amare."

[916] S. *Sermo* III N.3 Z.1-13, h XVI, 42.

[917] S. *Sermo* XXII N.17f., h XVI, 341-344, bes. N.18 Z.1-8, h XVI, 343: „Tali quidem
modo intramus ex notitia unitatis contractae, quae actu sine trinitate non est, ad
Unitatem absolutam suo modo, licet nos per ea, quae sunt visibilia aut attingibilia,

sprechende Gedanken finden sich in *De docta ignorantia*. Einen weiteren Weg bietet die Besinnung auf die Erkenntnisstufen, wobei man von der Wirklichkeit des Geschaffenen absehen kann. Die Erkenntnisleistung des Verstandes kann nach Cusanus vollständig mittels diskreter und kontinuierlicher Größe erfaßt werden. Nun verweist aber die Anzahl auf die Einheit als Prinzip, die kontinuierliche Größe sowohl des Raumes als auch der Fläche auf die Dreiheit. Das Prinzip von allem muß also als dessen Maß dreieinig sein.[918] Diese Schlüsse sind folglich der Cusanischen Vernunft auch dann nicht versagt, wenn sie eine Vorgängigkeit des Glaubens behauptet, denn Cusanus beginnt diese Predigt mit einem Verweis auf Jes 7,9 und die Trinität als Glaubensinhalt.[919] Die Bedeutung des Ternars *unitas-aequalitas-connexio* ist zudem so groß, daß er sogar die Redeweise der Heiligen Schrift zu begründen scheint.[920]

Auch in *Sermo* XXIII kommen diese Überlegungen in leicht abgewandelter Form zum Tragen. Hier setzt Cusanus nicht mit einem positiven Urteil über das Geschaffene ein, sondern mit einem negativen. Es wird überlegt, daß die Vielheit nicht die Einheit ist, sondern diese voraussetzt. Auch hier rechtfertigt er die Redeweise der Schrift mit seinen Begriffen.[921] In einem zweiten Teil deutet Cusanus das Vaterunser und zeigt, wie unter anderem die Trinität und sogar unsere Erkenntniswege zu ihr in dessen ersten drei Sätzen wunderbar verdichtet enthalten sind.[922] Zwar betitelt er diesen Teil der Predigt als eine Bewegung vom sinnlichen Erkennen zum vernünftigen und hebt ihn vom vorausgehenden Teil als einer Bewegung vom sinnlichen Erkennen zu dem des Verstandes ab. Aber die Begrifflichkeit zeigt, daß er sich auch da schon auf der Ebene des *intellectus* bewegte, und das Vaterunser zeichnet sich nur durch eine besondere Verdichtung

---

non possimus ad notitiam infinitatis ascendere, quoniam in absoluta infinitate - non considerando ipsam infinitatem principium et causam, sed in se - nihil possimus reperire quam absolutam infinitatem."

[918] S. ebd. N.19 Z.1-28, h XVI, 344f., insb. Z.17-20, h XVI, 344: „[...] hinc necessario invenit ratio, quod primum principium omnium debet esse unum et trinum incomposite, sed simplicissime, ut sit <<omnium>> principium, <<metrum et men­sura>>."

[919] S. ebd. N.7 Z.4-8, h XVI, 336.

[920] S. oben Zweiter Hauptteil B.II.2.a

[921] S. *Sermo* XXIII N.14-17, h XVI, 366-368, bes. N.17 Z.1-15, h XVI, 368: „Deinde divisio praesupponit unionem ac conexionem, sicut multitudo unitatem et inaequalitas aequalitatem. Quapropter vides mundum esse principiatum; et sicut ipsum principiatum est multiplex, inaequale ac divisum, ita eius principium est unum, aequale, conexum. [...] Et quoniam ex unitate cadit multitudo, est unitas ut <<Pater multar­um gentium>>. Et aequalitas recte dici potest <<Filius >> unitatis; non enim oritur aequalitas nisi ex unitate. Et conexio << Spiritus Sanctus>> dicitur."

[922] S. ebd. N.18-21, h XVI, 368-370.

der Erkenntnisse aus, nicht aber dadurch, daß es einen ganz neuen Raum des Erkennens eröffnete.[923]

In dem weiteren dem Herrengebet gewidmeten *Sermo* XXIV wird ebenfalls behauptet, daß alles, was der Mensch zu wissen wünscht, darin enthalten sei.[924] Die Ausdeutung der ersten drei Sätze auf die Trinität beginnt zwar mit dem Bibelzitat, woran sich Überlegungen in Richtung auf den Cusanischen Hauptternar anschließen, doch findet sich auch eine Passage, wo gerade der umgekehrte Weg beschritten wird. Im Ausgang von der Welt, das heißt dem Faktum von Vielheit, Ungleichheit und Unterschiedenheit, wird auf die jeweils vorauszusetzende Einheit, Gleichheit und Verbindung geschlossen, worauf schließlich der entsprechende Vaterunser-Vers folgt.[925] Diese Verschränkung von Offenbarungsvorgabe und Vernunftargumentation entspricht jenem Verhältnis von Glaube und Vernunft als Zusammenfaltung und Entfaltung, das am zeitgleichen Werk *De docta ignorantia* herausgearbeitet worden ist. Cusanus läßt dies anklingen, wenn er die Ausdeutung des Gebetes mit der Menschheit in Jesus Christus vergleicht:

„Vnd dar vmb so ist der <<Pater Noster>> in eyner eynfaldicheit der wort begrifende die hochste lere vnd wijsheit. Want glich als die gotheit in der menscheit Cristi verborgen lach, also ist alle begrifliche wijsheit verborgen in den eynfeldigen worten der lere Cristi, die nymans gancz gegrunden mach off dijssem ertrich [...].“[926]

---

[923] Die Argumentationen, die Cusanus in *Sermo* XXII N.19 Z.1, h XVI, 344 auf die Ebene einer *intelligentia elevata* stellt, werden in *Sermo* XXIII N.2 Z.8f. und 14, h XVI, 359 unter die *ratio* gefaßt. Die Tiefe der Erkenntnis, die Jesus Christus mit dem Vaterunser eröffnet, wird aber, was die Trinität betrifft, genau mit den zuvor als rational bezeichneten Begrifflichkeiten gedeutet (s. bes. ebd. N.18f., h XVI, 368f.) und von Cusanus auch nur *intellectuale altissimum lumen* (s. ebd. N.2 Z.10f., h XVI, 359) und nicht Glaube genannt. Eine klare Scheidung der Stufen *ratio*, *intellectus* und *fides* scheint nicht vorzuliegen. Zu erinnern ist, daß Cusanus in *De Coniecturis* die Unterscheidung der Erkenntnisstufen verfeinert, s. Bormann 1975. Vgl. unten Dritter Hauptteil D.

[924] S. *Sermo* XXIV N.6 Z.1-6, h XVI, 391f.: „Die nature, die gnade vnd die glorie vnd alles, das der mensch begert zu wissen, wie vns das moglich is off dijssem ertrich in der ordenung, als die meister von den hochsten synnen das begrifen mogen, ist alles zu finden in dijsem heylichsten gebede [...].“

[925] S. ebd. N.18, h XVI, 402f., z. B. ebd. Z.22-27: „Dar nah merck, woer vngelich glich is, das is in Gottes sone. Dar vmb kere dich von vngelichem vnd vnrechtem zu dem gelichen vnd rechten. So keres du dich zu Gottes sone vnd machs wol bitten <<Geheiliget werde dyn name.>>“

[926] Ebd. N.1 Z.3-9, h XVI, 387. Als Übersetzung von *ist begrifende* und *eynfaldicheit* wird in h *complectitur* und *simplicitas* vorgeschlagen. Mitzubedenken ist ja, daß das Verhältnis von Vernunft und Glaube im Erkenntnisbereich das von menschlicher und göttlicher Natur in der hypostatischen Union, wie Cusanus sie denkt, nachbildet.

Diese Art der Verschränkung läßt sich mit weiteren Beispielen belegen. Hingewiesen sei auf *Sermo* XXXVIII zum Dreifaltigkeitstag 1444, wo einerseits betont wird, daß der Glaube an die Trinität aller spekulativen Durchdringung vorausgehen muß. Andererseits drängt aber schon der Glaube zum Verständnis[927], und auch die Schlüsse, die aus dem Bereich der Sinne und der Mathematik gezogen werden, führen zur Trinität. Diese ist nämlich ebenfalls dem Grundsatz unterworfen, daß sich alle Vollkommenheiten des endlichen Abbildes im unendlichen Urbild finden müssen.[928] Die göttliche Einheit schiebt dem keinen Riegel vor. Daß die Erkenntnismöglichkeit der göttlichen Einheit sogar der der Dreifaltigkeit entspricht, dokumentiert *Sermo* XL zum Martinstag desselben Jahres. In einer Hinzufügung meint Cusanus, daß der Heilige auf dem „Weg der Armut" beziehungsweise der Einfachheit[929] – damit stellt Cusanus eine Verbindung zu seinem eigenen Weg der belehrten Unwissenheit her – mittels des Cusanischen Hauptternars auch die Trinität gefunden habe.[930]

Viele Einzelüberlegungen ließen sich noch ergänzen, die immer durch eine Übertragung aus dem Bereich des Geschaffenen zur Trinität gelangen. So ist Gott als bester „Familienvater" nicht ohne einen Sohn von gleicher Natur.[931] Immer wieder führt auch die dreifache Ursächlichkeit des ersten Prinzips zur Trinität[932], oder die unendliche göttliche Allmacht fordert die Existenz von Vater, Nachkomme und Liebe.[933] Zusammengefaßt bleibt, daß Cusanus die Trinität zu den Glaubensgeheimnissen zählt und sie doch wie Erkenntnisse behandelt, welche die endliche Vernunft aus sich entwickeln kann. Diese Position schlägt sich vor allem in den mit Lulls Terminologie entwickelten Überlegungen nieder.

---

[927] S. *Sermo* XXXVIII N.7 Z.10-29, h XVII/1, 106f.

[928] S. ebd. N.13 Z.31-33, h XVII/1, 113, zu den Trinitätsüberlegungen s. ebd. N.7-16, h XVII/1, 106-115. Cusanus nennt unter den aus dem Sinnlichen abgeleiteten Wegen zur Trinität den aus der dreifachen Ursache und dem Möglichkeit-Wirklichkeit-Verhältnis, das er in Lullscher Terminologie formuliert, unter den Wegen aus dem Mathematischen seinen Hauptternar.

[929] S. *Sermo* XL N.3 Z.5 und N.4 Z.2f., h XVII/2, 124.

[930] S. ebd. N.6 Z.1-3, h XVII/2, 127: „Potuit sanctus noster in hac vita non solum attingere unitatem absolutam, quae Deus est, sed et unitrinum Deum." Da dem hl. Martin ein Trinitätssymbol zugeschrieben wurde, ist es verständlich, daß Cusanus hierauf zu sprechen kommt, s. ebd. N.2 Z.5-12, h XVII/2, 122f. und die in h angegebene Literatur. Daß er dem Heiligen seine eigenen Gedankengänge zuschreiben will, spricht für Cusanus' Überzeugung, daß sein Weg eine solche besondere Einsicht vermitteln kann.

[931] S. *Sermo* CCXCI (288) V$_2$ 283ra Z.23: „[...] fecunditas, proles et connexio [...]."

[932] S. *Sermo* LXI (56) V$_1$ 107rb Z.40f.; CCXCI (288) V$_2$ 283rb Z.2-23.

[933] S. zu diesem oben Zweiter Hauptteil B.II.2.a diskutierten Ternar *Sermo* LXI (56) V$_1$ 108ra Z.3-33.

II. DIE MENSCHWERDUNG

Die Schwierigkeiten, die Erkenntnis der Menschwerdung in Jesus Christus dem Glauben oder der endlichen Vernunft als solcher zuzuschreiben, werden gegenüber der Trinitätsproblematik nicht einfacher. Dies ist im Rückblick auf die ersten beiden Hauptteile wenig verwunderlich. In *De docta ignorantia* wurde die Einsicht in die Menschwerdung als Selbstbesinnung der endlichen Vernunft auf ihre Erkenntnisgrundlage, die *regula doctae ignorantiae* und das Maximum als Gottesbegriff, interpretiert. In *De pace fidei* gehört sie zu jener angeborenen Religion, die jeder Mensch ausdrücklich oder unausdrücklich in seiner Vernünftigkeit voraussetzt. Es konnte aber auch geklärt werden, warum Cusanus von einem Glauben spricht, wenn er die Grundlagen der endlichen Vernunft mit ihr selbst aufspürt. Sie liegen nämlich nur soweit in ihr, wie sie unmittelbar auf Gott zurückgehen und von ihm durch die Menschwerdung selbst gestiftet sind. Will Cusanus Gottes Wirken betonen, so formuliert er, daß die Menschwerdung zu glauben ist. Er kann aber auch ebenso das Vernunftstreben hervorheben, das erst in einer hypostatischen Union seinen Ruhepunkt findet. Gegenüber dem Glauben an die Dreifaltigkeit zeichnet sich dieser Glaube dadurch aus, daß die Einsicht in die Menschwerdung nicht mit Blick auf die Schöpfung überhaupt gelingt, wie dies durchaus bei Cusanus für die Trinität gilt, sondern erst von der Menschwerdung selbst her möglich wird, insofern sie die Vollkommenheit alles Geschaffenen ist. Erst durch sie wird der Vollsinn der Schöpfung und vor allem der der endlichen Vernunft offenbar, und nur von diesem Vollsinn aus kommt man auch zur Menschwerdung.

Die Predigten bieten zum Thema der Menschwerdung ein breites Spektrum verschiedenster Äußerungen. Inwiefern kann auch mit ihnen für diesen alles entscheidenden Punkt die These belegt werden, daß Vernunft und Glaube bei Cusanus nicht getrennt sind? Zunächst ist zu klären, ob er das Geheimnis der Menschwerdung allein als Glaubensgegenstand einführt. Dann muß der Grund der Menschwerdung dargelegt werden, denn auf ihn stützen sich die Cusanischen Argumentationen.

1. Das Faktum der Menschwerdung

Cusanus hebt oft hervor, daß wir Menschen nur durch die Hilfe des Glaubens dahin kommen, eine Menschwerdung Gottes anzunehmen. Ausdrücklich heißt es in *Sermo* CLXXXVI (180) :

> „Sunt aliqua, quae nec ad oculum sensibilem nec ad intellectualem ostendi possunt, uti est conclusio, quod Jesus verus homo sit verus Dei filius. Et licet plura testimonia producantur ad probandum, non tamen est possibile, quod omnia testimonia ostendant aliud quam coniecturas."[934]

Immer wieder nennt Cusanus die Menschwerdung in Jesus Christus als den entscheidenden Glaubensinhalt, so daß der Glaube auch wesentlich von daher verstanden werden muß.[935]

Jedoch findet sich ebenfalls der Gedanke, daß die Vernunft immer schon in sich um die Menschwerdung weiß. So betont Cusanus schon sehr früh, daß dieser Glaube auf der ganzen Welt anzutreffen sei, auch bei denen, die sich dessen nicht inne sind, womit angezeigt wird, daß er nicht allein an den spezifisch christlichen Glauben der verschiedenen christlichen Denominationen denkt.[936] In jedem wahren Kern der Gottesverehrung der Heiden oder der Juden steckt der Glaube an Jesus Christus, formuliert er später in der Entstehungszeit von *De pace fidei*.[937] Jesus Christus selbst begründet und ist die Wahrheit jener scheinbar dem Christentum entgegengesetzten Religionen.[938] Diese Universalität, die hier schon auf der allgemeinen Ebene der wahren Gottesverehrung gefunden wird, kann Cusanus auch als

---

[934] *Sermo* CLXXXVI (180) V$_2$ 96ra Z.33-39.

[935] S. u. a. *Sermo* XXXII N.6 Z.1-8, h XVII/1, 55f.; *Sermo* CCXLV (242) V$_2$ 179rb Z.46f.: „Sed ad hanc fidem [sc. aeternae vitae] pertingere non possumus nisi per fidem omnis fidei, quae est, quod magister noster Jesus sit Filius Dei et crucifixus."

[936] S. schon 1431 *Sermo* II N.8 Z.4-14, h XVI, 25: „Creditur enim per universum mundum Christum Dei filium de virgine natum. [...] Hoc Tartari non inficiunt, immo communiter credunt, licet non advertant. Et nulla est hodie mundi natio, quin credat Christum verum Messiam, quem exspectant antiqui, venisse exceptis Judaeis, qui eum tantum credunt venturum." S. weiter ebd. N.5 Z.1-25, h XVI, 22f.: Durch Vernunftüberlegungen oder Astrologie sahen manche die Menschwerdung vor.

[937] Vgl. hierzu vom 29.6.1453 *Sermo* CXXVI N.7 Z.1-6, h XVIII/1, 22: „Unde si est aliqua ratio culturae Judaeorum ad gentilium, illa reperitur in Christo Jesu, ita quod, si quis est ex Judaeis, qui Christum non recipit, hoc a vero cultu Judaeorum longe abest. Sic si quis ex gentilibus Christum non recipit, hic longe abest a vero cultu gentilium." Trotz dieses Anteils an der christlichen Wahrheit bleiben die anderen Religionen mangelhaft, s. *Sermo* CCXVI N.13f., h XIX/1, 87f.

[938] Vgl. *Sermo* CXXVI N.7 Z.20-22, h XVIII/1, 23: „Et si quis attendit, tunc Christus est omnis culturae verae veritas, perfectio et complementum."

universale Einsicht der endlichen Vernunft formulieren.[939] So scheint auch die Inkarnation wie die Trinität ein Glaubensgeheimnis zu sein, das zugleich eine höchste Vernunfteinsicht ist. Allerdings sind solche Äußerungen, die behaupten, daß das Faktum der Menschwerdung einsehbar sei, verhältnismäßig selten.[940]

2. Die Gründe der Menschwerdung

In den Predigten finden sich eine Fülle von Gedankengängen, die den Grund der Menschwerdung Gottes aufzuhellen versuchen. Darunter stößt man auf verschiedenste Reminiszenzen mittelalterlicher theologischer Positionen. An der Art und Weise, wie Cusanus mit ihnen umgeht oder gar neu Gedanken und Argumentationsgänge entwirft, kann abgelesen werden, welchen Status die Vernunft hat. Gerade der Grund ist über das reine Faktum hinaus zentral, da an ihm deutlich wird, wie das Glaubensgeheimnis der endlichen Vernunft gegenwärtig ist, wie sie im Glauben und dieser in ihr gegenwärtig ist. Die Art der Notwendigkeit oder Kontingenz, die in diesem Grund anschaulich wird, ist hierfür darzustellen. Für einen Glauben bleiben die Gründe letztlich dunkel, während die Vernunft nur insoweit sieht, wie sie die Gründe kennt. In den Predigten gibt es Argumente, die mehr die Kontingenz oder die „Notwendigkeit" der Menschwerdung betonen. Sie sollen zunächst je für sich untersucht werden, um dann erneut die Frage zu stellen, wie sie untereinander verbunden sind.

Die Menschwerdung ist ein Geschehen in der Welt und zeitlich einmalig, scheint also kontingent zu sein, denn schon die Welt selbst geht aus dem freien Willen Gottes hervor.[941] Keineswegs war er ge-

---

[939] S. von 1455 *Sermo* CCXI N.5 Z.23-28, h XIX/1, 42: „Et hunc in lumine naturae, in quo omnium defectum videmus in eius comparatione, omnes sapientes praevidisse futurum potuerunt, tamquam plenitudinem divitiarum et thesaurum desiderabilium." Mit *hunc* ist ein Mensch, in dem die göttliche Wahrheit wesenhaft wohnt, also ein Gottmensch gemeint. Bemerkenswert ist, daß Cusanus gerade an diesem heiklen Punkt nicht davor zögert, vom natürlichen Licht zu sprechen, obwohl er sich dieses Ausdrucks selten bedient. Vgl. weiter ebd. N.10 Z.16-22, h XIX/1, 44, wo außerdem darauf hingewiesen wird, daß auch die heidnischen Weisen den Gottmenschen ersehnten. Vgl. die Aussage in *Sermo* CCLXII (259) V₂ 209ʳᵃ Z.35-38, daß die Weisen der Welt immer die *incarnata sapientia* gesucht haben.

[940] Außer den drei genannten *Sermones* II, CXXVI und CCXI sowie *De docta ignorantia* und *De pace fidei* finden sich weitere Stellen in *Sermo* XXII N.38 Z.18-22, h XVI, 355; *Sermo* XXVIII N.3 Z.26-31, h XVII/1, 14; *Sermo* XL N.7 Z.19 - 8 Z.7, h XVII/2, 128f.

[941] S. *Sermo* LI N.5 Z.1-5, h XVII/3, 231: „Hac consideratione Verbum seu Ratio incarnata in Christo Iesu per se nobis manifestat, quo modo ipse, etiamsi posset esse,

zwungen, auch nur irgendein Geschöpf hervorzubringen. Insofern die Schöpfung vorausgesetzt wird, um die Menschwerdung Gottes in ihr zu verstehen, ist es der Vernunft schon von da aus verwehrt, die Menschwerdung in ihrem eigenen Licht zu sehen. Ihre primäre Kontingenz wird dadurch noch gesteigert, daß Cusanus sie in vielen Predigten als Erlösungstat von der Sünde auffaßt.[942] Diese selbst ist aber zuhöchst kontingent, da nichtig und wider die göttliche Ordnung gerichtet, auch wenn sie von der Vorsehung nochmals umfaßt wird. Insofern ist es für den erkenntnistheoretischen Status der Inkarnation von größter Bedeutung, ob sie vornehmlich vom Sündenfall her motiviert wird.

Für viele Predigten trifft eine soteriologische Begründung der Menschwerdung zu, zumindest scheinen sie mit dieser Intention abgefaßt zu sein. Schon die Erstlingspredigt *Sermo* I setzt in dieser Weise ein.[943] Die Argumentation, eine Art Rechtsstreit unter den göttlichen Tugenden, baut ganz auf dem Sündenfall auf. Ausschlaggebend ist schließlich das göttliche Erbarmen und seine Ehre vor den Völkern, keine wie bei Anselm auf Gottes Wesen selbst bezogene Unveränderlichkeit seiner Ehrenhaftigkeit (*immutabilitas honestatis*). Cusanus denkt hier also, daß auf Seiten Gottes keine Verpflichtung zur Erlösung vorliegt.[944] Erst wenn Gott bereit ist, in seine Schöpfung helfend einzugreifen, wird dann mit Anlehnung an Anselm die Notwendigkeit einer Wiedergutmachung durch einen Menschen, der zugleich Gott ist, begründet.[945] Ähnlich ist *Sermo* III von 1431 angelegt.[946] Diese Argumentation findet sich aber nicht nur in den frühen Predigten. 1444, also nach *De docta ignorantia* und *Sermo* XXII, gibt Cusanus für die Festpredigt zu Maria Verkündigung die biblische Erzählung des Sündenfalls wieder, die Verkrümmung des Menschen in sich selbst und dann das Wiederaufgerichtetwerden in Jesus Christus, wobei

---

quod non esset creator, esset nihilominus <<rex regum et dominus dominantium>> [...].“ Vgl. den Entwurf *Sermo* XXXVII A N.7 Z.1-3, h XVII/1, 97: „Sed creatio est libera. Unde hanc virtutem imparticipabilem modo, quo melius participari potest per creaturas, Deus voluit participare.“

[942] Vgl. Dahm 1997, 9-69 und 163-265. S. bes. deutlich in *Sermo* XII N.5 Z.7-12, h XVI, 231.

[943] S. *Sermo* I N.17 Z.6-9, h XVI, 14, vgl. ebd. N.24 Z.5f., h XVI, 18.

[944] Vgl. auch *Sermo* LXXVI (71) N.17, CT I/6, 110 Z.7-10: „Da ist ein frag, ob es not sey gewesen, das got die menschait hat an sich genomen. Ja es was gar nat vns armen menschen zu der erledigung. Awer got dem herren was sein nicht nat, er pedarf sein auch nicht, im ist auch kain nucz dar aus kömen.“

[945] S. *Sermo* I N.23 Z.1-31, h XVI, 17f.

[946] S. *Sermo* III N.5f., h XVI, 43-45, wo erst der Sündenfall geschildert wird und dann die Wiedergutmachung durch Jesus Christus. Vgl. *Sermo* XVII N.3 Z.1-24, h XVI, 271f.

allerdings schon seine kosmologische Begründung der Menschwerdung im Hintergrund zu stehen scheint.[947]

Außer der Schranke, die die Kontingenz und Widervernünftigkeit des Sündenfalls der Vernunft vorlegt, wenn sie sich dem Geheimnis der Menschwerdung nähert, gibt es weitere Punkte, die ihr ebenfalls höchstens Konvenienzgründe erschließen. Immer wieder wird in der theologischen Literatur des Mittelalters, aber auch schon der Väterzeit, darauf hingewiesen, daß Gott durch nichts gezwungen war, den Menschen in der Weise der Menschwerdung zu erlösen. Es wären ihm ganz andere Wege offengestanden. Auch diese Überlegung kennt Cusanus und greift sie zum Beispiel in dem frühen *Sermo* XII von 1432 auf, obwohl er sonst die Anselmsche Argumentation aus *Cur Deus homo* bevorzugt.[948] Die mit dem Sündenfall gegebene Kontingenz wird aber wieder durch den Hinweis relativiert, daß Gott selbst den Sündenfall zugelassen hat, ihn in seinem Willen umgreift und ein eigenes Ziel damit verfolgt.[949]

Als Grund der Menschwerdung scheint so die freie Güte Gottes, seine Liebe auf, die nicht von den endlichen Maßstäben des Menschen begriffen werden kann, obwohl durchaus einsichtig ist, daß sie

---

[947] S. *Sermo* XXX N.3 Z.5 - 4 Z.8, h XVII/1, 42f. und N.9f., h XVII/1, 46-48; vgl. hierzu Lentzen-Deis 1991, 66-68, und Dahm 1997, 170-174.

[948] S. *Sermo* XII N.5 Z.13-19, h XVI, 231: „Unde, <licet humanum genus> a Deo infinito et aeterno <liberari potuisset ex solo imperio voluntatis> aeternae et infinitae, cui nihil resistere potest, placuit tamen suae infinitae bonitati descendere <<propter nos homines et nostram salutem>>, <<quia non erat alius modus ita congruus reparatori, reparabili, reparationi>>." Cusanus greift hier auf Leo den Großen und Bonaventura zurück. In *Sermo* XXXV N.3, h XVII/1, 64f. gibt er Anselms Gedanken aus der *Meditatio redemptionis humanae* wieder, wobei er mit Anselms Identifikation von Notwendigkeit und Gottes Wille anfängt. Bezeichnend ist, daß er unmittelbar im Anschluß einen zweiten Gedankengang anfügt, der nicht von Sünde und Genugtuung, sondern zeitlichen Begierden und Mängeln sowie ihrer Reinigung spricht. Gegen die Möglichkeit anderer Erlösungswege spricht sich Cusanus aber in *Sermo* CLXXXIII (177) V₂ 84ʳᵃ Z.36-45 aus: „Et attendas quo modo ad eum, qui debet esse offuscatae imaginis renovator, necessario pertinet in se habere exemplar et veritatem illius, cuius vult imaginem renovare. Aliter enim non est possibile fieri. Et quia solus filius est in se habens patrem creatorem et solus filius cognoscit patrem; [...] ideo solus filius est salvator seu renovator seu regenerator novi hominis [...]."

[949] S. *Sermo* LXI (56) V₁ 107ʳᵃ Z.46 - 107ʳᵇ Z.1: „Permisit omnes homines peccare, ut omnes indigerent gratia, ut ostenderet divitias gratiarum suarum in Christo Jesu salvatore omnium."

in sich vernünftig ist.[950] Jesus ist der große Botschafter der göttlichen absoluten Liebe.[951]

Jedoch hatte gerade der Gedanke der Maximalität im Gefüge von *De docta ignorantia* zur Folge, daß sogar das „Daß" der Menschwerdung einsichtig gemacht werden konnte, da die Güte mit der Macht zusammen gesehen wurde. Auch wenn niemand Gott zwingen kann, so sucht er doch den größten Ausdruck seiner Macht, unabhängig vom Handeln der Menschen. Dieser Gedanke ist auch im Predigtwerk weit verbreitet. Mit Cusanus' eigenen Überlegungen lassen sich obige Argumente für die Kontingenz und Uneinholbarkeit der Menschwerdung auch in die entgegengesetzte Richtung treiben.

Die Tatsache, daß die Menschwerdung eine heilbringende Reaktion Gottes auf den Fall der Menschen war, muß nicht für dessen Kontingenz sprechen. Die Sünde könnte sogar gerade darin bestehen, daß der prädestinierte Gottessohn und damit implizit dessen „Nichtkontingenz" geleugnet wird. Diesen Gedanken faßt Cusanus einmal in einer Predigt von 1431.[952]

Auch deutet Cusanus die Menschwerdung in vielen Predigten so, daß sie vom Geschehen des Sündenfalls und der Erlösung völlig unabhängig zu sein scheint. Das zeigt sich vor allem in den Überlegungen, die darauf hinausgehen, daß das natürliche Streben der Menschen nach Erkenntnis und Erfüllung allein mit der hypostatischen Union, der Vereinigung der endlichen Vernunft mit ihrer unendlichen Wahrheit, erfüllt wird. Dies ist zum Beispiel ein Argument in dem schon erwähnten *Sermo* CCXI. Wenn Gott dieses Verlangen gibt, dann gewährt er auch seine Erfüllung, die allein im Gottmenschen möglich ist.[953] Darauf zu hoffen, die Wahrheit zu finden, und an Jesus

---

[950] Vgl. *Sermo* XVII N.3 Z.19-24, h XVI, 272; LXXVI (71) N.17, CT I/6, 110 Z.14-16: „Aber was hat in dar zw pracht das er mensch ist worden? Nichcz anders wann die graß lieb, die er zu vns gehabt hat." Vgl. *Sermo* III N.10 Z.1-17, h XVI, 47.

[951] *Sermo* CLV (148) V$_2$ 53ra Z.19-23: „Sic experimur Jesum ostendisse per omnia, quae fecit in hoc mundo, caritatem absolutam, cuius ipse erat legatus et verbum. Deus pater non pepercit filio suo, ut ostenderet quod magis nos diligere non posset."

[952] S. *Sermo* IX N.10 Z.1-5, h XVI, 179: „Et quoniam haec sacratissima Scriptura in primordio hoc praedestinatum aeternum maximum opus posuit incarnandi Verbi ex Virgine, propter cuius superbam incredulitatem Lucifer cecidit [...]." Der Akzent in diesem Zitat liegt auf der Jungfrauengeburt, doch betont Cusanus die Vorrangigkeit der Menschwerdung vor allem Geschaffenen (s. *praedestinatum aeternum maximum opus*). Vgl. hierzu Haubst 1956, 189f., der ausführt, wie wenig man eine absolute Prädestination Christi bei Cusanus ausmachen kann.

[953] S. schon *Sermo* III N.11 Z.11-14, h XVI, 48, bes. aber *Sermo* CCXI N.10 Z.1-22, h XIX/1, 44: „Aliquid igitur supra omnem mensuram comprehensionis desiderat nobilis spiritus et ingemescit, quia id, quod maxime desiderat, apprehendere nequit. [...] Deus enim nihil frustra agit, et dare desiderium sine spe assequendi est dare torturam, quod optimo Deo non est ascribendum, qui solum novit dare bona. Unde

Christus zu glauben kommen überein.[954] Dabei erwähnt Cusanus
nicht, daß die Unwissenheit bezüglich der Wahrheit in gewisser Weise
eine Folge des Sündenfalls ist. Vielmehr geht er oft schon vom Zustand des gefallenen Geschöpfes aus und interpretiert diesen dann,
wie vor allem in *De docta ignorantia* dargelegt, primär aus der Endlichkeit der menschlichen Vernunft, nicht aus dem selbstverschuldeten
Mangel an Gnadenausstattung.[955]

Cusanus ordnet Sünde wiederholt unter diejenige Endlichkeit ein,
die schon mit der Schöpfung allein gegeben ist. Deswegen spricht er
meist nicht von Sünde, sondern von Mängeln, *defectus*, oder Gebre-
chen.[956] Gerade diese Art des Unterschiedes zum vollkommenen Gott
eröffnet für Cusanus einen Weg, durch die endliche Vernunft Jesus
Christus zu entdecken. In der Predigt CCXI überlegt er ganz analog
zu *De docta ignorantia*, daß erst vom Gottmenschen aus die Mängel im
Geschaffenen sich als solche erkennen lassen.[957] Insofern kann er
auch von Mängeln oder Sünde sprechen, ohne daß damit eine un-

---

omnes prophetae et sapientes etiam ex gentibus videntes ex se non posse ad hoc,
quod spiritus desiderat, attingere, etiam non frustra scientes hoc eis desiderium
inesse, affirmarunt illum, qui dedit naturae intellectuali desiderium, etiam gratiam
assequendi daturum." Diese Gnade wird aber allein in der Weise des Gottmenschen
ermöglicht. Cusanus kann diesen Gedanken auch formulieren, ohne auf das Zwischenglied Gnade einzugehen, s. *Sermo* LXXXVIII (83) V$_2$ 10vb Z.33-37: „Habemus
igitur quandam connatam notitiam sapientiae ad quam movemur. Sed ipsam nondum apprehendimus neque apprehendere possumus, nisi in supremo magisterio
scilicet in verbo patris in Christo Jesu." Vgl. *Sermo* CCLXII (259) V$_2$ 209ra Z.41-44.

[954] S. *Sermo* CXXII N.8 Z.14-19, h XVIII/1, 5f.: „Et hinc conspicis, quomodo Christum
<Deum et hominem> ac veritatem ac eius facta et dicta opera et testimonia veritatis
credi necessario oporteat, cum sine hoc ad cognitionem veritatis, quae est vita suprema intellectualis solum gloriosa, impossibile sit deveniri."

[955] S. *Sermo* XXXV N.4 Z.1-17, h XVII/1, 65: „Homo ex Adam secundum naturalem
originem ad hanc vitam huius mundi omne desiderium suum dirigit. [...] Fuit igitur
homo a nativitate ignorans. Sed ad hoc ut sapiens fieret et altissimum finem attinge-
ret, Sapientia sibi humanam induit naturam, et <factus est Christus>, Dei sapientia,
Deus et homo, <nostra sapientia>, ut alterius mundi desideria in ipso experiremur."
In *Sermo* XXXVII führt Cusanus zwar die Tatsache, daß die Menschen ihr Letztziel
in diese Welt setzen, auf einen bösen Geist zurück, kommt dabei jedoch nicht auf
den Sündenfall zu sprechen, sondern begründet dies damit, daß dem Menschen als
Abbild Gottes auch die Wahrheit immer nur in abbildhafter Weise, das heißt in
Ähnlichkeiten, zugänglich ist und selbst unbekannt bleibt, s. ebd. N.7f., h XVII/1,
77-80, vor allem N.7 Z.12-30, h XVII/1, 78. Entsprechend kann er an anderer Stelle
formulieren, daß jeder Mensch nur zusammengezogen und damit auf endliche
Weise Mensch ist, so aber *cum casu a veritate puritatis et perfectionis* (*Sermo* LIV N.5
Z.25f., h XVII/3, 252), als wäre dies der Sündenfall. Vgl. hierzu Gandillac, Maurice
de: Nikolaus von Cues. Studien zu seiner Philosophie und philosophischen Weltanschauung, Düsseldorf 1953, 464-467. Diese Problematik berücksichtigt Dahm 1997,
174-176, zu wenig.

[956] In *Sermo* CCXI N.11 Z.1f., h XIX/1, 44 ist ausdrücklich von der Gnade als *suppletio
defectuum naturae* die Rede.

[957] S. *Sermo* CCXI N.5 Z.23-28, h XIX/1, 42 (hier zitiert in Anm. 939).

überwindliche Kontingenz seine Überlegungen zum Grund der Menschwerdung behinderte. Sei es, daß dieser Ausgleich von Mängeln ganz in den Vordergrund gerückt wird[958], sei es, daß er zumindest eine besondere Würdigung erfährt[959], will Gott überhaupt sein Ziel mit der Schöpfung erreichen, so darf die Menschwerdung als deren Abschluß nicht fehlen[960]. Damit hängt die Menschwerdung noch hypothetisch vom erklärten Willen Gottes ab, eine vollkommene Welt zu schaffen. Allerdings wäre es geradezu absurd, wenn er dies nicht täte, wie etwa *Sermo* CCXI, ausgehend vom natürlichen Streben, festhält.

Cusanus geht sogar so weit, daß er die Möglichkeit einer Schöpfung und damit einer Schöpfertätigkeit Gottes an die Wirklichkeit der Menschwerdung knüpft.[961] An vielen Stellen hält er ausdrücklich fest, daß die Schöpfung aus Jesus Christus hervorgeht. Dabei kann er manchmal betonen, daß dies wegen des göttlichen Trägers in Jesus Christus gilt[962], doch eigentlich geht er davon aus, daß die mit der Gottheit vereinte menschliche Natur für die Schöpfung unabdingbar

---

[958] S. *Sermo* XXIV N.26 Z.16-24 und N.27 Z.1-10, h XVI, 411f., das Verlangen nach Jesus ist aber schon allein mit der Geistnatur des Menschen gegeben, s. ebd. N.21f., h XVI, 406f.

[959] S. *Sermo* LXXIV (69) V$_2$ 30ra Z.16-23: „Unde ratio seu ars aeterna ut omnia completa essent et singulariter ad tollendum omnem defectum rationalis corruptibilis scilicet humanae naturae induit ars creativa aeternae rationis humanam naturam, ut ars unum suppositum foret cum artificiato et ita quiesceret ars in artificiato [...].“

[960] S. *Sermo* XLV N.3 Z.12-16, h XVII/2, 188: „Possumus tamen resolvere ambas [sc. considerationes causae incarnationis] in unam et dicere, quod incarnatio facta est, ut omnia finem, ad quem creata sunt, in Verbo consequantur, sive sit homo, qui a fine per peccatum deviavit in parente vel per se.“ Nach Colomer 1961, 112 Anm. 226, ist das *per se* gegen Haubst 1956, 190, (und auch gegen die Interpunktion in h) im Sinne eines „vel (sit homo) per se, d. h. ohne Beziehung auf die Sünde“ zu verstehen.

[961] S. *Sermo* XXII N.32 Z.1-10, h XVI, 351: „Notandum hic, quo modo incarnatio Christi fuit necessaria nobis ad salutem. Deus creavit omnia propter se ipsum, et non maxime et perfectissime, nisi universa ad ipsum; sed nec ipsa ad ipsum uniri potuerunt, cum <<finiti ad infinitum nulla sit proportio>>. Sunt igitur omnia in fine, in Deo, per Christum. Nam nisi Deus assumpsisset humanam naturam, cum illa sit in se et medium alias complicans, totum universum nec perfectum, immo nec esset.“ Die Heilsnotwendigkeit der Inkarnation, die Cusanus einleitend anspricht, wird im Verlauf dieses Gedankenganges zu einer Notwendigkeit für die Möglichkeit einer Schöpfung überhaupt. S. auch *Sermo* LXIX (67) V$_1$ 119rb Z.46 - 120va Z.2: „In quo altare, quod est Christus. Et ipse oblatio est suprema honorificentiae dei, in quo coincidit altare cum oblatione ut ipse sit finis completus tam creaturarum quam causae creationis earum.“

[962] S. *Sermo* CCLXXIV (271) N.27, CT I/2-5, 148 Z.7-9: „[...] sicut de humanitate Christi; nam quia accessit ad idemptitatem personae, ideo dicimus hunc hominem Christum creasse mundum, licet advenerit humanitas post creationem.“ Zu dieser Art Aussagen zählen auch die, in denen Cusanus nur vom göttlichen Wort als demjenigen spricht, durch das alles geschaffen wird, s. bes. die Auslegung von Kol 1,15 in der *Elucidatio Epistulae Ad Colossenses* V$_2$ 288rb Z.39 - 288va Z.7.

ist.[963] Jesus Christus als Mensch und Gott ist, recht verstanden, die Mitte der und das Mittel zur Schöpfung.[964] Ohne ihn bliebe die Schöpfung unvollkommen.[965] Somit wäre aber auch in gewisser Hinsicht die göttliche Schöpfermacht unvollkommen.[966] Die Unvollkommenheit der Schöpfung bestünde vor allem darin, daß die „Wahrheit der Menschheit", in welcher alles zusammengefaßt sein soll, nicht zum Vorschein käme.[967] Dies bedeutet aber nichts anderes, als daß

[963] S. besonders deutlich in *Sermo* XLV N.5 Z.6-12, h XVII/2, 189: „Et hoc modo dicimus Christum <primogenitum omnis creaturae>; non secundum divinitatem tantum, sed ut Christum, <Deum et hominem>; non ex apparitione temporis, quia <<Verbum aeternum>>, in quo suppositatur creatura, ante omne tempus est. Et Christus sic est <<ante omnem creaturam>>." Vgl. *Sermo* CLXXI (164) V$_2$ 66rb Z.31-35: „Sic Jesus est ante omnia et per ipsum et propter ipsum omnia et ipse finis et quies creatoris creantis et creaturarum creatarum omnium. Et ita est primogenitus ante omnem creaturam [...]." Zur Tatsache, daß Cusanus Jesus auch seiner maximalen Menschheit nach und nicht allein bezüglich seiner Gottheit mit Kol 1,15 den „Erstgeborenen" nennt, was durchaus umstritten war, s. Haubst 1956, 167-169.

[964] S. *Sermo* CCLXXX (277) V$_2$ 263rb Z.25-36 (Lentzen-Deis 1991, 216): „Si quis per intellectum profunde considerat quomodo Christus est via, per quam omnis creatura fluit in esse, ut id sit quod est, quodque Christus, qui est via, est etiam terminus creationis, quia in ipso terminatur et perficitur creatio, et cum hoc attente meditatur quomodo ipse est via, per quam necessario omnis creatura complet circulum refluxus, et revertitur ingrediendo in primam causam, et est terminus refluxus, ille videt ipsum sic esse medium fluxus et refluxus, quod etiam est principium et finis." Deshalb gesteht Haubst der Vorherbestimmung Jesu Christi nicht nur eine „metaphysisch-intentionale Priorität vor der der Menschen" (ders. 1956, 177) zu, sondern auch eine „gegenständlich-intentionale" (ebd., 191).

[965] *Sermo* CXLI (134) N.8, CT I/2-5, 80 Z.23-26: „Sapientia autem absoluta, quae est ars omnipotentiae, non fuit neque in angelis neque hominibus neque prophetis, uti est, recepta. Ob hoc opera artis illius remanserunt imperfecta." S. auch bes. *Sermo* XXIV N.27 Z.15, h XVI, 412, wo Jesus als *das ende aller volkomenheit* bezeichnet wird, was in h mit *omnis perfectionis finis* übersetzt wird. Vgl. *Sermo* XXXII N.32 Z.7-10, h XVI, 351; *Sermo* LI N.2 Z.5-11, h XVII/3, 230; *Sermo* CXXIX N.7 Z.11-19, h XVIII/1, 41; *Sermo* CLXXXVII (181) V$_2$ 90ra Z.34f. S. auch *Sermo* CCXXVII (224) V$_2$ 150rb Z.39f.: „Christus igitur qui est veritas, est perfectio omnis perfectibilis."

[966] S. *Sermo* XXII N.35 Z.1-6, h XVI, 352: „Hic igitur advertendum, quod Christus Dominus in hoc, quod supra omnem creaturam maximitati absolutae coniunctus est, quia eo maior dari nequit, in quo potentia infinita in se completa et perfecta est, tunc Deus est et ipsa ars seu forma infinita omnium, quae sunt." S. weiter *Sermo* XLV N.4 Z.1-9, h XVII/2, 188f.: „Dico incarnationem Verbi esse complementum et quietem creationis. Nam in illo opere quiescit potentia in se ipsa [...]. Creata enim quacumque creatura cuiuscumque perfectionis perfectior potuit creari, quantum erat ex parte potentiae Dei. Sed quando creatura in ea est perfectione, quod in Deo suppositatur, completa est potentia creandi, quae est Deus [...]. Et hinc est quies potentiae in se ipsa." Thomas denkt zwar auch eine Vollkommenheit Christi, hält aber durchaus eine größere geschaffene Gnade als die habituelle Gnade Christi für möglich, so daß die Macht Gottes, für sich betrachtet, nicht durch diese ausgeschöpft, wohl aber an ihr Ziel geführt wird (s. STh III 7, 12 ad 2).

[967] S. die sehr spekulative Bezeichnung Jesu als *veritas simplex et pura, quae in humana natura est ipsa veritas humanitatis* in *Sermo* CXXII N.5 Z.9-11, h XVIII/1, 4. Vgl. weiter *Sermo* XXII N.35 Z.6-8, h XVI, 352: „In quantum autem maximus homo, tunc homo est perfectissimus, cui perfectior dari nequit." *Sermo* CCLXVII (264) V$_2$ 219va Z.40-45:

Gott selbst unbekannt bliebe.[968] Damit jedoch, und dies ist die ausschlaggebende Konsequenz, würde Gottes Schöpfermacht nicht offenbar.[969] Seine Selbstverherrlichung in der Schöpfung gelänge nicht, denn diese versteht Cusanus vor allem als Offenbarwerden der schöpferischen Macht Gottes.[970] Da Cusanus primär von der Macht Gottes ausgeht, weil sich diese dem Begreifen der endlichen Vernunft öffnet, kann er Jesus sogar als Geschöpf Gottes bezeichnen.[971] In einer weiteren Steigerung identifiziert er ihn sogar mit der Schöpfung selbst, denn wenn die Schöpfung die Erscheinung der Macht Gottes sein soll, so geschieht dies absolut allein in Jesus, ohne ihn aber nur mangelhaft.[972] Dies folgt daraus, daß Cusanus die Handlung Gottes nach außen auch als eine auf ihn zurück gerichtete Handlung sehen will, das heißt die Gegenwart des Endlichen bei oder gar in Gott. Intimer als in der hypostatischen Union läßt sich dies nicht denken. Diese lautet aber, auf die Schöpfermacht hin formuliert, daß die Macht Gottes in ihrer Entäußerung in sich selbst zurückgeht; sie findet in

---

„Ex hoc elicio Christum esse hominem, qui in absoluto homine significatur, quasi homo hominum seu rex hominum, [...] ac si perfectio et puritas humanae naturae in eo ut in principe naturae contineretur." Vgl. *Sermo* CCXCII (289) V₂ 284rb Z.38: „[...] verum est Christum esse actu omnem perfectionem [...]."

968 S. *Sermo* CLIV (147) V₂ 52va Z.44-47: „Unde nisi Deus creasset talem hominem cuius intellectus fuisset exaltatus ad unionem verbi Dei remansisset Deus incognitus." Vgl. *Sermo* CCLXVII (264) V₂ 219ra Z.9f.: Jesus ist die *copula huius coincidentiae ascensus hominis interioris in Deum et Dei in hominem*. S. weiter *Sermo* CCLXXXIII (280) V₂ 270ra Z.47 - 270rb Z.8 sowie *Sermo* CCXC (287) V₂ 281ra Z.14-24: Jesus allein ist der Mittler Gottes.

969 S. *Sermo* CLXXXVII (181) V₂ 90ra Z.26-34: „Si enim consideras hominem non nisi revelatione filii seu verbi posse ad cognitionem gloriae Dei, hoc est ad suam felicitatem pervenire, bene vides hominem, qui verbum patris, esse, sine quo non est possibile ad felicitatem perveniri. Unde Christus Jesus verbum Dei et filius hominis est medium, sine quo non potest gloria Dei manifestari."

970 Vgl. *Sermo* CCIV N.7 Z.1-4, h XIX/1, 5: „Omnia igitur Deus propter ostensionem magnae gloriae suae operatur, et ideo ratio, cur cuncta sic sunt ut sunt, haec est: ut ostendatur gloria Dei." Die Herrlichkeit Gottes offenbar zu machen ist das Ziel der Schöpfung, vgl. ebd. N.6 Z.8-11, h XIX/1, 4. Die Identifizierung von beidem mit Jesus Christus liegt auf der Hand, s. *Sermo* CCLVIII (255) V₂ 200rb Z.19-21: „Remansisset igitur gloria Dei incognita, si non fuisset ostensor. Sic ipse est perfectio omnis creaturae [...]." Vgl. *Sermo* CLXXXVII (181) V₂ 90ra Z.22-26.

971 S. *Sermo* XL N.7 Z.30-33, h XVII/2, 129: „Sed scivit [sc. Martinus] nullam creaturam altiorem perfectioremque posse esse illa, quae subsisteret unione immediatissima et unissima in <vena sui esse>." *Sermo* CCLX (257) V₂ 204ra Z.47 - 204rb Z.1; *Sermo* CCLXXXVIII (285) V₂ 278rb Z.5-7: „[...] creavit in tempore hominem Jesum per artem creativam, quem ad artem ipsam vocavit."

972 S. *Sermo* CCLX (257) V₂ 204rb Z.8-13: „Sic Deus pater artem creandi per quam Jesum filium hominis creavit eidem filio suo creando univit. Ita Jesus est vera Dei creatio, in qua vis seu ars creativa seu creatio est creatura."

sich ihr Ziel.[973] Ohne die Menschwerdung schiene die Übereinstimmung Gottes mit sich hinsichtlich seiner Macht gebrochen.

Cusanus hat nur an wenigen Stellen versucht, die Begründungen der Menschwerdung im Ausgang vom Sündenfall oder von der Schöpfung miteinander zu verbinden. Eine eigentliche Disparatheit sieht er ihnen nicht an. Insofern die von der Sünde ausgehende Argumentation die Schwäche der endlichen Vernunft betont und zu einer größeren Kontingenz der Inkarnation gelangt, die andere Argumentation aber fast schon ihre Notwendigkeit aus Gottes Allmacht behauptet, sind die Versuche, beide Wege miteinander in Einklang zu bringen, für das Verhältnis von Glaube und Vernunft von großer Bedeutung. Jedoch kommt Cusanus nur an zwei Stellen darauf zu sprechen. In *Sermo* CCLVIII (254) vom 19.12.1456 übernimmt er von Aldobrandinus vier Gründe, sich über die Menschwerdung zu freuen, wobei sich zwei auf die Erfüllung der Schöpfung beziehen und zwei auf den Sündenfall.[974] Sie werden in dieser Predigt allerdings nicht aufeinander abgestimmt.

In *Sermo* XLV stellt er explizit die kosmologische und satisfaktorische Erklärungsweise der Menschwerdung vor. Die eine Deutung zielt auf die Vollendung und die Ruhe der Schöpfung, die andere bezieht sich auf den Fall des Menschen, wobei sich Cusanus der ersten anschließt.[975] Beide können seiner Meinung nach zu einem Weg vereint werden, wenn man beachtet, daß es jeweils darum geht, daß das Geschaffene an sein Ziel kommt.[976] Cusanus' Synthese nimmt die erste

---

[973] S. *Sermo* XXXIII N.5 Z.6-11, h XVII/1, 60: „Infinitus igitur actus, scilicet Pater, qui habet infinitam activam potentiam, scilicet Filium, voluit, quod Filius <formam servi acciperet>. Hoc est scilicet, quia Pater in divinis voluit potentiam suam terminari in se ipsa, ut ita esset operatio maxima terminata in potentia Filii." Vgl. *Sermo* XLV N.4 Z.12, h XVII/2, 189; *Sermo* LXIX (67) V$_1$ 120va Z.14-18: „Unde cum creator omnia propter se ipsum operatus est, tunc ibi quiescit creatura, ubi in unitate personae est unita creatori, et sic haec creatura est in qua omnes creaturae habent finem et principium." Vgl. *Sermo* CXXIX N.7 Z.11-19, h XVIII/1, 41: „Sed Christus venit, qui est finis creaturae. In illo lumen illud intellectuale unitum est veritati et rationi aeternae, ut sic quiesceret [*quiescet* h verbessert mit *quiesceret* V$_2$ 5vb] omnipotentia in se ipsa."

[974] S. *Sermo* CCLVII (254) 199rb Z.40 - 199va Z.22, bes. V$_2$ 199rb Z.40-46: „Et dicebat Aldrovandinus in sermone uno huius diei quattuor causas gaudii incarnationis: primam dixit perfectionem universitatis, secundam quietationem voluntatis, tertiam exaltationem nobilitatis naturae, quartam dixit acquisitionem haereditatis divinae." Vgl. Haubst 1956, 188.

[975] S. *Sermo* XLV N.3. Z.1-11 und N.4 Z.1f., h XVII/2, 188.

[976] S. ebd. N.3 Z.12-16, h XVII/2, 188 (hier zitiert in Anm. 960). Daß sich für Cusanus beides ohne Schwierigkeiten verbinden läßt, bezeugt auch die Erlösungslehre in *Sermo* XXVII N.2 Z.16-27, h XVII/1, 3: „Non igitur quiescere potest homo sine apprehensione <immortalis veritatis>. Sed cum natura humana propter recessum primorum parentum a via veritatis immortalis et conversionem ad viam scientiae pro-

Deutung bevorzugt auf, da der Sündenfall nur als ein besonderer Fall dafür mit eingeht, wie das Geschaffene noch von seinem Ziel getrennt ist. Erneut wird deutlich, daß nur der Gottmensch das Ziel der Schöpfung sein kann, und zwar im Sinne einer Manifestation der göttlichen Schöpfermacht und erst so seiner am Geschaffenen handelnden Güte. In dieser Weise öffnet sich aber auch die Erkennbarkeit Gottes am weitesten der endlichen Vernunft, die sich immer an die göttlichen Wirkungen zu halten hat, wenn sie zu positiven Behauptungen kommen will.

C. Die hypostatische Union als die Wahrheit der Vernunft

Die Untersuchung der Aussagen in den Predigten zur Erkennbarkeit der Glaubensmysterien hat eine gewisse Ambivalenz an den Tag gelegt. Einerseits scheint die Kraft der endlichen Vernunft beschnitten zu sein, insbesondere zeigen manche Äußerungen zum Sündenfall, daß die Absichten Gottes prinzipiell und nicht nur wegen einer von der endlichen Vernunft selbst verschuldeten Schwäche unzugänglich bleiben. Hier hat der Glaube, wie er die endliche Vernunft über sich hinaus erhebt, seinen Ort. Andererseits fehlt es nicht an Argumentationen, die zu entgegengesetzten Schlußfolgerungen kommen, insbesondere wenn davon die Rede ist, daß sogar das Kommen des Gottmenschen vorhersehbar war. Cusanus selbst sieht eine Versöhnung beider Ansichten darin gegeben, daß für ihn Jesus Christus das Ziel alles Endlichen ist, in dem sich zugleich Gott selbst spiegelt. In ihm wird die Welt zusammengefaßt, auf daß sie selbst seine Entfaltung werden kann. Dies trifft in erster Linie auf die vernünftige Natur zu, insbesondere den Menschen, der die Verbindung zum Körperlichen schafft. Die gegenseitige Durchdringung von Zusammenfaltendem und Entfaltetem bei aller Differenz scheint so auch hier der Schlüssel zu sein, wie die genannte Ambivalenz gedeutet werden kann, wenn man nicht behaupten will, Cusanus widerspreche sich in seinem Predigtwerk. Insofern muß erneut der hypostatischen Union als dem

---

priae praesumptionis non habet per se in diminutis personis potestatem revertendi, cum sit ignorans, necesse habet, ut sua propria natura humana sit in Salvatore Deo unita, ut in natura sua viam habeat, in qua veritatem vitae apprehendat. Hic est Salvator, in quo est plenitudo perfectionis naturae ad gustum divinitatis creatae."

Zentrum von allem nachgegangen werden. Es stellt sich die Frage, ob der Glaube auch in den Predigten letztlich als Realisierung der hypostatischen Union in der endlichen Vernunft verstanden wird?

I. DIE VEREINIGUNG MIT GOTT IN DER MENSCHLICHEN NATUR

Jesus Christus ist das Ziel und der Abschluß der ganzen Schöpfung. Insbesondere gilt aber, daß die hypostatische Vereinigung des Endlichen mit dem Unendlichen dasjenige Ziel darstellt, auf das alles Streben, insbesondere das der endlichen Vernunft, hinausläuft.[977] Wenn die Menschen Christus nachfolgen und ihn nachahmen sollen, so deutet Cusanus dies bis zu einer Nachbildung der hypostatischen Union aus. Dies läßt er schon in der frühen Predigt III anklingen.[978] Ganz deutlich ist dieser Gedanke aber in der Entstehungszeit von *De docta ignorantia* ausgearbeitet. Jesus Christus ist als höchstes Geschöpf dann das Ziel von allem und faßt alles in sich, wenn er zugleich Gott ist[979], denn die Maximalität ist immer göttlich. Eine rein endliche Vervollkommnung schließt Cusanus aus. Entsprechend kommt auch erst im Gottmenschen die Wahrheit der menschlichen Natur ganz ans Licht.[980] Dabei macht es keinen Unterschied, ob Cusanus von einer vollkommenen oder vollkommensten Erfüllung der menschlichen Natur spricht. Auch eine Vollkommenheit ist maximal und damit göttlich.[981] Die hypostatische Union hat für die endliche Vernunft

---

[977] S. *Sermo* LXIX (67) V₁ 120ᵛᵃ Z.17f.: „[Christus] haec creatura est in qua omnes creaturae habent finem et principium." *Sermo* CLXXIX (172) V₂ 78ᵛᵃ Z.39 - 78ᵛᵇ Z.2: „Mediator autem consummatus debet esse in summa gratia Dei et talis, quod per ipsum gratia, qua homines indigent, posset gratia Dei communicari. [...] Et quia non cadit inter Deum et hominem medium, quod nec sit Deus nec homo, nec creator nec creatura (oporteret enim medium esse nec finitum nec infinitum), ideo mediator unus est eo modo inter Deum et hominem, ut in se uniat Deum et hominem." Vgl. *Sermo* XXII N.32 Z.1 u. 10, h XVI, 351.

[978] S. *Sermo* III N.11 Z.11-14, h XVI, 48 (in h wird hierzu keine Vorlage angegeben): „Ad te igitur per tui amorem ascendimus et in te transformamur et sic per te, ut tua humanitas Deo unita est, unimur."

[979] S. u. a. *Sermo* XXII N.32-38, h XVI, 351-355, bes. ebd. N.35 Z.20-23, h XVI, 353: „Et quia causatum aut creatum, si transit ad maximitatem per unionem, qua maior possibilis non est, necessario in se subsistere nequit hypostatice, hinc humana natura subsistit in divina [...]."

[980] S. *Sermo* XXII N.38 Z.3-9, h XVI, 354: „[...] quoniam Christi humanitas in illam maximitatem elevata, ut divinae naturae unitur, est omnium hominum verissima atque perfectissima humanitas. Homo igitur, qui Christo adhaeret, ille suae propriae humanitati adhaeret, ut sit unus cum Christo, sicut Christus cum Deo."

[981] In *Sermo* XXIII spricht Cusanus im Positiv und Superlativ von der Vollkommenheit der menschlichen Natur, s. *Sermo* XXIII N.7 Z.25-31, h XVI, 362: „Post hoc pervenit

insbesondere die Bedeutung, daß sie so die göttliche Wahrheit, den Sohn Gottes, erreicht. In dieser Weise faßt Cusanus den Kern des Evangeliums zusammen, den er in *De aequalitate* in einer Kurzformulierung festhalten will.[982] Eine eigentliche Wahrheitserkenntnis darunter scheint es für Cusanus nicht zu geben.[983]

Eigentümlich ist jedoch, wie Cusanus in seinem Verständnis der endlichen Natur diese bis zum Göttlichen hin öffnet. Er schreibt oft, daß der Mensch in Jesus Christus Gott in seiner eigenen Natur erreicht. Damit meint er zwar auch, daß der Mensch als Mensch zu Gott kommt und sein Menschsein nicht verliert. Darüber hinaus will er aber auch zum Ausdruck bringen, daß diese Erhöhung des Menschen nicht über das hinausführt, was er als Anlage in sich hat, als Möglichkeit, die er allerdings nicht selbst zur Wirklichkeit bringen kann. Die intimste Vereinigung mit Gott gehört schon zur Wesensverfassung des Menschen, die zu erstreben seine Existenz ausmacht. Es kommt Cusanus dabei auf die Unmittelbarkeit der Begegnung mit Gott an. Das Unendliche wird im Endlichen und für das Endliche unmittelbar gegenwärtig, ohne doch verendlicht zu werden.

Cusanus hebt hervor, daß alles darauf ankommt, daß der Mensch die göttliche Wahrheit in einem Menschen findet. Dies kann zunächst heißen, daß Gott der Verfassung des endlichen Menschen entgegenkommt, ohne daß damit schon angedeutet wäre, wie der Mensch bis zu Gott hin ausgespannt ist.[984] Allerdings gelingt es etwa dem hl. Mar-

---

ipsa humanitas ad <plenitudinem temporis> et perfectionis, ad ipsum scilicet intellectum sapientiae liberum. Et tunc sapientia unita est humanitati in Christo, Domino nostro, et non potuit plus crescere ipsa natura, quae ad perfectissimum gradum pervenit.“

[982] S. *De aequalitate* V₂ 257ʳᵃ Z.36-46: „[...] intellectus creatus non potest increato deo in unitate substantiae uniri, sed homo bene unitur homini in unitate essentiae humanae, ideo verbum caro factum est, ut homo mediante homine qui verbum et filius Dei deo patri in regno vitae aeternae inseparabiliter uniatur. Hoc mysterium maximum mediatoris et salvatoris nostri Jesu Christi propalatum est in scripturis utriusque testamenti [...].“ Vgl. hierzu Lentzen-Deis 1991, 145-147.

[983] S. neben *Sermo* XXIII N.7 Z.25-31, h XVI, 362 bes. *Sermo* CLIV (147) V₂ 52ʳᵃ Z.44-47: „Unde nisi Deus creasset talem hominem cuius intellectus fuisset exaltatus ad unionem verbi Dei remansisset Deus incognitus.“ Vgl. *Sermo* CCLXII (259) V₂ 209ʳᵃ Z.35-43. Statt auf das Erkennen bezogen kann Cusanus denselben Gedanken auch bezüglich des Lebens formulieren, ist doch das Erkennen das Leben der Vernunft, s. *Sermo* CLXXXIX (183) V₂ 92ᵛᵇ Z.26-41. Vgl. die analoge Überlegung hinsichtlich einer als Seligkeit verstandenen Unsterblichkeit im Brief an Nikolaus Albergati N.34f., CT IV/3, 40 Z.11-23. Cusanus kann die Erhöhung der menschlichen Natur bis zur hypostatischen Union auch auf einen göttlichen Willensbeschluß zurückführen, s. *Sermo* XLIX N.9 Z.1-10, h XVII/3, 220.

[984] S. *Sermo* CCXC (287) V₂ 280ᵛᵇ Z.34-37: „Nam cum Deus sit nobis incognitus, ut nos ad deiformitatem attraheret misit filium in nostram naturam, qui cum sit homo, accedi per nos potest [...].“

tin, durch Maximumsüberlegungen Jesus in der menschlichen Natur
vorauszudenken.[985] Eigentümlicherweise läßt nämlich der Naturbegriff
bei Cusanus Steigerungen zu, ohne daß er äquivok wird. Dies liegt
zunächst daran, daß alles Endliche auf bessere Weise zu sein verlangt.[986] Überhaupt kennzeichnet Cusanus dann die Existenzweise des
Endlichen als eine „auf bessere Weise". Die bessere Existenzweise wird
aber in der je eigenen Art beziehungsweise Natur verlangt.[987]

Ein jedes wird jedoch aufgrund seiner individuellen Existenz zunächst daran gehindert, die gesamte Breite seiner Möglichkeiten aus-
zufüllen. Die Individuation führt zu einem Abfall von der Wahrheit
der eigenen Natur. Die Wahrheit identifiziert Cusanus aber letztlich
mit Gott selbst. So kann er, wie schon erwähnt, von der individuellen
Verwirklichung, der *contractio*, wie vom Sündenfall sprechen, da sie
einer Abwendung von Gott gleichkommt.[988] Daraus ergibt sich aber,
daß erstens diese Wahrheit zu einer Vereinigung mit Gott selbst wird
und daß zweitens kein Unterschied zwischen einer Erfüllung der Natur als Natur, einer *completio*, und ihrer maximalen Steigerung, *perfectio*, gedacht wird, wie sie über die Natur als solche und nicht allein
ihre Kräfte hinausreichen könnte.[989] Der Cusanische Begriff des Endlichen ist somit bis zur göttlichen Herrlichkeit geöffnet.

Cusanus ist sich der Schwierigkeiten, die sich daraus ergeben,
durchaus bewußt. Keineswegs will er Endliches und Unendliches ver-
mischen, auch wenn er beide unmittelbar zusammenzudenken versucht. Cusanus versteht Jesus in der Weise als Erfüllung und Vervoll-

---

[985] S. *Sermo* XL N.8 Z.1f., h XVII/2, 129: „<Repperit igitur thesaurum>, quem vidit
intellectualiter <<a longe>>, <<in agro>> naturae suae."

[986] S. *Sermo* XLI N.11 Z.8-10, h XVII/2, 149: „Omnis enim creatura desiderat meliori
modo esse, quo potest." Vgl. *De docta ignorantia* I 1, h I, 5 Z.3-7.

[987] S. *Sermo* CCIV N.4 Z.14-19, h XIX/1, 3: „Contentatur igitur omnis creatura in esse
suo tamquam tali, sine quo non esset, et non appetit aliud esse, licet in ea specie, in
qua est suum esse, vellet meliori modo esse, quo hoc infra ambitum speciei possibile foret. Plato vult esse Plato, licet doctior aut sanior esse vellet [...]."

[988] S. *Sermo* XLIV N.7-12, bes. N.5 Z.1-9, h XVII/3, 251f.: „Illam [sc. vitam humanam]
assecutus sum per contractionem speciei humanitatis, ut humanitatem sic con-
tractam, in suo descensu et casu a plena sua veritate et perfectione in variis defectibus involutam, sim hic talis homo, ut humanitas sit contracte suppositata in hoc in-
dividuo, ubi participatur, licet ipsa in se non sit divisibilis et contrahibilis, uti est essentia specifice absoluta." S. hierzu Haubst 1956, 220-223.

[989] S. vor allem die Gleichsetzung von *completio* und *perfectio* in *Sermo* CXXIX N.7 Z.14-
19, h XVIII/1, 41: „Nam non esset aliter [sc. sine Jesu Christo] perfectio creationis.
Potuisset enim semper aliquid melius creari. Sed in Christo est completio, <in quo
corporaliter est Deus>, non participatione. Et Christus, ut rationales creaturas perficeret, venit [...]." S. weiter *Sermo* CXXVI N.7 Z.20-22, h XVIII/1, 23, vgl. oben S.
280 und II. Hauptteil C.II.5.

kommnung der Menschheit, daß er ihn als deren Grenze begreift[990], denn die Grenze fällt weder in das, was sie begrenzt, noch liegt sie außerhalb und wäre damit von ihm getrennt. Cusanus setzt an diesem Punkt die allein auf die Gottheit Jesu Christi zurückzuführende Maximalität mit der Begrenzung des Endlichen gleich, die weder nur endlich noch nur unendlich ist. Die Grenze der menschlichen Natur trägt damit alle Kennzeichen des Personenkerns der hypostatischen Union. Konsequenterweise faßt Cusanus die hypostatische Union einmal als die „Wahrheit der menschlichen Natur in der menschlichen Natur"[991]. Die hypostatische Union wird an dieser Stelle direkt auf die Natur hin verstanden. Als Wahrheit der menschlichen Natur ist sie deren Maß, steht über jeder rein endlichen Verwirklichung und doch nicht über der Natur als solcher. So kann die Natur auch als Medium der Erlösung angesehen werden, in das die Gnade eingefügt wird.

Die besondere Gewichtung der Stellung der menschlichen Natur Christi führt dazu, daß in gewisser Weise diese Natur die Erlösung und Verherrlichung der Menschen bewirkt. Dies geschieht aber nicht im Sinne eines göttlichen Werkzeuges, das die Gnade verdient und verschenkt. Vielmehr denkt Cusanus die Gnadenmitteilung im Wesen der Natur Christi miteingeschlossen. Die Teilhabe am Erlösungswirken Christi geschieht in erster Linie durch die Verbindung, die wir mit seiner Menschheit haben, nicht durch eine Gnade, von der auch angenommen wird, daß sie diese Natur überschreitet. Die göttliche Gnade wirkt nach Cusanus' Auffassung in den Möglichkeiten, die durch die Maximalität der menschlichen Natur Christi gegeben sind. Jesus eröffnet in der menschlichen Natur einen Weg zu Gott.[992] Diese Tat reduziert sich nicht darauf, daß Gott sich der menschlichen

---

[990] S. *Sermo* XXXV N.5 Z.1-7, h XVII/1, 66 (vgl. ebd. die Anmerkung in h): „Si concipis Christum omnium hominum humanitatem habere et ipsum esse hominem non in latitudine speciei humanae neque extra, sed ut terminum speciei perfectissimum, vides plane, quo modo tua humanitatis natura in ipso multo intimius quam in fratre, filio aut patre." S. aber *Sermo* XLI N.7 Z.2-13, h XVII/2, 145: „Nisi enim in nobis invenerimus Jesum ipsum non reperiemus. Omnis enim motus clauditur terminis speciei. Quiescit enim omnis res in natura sua specifica. Species enim est caelum quoddam ambiens omnem individualem motum suae naturae. Hinc extra suum caelum non movetur quidquam, sed motus cuiusque est attingere perfectionem speciei suae, extra quam non iudicat se posse perfici. Immo omnem perfectionem iudicat in suo caelo includi."

[991] S. *Sermo* CXXII N.5 Z.7-11, h XVIII/1, 4: „[...] et non fingamus Christum aliquid sensu, imaginatione aut ratione perceptibile esse, sed veritatem simplicem et puram, quae in humana natura est ipsa veritas humanitatis."

[992] S. *Sermo* XXVII N.2 Z.17-27, h XVII/1, 3; *Sermo* LV N.11 Z.14-16, h XVII/3, 270: „In speciem igitur humanitatis intravit Jesus seu ratio divina, ut esset homini via reditionis ad patriam."

Schwachheit und ihrer Fixierung auf das Irdische angenommen hat. Aber es geht auch nicht primär darum, daß Jesus Heil verdient und die Menschen daran teilhaben läßt. Vielmehr läßt ihn die Tatsache, daß er dieselbe Menschennatur wie alle Menschen hat, zum Mittler werden.[993] Die Wiedergeburt im „neuen Adam" vollbringt dabei erst die „natürliche" Abstammung von Adam, dem Stammvater aller Menschen. Nur durch Jesus wird jeder Mensch im eigentlichen Sinne Mensch. So betont Cusanus die Einheit der Menschen mit Christus durch dessen Menschheit.[994] Dieses Verhältnis erklärt, warum Cusanus immer wieder zu jener mystischen Anschauung gelangt, daß Jesus Christus in einem selbst gefunden werden kann.[995] Es ist dieselbe Menschheit im Gottmenschen und in uns.[996] Cusanus kann sogar soweit gehen, daß eben dies die hypostatische Union ausmacht, die alle Menschen vereinende Menschennatur zu sein.[997]

Haupt der erlösten Menschen scheint Jesus also wegen der gemeinsamen Menschennatur zu sein und nicht wegen der Identität seiner persönlichen Gnade mit der Gnade des Hauptes, weil die Verbindung mit den Menschen in der menschlichen Natur geschieht. Cusanus versucht die Schwierigkeit, wie es dazu kommt, daß einige nicht erlöst werden, obwohl sie doch auch Menschen sind, dadurch zu erklären, daß er die Teilhabe an der Menschennatur Christi differenziert. Zwar geschieht die Erlösung durch Teilhabe an der maximalen Natur Chri-

---

[993] Zum Thema der Satisfaktion s. Dahm 1997.

[994] S. *Sermo* XLI N.12 Z.20-24, h XVII/2, 150: „In ipsa enim humanitatis natura, quae una est sibi et nobis, sibi <capiti> nostro ut <membra> corpori in <triumphante ecclesia> uniemur, sicut ipse unitus est Patri, cum una sit deitatis natura utriusque." S. die Folgerung aus der Einheit der Natur in *Sermo* XXII N.37 Z.21-24, h XVI, 354: „Propter hoc Christus est cuiusque proximus, immo multo proximior quam pater aut frater carnalis, quoniam est ipsa substantialis intimitas cuiusque." S. oben Erster Hauptteil C.VI.2.

[995] S. *Sermo* XLI N.10 Z.1-5, h XVII/2, 148: „Reperio igitur in me ipso hominem humanitatis meae, qui ita est homo, quod est et Deus. Et hic est homo, in quo solum ego in mea humanitate quietem attingere valeo. Quies enim Deus est." Vgl. *Sermo* CXV (109) V₂ Z.12-16: „Si tu vis in tua natura immortalitatem adipisci, credere te oportet naturam tuam in Christo deitati unitam, tunc tu in Christo in tua natura te credis posse quietem attingere."

[996] S. *Sermo* XXII N.37 Z.7-11, h XVI, 353: „Non est alia humanitas Christi quam cuiusque hominis praeteriti, praesentis aut futuri; immo est ipsa et non alia. Et ita videmus, quo modo nostra natura, quae non est alia a Christo, in Christo est perfectissima." Vgl. zu diesem Gedanken und einer möglichen Verbindung zu Meister Eckhart Haubst, Rudolf: Nikolaus von Kues als Interpret und Verteidiger Meister Eckharts, in: Kern, Udo (Hrsg.): Freiheit und Gelassenheit. Meister Eckhart heute, München/Mainz 1980, 75-96, 90-94.

[997] S. *Sermo* XXII N.37 Z.12-14, h XVI, 354: „Et hic adverte, quod Christus coincidit cum ipsa natura humanitatis, per quam omnes homines sunt homines." Man beachte den Ausdruck *coincidit*, den Cusanus stets mit Bedacht einsetzt und der eine wesensmäßige Übereinstimmung bezeichnet.

sti, doch diese Teilhabe ist nicht automatisch mit der Geburt als Einzelmensch gegeben. Sie wird erst durch die Geburt des maximalen Menschen möglich. Hier ist der Ort, den Cusanus der Gnade zuschreibt. Es gibt verschiedene Grade und Weisen, wie man der Menschheit Christi teilhaftig werden kann.[998] Sie stellen die Art der Begnadetheit eines Menschen dar.

II. DAS WIRKEN DER GNADE IN DER NATUR

Auch in den Predigten darf man keine ausgearbeitete Gnadenlehre des Cusanus erwarten. Hier sollen deshalb nur die Stellen herangezogen werden, die für das Glaubensthema relevant sind und die Grundlinien festlegen.

Zunächst ist zu bemerken, daß Cusanus mit Gnade alles bezeichnen kann, was aus Gottes Hand kommt.[999] Gnade hat dabei einen sehr weiten Bedeutungsumfang, der über die Schulterminologie hinausgeht. In der Regel benutzt aber auch Cusanus das Wort Gnade mit einer eingeschränkteren Bedeutung. Dabei greift er verschiedene Theologumena auf, ohne sich auf eine bestimmte Gnadenlehre der Tradition festlegen zu lassen. Immer noch scheint Natur dem Begriff Gnade zu entsprechen, allerdings ist sie eine Natur, die in ihren Möglichkeiten bis zur göttlichen Herrlichkeit selbst geöffnet ist. Gnade steht so in erster Linie für das, was Gott der menschlichen Natur über ihre eigenen Verwirklichungsmöglichkeiten hinaus schenkt.[1000] Die Gnade füllt die Mängel der Natur auf.[1001] Ihre Fülle liegt dann vor,

---

[998] S. *Sermo* LIV N.5 Z.30-38, h XVII/3, 252: „Sed ipsa humanitas Christi, cum sit in veritate essentiae suae unita <Verbo vitae>, illa potest se illi, ubi fuit obscure participata cum defectibus multis, in altiore gradu veritatis essentiae et vitae Verbi, in quo subsistit, participabilem facere aut communicare, ut sic nos defectuosi homines in eo, quod Christus se nobis participabilem facit, vitam divinam assequamur [...]."

[999] S. *Sermo* XXXVIII N.3 Z.16-19, h XVII/1, 103: „Et quoniam ex creatura nihil habuit, sed creatura omnia habet ab ipso, tunc omnia de gratia mera ac bonitate Dei infinita habet, quaecumque habet [...]."

[1000] S. in Verbindung mit dem Gedanken der Sünde als Trennung und deren Überwindung durch Vereinigung *Sermo* XXIV N.16 Z.19-23, h XVI, 401: „Want <<sunde>> kompt von <<sundern>>, das is deilen. Dar vmb so syn wir nit als von vns selbes geboren zu dem rijch des fridens vnd vereynigung, sonder allein von gnaden."

[1001] S. bes. *Sermo* CCXI N.10 Z.19 - 11 Z.2, h XIX/1, 44: „[...] non frustra scientes hoc eis desiderium inesse, affirmarunt illum, qui dedit naturae intellectuali desiderium, etiam gratiam assequendi daturum. Haec autem gratia, quae est suppletio defectuum naturae [...]."

wenn die menschliche Natur bis zur Einheit mit Gott erhoben wird.[1002] Es gibt in dieser Entwicklung verschiedene Gnadenzustände oder zumindest doch Steigerungsgrade der Gnade. Eigentlich bemerkenswert ist aber, daß die Gnade selbst keinen eigenen ontologischen Bereich auszumachen scheint, denn einerseits wirkt sie in den Grenzen der Natur, andererseits ist gerade ihre letzte Fülle die göttliche Natur selbst.[1003]

Durch die Gnade bekommen die Menschen Anteil an Gott und werden zu Söhnen Gottes. Gnade wird von Cusanus durch die von der Tradition vorgeprägten Gedanken der Adoptivsohnschaft und der Teilhabe an Gottes Natur näher gefaßt. In diesen Zusammenhängen gibt es bei Cusanus jedoch Stellen, die davon sprechen, daß die Gnade über die Natur hinaus wirkt.[1004] Analog zur Konzeption der hypostatischen Union taucht hier wieder die Spannung auf, in welchem Verhältnis Cusanus das Endliche und Unendliche zueinander sieht. Diese Konstellation wird sich erneut ergeben, wenn die Fähigkeit des Menschen zu glauben geklärt werden soll. In dieser Arbeit wird das „jenseits" oder „über" der Gnade allein als die Unmöglichkeit der geschaffenen Natur verstanden, von allein ihre Maximalität zu erreichen. Da Cusanus aber immer wieder eine Vervollkommnung auch „in" der menschlichen Natur hervorheben kann, muß ebenso gedacht werden, daß die Gnade in den Grenzen der Natur wirkt. Selbst wenn Cusanus von einer Erhöhung spricht, so ist diese in erster Linie entweder als ein Erhöhtwerden in der Natur zu verstehen oder als eine unmittelbare Vereinigung mit Gott, nicht aber als ein eigener „supranaturaler" Bereich göttlichen Wirkens mit einem eigenen ontologischen Status.[1005] Damit soll nicht gesagt sein, daß es im Predigtwerk

---

[1002] S. *Sermo* CCXIII N.6 Z.8-10, h XIX/1, 72: „Et unio naturae humanae in Christo ad vitam illam aeternam, quae erat cum Patre, gratiae dicitur plenitudo."

[1003] S. außer den genannten Stellen die auf Jesus Christus bezogene Aussage in *Sermo* CLXXXI (174) V₂ 81ᵛᵃ Z.36-39: „[...] quod non solum non potest esse maior dilectio, sed etiam in se complicat omnes filiales omnium filiorum dilectiones. Quae gratia coincidit cum natura." Vgl. *Sermo* CCLIX (256) V₂ 202ᵛᵇ Z.43-45 und 203ʳᵃ Z.22-24: „[...] in unita filiatione illa, qua Jesus est filius Dei et hominis coincidit gratia cum natura. [...] Adhuc alio exemplo capias coincidentiam filiationis naturae et adoptionis [...]." S. auch Haubst 1956, 251-254.

[1004] S. *Sermo* XLII N.9 Z.25f., h XVII/2, 172: „Et adverte, quod haec nativitas est miraculosa et supra naturam." *Sermo* LXXXII (93) V₂ 13ᵛᵇ Z.25-29: „[...] ita ex unione ad rationem infinitam, quae est in nostra natura in Christo Jesu, cui alias uniri non possemus, extra naturam transferimur in filiationem Dei qui fuimus filii hominum." In diesen Stellen ist die maximale Vereinigung mit Jesus in der Adoptivsohnschaft gemeint. Von daher greift Cusanus zu den Ausdrücken *supra* und *ultra*.

[1005] S. genau zu diesem Problem *Sermo* CCLXXXIV (281) V₂ 273ᵛᵇ Z.30-39: „Quando enim intellectualis natura elevatur ultra naturam suam ut veritatem videat, quam non intelligit, scilicet quando supra intellectualem naturam certiori modo appre-

nicht auch Stellen wie die eben genannten gibt, die sich nur schwer mit dieser Konzeption vereinen lassen. Inwieweit Cusanus sich dessen bewußt war, muß dahingestellt bleiben. Daß er den Gnadenbegriff neu zu fassen sucht, kann aber daraus entnommen werden, daß er ihn mit dem Koinzidenzgedanken verbindet und vor allem in der Christologie zwischen der habituellen Gnade Christi und der Gnade der Vereinigung keinen ontologischen Unterschied festhält. Insofern ist auch klar, daß Cusanus die Fülle der Gnade Jesus Christus zuschreibt, von dem auch alle Gnade ausfließt; er besitzt sie kraft seiner Maximalität, das heißt aufgrund der hypostatischen Union.[1006] Anteil an dieser Maximalität oder Vollkommenheit zu erlangen heißt begnadet zu werden,[1007] das heißt wie Jesus ein Sohn Gottes zu werden. Der Begriff der Adoptivsohnschaft ist somit eng mit dem der Gnade verbunden. Auf die endliche Vernunft bezogen bedeutet die Adoptivsohnschaft aber, sich in Gott als Ursprung und Ziel zu erkennen oder genauer, daß sich die endliche Vernunft immer schon in ihm befindet. Diese reflexive Einsicht kann die Vernunft nur durch die Hinwendung oder Bekehrung zu Jesus Christus vollziehen, der endliche und unendliche Vernunft vereint. Die Gnade ermöglicht diese Hinwendung.[1008]

hendit veritatem quam scit esse vitam suam hoc ex altiore virtute evenire necesse est, et hanc virtutem quae est altior quam creata intellectualis oportet esse divinam, quia inter intellectualem naturam et divinam nulla alia mediare potest." Die Gnade wird nicht erwähnt.

[1006] S. bes. deutlich *Sermo* CCXIII N.6 Z.8-20, h XIX/1, 72: „Et unio naturae humanae in Christo ad vitam illam aeternam, quae erat cum Patre, gratiae dicitur plenitudo. Ex qua unione fluit unio in animas, quae per formatam fidem aptae sunt, ut in ipsis habitet Christus, hoc est ut in ipsis sit unio ad Christum, per quem sint unitae vitae aeternae, quae erat apud Patrem, ut unio, qua ad vitam aeternam fidelis anima unitur, sit per mediatorem Christum, hoc est quod unio animae ad vitam aeternam est ex participatione unionis naturae humanae cum vita aeterna in Christo Iesu." Zu Jesus Christus als Fülle der Gnaden s. auch *Sermo* CLXXXV (179) V_2 87ra Z.20; *Sermo* CCXXI (218) V_2 141vb Z.9; *Sermo* CCLXIX (266) V_2 226ra Z.13-16; *Sermo* CCLXXIV (271) N.11, CT I/2-5, 128 Z.16-21. Die Kirche als eine einzige Entfaltung der Gnade Christi skizziert Cusanus in einem Brief von 1442, s. CT II/1, 106-112.

[1007] S. *Sermo* CXCII (186) V_2 102rb Z.12-17: „In omnibus est essentia, virtus et operatio. Ubi operatio non est perfecta, nec virtus nec essentia seu natura. Supra igitur naturam omnibus communem virtuosa operatio ostendit perfectionem. Advenit enim perfectio. Sic est ex gratia, non natura."

[1008] S. *Sermo* CCLVII (254) V_2 199ra Z.28-32: „Sed quod in ipso sit intellectualiter scilicet secundum operationem suam delectabilissimam sic quod intelligat se esse in suo principio, hoc est ex dono novo seu gratia, quia hoc principium est omni intellectui incognitum."

III. DIE ADOPTIVSOHNSCHAFT DURCH DEN GLAUBEN

Zur Sohnschaft mit und in Jesus Christus, die Cusanus mit den aus der Tradition stammenden Gedanken der Adoptivsohnschaft oder der Gottesgeburt in der Seele beschreibt, gelangt man allein durch Jesus Christus.[1009] Wie aus Adam entspringen aus ihm die neu gestalteten Menschen.[1010] Er gibt dieser Sohnwerdung Gestalt und Wirklichkeit.[1011] Mit der Auffassung, daß Christus die *forma filiationis* sei, dokumentiert Cusanus erneut, wie konsequent er alles Gnadengeschehen auf die hypostatische Union als Ursprung und Ziel hin anlegt. Die Sohnschaft oder Christusförmigkeit versteht Cusanus aber ausdrücklich als „Jesusförmigkeit", das heißt Gleichförmigkeit mit der hypostatischen Union in Jesus Christus.[1012]

Jesus Christus faßt wegen seiner Maximalität jegliche Sohnwerdung in sich zusammen.[1013] Durch den Glauben bekommen die Menschen an der höchsten Sohnwerdung Jesu Anteil. Dies denkt sich Cusanus so, daß die menschliche Vernunft im Glauben den Geist Jesu erhält, der die Einheit von Vater und Sohn ist.[1014] Cusanus stellt zwar die

---

[1009] S. *Sermo* CXLI (134), N.11, CT I/2-5, 82 Z.14-21: „Sapientia est Filius Dei, et ideo ubi recipitur, recipitur filiatio Dei. Nam generatur filiatio in illo recipiente eam sicut sapientia Platonis, ubi recipitur, efficit Platonicos. Sed haec filitatio non est nisi ex Deo nasci. Nemo enim fit filius Dei, nisi ex Deo nascatur. Ex Deo autem nasci est, quando spiritus rationalis fit similis Filio Dei, qui est Sapientia aeterna. Ille enim ad possessionem pervenire potest, scilicet cognitionem seu visionem facialem Patris."

[1010] S. *Sermo* CCVIII N.8 Z.6-10, h XIX/1, 22: „Ob hoc enim nominatur Christus Adam, quia ab ipso in omnes procedit filiatio Dei, sicut a primo Adam procedit omnis humanae propagationis filiatio."

[1011] S. den Ausdruck *forma filiationis* in *Sermo* CCLXXX (277) V₂ 265ᵛᵃ Z.32-35 (Lentzen-Deis 1991, 228): „Similiter quia dat potestatem quod possumus esse filii Dei recipiendo in nos Christum, qui est forma filiationis [...]."

[1012] S. *Sermo* CCLII (249) V₂ 190ʳᵇ Z.42-47: „Jesus sic est in credente sicut fides eum capit. Magna fides capit Jesum in magnitudine virtutis, parva in parvitate. Sicut fides crescit in homine, ita Jesus formatur continue in fideli usque quo generatur perfecte et veraciter." S. zur Gleichsetzung von Christusförmigkeit mit „Jesusförmigkeit" die Formulierung *personam Jesu induere* ebd. V₂ 190ʳᵇ Z.24f. und 30-34.

[1013] S. *Sermo* CLXXXI (174) V₂ 81ᵛᵃ Z.37f.: „[Dilectio patris in Jesum] in se complicat omnes filiales omnium filiorum dilectiones [...]." Vgl. die noch pointiertere Formulierung in *Sermo* CCLX (257) V₂ 204ʳᵇ Z.18-20: „[...] in filiatione Jesu coincidit omnis filiatio naturae et gratiae [...]."

[1014] S. *Sermo* CCXII N.2 Z.14-17, h XIX/1, 55: „Spiritus Iesu est gratia, quae de plenitudine eius effluit in credentes et sacramenta fidei, scilicet baptismate, se credere lavari ostendentes." Vgl. *Sermo* LVIII (53) V₁ 103ᵛᵃ Z.27-32: „[...] in quo [sc. Christo] credentes renascimur Spiritu Sancto lucem recipientes spiritalem in participatione lucis spiritus Christi; cum quo uniti filii adoptionis Dei et resurrectionis vitae in ipso efficimur." *Sermo* LXIX (67) V₁ 121ʳᵃ Z.21-25: „Est igitur fides, per quam in utero ecclesiae concipitur spiritus noster, ut denuo nascatur filius Dei scilicet fides Chri-

menschliche Natur in den Mittelpunkt seiner Erlösungslehre, doch genügt die Tatsache, wie Jesus ein Mensch zu sein, noch nicht zur Erlösung. Man muß in der Vernunft eine Art Maximalität erreichen, indem man sein letztes Ziel festhält. Dies leistet die Teilhabe am Geist Christi. Sie bewirkt, daß Jesus Christus als derjenige aufgenommen wird, der ein für allemal die hypostatische Verbindung mit Gott aufgebaut hat.[1015] Die Aufnahme des Geistes beschreibt Cusanus gerne mit dem Bild der Nahrungsaufnahme oder des Lernens.[1016] Wenn er auf den Geist Bezug nimmt, will er zum einen verdeutlichen, wie die Sohnschaft verwirklicht werden soll, und damit auch der theologischen Überlieferung gerecht werden. Dabei scheint der Geist eine Erklärung dafür zu bieten, wie die Gnade als Vervollkommnung in der Natur wirken kann, nämlich so, wie der Lehrer den Schüler zum Lehrer macht, indem er ihm den Geist der Lehrerschaft vermittelt. Lehrer und Schüler sind von gemeinsamer Natur, der Unterschied ist der von vollkommen und unvollkommen.[1017] Zum anderen will Cusanus hervorheben, wie sehr die Adoptivsohnschaft und die Sohnschaft Jesu in die innertrinitarische Sohnschaft selbst hineingenommen sind. Erst im Wesen Gottes selbst gibt es ja die Wahrheitserkenntnis, die das Streben der endlichen Vernunft stillen kann. Entsprechend ist die Gottesgeburt in der Seele eine Fortführung der ewigen Zeugung. Jesus selbst nimmt dann im Glaubenden Wohnung.[1018]

Erst der Geist vollbringt durch seine einende Kraft die Sohnwerdung der Menschen. Wie er bei der Empfängnis Jesu die Einheit stiftet, mit der die endliche menschliche Natur mit dem Gottessohn ver-

---

sti, quod sit Dei filius et quod in ipso qui est homo, spiritus hominis potest filiationem Dei attingere." Vgl. auch *Sermo* CCXII N.22 Z.62-69, h XIX/1, 66f.

[1015] S. *Sermo* CXXX N.8 Z.1-7, h XVIII/1, 47: „Et nota, quo modo in lumine Jesu attingimus lumen illud gloriae. Nam intellectus Jesu non attingit hoc lumen nisi per supremam unionem hypostaticam, quae est <plenitudo gratiae>. Sic nullus attingere potest post Christum nisi per gratiam unionis cum spiritu Jesu." Vgl. *Sermo* CCLII (249) V₂ 190ᵛᵃ Z.3f.: „[...] animam per formatam fidem in filiationem Jesu transire."

[1016] S. *Sermo* CLXXXVII (181) V₂ 89ᵛᵇ Z.37-48: „Verbum enim Dei est pascens intellectum, quod immittitur per spiritum, sicut enim doctor volens gloriam fecunditatis intelligentiae suae manifestare hoc facit per verbum suum, quod spirando immittit in conceptum discipuli, donando sibi participationem intelligentiae sui spiritus [...], sic Deus sui ipsius notitiam non nisi proprio verbo mediante spiritu veritatis in intellectuali creatura revelat." Vgl. *Sermo* CCVIII N.13 Z.20-25, h XIX/1, 24f.; *Sermo* CCXII N.10 Z.11-21, h XIX/1, 58.

[1017] S. *Sermo* LIV N.5 Z.36-44, h XVII/3, 252: „[...] ut [...] in eo, quod Christus se nobis participabilem facit, vitam divinam assequamur; - sicut ignorans discipulus assequitur perfectionem, quando erit uti magister participatione doctrinae magistri [...]. Unde una quaedam communis specificaque natura est magistri et discipuli, quae cum sit perfecta in magistro quoad magisterium et imperfecta in discipulo [...]." Vgl. *Sermo* XLII N.8 N.10-14, h XVII/2, 171;

[1018] S. u. a. *Sermo* XXII N.5 Z.2-14, h XVI, 335 und N.41 Z.1-15, h XVI, 356.

bunden ist, so bewirkt er die Einheit zwischen Jesus und dem Menschen durch den Glauben.[1019] Mit dem Geist kann Cusanus zugleich herausstellen, daß die Sohnwerdung des Gläubigen zwar in die hypostatische Union hineinführt, dennoch aber nicht mit ihr identisch ist. Deshalb spricht er von einer Teilhabe am göttlichen Wort, die im Geist geschieht.[1020] Der Glaubende wird nicht selbst das göttliche Wort, wohl aber wie Jesus Christus, denn das Wort wird durch den Glauben im menschlichen Vernunftvermögen geboren, und zwar mit und durch das Wirken des Geistes.[1021] Urbild dieser Fruchtbarkeit des Glaubens ist Maria, die durch ihren Glauben den Erlöser empfing.[1022] Die Neugestaltung und Wiedergeburt durch den Glauben vollzieht sich aber in der Kirche, aus der die Gläubigen hervorgehen.[1023]

[1019] S. *Sermo* CLXXXVII (181) V_2 90va Z.42 - 90vb Z.3: „Nam fides est, quae sola potens est infirmitatem nostri spiritus per spiritum Jesu, qui per fidem in nobis habitat, confortare et ad omnia potentem reddere. Non enim noster spiritus speculator maiestatis fieri potest nisi per inhabitantem in eo spiritum filii Dei, qui in fide quam capimus in nostro spiritu de Jesu, quod sit filius Dei, in nobis habitat et per dilectionem unus spiritus fit cum spiritu nostro si fuerit fides formata caritate." Vgl. *Sermo* CCLXVI (263) V_2 216rb Z.2-5.

[1020] S. *Sermo* XCVIII (93) V_2 13vb Z.30-32: „Accipimus enim spiritum Dei in nostro spiritu per quem efficimur heredes Dei et coheredes Christi." S. weiter ebd. V_2 14ra Z.4-6 und 21-24: „Unde spiritus rationalis non est de hoc mundo, sed est participatio divini verbi. [...] Instruit nos Paulus, quod ille spiritus qui mortificat carnem, est spiritus qui nos efficit filios dei. Spiritus filiationis est spriritus qui producit fructum optimum [...]."

[1021] S. u. a. *Sermo* LXVIII (61) V_1 122rb Z.18-25: „Et haec conceptio est per fidem formatam caritate. Fide enim concipit spiritus, cuius sacramentum est aqua baptismatis. [...] Sed Spiritus Sanctus vivificat hunc conceptum et est virtus caritatis, sine qua non potest anima vitam habere. Sola enim caritate anima movetur." S. weiter ebd. V_1 122vb Z.14-18: „[...] fide concipitur, spe conservatur, caritate vivificatur. Et partus iste et est spiritualis quia fides est in intellectu, qui est spiritualis. Unde partus iste est naturae spiritualis et generatur id quod fide concipitur scilicet Christus." Hier versucht Cusanus darzulegen, wie die drei theologischen Tugenden im Sinne einer geistigen Empfängnis oder Geburt ihre Wirkkraft entfalten. Cusanus nutzt dabei die Redeweise vom Vernunftvermögen als Geist aus, um von einer geistigen Neugeburt durch den Heiligen Geist sprechen zu können.

[1022] S. *Sermo* CCLXXV (272) V_2 239ra Z.11-23: „Nam ista fidei fecunditas in virgine Maria ad supremum et ultimum gradum pervenit, post quem non est alius, qui tantae est perfectionis, quod in se complicat omnem fidei fecunditatem. Est enim forma et exemplar, quomodo fides regenerat et filium hominis intantum elevat etiam usque ad formam Dei, inquantum credere potest [...]. Fides in virgine Maria terminabatur in generatione filii Dei, cui ipsa credidit." S. auch *Sermo* LXVIII (61) V_1 122rb Z.17-19: „[...] ut nativitas sit introitus in regnum dei. Et haec conceptio est per fidem formatam caritate. Fide enim concipit spiritus [...]." *Sermo* CXXXII N.5 Z.30-32, h XVIII/1, 56: „Item, quo modo Virgo gloriosa fide concepit filium et quo modo haec generatio est similis generationi divinae [...]." *Sermo* CCXVII (214) V_2 138vb Z.19-23; vgl. Haubst 1956, 244.

[1023] S. *Sermo* LXIX (67) V_1 121ra Z.21-30: „Est igitur fides per quam in utero ecclesiae concipitur spiritus noster ut denuo nascatur filius Dei scilicet fides Christi quod sit Dei filius et quod in ipso, qui est homo, spiritus hominis potest filiationem Dei at-

D. Die Stellung des Glaubenslichtes

Bevor näher auf Einzelheiten bezüglich des Glaubenslichtes eingegangen werden kann, muß erwähnt werden, daß für Cusanus der
Glaube immer noch in einer Spanne zwischen Möglichkeit und Erfüllung steht. So sehr er betont, daß mit dem Glauben das ewige Leben
schon angebrochen und Jesus Christus gefunden ist, so unterscheidet
er ihn auch immer wieder deutlich von einer eigentlichen Schau Gottes. Diese ist zwar in nuce im Glauben da, dennoch kann sie nicht
volle Wirklichkeit werden, solange der Mensch noch dieser Welt verhaftet ist und nicht wie Jesus Christus die Sterblichkeit abgelegt hat.
Cusanus greift immer wieder die aus der Tradition übernommene
Rede von den drei Lichtern auf. Dadurch scheint er der Theologie
etwa des 13. Jahrhunderts nahe zu stehen, obwohl er – wie schon
dargelegt – dem „natürlichen" Licht viel mehr zutraut und es bis zur
Ungetrenntheit mit dem Glaubenslicht verbindet. Dennoch sind die
Stellen, wo er von *lumen naturale, lumen fidei* oder *gratiae* und schließlich *lumen gloriae* spricht, zahlreich. Für seine theoretischen Schriften
spielt diese Dreiteilung, wie schon gezeigt, keine ausschlaggebende
Rolle, vielmehr unterläuft er sie in vielen Punkten.

   Die Dreiheit als solche thematisiert er selten, meist geht er nur auf
zwei Ausdrücke ein.[1024] Dabei folgt er dem Schema, daß das Glaubenslicht das natürliche Licht erhöhe und auf die Herrlichkeit vorbereite,
das Licht der Herrlichkeit aber die letzte Vollkommenheit auch des
Glaubenslichtes darstelle. Das Glaubenslicht kann dem Menschen
schon in dieser Zeit gegeben sein, das Licht der Herrlichkeit ist in der
Regel der Endzeit vorbehalten[1025] und gewährt die im Endlichen ver-
wehrte Einsicht in das Wesen Gottes und der Dinge.[1026] Eine Schwie-

---

tingere. Unde hac fide quae sic praedicatur in ecclesia et unit fideles, illa nos unit
fidelibus qui sunt membra Christi per fidem et ponit nos in utero matris ecclesiae,
quae est corpus Christi ex membris Christi compactum [...]."

[1024] Eine der wenigen Stellen, wo *natura, gratia* und *gloria* auftauchen ist *Sermo* XXIV
N.6 Z.1f., h XVI, 391: „Die nature, die gnade vnd die glorie vnd alles, das der
mensch begert zu wissen [...]." Greift Cusanus weniger auf traditionelle Gedanken
zurück, so kommt er auf ein Viererschema mit einer natürlichen affirmativen Erkenntnis, einer höheren negativen und einer Erkenntnis im Dunkel, über denen
die Erkenntnis, die Gott von sich hat, steht, so besonders deutlich in *Sermo* CCLVIII
(255) V$_2$ 200vb Z.34 - 201ra Z.22.

[1025] S. *Sermo* CXXX N.1 Z.1-4, h XVIII/1, 43: „[...] conceptum <de lumine> [...] scilicet
<gratiae in praesenti et gloriae in futuro>." Vgl. *Sermo* CCXXXV (232) V$_2$ 158ra Z.3-7:
„Unde essentia illa est incorruptibilis et omni sensu inaccessibilis, quae oculo intellectus medio luminis fidei tantum hic apprehenditur et uti est lumine gloriae per
eos qui felicitatem assecuti sunt, intuetur."

[1026] S. u. a. *Sermo* XLVIII N.17 Z.1-3, h XVII/2, 207.

rigkeit ergibt sich allerdings hinsichtlich des natürlichen Lichtes. Cusanus unterscheidet bekanntlich *ratio* von *intellectus* und traut dem
intellectus wie in *De docta ignorantia* auch Einsichten im Bereich von
Unendlichkeitsüberlegungen zu. Zwar rechnet er manchmal die Vernunft zum natürlichen Licht,[1027] doch kann er ihr auch eine eigentümliche höhere Stellung einräumen, durch die sie in große Nähe zum
Glaubenslicht rückt.[1028] Cusanus geht in seiner Suche nach adäquaten
begrifflichen Fassungen dessen, was er denkt, sogar soweit, das Vernunftlicht mit dem Offenbarungs- oder Gnadenlicht gleichzusetzen.[1029] In etwas abgeschwächter Form tritt dieser Gedanke dann auf,
wenn das natürliche Licht durch den Glauben als Vernunftlicht wie-
dergeboren wird.[1030] In der Regel trennt er aber deutlicher und hebt
das natürliche Licht vom Gnadenlicht ab[1031], das er über dieses stellt[1032]
und das von außen beziehungsweise von oben kommt[1033].

[1027] Er spricht auch manchmal von einem *lumen intelligentiae* im Sinne von *lumen rationale*, s. *Sermo* II N.27 Z.4-8, h XVI, 38: „Tunc praesto est stella gratiae ducens lumen
intelligentiae in oriente ad intellegendum cuncta caduca extra Deum; et sequitur
lumen hoc gratiae [...].“ Vgl. *Sermo* III N.24 Z.2, h XVI, 53.

[1028] In *Sermo* CXXX unternimmt er eine ausgefeilte Unterscheidung von Erkenntnis-
lichtern vor, s. ebd. N.5 Z.1-24, h XVIII/1, 44f.: „[...] Deus dat primo <lumen for-
male>, deinde <naturale>. Secundum lumen et potest dici minerale, vegetabile,
sensibile, rationale. [...] Et ita ratio in se non habet lumen illud, sed intrat ab intellectu. [...] Intellectus autem in umbra est, quia etsi iudicet inter rationes, tamen
nescit, quid hoc est, quod iudicat.“ Die Vernunft tritt in bezug auf die schließende
ratio als Urteilskraft auf, doch wird sie in dieser Predigt nicht selbst als Licht bezeichnet, vielmehr ist ihr die eigene Unwissenheit einsichtig, nämlich in der Weise,
daß sie schon mittels eines höheren Lichtes ihre Entscheidungen trifft. In ihr ist
schon das *lumen vitae intellectualis naturae* oder *lumen superintellectuale et divinum* (S.
ebd. N.6 Z.1f., h XVIII/1, 45) gegenwärtig, allerdings noch nicht in der Klarheit
wie bei Jesus Christus. Vom Glaubenslicht wird an diesen Stellen nicht gesprochen.
Auch hier wird wieder deutlich, wie sehr es Cusanus um eine unmittelbare Verbindung von endlicher und göttlicher Vernunft geht, denn wie soll jenes höhere
Licht, mittels dessen die Vernunft immer schon urteilt, anderes sein als ein noch
nicht als solcher erkannter Glaube?

[1029] S. *Sermo* XLVIII N.7 Z.5-13, h XVII/2, 203f.: „[...] sic lumen intellectuale est divinum et admirabile et ineffabile seu innominabile, gratissimum super omnia, per
quod et in quo fit intellectio. Et hoc est lumen revelationis et gratiae. Nam sicut
lumen oculis revelat colores et ponit visum in actu, qui erat in potentia, sic hoc lumen est lumen revelationis et gratiae revelans intellectui nostro intelligibilia.“ Mit
lumen divinum ist, wie aus dem Kontext ersichtlich (vgl. ebd. N.9 Z.1-6, h XVII/2,
204), nicht Gott selbst gemeint (wie etwa in *Sermo* XL N.5 Z.18-20, h XVII/2, 126),
sondern das, was den menschlichen Geist überhaupt zum Einsehen befähigt.

[1030] S. *Sermo* CXXIX N.9 Z.13-15, h XVIII/1, 42: „[...] nam si debet regeneratio fieri
luminis specie [sc. luminis naturae], ut fiat intellectuale, oportet, quod hoc fiat per
fidem [...].“

[1031] S. *Sermo* LIV N.26 Z.1-6, h XVII/3, 263. Vgl. *Sermo* CCLVIII (255) V₂ 200ᵛᵇ Z.7-13:
„Haec sic dixerim pro intellectu eius quod Deus revelatur nobis dupliciter, super
omnem intellectum per Christum in lumine fidei et gratiae, et lumine naturae per
inclinationem interioris hominis, scilicet lumine naturae positivae, tamquam Deus

I. DIE ENTSPRECHUNG VON AUTORITÄT UND GEHORSAM

Im Zentrum des Cusanischen Glaubens steht das Bekenntnis, daß im Menschen Jesus der Sohn Gottes in dieser Welt erschienen ist. Durch ihn wird der Welt ihre Erfüllung und ihr letztes Ziel geschenkt. Ob Gott überhaupt Mensch wird, steht für Cusanus an vielen Stellen in seinem Werk außer Frage. Da aber alle Erkenntnis von Jesus Christus ausgeht, der die mit der unendlichen Wahrheit vereinte endliche Vernunft ist, basiert auch die Einsicht in sein Kommen, vor allem die in die Wirklichkeit der Menschwerdung, letztlich auf ihm und ist insofern ein gegebenes Wissen. In vielem scheint es zwar von einer Einsicht, die sich auf die geschaffene Welt bezieht, nicht abhebbar zu sein, doch zumindest bezüglich der Frage, welches Individuum der Menschensohn sei, scheint für die endliche Vernunft eine nicht überholbare Kontingenz vorzuliegen. Wo und wann genau die Maximalität Gottes in die Endlichkeit der Welt tritt, kann nur von dieser Maximalität selbst angegeben werden. Insofern spricht Cusanus zu Recht von Jesus Christus als dem Offenbarer, auf den die Offenbarungsworte des Evangeliums zurückgehen.[1034] Dadurch kann er den Geschenkcharakter des Glaubens an Jesus betonen, ohne davon abrücken zu müssen, die Wahrheitserkenntnis in der Weise der hypostatischen Union zu denken.[1035]

---

sit vita, lux, bonitas [...]." Zu dieser Stelle ist anzumerken, daß die Hinneigung des Menschen zu Gott im Sinne des *desiderium* auch zu Argumenten führen kann, die in der Tradition oft nur dem Glaubenslicht vorbehalten sind.

[1032] So kann der Glaubende über besondere Fähigkeiten verfügen, s. *Sermo* CLXXIII (166) V_2 71ra Z.14-16: „Fides potentiam naturalem supergreditur, ita quod credenti nihil est impossibile."

[1033] S. *Sermo* XLIX N.4 Z.12-17, h XVII/3, 216: „Dum igitur advenit hoc lumen, efficit animam plenam radio fulgoris, ut sit lumen gratiae in participatione <Luminis veri> descendentis gratuite in spititum rationalem, ubi <deliciatur> Sapientia <in filiis hominum>." Wenn Cusanus sich einer mehr an die Tradition angelehnten Begrifflichkeit bedient, kann er auch von eingegossener Tugend sprechen, wenn er das Glaubenslicht meint, s. *Sermo* VI N.18 Z.11f., h XVI, 108: „Virtutes theologicae et gratiae gratum facientes desuper influuntur."

[1034] S. bes. im Brief an Nikolaus Albergati N.41, CT IV/3, 42 Z.29-33: „Adhuc, fili mi, sufficiat tibi haec fides, Christum filium dei nobis evangelicam tradidisse doctrinam. Certissimum est nihil extra illam doctrinam illi posse aequari, nec opus est ut aliam rationem illius doctrinae inquiras, cum maior dari nequeat quam sit verbi seu filii dei, qui et logos seu ratio dicitur. Ratio veritatis evangelicae est, quia verbum et ratio dei." Vgl. ebd. N.50f., CT IV/3, 48 Z.6-18.

[1035] S. *Sermo* CCLIV (251) V_2 193vb Z.46 - 194ra Z.6: „Nam fides est donum Dei. Quod enim credimus veritati, non est donum Dei singulare, quia veritati ratio dissentire nequit. Sed quod dicenti veritatem credo, donum est Dei et gratia. Dico 'dicenti veritatem', quam ex me non video veritatem. Venio enim ad veritatem per verbum dicentis, ad quam non pervenirem, nisi datum mihi foret a Deo, quod dicenti crederem."

Wenn sich Cusanus bemüht, Jesus als denjenigen auszuweisen, der mit göttlicher Autorität ausgestattet ist, so zeigt gerade dies, wie die Einsicht, daß Jesus der Gottmensch ist, von der endlichen Vernunft nur insoweit geleistet werden kann, wie ihr die Menschwerdung Gottes vorausgeht. Mit anderen Worten nimmt die endliche Vernunft nur dann ihr eigentliches Vertrauen in ihre eigenen Möglichkeiten wahr, wenn sie zum Bekenntnis zu Jesus Christus wird und die Reflexion auf sich zur Bekehrung wird. Diese Bekehrung hebt sie aber über alles Mehr-oder-Weniger hinaus. Der Schritt über das eigene vergleichende Vorgehen hinaus führt zu einem Maximum, das der Vernunft so als Autorität begegnen muß.[1036] In der Autorität tritt ihr das Maximum als Gewißheit entgegen, denn bekanntlich kann es diese nach Cusanus nur dort geben, wo die göttliche Genauigkeit selbst gegenwärtig ist.[1037] Die Bekehrung kann also darin, daß sich die endliche Vernunft damit im Maximum festmacht, nicht aus ihr selbst entstehen, weshalb Cusanus hier von einem gnadenhaft gegebenen Glauben spricht. Den Weg zum Glauben beschreibt er näher, indem er auf die Bedeutung der Wunder und anderer Beglaubigungen eingeht, die Jesus und sein Evangelium als das definitive Ziel der endlichen Vernunft ausweisen.

Insofern also die endliche Vernunft nicht von sich zur Maximalität kommen kann, muß die Behauptung des Glaubens, dieser Mensch ist Gottes Sohn, als Autoritätsargument erscheinen. Das führt Cusanus dazu, einerseits die Autorität Jesu hervorzuheben und zu begründen, andererseits die Bedeutung des Gehorsams und der Demut für die endliche Vernunft zu betonen. Auch sie gehören zur recht verstandenen Vernunft dazu, die ja in der selbstbescheidenen Weise der belehrten Unwissenheit um sich wissen soll.[1038] Um die Autorität Jesu aufzuzeigen, verweist Cusanus in der Weise der Tradition auf die Wunder Jesu. Sie bezeugen die absolute Macht Gottes, die in ihm ist,

---

[1036] S. *Sermo* CCLXXVI (273) V₂ 242ᵛᵃ Z.17-26: „Veritas uti est non docetur, nisi ab illo nostro magistro quem indubia fide filium Dei credimus. Illa sola veritas liberat. Omnis enim traditio veritatis quae fit per humanas adinventiones potest esse verior et lucidior, ideo non liberat. Nam etsi credimus aliquem doctum et ideo ei credimus, utique doctiori plus crederemus. Nemo autem est perfectus usque ad Christum filium dei."

[1037] S. *Sermo* CCLXXV (272) V₂ 239ʳᵃ Z.48 - 239ʳᵇ Z.3: „Ita patet, quod maior est fecunditas in sterilitate fidei, quam sequitur visio, quam in eo, quod multis rationibus fecundis asseritur." *Sermo* CCLXXXV (282) V₂ 275ʳᵇ Z.29-34: „Et dum audit verbum Christi et credit, eligit mediante fide formam divinam, cui vult conformari, et concipit intra se virtutem ex certitudine fidei, per quam potest ad conformitatem Dei pertingere." *Sermo* CCXCII (289) V₂ 285ᵛᵇ Z.10-12: „[...] quod crederetur filius Dei ideo necesse erat ostendi, quia haec fides dat certitudinem doctrinae [...]."

[1038] Vgl. Bredow 1955, CT IV/3, 95.

da kein anderer Mensch diese vermocht hätte.[1039] Durch sie wird die
Vernunft in einer ihr angemessenen Weise – sie erkennt ja die Übernatürlichkeit der Wunder – zum Glauben und damit zur Maximalität
geführt. Das entscheidendste Zeugnis ist aber Jesu Tod, mit dem er
für die Wahrheit seiner Lehre mit dem eigenen Leben eingestanden
ist.[1040] Allerdings ersetzen die Wunder, so nachdrücklich Cusanus ihre
Aussagekraft unterstreicht, den Glauben nicht. Er allein richtet sich
nämlich auf das Maximum in Jesus Christus als solches ohne jedes
Vergleichen, das ja auch noch im Abwägen der Wunder steckt. Erst
vom Glauben her werden die Wunder als solche ersichtlich.[1041]

Ist man zum Glauben gekommen, so bestärken die Wunder die Zuversicht, die eigene Endlichkeit letztlich überwinden zu können.[1042]
Sie helfen, sich über die Sinnlichkeit und das dem Endlichen verhaf-
tete Erkennen zu stellen.[1043] Zunächst wird der Offenbarung Jesu
Christi Glauben geschenkt. Von ihm aus wird der Glaube auf das

---

[1039] S. *Sermo* LI N.11 Z.2-9, h XVII/3, 233: „Et quia non recipiebatur doctrina per parvam et tenebrosam rationem hominum [...], addidit multa super rationem miracula, ut saltem sic crederent testimonio suo, quoniam Ratio infinita hoc egit in virtute
sua, quod rationes hominum apprehendere nequiverunt, et tamen verum vi-
derunt." Vgl. *Sermo* XCVI (91) V_2 20va Z.17-21 und 31-33: „[...] sed veritas non attin-
gitur in coniectura. Ob hoc fides nostra non est ex homine quia nulla coniectura
ad ipsam attingit, sed revelatione patris ut magister ad Petrum loquens attestatur.
[...] Unde opera Christi perhibebant testimonium artis omnipotentiae." S. weiter
Sermo CXLVI (139) V_2 39vb Z.32-35: „Considera, quomodo miracula maxime trans-
mutationum sunt opera filii dei. Hinc si experimur talia fieri per hominem, hunc
filium Dei credimus." *Sermo* CCLXXX (277) V_2 263vb Z.17-21 (Lentzen-Deis 1991,
217): „[...] reperiemus in homine virtutem divinam supra omnem hominem, ex
quibus sibi credimus, in eo enim quod se dicebat filium Dei esse et missum patris.
Testimonia enim efficacissima atque certissima produxit [...]." *Sermo* CCXCII (289)
V_2 285vb Z.10-15: „[...] quod crederetur filius Dei ideo necesse erat ostendi, quia
haec fides dat certitudinem doctrinae et promissorum futurorum, quae super naturam sunt. Quae cum talia sint quod non videantur possibilia, necesse erat Christum ex infallibili auctoritate illa docere."

[1040] S. *Sermo* LII N.6 Z.6-9, h XVII/3, 239: „Unde cogitavit eos ducere ad hoc, ut ostensione miraculorum sibi crederent. Et aliqui crediderunt ex simplicioribus. Demum
morte sua firmavit veritatem etc." Vgl. *Sermo* LIII N.2 Z.18-21 und 11 Z.3-6, h
XVII/3, 241 und 245; *Sermo* CCXXXV (232) V_2 157va Z.1-6.

[1041] In diese Richtung weist *Sermo* CXXXIV N.4 Z.5-8, h XVIII/1, 67: „Nam illi merito
sunt reprehensibiles, qui credere nolunt, nisi signa praecedant, cum sine fide signa
non fiant."

[1042] S. *Sermo* CCLXXXVIII (285) V_2 278va Z.44 - 278vb Z.2: „Adhuc anima intuetur per
habitum fidei iuxta doctrinam salvatoris ultra naturam intellectualem, et est ultimum in quod intellectus elevari potest. Et miracula sunt, quae attestantur medio
fidei intellectum ad omnia credibilia posse procedere et operari."

[1043] S. *Sermo* CCLXXXVI (283) V_2 276vb Z.23-27: „Certe ideo, ut instruamur, quod per
fidem attingimus ad interiora etiam contradicente sensu. Nam exteriora, quae sunt
de sensibili mundo, negant constanter ea, quae fidei sunt."

Evangelium[1044], in dem die Selbstoffenbarung Gottes geschieht[1045], auf die Apostel[1046] und schließlich die Offenbarung durch die Kirche[1047] übertragen. In der Kirche gibt es wiederum verschiedene Autoritäts- und Glaubensinstanzen. Daher kommt Cusanus zum Beispiel dazu, Petrus als denjenigen zu bezeichnen, der alle Gläubigen zusammenfaßt.[1048]

So sehr Cusanus immer wieder hervorhebt, daß es auf das eigenständige Erkennen der Vernunft ankommt, und dieses sogar, wie oben erwähnt, auch als Kriterium für einen guten Prediger aufstellt, so hat die Autorität dennoch ihren Ort. Ihr entspricht auf der Seite der Menschen der Gehorsam, den Cusanus vor allem in seinen späteren Jahren besonders betont.[1049] Der Gehorsam im Sinne eines Gott-Anhängens kann mit dem Glauben gleichgestellt werden.[1050] Wenn

---

[1044] S. *Sermo* CLII (145) V₂ 48ra Z.39-47: „Ille enim qui credit sermonem esse sermonem filii Dei missi a patre, ille recipit ipsum non haesitans ipsum efficacissimum et nihil dubitat de veritate eius, sed recipit Christum indubia fide [...]. Hoc enim credere est servare sermonem Jesu." *Sermo* CCXXXII (229) V₂ 154vb Z.14-17: „Primum igitur necesse est, ut credamus quod evangelium sit verbum veritatis docens ubi est cibus immortalis vitae [...]." S. weiter *Sermo* CCLXXXVII (284) V₂ 277rb Z.7-20: „Habemus autem ex evangelio quomodo Christus est revelatio principii seu patris [...] Totum igitur vetus testamentum concluditur in revelatione Christi, et totum novum testamentum ibi initiatur. Unde medio Iohannis et Petri pater de caelis primo omnes attraxit in revelationem filii sui."

[1045] S. *Sermo* CCLXXII (269) V₂ 230ra Z.16-20: „[...] haec videtur differentia inter evangelium et alias scripturas sacras, quoniam omnes nituntur virtutem sapientiae seu verbi Dei revelare, sed in evangelio verbum Dei se ipsum revelat."

[1046] S. zu Petrus *Sermo* CCXXIII (220) V₂ 145va Z.46f.: „Petrus autem magister est, cui pater revelavit omne mysterium fidei [...]." Zu Paulus *Sermo* XXXI N.1 Z.19-21, h XVII/1, 50: „Omnis autem Pauli praedicatio fuit in apertione evangelii sibi a Christo revelati, dum <raptus esset in tertium caelum>." Vgl. *Sermo* CXXVI N.11 Z.18-21, h XVIII/1, 26.

[1047] S. u. a. *Sermo* LXIX (67) V₁ 121ra Z.25-30: „Unde hac fide, quae sic praedicatur in ecclesia et unit fideles, illa nos unit fidelibus, qui sunt membra Christi per fidem, et ponit nos in utero matris ecclesiae, quae est Christi ex membris compactum [...]."

[1048] S. *Sermo* CXCIII (187) V₂ 104rb Z.20f.: „[Petrus] est caput et vertex et magister fidei patre eidem revelante." *Sermo* CCLXXXVII (284) V₂ 277va Z.23-26: „A Christo igitur christiani, a Petro fideles dicimur. In Petro est complicatio omnium fidelium et omnis principatus et omnis potestatis ligandi et solvendi [...]." Cusanus erwähnt auch eine mittelalterliche Etymologie von Petrus, nämlich *oboediens*, s. *Sermo* CCXCIII N.24, CT IV/3, 20 Z.27f.

[1049] S. *Sermo* XVI N.17 Z.22-26, h XVI, 269; *Sermo* CCXCII (289) V₂ 285^rv Z.38-41; *Sermo* CCLXXVII (274) V₂ 245va Z.9-12; *Sermo* CCLXXIX (276) V₂ 250^rb37 - 251ra Z.6; s. die Gleichsetzung von Christus mit der *via oboedientiae* in *Sermo* CCLXXXII (279) V₂ 270ra Z.46; bes. markant *Sermo* CCI (197) V₂ 115rb Z.30-32: „Et si ipsam virtutem satis proprie nominare volueris quae est virtus Christi, tunc est oboedientia perfecta. Im Brief an Nikolaus Albergati N.28, CT IV/3, 36 Z.37-39: „Ideo ad ea, quae intellectualis naturae sunt, se convertit, ut sunt iustitia, pax, veritas et similes immortales virtutes, et maxime humilitas et oboedientia."

[1050] S. u. a. *Sermo* XXI N.3 Z.1-6, h XVI, 319: „Et ideo notandum est, quo modo Deo nostro omnis creatura absque praesumptione aliqua de se ipsa pure et simpliciter

sich der Mensch im Gehorsam Gott übereignet, verspürt er auch
schon die Ruhe und den Frieden, den das Glaubenswissen der stets
suchenden Vernunft gewähren kann.[1051] Die Unterwerfung unter die
Autorität im Gehorsam ist der belehrten Unwissenheit nicht äußerlich
und vor allem nicht als Flucht in einen Fideismus zu verstehen, nachdem alles Wissen aufgelöst worden ist. Vielmehr gehört der Gehorsam
wesentlich zur Selbstbescheidung der Vernunft im Sinne eines sich
selbst einsichtigen Nichtwissens.[1052] Die Gründe dafür sind, daß die
Unterwerfung unter die Lehre des Evangeliums nicht grundlos geschieht, wie gerade gezeigt worden ist, und daß diese Lehre selbst
eben jene Konfrontation mit der Unendlichkeit darstellt, die auch bei
den scheinbar rein philosophischen und nicht spezifisch dem Evangelium entnommenen Erkenntnisbemühungen die Einsicht in das eigene Nichtwissen beförderte. Insofern müssen sich Autorität und rationale Begründetheit nicht widersprechen, so daß auch an dieser Stelle
zwar endliche Vernunft und Glaube voneinander abgehoben werden
können, ohne daß sie getrennt sind.[1053]

II. DER VORRANG DES GLAUBENS IN DER VERNUNFT

Cusanus öffnet bei aller Betonung der Vernünftigkeit des Glaubens
und der Einbindung des Gnadenwirkens in die bis zu Gott geweiteten
Grenzen der Natur den von ihm gedachten Glauben so, daß Autorität
und Unterwerfung unter dieselbe im Gehorsam nicht im Widerspruch
zur Eigentätigkeit der endlichen Vernunft stehen. Ebenso pointiert,

---

credere et oboedire tenetur tamquam infallibili sapientiae et per oboedientiam
concordanter adhaeret praeceptori et consequitur finem suum.“

[1051] S. die Anmerkung, die wie die Predigt aus dem Jahr 1432 stammen könnte, in
Sermo XVI N.17 Z.1-6 und 25, h XVI, 268f.: „Dicit cancellarius Gerson De mystica
theologia cap.2: <<Fides, ut arbitror, est pax in credendo>>. Unde, quando homo
non amplius inquirit per rationes velle apprehendere et pacem habet in auctoritate
dicentis et oboedit, tunc est pax in credendo. [...] ascendit cum pace fidei in divinitatem.“ Für den Titel von De pace fidei findet sich hier der früheste mir bekannte
Beleg bei Cusanus.

[1052] Vgl. bes. deutlich im Brief an Nikolaus Albergati N.28, CT IV/3, 36 Z.39 - 38 Z.3:
„In qua vita [sc. immortalium virtutum] nihil de se praesumit, sed suam ignorantiam plane confitetur se nihil, scilicet veraciter et praecise, scire nec scire posse nisi
hoc solum, scilicet quod scientia est donum dei, ideo credi deo oportere et in do-
nis suis quiescere.“

[1053] Schon in seiner ersten Predigt konnte Cusanus bezüglich des Trinitätsgeheimnisses
rationale Gründe mit Autoritätszeugnissen verbinden, s. Sermo I N.6 Z.1 - 7 Z.19, h
XVI, 7f. Bezeichnenderweise sind die Argumente Lull entnommen, der ebenfalls
keine Entleerung des Glaubens selbst durch „notwendige Vernunftgründe“ kannte.

wie er den freien Akt der Vernunft im Glauben herausstellen kann, betont er die Vorgängigkeit des Glaubens vor allem Einsehen. Hierzu zieht er wie in *De docta ignorantia* die dafür von der Tradition ausgezeichnete Stelle Jes 7,9 heran.

In den Predigten taucht das Jesaja-Wort zum ersten Mal in einer Notiz aus einem Werk Lulls auf. Dort wird es so verstanden, daß Einsicht und Glaube sich nicht ausschließen müssen, wie die franziskanische Tradition gegen eine Thomasische Position immer wieder festhält.[1054] Es dient Cusanus auch dazu, die von einigen Theologen etwa für das Trinitätsgeheimnis gelieferten Argumente als Gründe zu charakterisieren, die erst unter der Voraussetzung des Glaubens entdeckt werden können, selbst wenn dies für die genannten Denker nur bedingt zutrifft.[1055] Durch Einsicht mittels vernünftiger Überlegungen wird der Glaube nicht gemindert, sondern vielmehr bestärkt und erhöht. Dies verdeutlicht Cusanus mit einem Lull entlehnten Bild, in dem der Glaube mit Öl verglichen wird, der auf der Vernunft wie auf Wasser schwimmt und sich nicht mit ihm vermischt, sondern wie das Öl seine eigene Konsistenz behält.[1056] In der Tat ist der Cusanische Glaube in jedem Vernunftakt gegenwärtig, insbesondere im Sinne der Zuversicht, das intendierte Ziel zu erreichen.

Daß Cusanus aber eine Ungeschiedenheit von Vernunft und Glaube denkt, die über seine eigene Zusammenfassung der theologischen Tradition hinausgeht, bezeugt die nur kurze Zeit später geschriebene Predigt XXII, in der das Jesaja-Wort sowie Argumente aus dem Be-

---

[1054] S. *Sermo* IV N.26 Z.11-15, h XVI, 67: „<Intellectus potest habere habitum fidei et scientiae, et habitum fidei, ut acquirat habitum scientiae, ut dicit Isaias: 'Nisi credideritis, non intellegetis'. Et sic catholicus plus potest intellegere de Deo quam infidelis>." Vgl. Lulls Schrift *Liber de praedicatione*, ROL III, op. 118, 243.

[1055] S. von 1438 *Sermo* XIX N.6 Z.11-22, h XVI, 295f.: „[Philosophi] ita a longe aliquid sentiebant, non tamen pervenerunt ad notitiam personae. Hodie tamen habentes per fidem Trinitatem esse, non esset post fidem rationes Trinitatis difficile invenire, ut dicit Richardus de Sancto Victore in principio De Trinitate, sicut et ipse ibi inquirit, et sicut etiam Anselmus, Augustinus, Damascenus et alii inquisiverunt rationes, ad quas tamen ex puris naturalibus, nisi fidem habuissent, non pervenissent, ut dicit Isaias [...]."

[1056] In *Sermo* IV N.32 Z.1-6, h XVI, 69: „<Volentes aliquid altius loqui de comprehensione Dei, quia licet 'fides non habeat meritum' etc., tamen praecedente fide ita per intellectum fides elevatur, sicut si aqua ad oleum infunderetur, tunc elevatur oleum fidei per aquam intelligentiae>." Auf diese von Lull übernommene Formulierung (s. die Verweisstellen in h) greift er in der mehr als 20 Jahre späteren Predigt CXCIII zurück, s. *Sermo* CXCIII (187) V$_2$ 104rb Z.15-8: „Nam fides ita ratione in altum ducitur sicut oleum in vase per aquae impositionem. Aqua quidem elevat, supernatat vero oleum. Non fit fides minor per rationes, sed altior." Cusanus verweist in diesem Zusammenhang auf 1 Petr 3,15, wo ausdrücklich dazu aufgefordert wird, vom Glauben vernünftige Rechenschaft abzulegen.

reich des Kreatürlichen für die Trinität verbunden sind.[1057] Cusanus verschreibt sich mit diesem Bibelzitat keiner theologischen Richtung, sondern legt das Gewicht auf den ihm eigenen Gedanken, daß die endliche Vernunft nicht aus sich zu einer Maximalität gelangen kann. Allein der Glaube, der die Maximalität in der menschlichen Natur lehrt, kann diejenige Kraft für das Vernunftstreben werden, die zum Ziel führt.[1058] Das Ziel selbst, die Schau Gottes, muß als Maximum vom göttlichen Maximum kommen. Insofern geht der Glaube der Schau in der Endzeit voraus.[1059] Glaube und Schau unterscheidet Cusanus wie Weg und Ziel, Möglichkeit und Wirklichkeit, verhüllt und unverhüllt, Hören und Sehen, wozu er auf 1 Kor 13,12 und Röm 10,17 zurückgreift.[1060] Die Schau oder Sohnwerdung des Menschen ist die Erfüllung des Glaubens.[1061] Im ersten Hauptteil wurde aber schon bemerkt, daß Cusanus hier einen eigenen Akzent setzt, denn eine Erfüllung des Glaubenslichtes etwa durch die Gaben des Heiligen Geistes muß nach mittelalterlichem Verständnis nicht die Schau Gottes im Licht der Herrlichkeit mit einschließen.

III. DIE EINHEIT DER DREI THEOLOGISCHEN TUGENDEN

Cusanus räumt dem Glauben in den Predigten zwar manchmal einen hervorragenden Platz ein, doch stellt er ihn meist in den Kontext der drei theologischen Tugenden Glaube, Hoffnung und Liebe, die ihm die Heilige Schrift und die Tradition überlieferten. Eine ausgearbeitete Tugendlehre darf man sich aber von den Predigten nicht erwarten.[1062] An dieser Stelle soll geschildert werden, wie eng für Cusanus diese drei Tugenden miteinander verbunden sind und wie sie manchmal kaum unterscheidbar sind, da Cusanus keine strenge

---

[1057] Vgl. von 1440 *Sermo* XXII N.7 Z.1-8, h XVI, 336 mit ebd. N.19 Z.1-20, h XVI, 344.

[1058] In dieser Weise wird auf Jes 7,9 verwiesen in *Sermo* XXXI N.1 Z.12-18, h XVII/1, 50; *Sermo* CXV (109) V₂ 23rb Z.45 - 23va Z.3; *Sermo* CCLXVIII (265) V₂ 222rb Z.25-29.

[1059] Mit der Deutung der Einsicht als Schau wird Jes 7,9 an folgenden Stellen verwendet: *Sermo* XXXII N.3 Z.23f., h XVII/1, 54; *Sermo* CLXXXVII (181) V₂ 91ra Z.4-8.

[1060] S. u. a. *Sermo* IX N.35 Z. 3-7, h XVI, 198; *Sermo* CLXXXIX (183) V₂ 95va Z.6-14; *Sermo* CCLXXIV (271) N.33, CT I/2-5, 152 Z.18-24,

[1061] S. *Sermo* XXXII N.4 Z.1f. und 22-25, h XVII/1, 54f.: „Cognitio veri est visio seu quies intellectus, et est adeptio filiationis Dei [...]. Fides igitur est <illud>, sine quo non valemus ad visionem intellectualem attingere. Nam fides est via ad veritatem videndam."

[1062] Bodewig stellt allein in den ersten zehn Predigten drei verschiedene Tugendkonzeptionen fest, s. Bodewig, Martin: Zur Tugendlehre des jungen Cusanus, in: MFCG 13 (1978) 214-224

Trennung von Vernunft und Wille vornimmt.[1063] Dennoch kann man nicht sagen, daß er etwa die Liebe rein rational versteht. Ebensowenig läßt sich der Glaube ohne ein Willensmoment denken.[1064] Jedoch verknüpft Cusanus Glaube, Hoffnung und Liebe aufs engste. Die vielen verschiedenen Versuche, dies begrifflich zu fassen, zeigen, wie wichtig ihm das war.

Die gemeinsame und primäre Aufgabe der drei theologischen Tugenden besteht darin, die Gestalt Jesu Christi im Menschen hervorzubringen.[1065] Mit dieser Angleichung lassen sie die Sohnwerdung im Einzelmenschen Wirklichkeit werden.[1066] Die verschiedenen Aufgaben, die Cusanus ihnen zuweist, werden zum Teil unterschiedlich bestimmt und können auch untereinander ausgetauscht werden. In der Regel soll der Glaube den Anfang des höheren Lebens setzen, das dann von der Liebe zum Abschluß gebracht wird.[1067] So kommt er zu der traditionellen Reihung Glaube-Hoffnung-Liebe.[1068] Die Liebe stellt Cusanus immer wieder über die anderen beiden Tugenden, da sie

---

[1063] Dies sieht man schön an einer Stelle, wo Cusanus zwar von zwei Seelenkräften spricht, sie aber in analoger Weise definiert, s. *Sermo* CCLXXXIII (280) V$_2$ 271ra Z.1-7: „[...] anima rationalis habet duas potentias in hoc mundo diversas ut per unam omnia in se colligat. Et est intellectus intus seu in se legens omnia seu omnia in se intus ligans. Et per aliam ad omnia progreditur ad extra et se ad omnia ligat uti est voluntas seu amor." Für Vernunft und Wille ist entscheidend, daß sie Einheit suchen und hervorbringen. Vgl. die Überlegung in *Sermo* XLI N.25 Z.1f., h XVII/2, 160: „Et adverte, quod spiritus noster, vivens intellectus, amor quidem est."

[1064] Cusanus kommt deshalb auch auf die Augustinische Definition des Glaubens zurück, s. *Sermo* CLXXXIX (183) V$_2$ 95rb Z.43 - 95va Z.2: „Sed quia nolens non credit, sed tantum volens, ideo in nostra potestate est posse credere vel non. Quando igitur eligimus credere, tunc subicimus nos verbo tam per intellectum, quem redigimus in servitutem, quam voluntatem. Credere igitur, ut ait Augustinus de praedestinatione sanctorum, est cum assensione cogitare."

[1065] S. *Sermo* XC (85) V$_2$ 16rb Z.42-45: „[...] sunt tres virtutes theologicales, quae nobis sunt necessariae tanquam nostra trinitatis imago in vera trinitate, scilicet fides ex qua spes ex quibus caritas." *Sermo* CCLXI (258) V$_2$ 206vb Z.42-45: „Ecce animam praeparatam ad receptionem formae Christi, et quomodo debeat formari flexibilis et docilis anima per virtutes theologicales [...] per fidem spem et caritatem."

[1066] S. *Sermo* XLIII N.9 Z.1-8, h XVII/2, 180: „Quando enim in tuo ardenti desiderio nascitur amor vitae spiritualis et intellectualis, haec nascitur [...] <<de Spiritu Sancto>> [...]. Tunc in te est per spem id, quod credis. Et non est in te vita nisi <<in spiritu>>. Et sic spiritus tuus hic per spem et post hoc gloriose transformatur in filiationem."

[1067] S. *Sermo* CLXXXVI (180) V$_2$ 96vb Z.20-24: „Fide igitur disponitur spiritus ad gratiam felicitatis et caritate formatur. Nam quod penitus ignoratur, non amatur. Fides tollit ignorantiam, ut caritas locum habere possit."

[1068] Diese ist z. B. intendiert in *Sermo* CXV (109) V$_2$ 23rb Z.20-24: „Qui credit Christum Deum et hominem, ille non pervenit ad gloriam, nisi in ea fide subarretur, scilicet quod speret se uniri etiam posse Christo et per eum Deo patri etc. Nec sufficit hoc, sed requiritur, quod spes sit viva." Hier werden Glaube und Hoffnung kaum unterschieden.

diese belebt[1069] oder eben vollendet[1070]. Erst sie gibt die heilbringende Gestalt oder Form, nämlich die Verbindung mit Gott.[1071] Ohne Liebe wird der Glaube zum Dämonenglauben, der nicht zum Heil führen kann.[1072] Da das Vollenden als die Verbindung mit Gott, der in der Liebe als Geliebtes gegenwärtig ist[1073], zu verstehen ist, kann die Liebe auch in der Schau weiterbestehen, während Glaube und Hoffnung aufhören.[1074]

Mit diesen Eckpunkten demonstriert Cusanus, wie er sich in Übereinstimmung mit hochmittelalterlicher Tugendlehre sieht. Eigene Akzente setzt er aber, wenn er immer wieder die enge Verbindung der drei Einzeltugenden hervorhebt. Insbesondere der Begriff der Erfüllung oder Vollendung dient dazu. So kann in ein und derselben Predigt die Hoffnung der vollendete Glaube sein, der vollendete Glaube aber der durch die Liebe geformte Glaube. Dieser wird dann wiederum als *confidentia*, was mit Vertrauen oder Zutrauen übersetzt werden kann, bezeichnet, wie überhaupt Hoffnung und Vertrauen gleichgesetzt werden.[1075] So sind Glaube und Hoffnung kaum mehr zu unterscheiden. Dies wird unten, wenn der Glaube als Selbstvertrauen der Vernunft bestimmt wird, noch klarer hervortreten. Damit muß

[1069] S. *Sermo* CCLXXXIX (286) V$_2$ 282ra Z.12-16: „Sed quid animat fidem et spem, quae in cursu apprehendimus, cum sine anima seu spiritu non sit motus? Certe caritas. Nam caritas est spiritus vitae, fidei et spei."

[1070] S. *Sermo* XLI N.6 Z.16-18, h XVII/2, 144: „Hic amor, qui est forma dans complementum fidei et confidentiae sive spei, est, qui apprehendit constringitque et immutat."

[1071] S. zur Liebe als formgebender Tugend *Sermo* CCXLVIII (245) V$_2$ 184va Z.15-21: „[...] omnes virtutes ad felicitatem non sufficiunt, nisi adsit virtus infusa scilicet caritas. [...] sic caritas format virtutes ut sint formatae forma divina, quae solum est Deo accepta."

[1072] S. *Sermo* LXII (57) V$_1$ 110rb Z.38-40: „Daemones credunt et contremiscunt, sed non amant. Diabolica igitur est fides credere et non amare." S. auch *Sermo* CCLXXXIX (286) V$_2$ 282va Z.4-9: „Sunt qui Christum habent in sensibili corpore, scilicet in fide informi, qui credunt omnia quae de Christo loquitur evangelium, sicut daemones, qui contremiscunt, sed non habent Christum vivum [...]."

[1073] S. *Sermo* XLI N.24 Z.31-33, h XVII/2, 159: „Solus igitur amor seu caritas est complementum, quo possidemus in nostra vita vitam amatam."

[1074] S. zu diesem durch 1 Kor 13,8 angeregten Gedanken *Sermo* XC (85) V$_2$ 16rb Z.45-48: „Fides transfertur in certitudinem, spes in apprehensionem, caritas in connexum, et non perit quia caritas est nexus." S. weiter *Sermo* CCXX (217) V$_2$ 140rb Z.38-40: „[...] fides autem et spes transeunt, quae sunt quasi instrumenta ut capacitas introducatur."

[1075] S. hierzu *Sermo* XLI, in dem Cusanus sehr ausführlich auf die Tugenden eingeht. S. bes. ebd. N.6 Z.28-30, h XVII/2, 144 und N.18 Z.2f., h XVII/2, 154: „Completa igitur fides sive confidentia, quae est <<fides formata caritate>>, illa est, quam Salvator dicit salvare. [...] Non est autem spes nisi completa fides, scilicet absque omni haesitatione [...]." Zur Gleichsetzung von Hoffnung und *confidentia* s. ebd. N.6 Z.16-18, h XVII/2, 144 (hier zitiert in Anm. 1070).

nicht im Widerspruch stehen, daß Cusanus je nachdem andere Akzente setzen will und so auch Glaube und Hoffnung wieder stärker
trennt. Überhaupt scheint ihm viel daran zu liegen, die Tugenden in
experimenteller Weise aufeinander zu beziehen oder voneinander
abzuheben, um neue Gesichtspunkte zu entdecken. Entscheidend
scheint immer zu sein, daß die theologischen Tugenden eine Verbindung mit Gott herstellen, deren Wirklichkeit sich für Cusanus nur mit
der Menschwerdung Gottes sinnvoll denken läßt. So stellt er zum
Beispiel einmal die Überlegung an, die Erwartung fasse die drei Tugenden zusammen.[1076] Ebenso freizügig kann er sowohl dem Glauben
als auch der philosophischen Verwunderung zuschreiben, das Vernunftstreben in Bewegung zu setzen.[1077] Schon angesichts dieser Gesamtschau scheint es wenig sinnvoll, bei Cusanus einen natürlichen
Vernunftglauben vom spezifisch christlichen Glauben zu trennen.
Vielmehr ist, wenn schon von einer Trennung ausgegangen wird, die
Synthese zu suchen.

IV. DER GLAUBE ALS DAS SELBSTVERTRAUEN DER VERNUNFT

Als die eigentliche Bestimmung des Glaubens kristallisiert sich aber
bei Cusanus die des Selbstvertrauens der endlichen Vernunft heraus.
Allerdings ist hierbei zu beachten, daß ihr „Selbst" nur der Gottmensch sein kann, die zu ihrer göttlichen Maximalität gelangte endliche Vernunft. Insofern ist die Reflexion der Vernunft auf „sich selbst"
immer eine Bekehrung zu Jesus Christus. Sich selbst als endlichem
Wesen eine Maximalität zuzuschreiben ist gerade der Irrglaube.[1078]

[1076] S. mit Anspielung auf Tit 2,13 *Sermo* CCLXI (258) V₂ 206vb Z.48 - 207ra Z.8:
„Exspectatio illa tria complicat, exspectans credit, sperat et amat. Exspectatio boni
est cum amore. Anima Deo fidelis non haesitat in promissis dei. Et hanc fidem sequitur beata spes. [...] Et quae est haec exspectatio animi dicit amplius est promis-
sio adventus gloriae magni Dei et salvatoris domini nostri Jesu Christi." Da *exspectatio* in vielen Punkten mit *desiderium* zusammengeht, scheinen schon im *desiderium*
alle Tugenden zu liegen.

[1077] S. *Sermo* XLI N.13 Z.3f., h XVII/2, 150: „Nam omne id, quod nos ponit in motu,
fides est." S. weiter ebd. N.31 Z.44-47, h XVII/2, 165: „Admiratur intellectus, quid
sit homo, et ita ponitur in motu, ut intelligat actu veritatem, entitatem seu unitatem hominis [...]." Auch für diesen Zusammenhang kann er das Jesaja-Wort 7,9
heranziehen, das somit bei Cusanus nicht auf eine spezifisch theologische Auslegung festgeschrieben werden darf, s. ebd. N.13 Z.18-21, h XVII/2, 151.

[1078] S. *Sermo* CCXXXIV (231) V₂ 157ra Z.2-8: „Qui igitur ex suis naturalibus veritatem uti
est attingere praesumit, se ipsum seducit et in errore manet. Sed qui sibi non credit
et audit verbum Dei et illi soli oboedit, ille perducitur ad veritatem quia per veritatem ducitur. Qui Christum credit vebum Dei incarnatum, non haesitat in omni
promisso eius."

Um den Glauben als Selbstvertrauen zu bestimmen, kann man sich auf folgende Überlegungen im Predigtwerk stützen. Immer wieder definiert Cusanus den Glauben damit, die Vereinigung der menschlichen Natur mit Gott beziehungsweise die Wirklichkeit der Menschwerdung Gottes in Jesus Christus festzuhalten:

> „Nam quod humana natura unita sit aeternae veritati, haec est fides. Quae est igitur fides, nisi quod Christus Deus est et homo? [...] sic te credere convenit: Si tu vis in tua natura immortalitatem adipisci, credere te oportet naturam tuam in Christo deitati unitam, tunc tu in Christo in tua natura te credis posse quietem attingere."[1079]

So wird der Glaube als die Fähigkeit definiert, anzunehmen, etwas Erwünschtes erreichen zu können.[1080] Das Können, das Cusanus immer wieder in seinen Glaubensdefinitionen verwendet, meint keine reine Denkmöglichkeit, wie begründet sie auch immer sein mag, sondern auch eine auf das Streben des Glaubenden bezogene Gewißheit, selbst das Letztziel zu erreichen. Das Geglaubte tritt nicht als bloßes *credibile*, Glaubbares im Sinne von Wißbarem, auf. Es ist zugleich dasjenige, bezüglich dessen das Verlangen des Einzelnen nach dem letzten Glück als ein Mögliches erscheint. Die Kraft zur Verwirklichung ist im Glaubenden gegenwärtig und wird von ihm nicht nur für möglich gehalten. Deshalb spricht Cusanus in der Regel immer von einem Erreichen-Können. Von daher ist der hier gefaßte Glaube immer mit dem, was bei anderen mittelalterlichen Theologen als Hoffnung bestimmt wird, zusammenzudenken. Cusanus differenziert zwar manchmal in der Weise, daß der Glaube etwas vorlegt, dessen Erreichen die Hoffnung für möglich hält.[1081] Jedoch kann er auch Glaube und Hoffnung gleichstellen[1082] oder eben den Glauben selbst mit Ausdrücken qualifizieren, die eigentlich der Hoffnung zugeschrieben werden müßten[1083].

[1079] *Sermo* CXV (109) V$_2$23rb Z.8-16. Vgl. hierzu Gandillac 1953, 487.

[1080] S. *Sermo* XLI N.15 Z.24-27, h XVII/2, 152: „Oportet igitur, quod fidelis spiritus credat se posse adipisci omne desideratum, et hoc per Salvatorem. Alioquin non movebitur ad quietem Salvatoris."

[1081] S. *Sermo* CXXIV N.3 Z.8-12, h XVIII/1, 15: „Oportet igitur, quod fides praecedat. <<Fides>> est enim, quae <<auditu>> capitur et excitat fidelem ad quaerendam mediante spe veritatem. Nisi enim spes esset, quod posses assequi id, quod credis, non te fatigares."

[1082] S. *Sermo* CXV (109) V$_2$23rb Z.20-24: „Qui credit Christum Deum et hominem, ille non pervenit ad gloriam, nisi in ea fide subarretur, scilicet quod speret se uniri etiam posse Christo et per eum Deo patri etc. Nec sufficit hoc, sed requiritur, quod spes sit viva."

[1083] S. bes. die schon genannte Stelle *Sermo* XLI N.15 Z.24-27, h XVII/2, 152: „Oportet igitur, quod fidelis spiritus credat se posse adipisci omne desideratum, et hoc per

Ein Erreichen bleibt aber allem, das im Mehr-und-Weniger der Endlichkeit gefangen ist, immer entzogen. So kann das Objekt, das man zu erreichen sucht, verschieden bestimmt sein, sei es wie oben als Unsterblichkeit oder auch als Wissen, Wahrheit und Gottessohnschaft.[1084] Letztlich ist ein Erreichen immer nur durch Jesus Christus, dem einzigen Maximum im Endlichen, möglich, so daß Cusanus die Botschaft Jesu auch so zusammenfassen kann:

„[...] ut fiat [sc. lumen naturae] intellectuale, oportet, quod hoc fiat per fidem, quae praecedit intellectum unde omnis doctrina Christi est: Si vis attingere id, quod cupis, crede te attingere posse, et fac, uti ratio dictat etc."[1085]

Die ganze Offenbarungsbotschaft mündet hier in den Satz, die Vernunft des Menschen soll sich in ihrer Suche nach der Wahrheit nicht beirren lassen, sondern dessen gewiß bleiben, daß sie am Ziel ihrer Suche ankommen wird. In der Tat kann Cusanus die gesamte christliche Botschaft in einen solchen Rahmen einschreiben, wie De pace fidei bezeugt. Deutlich drückt die obige Stelle aus, daß die Vernunft nur ihren eigenen Gründen und Überlegungen zu folgen braucht, um das Ziel zu erreichen. Allein, und dies macht den ganzen Unterschied aus, das Erreichen, allein schon der Gedanke seiner Möglichkeit, verdankt sich Gott. Dies hat die endliche Vernunft anzuerkennen, und gerade darin findet sie zu ihrer höchsten Vollkommenheit, entdeckt sie doch so in der endlichen Natur den Gottessohn.

Salvatorem. Alioquin non movebitur ad quietem Salvatoris." Vgl. weiter die Kontrastierung von Glaube und Verzweiflung in *Sermo* CXLVIII (141) V₂ 43ᵛᵃ Z.31-39: „Numquam [sc. discipulus] perveniet ad scientiam, nisi fides praecedat qua ducitur ad eam. Si enim non crederet se posse assequi eam non studeret. Postquam fide pergit, non pertingit, nisi fides sit magna et desiderio magno inflammata. Nam alias de facili non continuaret studium, sed minimo impedimento superveniente desperaret. Desperatio evenit ex parva fide."

[1084] S. *Sermo* CXLVIII (141) V₂ 43ᵛᵃ Z.31-34 (hier zitiert in Anm. 1083). *Sermo* CLXXXIX (183) V₂ 94ᵛᵃ Z.30-34: „Qui igitur credit Jesum hominem esse filium dei, ille habet fidem hominem posse esse filium Dei et se cum sit homo posse assequi filiationem dei." Vgl. *Sermo* XXIV N.3 Z.1-7, h XVI, 389; *Sermo* XXXII N.6 Z.1-8, h XVII/1, 55f.

[1085] *Sermo* CXXIX N.9 Z.14-18, h XVIII/1, 42. Bezeichnenderweise führt gerade in dieser Predigt der Glaube vom natürlichen Licht zum Vernunftlicht, das in der menschlichen Natur bleibt und zur Aktivität geweckt wird, s. ebd. N.7 Z.1-7, h XVIII/1, 41: „Quia hoc lumen intellectuale est altum et illimitatum, sed liberum dum est in natura humana, est in potentia ad hoc, quod sit intelleuale actu - sicut ignis in potentia in lapide vel ligno -, est tamen actu lumen speciei naturae. Et ita est hoc lumen obfuscatum et non potest in actu, nisi excitetur admiratione [...]." Cusanus spricht nicht von Gnade, sondern erneut von Vervollkommnung, s. ebd. N.7 Z.18f., h XVIII/1, 41: „Et Christus, ut rationales creaturas perficeret, venit."

Somit ist es wenig verwunderlich, daß Cusanus die Fähigkeit zu glauben, von der letztlich das Leben der endlichen Vernunft abhängt, zu den höchsten und kostbarsten Gaben zählt, die ihr Gott bei der Schöpfung zukommen ließ.[1086] Weiterhin ist sie dem Menschen ganz in die Hand gegeben, denn er ist frei zu glauben oder auch nicht zu glauben.[1087] Selbst der Sündenfall hat diese Freiheit nicht eingeschränkt.[1088] Auch hier wird erneut ersichtlich, daß Cusanus nicht das Gnadenwirken Gottes hervorhebt. Selbst wenn er manchmal schreibt, daß die durch den Glauben erworbene Kraft, die Gestalt Christi anzunehmen, nicht angeboren ist,[1089] so verfügt doch ein jeder über den Glauben. Merkwürdigerweise spricht Cusanus immer wieder vom Glauben als Gnadenlicht und legt ihn doch ganz in die Hand des Menschen. Vereinbar ist dies, wenn bedacht wird, daß die Gnade Jesu Christi schon immer in die Schöpfung gesenkt ist, die ohne ihn gar keinen Bestand hätte. Die Möglichkeit zu glauben als Gabe Gottes ist schon immer mitgegeben, so wie zum Beispiel in *De pace fidei* das christliche Bekenntnis dem Menschen angeboren ist.[1090] Gefordert

---

[1086] S. *Sermo* CCLXVIII (265) V$_2$ 222ra Z.40-45: „Posse igitur credere est maxima animae nostrae virtus. Excedit enim virtutem intellectivam; ad illa enim pertingit, quae vult. Nam credere procedit ex libertate voluntatis. Potest enim rationalis anima credere, si vult, vel non. Et hoc est donum Dei maximum."

[1087] S. *Sermo* CLXXXIX (183) V$_2$ 95rb Z.40-48: „Quare posse credere Deus dedit nostro intellectui, ut mediante credulitate per auditum capiat revelationem. Sed quia nolens non credit, sed tantum volens et cum voluntas sit libera, ideo in nostra potestate est posse credere vel non. Quando igitur eligimus credere, tunc subicimus nos verbo tam per intellectum, quem redigimus in servitutem, quam voluntatem." Vgl. *Sermo* CCLXXI (268) V$_2$ 227ra Z.45 - 227rb Z.2: „Sed si debet intellectui creato revelatio fieri, oportet quod ipse intellectus sit capax fidei, scilicet quod possit credere. Nisi enim credere posset revelanti, quomodo ei revelaretur? Unde posse credere est in intellectu, per quam liberam potentiam potest credere revelanti et proficere." S. auch die Lösung des Verhältnisses von Prädestination und Freiheit mittels der Koinzidenz von menschlicher und göttlicher Tat in *De sacramento* V$_1$ 113vb Z.18-30. Weniger erstaunlich, da traditionell, ist der Gedanke, daß der Glaube nicht gegen die Freiheit des Menschen gerichtet ist, s. *Sermo* CXXXV N.7 Z.1-4, h XVIII/1, 73: „<Spiritus vitae> est liber, et creatur in eo fides salva libertate. Non enim efficitur anima fidelis, nisi velit. Capax est fidei, sed non necessitatur ad capiendum [...]."

[1088] S. *Sermo* CCLXXI (268) V$_2$ 227vb Z.6-14: „Nihil igitur remansit in natura intellectuali humana de paradiso eiecta nisi posse credere. [...] Per fidem in se habet semen divinae scientiae sive docibilitatem, ita quod perficere potest per virtutem verbi usque ad apprehensionem felicitatis." Die Fähigkeit zu glauben legt Cusanus ausdrücklich in die Vernunftnatur, die sich über alles Endliche erheben kann, nicht in die *ratio*.

[1089] S. *Sermo* CCLXXXV (282) V$_2$ 275rb Z.34-36: „Haec virtus [sc. per quam potest ad conformitatem Dei pertingere] ipsius fidelis animae, quae est ex concepta fide, est divina et non connata [...]."

[1090] In diese Richtung könnte eine schwierige Stelle deuten, an der Cusanus dem Menschen überhaupt abspricht, Gewalt über den eigenen Willen zu haben, und

wird aber, zu akzeptieren, daß die eigene Möglichkeit und damit das Selbstvertrauen der Vernunft von Gott stammt und nur durch Jesus Christus seine Rechtfertigung hat. So bleibt die Reflexion auf sich selbst Konversion.

V. JESUS ALS GLAUBE

Die Cusanischen Überlegungen zum christlichen Glauben und seiner Bedeutung erreichen dann ihre Spitze, wenn er in einigen, allerdings seltenen Spekulationen den „Glauben Christi" ins Zentrum rückt. Schon in *De docta ignorantia* konnte gesehen werden, wie Cusanus weder davor zurückschreckt, den Gedanken zu fassen, Jesus Christus selbst glaube, noch den Gottmenschen selbst mit einem absoluten Glauben zu identifizieren. In einigen Predigten tauchen diese Versuche von neuem auf. Allerdings sind sie nicht so zahlreich, wie man aus der pointierten Stellung, die sie in *De docta ignorantia* beanspruchen, vermuten könnte. Dennoch kommt in ihnen symptomatisch der Cusanische Grundgedanke zum Vorschein.[1091]

Der Ausdruck „Glaube Christi" läßt eine zweifache Ausdeutung zu, einerseits daß Jesus Christus selbst glaubt, andererseits daß er der Glaube ist. Beides findet sich in den Predigten, daß Cusanus jedoch Jesus Christus einen Glauben zuspricht, kann man nur einer Stelle deutlich entnehmen.[1092] Dieser Glaube steht selbstverständlich qualitativ weit über dem eines einfachen Menschen, so daß Cusanus ihn

---

doch alles Streben an ein Glauben knüpft, s. *Sermo* CXLVIII (141) V$_2$ 43va Z.26-34: „In nobis non est voluntas potentia. Non enim possumus quod volumus. Solum verbum potest quod vult. Ubi igitur verbum est in anima, ibi voluntas habet in virtute sua virtutem omnipotentiae secundum gradum fidei [...]. Si enim non crederet se posse assequi eam, non studeret."

[1091] Vgl. die Hinweise bei Haubst 1956, 274f., sowie Lentzen-Deis 1991, 72, der allerdings zwischen einem Glauben, den Christus hat, und einem, der er ist, nicht zu unterscheiden scheint.

[1092] S. von 1452 *Sermo* CXX (114) V$_2$ 28ra Z.14f.: „Christus habuit maximam fidem, quia Verbum ipsum; potuit igitur omnia." Haubst 1956, 274 Anm. 45, und Lentzen-Deis 1991, 72 Anm. 129, führen als eine weitere Stelle *Sermo* XX N.12 Z.10-15, h XVI, 312 an: „Postquam enim per circumcisionem cum lapide acuto firmitatis fidei Christi, qui fuit vera <<petra>>, et in octava resurrectionis die a labe mundi sunt postposita omnia mundana pro inquisitione deitatis per viam abnegationis [...], tunc apparuit Salvator [...]." Doch scheint die Verbindung des Glaubens mit der Auferstehung eher auf die Bedeutungsnuance zu zielen, daß der Glaube uns von dieser Welt löst, so daß hier auch nur der Glaube an Jesus Christus gemeint sein kann, dessen Festigkeit darauf beruht, daß dieser die unerschütterliche Wahrheit ist.

auch „absoluten Glauben" nennt.[1093] Dieser geht als Maximum im Sinne einer Einfaltung allem endlichen Glauben voraus.

Daß dieses Maximum an Glauben, das den Gottmenschen kennzeichnet, letztlich nicht von ihm verschieden sein kann, belegen einige weitere Predigten. Die Maximumsüberlegungen treiben letztlich von alleine dahin, Christus mit dem Glauben zu identifizieren. Cusanus tut dies ausgehend von dem Gedanken, daß Christus auch die Vollkommenheit und Maximalität aller Tugenden sein muß, die „Tugend aller Tugenden".[1094] So setzt er ihn außer mit einer vollendeten Hoffnung oder Liebe auch mit einem vollendeten Glauben gleich. Überhaupt kann er Jesus Christus mit heilbringenden Tugenden identifizieren.[1095] Gerade der Gedanke, daß der Glaube letztlich das Heil und die Vollendung eines Menschen hervorbringt, läßt Cusanus pointiert formulieren:

„Transit enim in unitatem cum Christo spiritus fidem habens Christi, ut operatio salvationis non sit Christi quasi alicuius separati a spiritu, qui salvatur, nec sit fidei quasi potentiae, quae non est Christus, sed sit unius, qui est Christus Salvator et fides salvati."[1096]

[1093] S. *Sermo* CXX (114) V$_2$ 28ra Z.17-26: „Potuit fides augeri. Non ergo habemus fidem, quae non potest augeri; et ideo nostra fides est ex participatione absolutae fidei. Sicut igitur bonitas absoluta est maximitas et ob hoc est omne id, quod est in omni bono, quoniam bonum non est extra bonitatem, sic fides absoluta Christi se habet ad omnem fidem. Unde absoluta fides omnia indifferenter operata est in Christo, sed in aliis non indifferenter [...]."

[1094] S. *Sermo* CCI (197) V$_2$ 115rb Z.21-30: „Sed quid est Christus nisi virtus virtutum seu virtus consummata. [...] Si fides est virtus, Christus est fides consummata, si spes est virtus, Christus est spes consummata [...]. Unde ipse est dominus virtutum et virtus ipsa, sine qua nulla est virtus perfecta." Cusanus nennt aber neben dem Glauben auch Hoffnung und Liebe sowie als die Christus eigentümlichste Tugend den Gehorsam. Diese Predigt wurde schließlich am Tag des Ordensgründers Augustinus im Augustinerchorherrenstift Neustift gehalten. Zu *consummatio* als Vollkommenheit s. *Sermo* CCXXVII (224) V$_2$ 150rb Z.35f. Auch an anderen Stellen wird Christus als *virtus virtutum* bezeichnet, s. *Sermo* CCLXXIV (271) N.33, CT I/2-5, 154 Z.1. Aber auch die Liebe nennt Cusanus manchmal so, s. *Sermo* XXXVII N.17 Z.13, h XVII/2, 89.

[1095] S. *Sermo* CCLXXIV (271) N.11, CT I/2-5, 128 Z.19-23: „Iesus ut donum Dei dicitur gratia; unde spiritalem gratiam Iesu participantes, scilicet illi, qui de plenitudine eius recipiunt, sunt per gratiam spiritalem virtuosi, scilicet quia recipiunt fidem, sapientiam, scientiam, et ceteras virtutes, quae sunt Christus."

[1096] *Sermo* LIV N.18 Z.23-28, h XVII/3, 260; richtig stellt Dahm 1997, 193f., fest, daß hier eine „Subjekt-Einheit" ausgesagt ist. Vgl. ebd. Z.17-22, h XVII/3, 260: „Fides igitur, quae accedit ad Christum tamquam ad Salvatorem, hoc agit, ut Christus salvet, ut sic salvatio sit Christi et fidei non tamquam duorum, ut alia sit fides et alius Christus, sed per conicidentiam, ut Christus sit fides, quae salvat." Dieser Koinzidenzgedanke kehrt im Predigtwerk noch einmal wieder, s. *Sermo* CXX (114) V$_2$ 28ra Z.6-9: „Christus operatus est miracula et dicit alibi: 'Confide filia, fides tua salvam te

Die Vereinigung mit Gott in Jesus Christus ist so innerlich und von Cusanus so sehr als Einung gedacht, daß der rettende Glaube nicht mehr von dem getrennt sein darf, was die Rettung vollbringt, nämlich der Menschwerdung Gottes. Wie die Vollendung jedes endlichen Geistwesens nur die hypostatische Union sein kann, so muß auch umgekehrt der Menschensohn das Vollendende und Vollendete in diesem Geistwesen sein, nämlich seine in die hypostatische Union hineingenommene Vernunft. So kann mit einem Mal der Glaube zum Zentrum der Welt des Cusanischen Denkens werden, weil er nicht mehr vom Menschensohn getrennt gedacht werden darf, sondern mit ihm zusammenfällt, der alles in allem ist.

fecit.' Coincidunt igitur fides et Verbum." In dem späteren *Sermo* CCLII (249) V₂ 190ʳᵇ Z.39-42 kommentiert Cusanus dieselbe Stelle etwas zurückhaltender: „Fides igitur de Jesu salvat. Nec est aliud fides illa quam praesentia virtutis ipsius Jesu, quae est in conceptu credentis." Allerdings kommt er etwas später zu einer ebenso pointierten Formulierung, s. ebd. V₂ 190ʳᵇ Z.22-24: „Fidelis in nomine Jesu, hoc est qui ut Jesus est quia induit personam Jesu."

Rückblick

Diese Arbeit hatte sich zur Aufgabe gestellt, den Glaubensbegriff bei Nicolaus Cusanus umfassend aus seinen Schriften zu entwickeln und in seiner Besonderheit anschaulich zu machen. Hierfür war der Begriff von Jesus Christus, wie er in *De docta ignorantia* entwickelt wird, wegweisend. Nur die entfaltete Christologie enthüllt, was Cusanus meint, wenn er den Glauben als *complicatio intellectus* auffaßt. Die christologische Bestimmung des Glaubens legt offen, wie Cusanus dazu kommt, den Glauben als das Selbstvertrauen der endlichen Vernunft zu verstehen, das den Gläubigen in Jesus Christus, in die hypostatische Union hineinnimmt. Die Suche nach der Weisheit, welche für ihn die Bestimmung des Menschen ausmacht, hat nur ein Ziel und auch nur einen Ursprung, die menschgewordene Wahrheit von allem. Aus dieser Mitte werden die Cusanus eigentümlichen Begründungswege der Trinität und der Christologie, die Verhältnisbestimmung zu den anderen Religionen, seine „jesuzentrische" Mystik und die Lehre vom Menschen als produktiven Abbild Gottes verständlich. Er hält sie nicht für sich zurück, sondern trägt sie nach außen, wie seine vielfältigen Schriften und zahlreichen Predigten bezeugen. Dabei behandelt er eine Vielzahl von Themen und greift in verschiedenster Weise auf die ihm überlieferte theologische Tradition zurück. Aufgrund seines Glaubensbegriffs, der die Eigenständigkeit einer suchenden Vernunft mit dem Gedanken der Autorität verbinden kann, wird ihm die Neuartigkeit seiner eigenen Konzeption und seine „komplikatorische" Arbeitsweise nicht zum Problem.

Für die Sicht vorliegender Arbeit, die sich in einer geschichtlich gewordenen Distanz zum Denken des Mittelalters vorfindet, liegen dagegen die Unterschiede offen und mußten zum Thema gemacht werden, um Cusanus selbst zu erfassen. Die Gegenüberstellungen zu Anselm, Thomas, Lull oder auch Occam sind sicher nicht erschöpfend und haben auch das mittelalterliche Denken nicht als gesamtes erfaßt. Dennoch soll mit der Frage nach dem Glaubensbegriff und der Verhältnisbestimmung von endlicher Vernunft und Glaube ein Kernpunkt aufgegriffen worden sein. Wenn sich die Vernünftigkeit des göttlichen Gebens, wie es in ausgezeichneter Weise die Christologie

und die Glaubenslehre zu reflektieren haben, dem spätmittelalterli-
chen Denken immer mehr entzieht, so gilt, daß Cusanus diese geis-
tesgeschichtliche Bewegung aufnimmt. In der belehrten Unwissenheit
wird ihm gerade der Entzug zu einem Impuls, die unmittelbare Gegenwart Gottes in der Welt in jedem Akt der suchenden Vernunftakt
wahrzunehmen. Das gelingt ihm durch seinen Glaubensbegriff, der
vor einer Trennung von übernatürlicher Offenbarungstheologie und
natürlicher „autonomer" Philosophie ansetzt. Diese Leistung wahrzunehmen und anzuerkennen hält in unserer Zeit – trotz der geschicht-
lichen Distanz und unter den Konstellationen ganz anderer
„Vernünftigkeiten" – die Frage wach, welcher Vernunft das Proprium
der christlichen Botschaft überhaupt zu denken geben kann, „die
Gnade, die uns in Christus Jesus vor ewigen Zeiten gegeben worden
ist und die nun durch das Erscheinen unseres Retters Christus Jesus
offenbar geworden ist" (2 Tim 1,9f.).

Namenverzeichnis

Beiträge zur Geschichte der Philosophie und der Theologie des Mittelalters – Neue Folge

Ausführliche Prospekte auf Wunsch. Verlag Aschendorff, Postanschrift: D-48135 Münster
Internet: http://www.aschendorff.de/buch

Aschendorff